DIEU, LES AFFAIRES ET NOUS

Chronique d'un demi-siècle

DU MÊME AUTEUR

Aux Éditions Gallimard

Aux Éditions J.-C. Lattès

Aux Éditions Robert Laffont

Suite en fin de volume

Jean d'Ormesson
de l'Académie française

DIEU, LES AFFAIRES ET NOUS
Chronique d'un demi-siècle

Préface de Jacques Julliard

**Robert
Laffont**

Le courage d'être heureux

Comment être à la fois un éditorialiste de droite et un intellectuel de gauche ? C'est à cette contradiction que Jean d'Ormesson a sacrifié avec délice pendant toute sa vie publique, dans cette zone indécise où la philosophie, la littérature et la politique se côtoient, s'attirent et se repoussent en un manège incessant, qui a quelque chose à voir avec le badinage amoureux.

L'existence de cette « zone mixte », comme on dit dans les vestiaires sportifs, est avérée depuis le XVIIIe siècle. Dans une page fameuse, et pour ainsi dire définitive, de *L'Ancien Régime et la Révolution*, Tocqueville a expliqué « comment, vers le milieu du XVIIIe siècle, les hommes de lettres devinrent les principaux hommes politiques du pays, et des effets qui en résultèrent ». Ceux que l'on appelait alors les « philosophes » et que l'on désigne aujourd'hui du nom d'« intellectuels » sont justement ces hommes qui par le commerce de la pensée et de la plume, combiné avec l'intervention dans les affaires publiques, ont exercé la plus profonde influence sur leur temps. On les qualifie alors de « publicistes » et aujourd'hui de « journalistes ». Leur âge d'or est celui de la monarchie censitaire, de 1815 à 1848. L'affirmation parallèle du régime parlementaire et de la presse périodique favorise l'éclosion d'une certaine figure de l'homme public, qui n'a guère d'équivalent à l'étranger. À des degrés divers, et selon des formes qui relèvent de leur génie propre, Bonald et Maistre, Chateaubriand et Lamennais, Benjamin Constant et Paul-Louis Courier, Lamartine et Hugo – sans parler de Tocqueville lui-même – appartiennent à cette espèce qui a

7

fait l'éclat de notre XIXᵉ siècle ; ils passent sans transition de l'article de journal au traité théorique, de la Chambre des députés à l'Académie française, de l'exil au triomphe, de la poésie lyrique au ministère des Affaires étrangères, de l'escapade amoureuse à la grande ambassade. Couverts de femmes, ils connaissent quelques-uns des grands succès de librairie de l'époque, mais aussi parfois l'incompréhension, voire la prison. Avouons que ce sont là des vies bien intéressantes, et que pour un jeune talent ambitieux, il n'est pas de période plus fascinante que la Restauration. Balzac en sait quelque chose, qui y situe la trajectoire de quelques-uns de ses héros les plus romanesques, de Rastignac à Rubempré, et aussi à Canalis, qui est une copie un peu grinçante de Lamartine.

Entre tous ces hommes, pas de famille d'esprit, mais au-delà de la diversité de leurs opinions, un esprit de famille, qui fait de la politique, non une profession, comme on le verra par la suite, mais un prolongement naturel de la vie intellectuelle et artistique d'une époque. Il y a là comme un lointain écho à *La République* de Platon, où, à défaut que les philosophes deviennent rois, ils se transforment naturellement, sans renoncer à la plume, en députés et en ministres.

Cette tradition de l'homme de lettres politique est encore vivante à la fin du XIXᵉ siècle, où Barrès et Jaurès, Maurras et Clemenceau, Péguy et Zola appartiennent à part entière à la République des Lettres et à la République tout court. Mais après la Grande Guerre, et malgré quelques exceptions comme Léon Blum, elle s'efface devant l'avènement de l'homme politique professionnel, tel que l'a décrit Max Weber.

Le lecteur l'a bien compris : durant tout ce préambule, je n'ai cessé d'avoir à l'esprit la figure de Jean d'Ormesson, qui se serait merveilleusement intégré à la scène française de la fin du XIXᵉ siècle, au moment de l'affaire Dreyfus par exemple, ou mieux encore à la Restauration où on l'imagine évoluant naturellement de la Vallée-aux-Loups à l'Abbaye-aux-Bois, de la Chambre des pairs à l'Académie française. Oui, Jean d'Ormesson est un homme de la Restauration, cette période bénie des Muses et étrangère au suffrage universel, où l'on peut être à la fois un homme de droite résolu et un libéral acclamé par les foules d'ouvriers et d'étudiants, à la manière de son éternel vicomte, Chateaubriand lui-même.

C'est grâce à lui et à quelques autres que le modèle politique de la Restauration s'est survécu jusqu'à nos jours. Mais plus question de devenir ministre ou député. L'homme de lettres engagé s'est réfugié dans le seul ministère que la nouvelle organisation des pouvoirs laissait à sa portée : le ministère de l'opinion publique. Et son champ unique d'intervention est devenu le journalisme. Sartre et Camus bien sûr, mais aussi Bernanos et Mauriac – ces deux derniers avec quel talent ! – ont été chacun à sa façon des journalistes. Il reste à espérer que le numérique, le blog et la télévision ne tueront pas cette dernière forme d'intervention politique qui a à voir avec la littérature : l'article de presse.

C'est ici que nous retrouvons Jean d'Ormesson. Le livre que l'on va lire est tout entier consacré aux interventions journalistes d'un romancier qui a dirigé *Le Figaro* de 1974 à 1977, et qui depuis lors, n'a jamais cessé d'être présent dans ses pages et dans celles du *Figaro Magazine* comme chroniqueur attitré.

Je l'ai dit d'emblée : Jean d'Ormesson est, sans ambiguïté, dans le champ politique français, un journaliste résolument de droite, quand bien même son aura médiatique lui donne souvent un statut d'extraterritorialité partisane. En disciple de Chateaubriand, il sait que les positions politiques en demi-teinte sont sans effet sur l'opinion et qu'il n'y a qu'une forme d'opposition : l'opposition frontale. Typique est son attitude lors de l'avènement de François Mitterrand en 1981. Après avoir concédé, non sans crânerie, que le défaut majeur de la droite est le « manque de générosité » et que *Le Figaro* est pour l'essentiel un journal de « privilégiés », il ne donne pourtant pas cher de l'avenir de la gauche et se refuse même d'emblée à lui laisser sa chance. Nous – car il dit « nous », et parle au nom de son camp – ne sommes pas le parti de la peur, mais le parti de la lucidité. Du reste, au bout d'un an, couronnant une « politique économique insensée », les choses sont encore pires qu'il les prévoyait. Pas de faiblesse, pas de complaisance : cette sévérité au chapitre de l'économique s'étendra sur les deux septennats du premier président de gauche de la Ve République. Y aura-t-il jamais quelque amnistie dans cette *damnatio capitis* qui, à la manière d'un péché originel, affecte tout pouvoir issu de la gauche ? L'homme de droite est celui qui pense que la légitimité politique et surtout économique est le monopole de son camp et que toute interruption passagère dans cet ordre naturel des choses est une concession nécessaire, mais à coup sûr dommageable, au suffrage universel et à la paix civile.

Alors, pas de quartier ? Pas de concessions ? Si, et mon lecteur connaît assez Jean d'O pour savoir qu'impitoyable envers les politiques, il reste rarement insensible à la qualité des hommes, à leur charme, aux hasards bénis ou maudits de leur destinée. C'est, au cœur même de l'univers politique, cette enclave non partisane qui fait le désespoir des militants et le bonheur des romanciers.

Le premier à en bénéficier, Mitterrand régnant, est Michel Rocard, pour lequel il n'a qu'estime et respect. Voilà un homme honnête, ouvert au dialogue, et conscient des réalités économiques. Seulement voilà : Rocard n'est pas seul ; il y a, l'entourant de toutes parts comme la mer entoure un îlot, le Parti socialiste, qui est justement l'anti-Rocard. Coincé entre un président qui ne l'aime guère et un parti qui voit en lui, selon le mot de Jean Poperen, un « Rocard d'Estaing », il est sur un chemin étroit, et pour tout dire, impraticable : pour une fois infidèle à sa propre intransigeance, voilà Jean d'Ormesson qui offre à un homme qui s'était engagé à « gouverner autrement », l'assurance de s'opposer autrement. Entre l'opposition systématique et l'opposition raisonnable, il y a la considération du champ des circonstances, qui font souvent bon marché des intentions des acteurs. En politique en effet, on juge ses amis selon leurs intentions et ses ennemis selon leurs résultats. Rocard a droit à un traitement d'ami.

Plus surprenant : il en va de même pour Lionel Jospin. Celui-ci, devenu par surprise Premier ministre de Chirac, honnête, intelligent, sympathique, bénéficie à son tour d'une grande mansuétude. Il est vrai que pour l'observateur équitable qu'est Jean d'Ormesson, la droite n'a guère le droit de faire la maligne ou de pratiquer la surenchère. Trois circonstances jouent en faveur de Jospin : le retournement de la conjoncture, qui fait mécaniquement baisser le chômage, la division de la droite, assommée par une dissolution foutraque dont on prête l'idée à Dominique de Villepin, et enfin la personnalité du président de la République, Jacques Chirac.

Il est vrai qu'entre le grand sabreur fait comme un maréchal d'Empire et le comte d'Ormesson, le courant n'est jamais très bien passé. La rencontre n'a jamais eu lieu. Pourquoi ? Mystère. Après tout, entre Sarkozy, dont Jean d'Ormesson raffole, et Chirac qui ne l'inspire guère, il y a pourtant beaucoup de points communs. Deux hommes qui tiennent plus de l'aventurier que du conservateur de souche, deux hommes au parler abrupt et à l'énergie débordante ; deux grands rassembleurs de la droite : mais celui qui a vécu douze ans à l'Élysée n'occupe qu'une place modeste dans le recueil, tandis que son successeur, qui n'y a, pour le moment, vécu que cinq ans, y est fortement présent.

Conviction de politique ou intuition de romancier ? Le nom de l'autre personnage majeur du livre fournit la réponse : c'est François Mitterrand. Les convictions sont une chose. La dimension romanesque des acteurs en est une autre. Mitterrand et Sarkozy ont obsédé leurs contemporains, moins à cause de l'ampleur de leur œuvre – rien à voir avec celle du général de Gaulle – qu'à cause du relief de leur personnalité.

Nicolas Sarkozy, donc. C'est bien simple : quand il s'agit de lui, Jean d'Ormesson, qui a d'ordinaire plus d'une flèche dans son carquois, devient inconditionnel. Déjà quand il occupe le ministère de l'Intérieur, il oblige les critiques à s'incliner ou à se contredire. Ce qui subjugue le journaliste, c'est sa détermination, cette énergie au service d'une certitude quant à son avenir. « Il a le complexe de César » ; quand il emporte sa première élection, « c'est Bonaparte au pont de Neuilly » et c'est « le Cyrano de la vie à grands guides ». Diable ! Jean d'Ormesson, à qui il arrive de se demander s'il était fait pour la politique, et qui pour le bonheur de ses lecteurs a toujours répondu par la négative, ne peut s'empêcher d'admirer l'homme qui à tout moment de sa carrière se montre résolu à forcer son destin. Sarkozy est ambitieux, il est fidèle – un jugement qu'à coup sûr, Jacques Chirac ne partage pas –, il est convaincant et inventif, « une espèce imprévue de Gramsci de droite », ose le chroniqueur du *Figaro*. Pour qualifier son amitié avec Bolloré, Bouygues, Lagardère, Dassault, il trouve une épithète inattendue :

moderne ! Et ses relations avec Chávez, Kadhafi, Poutine ? Cela, c'est le registre du traditionnel. En un mot, une fois élu en 2007, Nicolas Sarkozy est une chance pour la France. S'il échoue, aucun autre ne réussira : un éloge qui cache mal l'inquiétude et même une dose de pessimisme foncier.

Rien en somme de plus stable, de plus tranquille, de plus régulier que les relations de Jean d'Ormesson avec Nicolas Sarkozy : elles sont fondées sur un mélange d'enthousiasme et de raison. Au contraire, avec François Mitterrand, c'est la passion qui domine totalement, celle du romancier. Dieu seul sait s'il l'a vu arriver d'un œil méfiant, ce transfuge. Car pour lui, c'est un transfuge : la droite est sa patrie, la gauche, si l'on ose dire, sa terre d'élection. Gageons que si Jean d'O avait cédé à sa funeste tentation politique, c'est Mitterrand beaucoup plus que Sarkozy qu'il eût pris pour modèle. Le premier est un bretteur, le second un joueur. Il y a dans tous les plis et les replis du personnage quelque chose de l'ambiguïté fondamentale de l'âme humaine. Et Jean d'Ormesson de citer Michel Bouquet : « Il avait le sens des choses souterraines. »

D'où chez Mitterrand ce sens inné de la séduction, cet art d'attirer l'autre comme malgré lui, en faisant jouer des ressorts auxquels ceux qui en sont l'objet ne pensent même pas. Séduire ses partisans : oui, sans doute, c'est le b.-a.-ba de la politique ordinaire. Mais séduire l'adversaire, c'est une jouissance intime qui va bien au-delà du résultat escompté.

On sait, par la confidence de Jean d'Ormesson, que François Mitterrand a voulu partager avec lui les deux dernières heures qu'il a passées à l'Élysée le 17 mai 1995. Cela est d'un artiste plus que d'un politique. Comment Napoléon n'a-t-il pas pensé à inviter Chateaubriand aux adieux de Fontainebleau ? Il s'est privé de quelques pages qui eussent été à coup sûr immortelles. Que se sont-ils dit ? Mitterrand a évoqué l'influence du « lobby juif ». Quand on est sur le point de franchir le pas qui sépare la politique de l'Histoire, on se moque bien des afféteries de la bien-pensance. Il n'y a d'ailleurs qu'en France que l'affirmation de l'existence d'un ou de plusieurs lobbys juifs vous classe automatiquement dans les rangs de l'antisémitisme. En invitant d'Ormesson à la cérémonie des adieux, François Mitterrand a voulu signifier deux choses : que le temps de la politique était terminé pour lui ; mais aussi, sans doute, celui de la gauche révérentielle. Le Charentais redevenait lui-même, dans son ambivalence ontologique.

Dans son rapport au divin tout d'abord, Jean d'Ormesson qui a passé sa vie d'écrivain, c'est-à-dire toute sa vie, à se mesurer à un personnage hypothétique, Dieu en personne, ne pouvait que s'enchanter de l'agnosticisme mystique de François Mitterrand. À l'instar de ces croyants qui ne sont pas sûrs de croire, l'un et l'autre sont des incroyants qui ne sont pas sûrs de ne pas croire. Quelle chance vous avez de croire, disent les bonnes gens, mais que c'est difficile ! Ils ne savent pas qu'il est non moins difficile de ne pas croire. Mitterrand, comme d'Ormesson, eux, le savent. Ils ont l'athéisme catholique, comme un Rocard ou un Jospin ont l'athéisme protestant. N'imaginez pas que la différence soit négligeable : c'est toute la sensibilité de la personne qui se trouve imprégnée par les orientations religieuses de base, même chez les incroyants : le regard sur les monuments, sur les paysages, sur les êtres, sur les événements, sur les situations en dépend. Il y a pourtant entre Jean et François une différence théologique majeure : le premier a une religion du Père, celle d'un dieu architecte, le second une religion du Fils, celle d'un dieu porteur de sens. C'est pourquoi l'un n'a cessé d'interroger les scientifiques, l'autre de s'entretenir avec les contemplatifs.

Alors la politique ? Agnostique qui regrette de ne pouvoir croire en Dieu, Jean d'Ormesson est aussi un homme de droite qui regrette de ne pouvoir être de gauche. À la parution de mon journal de l'année 1997, *L'Année des dupes*, Jean d'Ormesson me fait l'honneur de me considérer comme naïf. Et d'ajouter : « Je le soupçonne d'être de gauche comme je suis de droite. » C'est ma foi bien vrai. J'ai toujours nourri un mélange de sidération et de mépris pour les politiques et les intellectuels qui n'ont pas la curiosité d'aller voir ce qu'il y a de vrai dans la position de l'adversaire. Jean d'Ormesson, qui se pique d'avoir toujours eu des amis dans la famille de gauche – de Roland Leroy à Jean-Luc Mélenchon – sait bien que le talon d'Achille de la droite, c'est la justice. Il le dit sans fard : « Si la droite renonce à la justice sociale, elle est non seulement perdue, mais elle est à rejeter. » Bien dit ! Oui mais, cher Jean, vous nous en

13

avertissez : « Je ne crois pas à la justice distributive », « Je ne crois qu'à l'égalité des chances ». Tout est là : j'ai peur que l'égalité des chances ne soit que le nom républicain de l'inégalité des conditions. Et Jean, qui n'est jamais si heureux que lorsqu'il peut me démontrer qu'il est plus à gauche que moi, est bien obligé de convenir qu'un homme de gauche qui comprend la droite et un homme de droite qui comprend la gauche n'en deviennent pas pour autant identiques, et c'est heureux. « Les sortes sont les sortes », disait ma grand-mère.

Mais entre personnes qui n'ont pas fait de la politique leur profession, les différences d'opinion sont-elles si importantes ? Les sondages nous apprennent que désormais, pour la majorité des Français – y compris pour ces hommes de gauche qui ont toujours porté leurs opinions en sautoir – ce n'est plus le cas. Ce qui compte, c'est la réaction face à des situations concrètes. Il suffit de s'éloigner un peu de la scène politique nationale pour que les divergences entre gauche et droite s'estompent et pour que la seule politique qui compte soit celle de l'humanité.

Jean d'Ormesson a fait, comme on dit, une belle guerre de Bosnie, où il s'est comporté en « intellectuel de gauche », quand tant d'intellectuels de gauche brillaient par leur absence. J'entends par là qu'il a été l'un des tout premiers à sonner le tocsin à propos de Dubrovnik, ce superbe port de la côte dalmate dont Milošević était en train de faire un tas de ruines. Il fut aussi un des tout premiers à se rendre sur place, et à appeler à la mobilisation de l'Europe contre la barbarie. Il est ensuite retourné sur les lieux du conflit avec Bernard Kouchner, dont il a rejoint sans réserves la croisade humanitaire, en attendant que Bernard, en devenant ministre des Affaires étrangères de Sarkozy, ne rejoigne à son tour Jean dans ses convictions politiques.

Car Jean d'Ormesson paie de sa personne. Il se rend au Liban pour soutenir les chrétiens martyrisés par Assad. C'est encore lui, en cette année 2015, qui le premier a pris avec éclat la défense des chrétiens de Syrie et de tout le Proche-Orient, victimes d'un véritable génocide culturel et menacés d'extermination pure et simple. Quand on est dans ce registre, comme les querelles intestines entre une droite repue et une gauche hypocrite, telles que nous les connaissons aujourd'hui en France, paraissent dérisoires !

On ne saurait trop insister sur cet engagement de Jean d'Ormesson dans le domaine des droits de l'homme et dans le combat pour la civilisation. D'abord, parce que je ne vois personne à droite qui ait pris avec cet éclat et cette constance un parti qui est au départ l'apanage de la gauche. Certes, cela n'a pas toujours été le cas. Dans l'affaire algérienne, qui mêlait la problématique du droit des peuples avec les intérêts nationaux, et qui a déchiré l'intelligentsia, il était favorable au maintien de la présence française ; mais depuis qu'il a pris le tournant des droits de l'homme, il n'a pas changé.

On a dit souvent que l'affaire Dreyfus a été au point de départ de l'intellectuel moderne, et par conséquent, de l'opposition entre l'intellectuel de gauche et l'intellectuel de droite. Cela est vrai sémantiquement parlant : l'usage courant du mot date de l'époque, même si Saint-Simon, grand pionnier du monde moderne, l'avait utilisé comme substantif dès 1819. Mais quant à la posture sociale et politique qu'implique l'affaire Dreyfus, il n'y a rien de plus faux. Celle-ci est en effet la dernière manifestation publique de cet intellectuel indépendant, s'adressant directement au-dessus des partis à l'opinion publique tout entière. Car la Première Guerre mondiale et la révolution bolchevique marqueront l'avènement de l'intellectuel engagé, ou plutôt encarté, acceptant son instrumentalisation par les politiciens. Ce long hiver de l'intellectuel français durera de 1914 à 1989, de la révolution d'Octobre à la chute du mur de Berlin. Depuis, et fort heureusement, les intellectuels dignes de ce nom ont repris leur indépendance et ont rejoint la tradition d'action directe qui avait été la leur de Voltaire à Zola en passant par Victor Hugo. Pour ma part, quand il s'agit de ces choses essentielles qui tiennent au refus de la violence et de l'oppression, je ne vois aucune différence entre l'attitude de Jean d'Ormesson et celle des intellectuels de gauche auxquels je crois appartenir. Sauf à tenir compte du rayonnement exceptionnel qui lui appartient en propre.

Les convictions européennes de l'auteur sont le complément naturel de cet internationalisme humanitaire. Les souverainistes ont tendance à voir dans une diplomatie inspirée par les droits de l'homme une pulsion sentimentale plutôt qu'une politique efficace. Pour Jean d'Ormesson au contraire, l'opposition entre européens et antieuropéens dessine une ligne de partage qui va bien au-delà des frontières du Vieux Continent : elle tend à se substituer progressivement au clivage gauche-droite. À la veille du référendum décisif sur le traité de Maastricht (20 septembre 1992), dont le résultat est douteux, Jean d'Ormesson propose publiquement, avec une feinte naïveté, au président Mitterrand de démissionner. Pour sauver le traité. Ainsi seraient détournés de la tentation de voter « non » tous ceux qui entendent le faire pour s'opposer à Mitterrand beaucoup plus qu'à l'Europe. Le sacrifice ne manquerait pas de grandeur et consacrerait dans l'Histoire son auteur comme européen majeur. Jean d'Ormesson n'avait pas d'illusion sur sa proposition baroque. Elle avait seulement pour but de suggérer que ce n'est pas l'Europe qui est minoritaire en France, mais le pouvoir socialiste.

Je viens de passer en revue les principaux thèmes qui traversent ce recueil. Ce sont tous des thèmes majeurs. *De minimis non curat praetor...* Je pourrais m'arrêter là. Ce faisant, j'aurais passé à côté de l'essentiel. Car lorsque l'on a terminé la lecture de ces pages et que l'on referme le livre, l'impression dominante n'est pas dans le détail des positions et des propositions, qui comme celles de chacun de nous sont marquées du sceau du provisoire et de l'aléatoire, c'est-à-dire de la servitude propre au métier de journaliste. Jean d'Ormesson n'est ni tout à fait la droite, dont il est sociétaire à part entière, encore moins la gauche, dont il est parfois un évêque *in partibus* ; il n'est définitivement ni de Neuilly ni de Saint-Fargeau ; il n'est ni Sarkozy ni Mitterrand ; ni l'Ancien Régime ni la Révolution, il est tout simplement ce que l'on retrouve au fond du creuset, cet alliage d'évidence : Jean d'Ormesson, c'est la France ! Il n'est pas centriste, il est central. Il incarne toutes les valeurs auxquelles la France est en train de renoncer, mais dont elle conservera longtemps la nostalgie. Il est pour la vieille dame de province comme pour le rocker qui porte un tee-shirt à son effigie ; pour les stars de télé qui ne cessent d'inviter ce « bon client » comme pour l'agent de la circulation qui lui indique obligeamment où garer sa voiture, pour Alexis Brézet, directeur du *Figaro*, comme pour Jean-Luc Mélenchon, qui n'est pas peu flatté de frayer avec lui, il est un chef-d'œuvre intemporel, et ce chef-d'œuvre, c'est une certaine idée de la France.

Un homme qui a parmi ses ancêtres Olivier Lefèvre d'Ormesson, ce juge qui tint tête à Louis XIV lors du procès de Nicolas Fouquet, mais aussi le conventionnel Louis Michel Le Peletier de Saint-Fargeau, martyr de la Révolution française, est l'illustration vivante de la grande intuition politique d'Alexis de Tocqueville : dans bien des domaines, la Révolution française, c'est l'Ancien Régime poursuivi par d'autres moyens. Les Français, qui ne se sont jamais tout à fait pardonné d'avoir coupé la tête à leur roi, mais qui sont fiers du nouveau régime qu'ils ont alors institué, se sont toujours reconnus dans les hommes qui incarnent la synthèse de l'Ancien Régime et de la Révolution. Napoléon, de Gaulle appartiennent à cette lignée. Il n'est pas jusqu'au caractère anti-bourgeois des lettres françaises qui ne plaide pour une complicité secrète entre le peuple et l'aristocratie.

Oui, la nostalgie est là. Ne nous racontons pas d'histoires, c'est elle qui imprègne ces pages, qui ne sont pas très optimistes sur le court terme.

« Comment va la France, Môssieur ? » selon le titre même de son article du 28 février 2004 – Môssieur ! Elle ne va pas si bien que cela, la France ! Au contraire. Non seulement elle décline « d'un très doux déclin », mais elle se résigne à ce déclin, ce qui est encore plus grave. La France n'est plus aimée ; la France ne s'aime plus. Il y a bien sûr l'obsédante présence des sociologues, qui sont devenus des moralistes et surtout des rabat-joie. Le bonheur est devenu une obscénité. Une absence de sensibilité. Un égoïsme de nanti. Comme s'il fallait attendre que tout fût parfait pour se permettre de dire que cela n'est déjà pas si mal que ça. Essayez donc de faire dire à un disciple de Bourdieu, qui est plus rigide que Bourdieu lui-même, qu'il existe en France des choses satisfaisantes. Heureuses. Fraternelles. Vous n'y parviendrez pas. Il y a désormais en arrière-plan de tous les discours une obsédante éthique de la commisération. Une esthétique du malheur. Une anthropologie du désenchantement.

Jadis, nous dit Jean d'O, les Français étaient gais. C'était même leur marque de fabrique. Face aux malheurs – Dieu sait s'ils en avaient –, ils arboraient un côté brave et même bravache. Ils avaient élevé le rire à la dignité d'un des beaux-arts, et Offenbach, un Français, l'avait introduit dans la musique. Ils marchaient au combat la fleur à la bouche et le sourire aux lèvres. Peut-être n'est-ce là qu'un mythe littéraire entretenu par le Victor Hugo de Gavroche et des *Soldats de l'an deux* et le Dumas des *Trois Mousquetaires*. Il n'empêche. Le pays de Cyrano de Bergerac est redevenu celui des *Deux Orphelines*. Nos drames, nous en faisons des mélodrames.

Il est vrai que depuis la Grande Guerre - c'était il y a un siècle –, le monde qui n'a jamais été gai pour le plus grand nombre est devenu atroce pour tous : boucherie des conflits, massacres de masse, bombe atomique, régimes policiers et totalitaires, drogue, sida, fanatisme religieux renaissant. Sans parler des médias modernes et de l'instantanéité de l'information, qui font de nous, à toute heure, les témoins et les co-victimes de la barbarie moderne.

Le monde a changé et nous a changés. Il a même changé Jean d'Ormesson. Je me souviens de notre première rencontre. Il m'avait invité en qualité d'interpellateur dans une émission de télévision dont il était la vedette. Je commençai en m'adressant à lui : « Vous avez presque tous les dons, Jean d'Ormesson : le talent, le charme, la convivialité. Il ne vous en manque qu'un. — « Diable ! Lequel ? — Vous n'êtes pas doué par le malheur. Vous ne savez pas que le monde est tragique. » Nous sortîmes ensemble du studio. « Je crois bien que vous avez raison », me dit-il. Aujourd'hui, je ne redirais pas la même chose. Car à la misère du monde, qu'il constate comme chacun, Jean ajoute le désenchantement français. « Nous avons renoncé au bonheur d'être français. Ce qui manque, chacun le sait, c'est l'espérance. Ce qui règne, c'est la peur. La peur de ne plus être les meilleurs, de ne plus être les premiers, de descendre la pente et de tomber dans le déclin. » Décliniste, Jean d'Ormesson ? Le mot est si mal sonnant, si mal séant, si mal formé que je n'en affublerais personne. Pas même Nicolas Baverez. Pas même Éric Zemmour. Un décliniste, *stricto sensu*, est un partisan du déclin. Qui pourrait songer à pareille chose ? C'est déjà bien assez de le constater. Ce que l'on peut reprocher à certains, c'est d'en prendre leur parti. Ce n'est pas le cas de Jean d'Ormesson.

C'est même tout le contraire. Il y a chez lui un parti pris de bonheur, un parti pris de beauté qui l'éloigne des canons moralo-esthétiques de notre époque, et qui fait de lui un symbole de la résistance à la modernité. C'est là tout le secret de sa popularité. Un homme qui vit sans manteau, sans montre, sans agenda, loin de son portable, et qui n'aime rien tant que marcher pieds nus dans la caillasse, ne saurait être tout à fait mauvais. Il y a dans son œuvre des lieux de bonheur, comme chez d'autres des lieux de mémoire, dont il ne se lasse pas d'égrener la litanie au fil de ses livres. La liste change, mais on y retrouve presque toujours les tableaux de Carpaccio, Ganagobie, près de Manosque, et les tableaux de Piero della Francesca, mais aussi Syracuse et les îles grecques, *Les Noces de Figaro* et *La Passion selon saint Matthieu*, surtout quand ce sont Elisabeth Schwarzkopf et Kathleen Ferrier qui chantent. Et encore, Ava Gardner, jouant dans *Pandora*, et Lucien de Rubempré mourant dans *Splendeurs et misères des courtisanes*. Je pourrais allonger la liste au hasard des errances de Jean à travers les merveilles du monde. Il m'est même arrivé de lui envoyer une liste complémentaire où il était question de Rogier Van der Weyden, du Nil à Assouan ou du mythe du Grand Inquisiteur dans *Les Frères Karamazov*. Sans oublier Chopin, tout Chopin. On se prend au jeu. Jean d'Ormesson a gardé de l'adolescence le goût de faire des listes : les dix plus beaux films, les dix plus belles chansons, les dix actrices les plus belles, les dix plus grands personnages de l'Histoire de France, etc.

Justement, où est la France dans tout ça ? C'est la question que je me pose chaque fois que je peux le suivre à la trace, loin de la mère patrie. La réponse est que la France est le meilleur endroit pour aimer le monde. Comme Claudel, qui n'a cessé sa vie durant de jouer les paysans crottés de Villeneuve-sur-Fère, dans l'Aisne, depuis Tokyo, Rio, Washington, Bruxelles, Fou-Tchéou ou Berlin, Jean d'Ormesson n'a cessé d'emporter sa patrie à la semelle de ses souliers, ou si l'on veut, de faire de Plessis-lez-Vaudreuil un belvédère sur l'Univers.

Et la politique, où est-elle ? Dans ce monde marqué du double sceau de la félicité et du malheur, la politique se fait de plus en plus absente. C'est justement ce que les Français lui reprochent. Elle s'est éloignée d'eux, et la séparation s'est faite sans bruit. Jean d'Ormesson, avec ses yeux écarquillés, ses feints étonnements et ses airs désinvoltes, témoigne pour une politique qui serait devenue aimable. Nous en sommes loin. En attendant, comme chacun d'entre nous, il en prend son parti, et au fond il s'en fiche. Alors ? Alors il ne suffit pas d'avoir du talent, du charme et de la chance. Il faut encore, par ces temps de conformisme morose, avoir le courage d'être heureux.

Jacques Julliard

COMMENT VA LA FRANCE, MÔSSIEUR ?

1981

Quand les lampions s'éteindront

On ne peut naturellement que se réjouir de toutes les mesures tendant à permettre aux plus déshérités de vivre un peu moins mal. Le défaut majeur de la droite française n'est ni la bêtise, ni le goût du cinéma, ni les mauvaises fréquentations, ni l'autoritarisme – très équitablement répartis, on le constate tous les jours, entre nos différentes familles spirituelles –, c'est le manque de générosité.

Il faut le dire très clairement dans un journal comme *Le Figaro* qui est en grande partie un journal de privilégiés : rien n'est plus légitime qu'un effort de solidarité nationale. Ce n'est pas le principe de cet effort qui est en cause. Ce qui est en cause, ce sont ses modalités et ses chances de succès. Il n'y a pas de sacrifices qui ne soient acceptables. Encore faut-il qu'ils ne soient pas voués d'avance à l'échec.

Un des principaux arguments de la gauche réside dans les épouvantails prétendument agités par la droite et dans la panique, notamment financière, qu'elle s'efforcerait de déchaîner. En face des communistes qui, aux dernières nouvelles – demandez donc à Boukovsky, à Zinoviev, à Soljenitsyne –, ne feraient plus peur à personne, en face d'un collectivisme dont, paraît-il, on chercherait en vain les traces dans les textes socialistes, en face d'un marxisme soudain évanoui en fumée, l'ancienne majorité présidentielle est présentée comme le produit de la peur. Il faut répondre à cette accusation. Le sentiment qui anime une partie non négligeable des Français, ce n'est pas la peur. C'est l'absence de confiance.

23

La confiance ne se décrète pas, elle s'obtient, elle se refuse, elle se conquiert, elle s'effrite. Le gouvernement à peine formé, la méfiance s'installe déjà. Il n'est pas question de faire à la Corbeille la politique de la France. Mais le sort des épargnants est aussi digne d'estime que celui de n'importe quelle autre catégorie de Français. Et surtout, au même titre que la presse, le bâtiment ou le commerce, la Bourse est un indicateur de l'opinion.

Elle incarne la résistance têtue des faits économiques. Elle ne fait qu'exprimer tout haut ce que beaucoup pensent déjà tout bas. Elle murmure, elle crie. Elle crie que les mesures envisagées par le gouvernement auront sur le chômage et sur la hausse des prix un effet inverse à celui qu'on nous promet. Qui départagera donc les optimistes et les pessimistes de l'épargne ? Mais les événements eux-mêmes.

Il faut naturellement laisser un délai raisonnable au gouvernement. Dans six, dans douze, dans dix-huit mois, nous verrons où nous en sommes. C'est pourquoi, ici, aujourd'hui, nous prenons date. On dirait qu'à quelques jours à peine de leur entrée en fonctions nos dirigeants d'aujourd'hui ressentent déjà un malaise et des craintes devant leurs responsabilités. Aussi essaient-ils de les rejeter à la fois sur la crise financière internationale et sur le gouvernement précédent. C'est une manœuvre un peu grossière.

Tous les électeurs se souviennent que l'argument de la crise mondiale avait été écarté avec mépris par les socialistes et les communistes au cours de la campagne présidentielle. Suffit-il vraiment d'arriver au pouvoir pour que le fantôme de la crise internationale, mis dédaigneusement au placard par M. Mitterrand candidat, soit monté en épingle moins de quinze jours plus tard par le gouvernement de M. Mitterrand président ? La nausée – prévue de longue date – monte irrésistiblement.

Quant à l'héritage du septennat passé, loin d'aggraver la situation financière, il la rend supportable – au moins provisoirement. Pendant quelques semaines, pendant quelques mois, les ressources accumulées – sans doute presque exagérément – par M. Raymond Barre, permettront de soutenir nos finances et de pallier les effets immédiats de décisions à court terme enchanteresses et, à long terme, imprudentes.

C'est dans six, dans douze, dans dix-huit mois que leurs conséquences nocives commenceront à se faire sentir. La responsabilité en retombera tout entière sur ceux qui les auront prises. À quoi serviront aux plus pauvres des augmentations de 10, de 20, de 25 % si elles sont d'avance dévorées par la baisse du pouvoir d'achat, et donc du niveau de vie ? Faut-il le répéter encore, nous ne souhaitons pas ces malheurs. Il faut s'efforcer de les écarter de nous. Mais les risques de leur déferlement sont, aujourd'hui, plus grands que les chances de les éviter.

La déception sera d'autant plus cruelle que les promesses auront été plus inconsidérées et que les expériences auront été plus vives. Seul le temps qui passe et les réalités des choses pourront faire la différence entre la solidarité légitime et la trompeuse démagogie. Nous ne sommes pas le parti de la peur. Nous sommes – hélas ! – celui de la lucidité. Et, en fin de compte – mais après quelles épreuves ? – de l'espérance retrouvée.

Un air de fête – déjà bien hésitant – traîne encore dans les rues. Comment ne pas comprendre qu'il ait fait chavirer bien des têtes et bien des cœurs ? C'est François Mauriac, je crois, qui s'étonnait de l'infinie patience des pauvres. Il est aussi abominable de tromper cette patience que d'en abuser. Contrairement à M. Mitterrand qui mettait en doute la bonne foi politique de M. Giscard d'Estaing, je suis convaincu des bonnes intentions du président de la République.

Mais jamais une politique n'a été jugée sur ses intentions. Elle n'est jugée que sur ses résultats. À voir ce que le gouvernement de M. François Mitterrand, pourtant composé d'hommes aussi estimables et aussi compétents que possible, a fait en quelques jours du franc français, une des monnaies hier les plus fortes du monde, les pronostics les plus pessimistes sont de loin dépassés.

Contre les mises en garde les plus formelles indéfiniment répétées, contre les avis les plus autorisés, contre toutes les leçons inlassables de l'Histoire, une illusion – même pas lyrique – a emporté les Français. Ils commencent à peine à regretter, ils commencent à peine à se souvenir. Ils commencent à peine à se répéter : « C'est trop injuste, c'est trop bête. »

Quand les lampions de la fête mensongère auront fini de s'éteindre, une formidable colère, à côté de laquelle les impatiences passées n'étaient que bluettes, secouera le peuple de France.

Le Figaro, 9 juin 1981

Un dialogue des morts

Dupont Oscar
Lycée Régis-Debray

3 octobre 2011

Examen de passage en troisième

(Vous imaginerez que le général de Gaulle accueille aux Enfers le président François Mitterrand et vous reproduirez leur dialogue.)

Charles de Gaulle. —Alors, Mitterrand, on se prend pour de Gaulle ?

François Mitterrand. — ... (inaudible).

C. de G. —Vous me traînez dans la boue, vous écrivez de petites choses... Dites, comment ça s'appelait votre truc ?...

F. M. —Euh... *Le Grain et la Paille ? L'Abeille et l'Architecte ?*...

C. de G. —Non, non... avant... Et sur moi.

F. M. —Ah ! *Le Coup d'État permanent ?*

C. de G. —Voilà. Vous me traitez de dictateur, vous luttez contre moi aussi longtemps que je reste là-bas. Et puis, à peine monté ici, voilà-t-y-pas que je deviens votre modèle, votre maître à penser, votre gourou, comme ils disent, et que vous chaussez mes bottes, comme Georges, dans le dessin de Faizant, avait coiffé mon chapeau ?

F. M. —Ah ! que vous le vouliez ou non, nous sommes encore en démocratie, et par la volonté du peuple français...

C. de G. —Hé !... ho !... nous sommes morts.

F. M. —D'accord. Bref, je suis votre successeur.

C. de G. —Ben oui. C'est ça qui m'ennuie.

F. M. —Allons ! franchement, ce qui vous ennuie, ce n'est pas que je vous succède. C'est que vous ayez un successeur.

C. de G. — Bon ; c'est assez vrai.

F. M. — Les autres, ceux entre vous et moi, ne vous plaisaient pas davantage.

C. de G. — Écoutez, ce n'était déjà pas gai de se voir remplacé par un ami comme Georges ; ce n'était déjà pas gai de se voir remplacé par un rival comme Valéry. Mais alors, par un ennemi comme vous !... Il y a beaucoup de Français qui ne s'aiment pas, mais nous, dites donc, rappelez-vous : vous me haïssiez, je vous méprisais, nous nous détestions. Et vous savez, quand je déteste quelqu'un...

F. M. — Moi, je ne déteste personne. Et j'ai été élu président de tous les Français – des gaullistes comme des autres.

C. de G. — Les gaullistes, vous savez ce que j'en pense. Quant aux autres...

F. M. — Je sais. Vous l'avez dit : les Français sont des veaux.

C. de G. — Ah ? J'ai dit ça ?... On m'a fait dire tant de choses... Mais, pour une fois, c'est assez exact : des veaux.

F. M. — Vous les traitez de veaux parce que vous êtes furieux.

C. de G. — Furieux ? Et pourquoi ?

F. M. — Parce que je vous ai mis en ballottage et parce qu'un raz de marée m'a porté au pouvoir.

C. de G. — Hé ! doucement ! Les raz de marée, je sais ce que c'est, j'en ai connu au moins deux : le premier était pour Pétain ; et le second était pour moi. Et ils étaient presque simultanés. Ils ont été jusqu'à se chevaucher : rien ne change aussi vite que les opinions des Français. Vous, comme votre prédécesseur immédiat, vous êtes passé d'un cheveu – enfin, d'une touffe, si vous voulez. Et vous avez fini tout chauve, en charpie, en lambeaux.

F. M. — J'ai pris place dans l'histoire de la Ve République.

C. de G. — Pour la détruire, pour l'achever. Je me suis toujours méfié des testaments politiques. La punition des grands hommes, c'est ce qu'on fait de leur héritage. Mon remords est de vous avoir frayé le chemin. Vous avez attaqué mes institutions tant que vous étiez au-dehors ; ne pouvant les abattre, vous les avez conquises du dedans ; et vous vous y êtes installé. Dès que François Mitterrand a remplacé de Gaulle, elles vous ont paru excellentes.

F. M. — Je m'en suis accommodé.

C. de G. — Et pour faire quoi, je vous prie ?

F. M. — Mais la même chose que vous : participation des communistes au gouvernement, nationalisations, justice sociale…

C. de G. — Il y a tout de même une différence, et de taille : j'avais à relever un pays après une épreuve effroyable ; vous vous êtes contenté de le détruire.

F. M. — Moi aussi, l'héritage que j'ai recueilli était catastrophique.

C. de G. — À qui ferez-vous croire que le bilan de Giscard était celui de Hitler ? À peine arrivé au pouvoir, vous avez clamé, à cor et à cri, que vous alliez faire établir un bilan et qu'on verrait ce qu'on verrait. Un comité Théodule a travaillé honnêtement et, malgré vos pressions et celles de vos amis – ah ! si ç'avait été les miennes, qu'est-ce qu'on aurait entendu ! – on n'a rien vu du tout.

F. M. — Avec les mêmes moyens que vous, nous, nous voulions changer la vie. Mais vous ne pouvez pas me comprendre. Vous n'êtes pas socialiste.

C. de G. — Vous savez, j'ai beaucoup aimé Pompidou ; à la fin, il m'agaçait. J'avais de l'estime pour Giscard ; mais je me méfiais de lui. Vous, je vais vous dire, je préfère les communistes : au moins, on sait ce qu'ils veulent. Vous, vous êtes socialiste. Ça veut dire quoi, le socialisme ? Ça veut dire Blum ou ça veut dire Staline ? Ça veut dire Mollet ou ça veut dire Castro ? Avec vous, à la va-comme-je-te-pousse, je crois que ça veut dire la chienlit.

F. M. — Dites donc, mon général, ce n'est tout de même pas vous qui allez me reprocher des contradictions tactiques et le flou de l'approche : le « Je vous ai compris » aux Français d'Algérie, vous vous souvenez ?

C. de G. — Mitterrand ! Si j'étais vous, je ne prononcerais pas le nom de l'Algérie. Il y a des endroits de votre carrière et des périodes de votre vie que vous feriez mieux de ne jamais évoquer. Un étrange brouillard s'est d'ailleurs fait autour d'eux. Vous avez été résistant : bravo ! Presque tout le reste est silence.

F. M. — Vous passez les bornes, mon général. Je crois que vous insultez un président de la République.

C. de G. — Et vous ? Vous m'épargniez peut-être, quand j'étais ce que vous fûtes ? Allez ! Ne nous fâchons pas. Nous sommes des ombres tous les deux. Et notre temps est passé – le vôtre plus vite que le mien. Il y a quelque chose qui nous unit. Et vous savez ce que c'est ?

F. M. — Mauriac ?

C. de G. — Ne faites pas l'idiot !

F. M. (piqué) – Non, franchement, j'ai beau chercher, malgré tout ce que j'ai pu dire et surtout laissé dire, je ne vois rien qui nous rapproche.

C. de G. — Mais si, voyons ! l'ignorance de l'économie. Ni vous ni moi, nous n'y connaissions rien. Pompidou, il savait. Et Giscard, oh ! là là ! Vous et moi, c'est la parole, le mot, l'écriture. Tout le reste, on s'en fout. Hein ! vous vous en foutez ? Oh ! ne dites pas non ! C'est plutôt honorable. Malheureusement ce qui compte aujourd'hui, ce n'est plus la politique, c'est l'économie. Moi, j'ai dit superbement : « L'intendance suivra. » Vous, elle n'a pas suivi.

F. M. — C'est la faute à la réaction, c'est la faute au mur d'argent, c'est la faute à l'ombre portée de mes prédécesseurs, c'est la faute aux patrons, c'est la faute...

C. de G. — Allons ! Mitterrand ! À défaut de grandeur, je vous croyais plus de calme. Il y a des choses qui nous rapprochent. Il y a des choses qui nous séparent. Vous savez surtout ce qui nous sépare ? Moi, j'avais une idée fixe : c'était la France...

F. M. — Et moi : le socialisme.

C. de G. — Et vous vous êtes servi de la France pour servir le socialisme.

(Note de l'examinateur : 2 sur 20.)

Le Figaro Magazine, 3 octobre 1981

Deux ou trois choses
que tout le monde sait de lui

Dans l'avion qui le ramenait du Caire, où il avait assisté aux obsèques du président Sadate, M. Mitterrand avait confié aux journalistes que l'échec de sa politique le contraindrait à une radicalisation. Différentes manifestations présidentielles – le discours de Figeac, l'appel à l'unité des Français, l'absence de toute référence au socialisme dans plusieurs interventions à la télévision, l'accent mis sur les périls extérieurs – avaient plutôt orienté les esprits dans une direction opposée : le mot de « recentrage » avait pu être prononcé. C'était faire preuve de légèreté. L'échec étant patent, la radicalisation est là. Elle est simplement feutrée, larvée, masquée. Bien dans la manière du « socialisme à la française ».

À sa façon, très différente de celle des communistes, mais tout aussi efficace, M. François Mitterrand est un maître de la dialectique. Il faut en être un pour réussir depuis deux ans et demi, depuis un quart de siècle, depuis toujours, de l'anticommunisme affiché à l'union de la gauche, de l'hostilité pour les institutions à leur exploitation outrancière, l'exercice de haute voltige que constitue sa vie politique. Il a fait entrer – car la décision vient de lui seul – les communistes au gouvernement et il a réaffirmé avec plus de force que jamais l'appartenance de la France à l'Alliance atlantique ; après avoir incarné l'opposition au pouvoir personnel, il en fournit avec éclat l'exemple le plus flagrant ; après avoir fondé toute sa campagne électorale sur le refus de considérer comme une explication valable la crise internationale à son point culminant, il se sert plus que personne avant lui de la crise internationale en train d'être maîtrisée par les pays occidentaux comme d'un alibi et d'une excuse absolutoire pour les échecs du socialisme français ; à chaque étape de sa démarche ondoyante et obstinée, il souffle alternativement le chaud de l'unité nationale et le froid du sectarisme partisan. Il triomphe dans cette vocation du double visage et de l'ambiguïté élevée à la hauteur d'un projet politique. Mais on ne peut pas, en même temps, gagner sur tous les tableaux. Le doute commence à germer dans tous les esprits, à quelque bord qu'ils appartiennent : ses adversaires ne sont pas conquis et ses partisans s'interrogent.

Au moment même où il multiplie les appels à la cohérence nationale devant la montée des périls, il met en place insidieusement un absolutisme déguisé en moralisme et en libéralisme. Après s'être solennellement engagé, par attachement à la liberté, à repousser tout statut de la presse, il promulgue des lois de circonstance et d'exception, peut-être anticonstitutionnelles, qui rétablissent l'autorisation préalable et le contrôle permanent et qui s'opposent, en pénalisant leur succès, à la puissance des journaux d'opposition, rivaux redoutables et redoutés de la télévision d'État : comment de telles lois pourraient-elles passer pour autre chose que pour un statut de la presse construit sur mesure pour servir ses intérêt et ceux de ses amis et pour nuire à ses adversaires ? Après la mise au pas de la presse écrite, ce sera la mainmise, hypocrite et paterne, de l'État sur l'enseignement. Et puis, toujours dans le même style, ce sera une loi électorale fabriquée sur mesure pour refuser l'alternance et pour perpétuer un tout-État socialiste rejeté par tolérance, les droits de l'homme ont besoin, eux aussi, d'être forts pour se défendre.

Le salut ne peut se trouver que dans une liberté implacable, dans une tolérance impitoyable, dans une hostilité irréductible à la violence sous toutes ses formes, qu'elle se prétende de droite ou qu'elle se prétende de gauche, traditionnelle ou nouvelle, nationale ou internationale.

Plus que jamais, après le drame de la rue Copernic[1], c'est à la défense d'un tel libéralisme contre tous les fanatismes et toutes les idéologies de violence et d'intolérance que je souhaiterais voir se consacrer le pays, ce journal et chacun de nous.

Le Figaro Magazine, 11 octobre 1981

L'Histoire est-elle socialiste ?

La semaine dernière, nous avons examiné deux arguments souvent utilisés du côté officiel – et tout récemment encore à l'occasion du dépassement de la barre fatidique des deux millions de chômeurs : « C'est un procès d'intention » et « C'est la faute à Giscard ». Occupons-nous aujourd'hui d'une question plus sérieuse et peut-être cruciale : être hostile au socialisme, est-ce se prononcer contre le peuple, est-ce s'opposer à l'histoire ?

Que la question puisse seulement se poser est déjà révélateur. Comment ne pas reconnaître que, tout au long du XIXe siècle

---

1. Le 3 octobre 1980, la synagogue de la rue Copernic, à Paris, fut victime d'un attentat à la bombe qui fit quatre morts et une quarantaine de blessés.

et d'une bonne part du XXe, en raison notamment de l'aveuglement et de l'égoïsme de l'aristocratie traditionnelle, puis de la bourgeoisie industrielle, le socialisme porte les espoirs à la fois d'une masse de déshérités de plus en plus conscients de leur force et de leurs droits, et d'une élite d'intellectuels – ceux que leurs partisans d'abord, puis leurs adversaires appelaient des « penseurs ». Qu'il s'agisse du socialisme économique anglais, du socialisme utopique à la française, de socialisme « scientifique » allemand, pendant cent ans ou plus, il représente les fiançailles de l'humanité avec le bonheur. Cette conviction formidable confisque à son profit et modifie profondément la résignation chrétienne et l'espoir en un autre monde : la résignation se transforme en lutte des classes et l'espoir d'un au-delà en attente messianique des lendemains qui chantent.

Ce n'est pas ici le lieu de situer, même grossièrement, le marxisme. Rappelons seulement que le marxisme se présente lui-même, non pas comme un entraînement sentimental, mais comme une explication scientifique du monde. La force du marxisme naît de la convergence de deux attitudes apparemment contradictoires et pourtant indissolublement unies ; une attitude scientifique : la révolution socialiste est inévitable ; et une attitude activiste : cette révolution inévitable, il faut pourtant la rendre possible, la hâter et, en un mot, la faire. Une des formules les plus célèbres du florilège marxiste, qui en compte autant que les *Fables* de La Fontaine, les *Maximes* de La Rochefoucauld ou les poèmes de Victor Hugo, met l'accent à la fois sur cette attitude intellectuelle de l'observateur et sur cette attitude révolutionnaire du militant, sur cet intellectualisme mué en activisme : « La philosophie s'est contentée jusqu'à présent de penser le monde ; il s'agit maintenant de le transformer. »

En face de ce corps de doctrine aussi formidable qu'un corps d'armée, né de Kant, de Hegel et de Marx, qu'avaient à opposer les adversaires du socialisme ? Franchement, presque rien. Pendant des dizaines et des dizaines d'années, surtout dans le troisième quart du XXe siècle, la jeunesse intellectuelle a été fascinée par le marxisme, sorte d'horizon indépassable de la pensée spéculative et active. Le culte de la tradition, le nationalisme, le patriotisme s'émoussaient chaque jour. La pensée libérale avait perdu de son éclat. Le christianisme résistait au marxisme qui s'opposait à lui, mais, peu à peu, un certain nombre de convergences ont semblé l'emporter sur les oppositions. Socialistes et chrétiens se préoccupaient de la personne humaine, de l'avenir de l'humanité, des plus pauvres, de la marche de l'histoire : il devait y avoir moyen de s'entendre. Le matérialisme historique du marxisme brouillait bien un peu le tableau. Mais, si le socialisme est fait de l'économisme anglais et du marxisme allemand, il est fait aussi de l'utopisme français. Socialisme et christianisme étaient peut-être des adversaires, mais des adversaires fraternels. Le communisme était l'ennemi de toute religion. Mais le socialisme était en même temps, en quelque façon, l'héritier du christianisme. Et le communisme se donne lui-même comme la forme la plus achevée du socialisme. Tout cela était compliqué, mais n'interdisait pas un rapprochement, qui a effectivement eu lieu, entre marxisme et christianisme. D'autant moins que les formes les plus aiguës de l'anticommunisme – le fascisme, le national-socialisme, le franquisme –, nées parfois d'une réaction de défense de la tradition chrétienne contre le marxisme, s'éloignaient toujours davantage du christianisme. Vers le milieu du XXᵉ siècle, le socialisme et sa version extrême, le marxisme, constituaient paradoxalement l'idéologie, sinon régnante, du moins dominante parmi la jeunesse intellectuelle des démocraties libérales. Ceux qui s'y opposaient semblaient, le plus souvent, mener un combat d'arrière-garde.

Ce qui s'est passé, c'est que le socialisme s'est réalisé sur une grande partie de la planète. Sous une forme extrême dans la Russie communiste ; sous une forme modérée dans un grand nombre de démocraties. Or, la première formule a abouti à la dictature la plus écrasante qu'ait connue l'histoire ; et la seconde, à une succession constante et universelle d'échecs. Nulle part le socialisme n'a réussi à concilier efficacité et liberté.

Un des deux ou trois événements les plus importants des vingt-cinq dernières années est la révélation du caractère oppressant du communisme soviétique. Budapest, Prague, l'Afghanistan, la Pologne, et le rapport Khrouchtchev : le monde découvrait avec stupeur qu'il n'avait abattu une forme de totalitarisme que pour se retrouver devant une métastase du même mal. La vérité, qu'un Kravtchenko, écrasé sous les injures des uns et le scepticisme des autres, n'avait pas réussi à établir, Soljenitsyne allait la clamer au monde.

Il n'y a pas eu seulement la découverte de la dictature communiste. Dans un monde infiniment moins sinistre, pénétré d'humanisme et de bons sentiments, traversé de grandes espérances, il y a eu aussi le recul du socialisme dans les pays scandinaves, en Angleterre, au Portugal. Partout le socialisme, même à visage humain et aux couleurs nationales, a été une entreprise décevante, et le plus souvent ruineuse. Jamais théorie aussi séduisante intellectuellement n'a échoué avec tant d'éclat dans ses réalisations pratiques.

Le socialisme a toutes les vertus tant qu'il n'existe pas. Il les perd toutes dès qu'il existe. Au point que le seul exemple, avancé avec une insistance presque comique, d'une société socialiste à peu près stable est la petite et charmante Autriche, inlassablement présentée en modèle aux Français ébahis. Les deux géants modernes, les États-Unis et le Japon, ont gravi un chemin rigoureusement opposé. L'expérience sociale-démocrate n'a à peu près réussi en Allemagne de l'Ouest que parce qu'elle avait délibérément exorcisé et rejeté tout lien avec le marxisme. Peut-être peut-on avancer que la Chine elle-même est en train de s'éloigner de son communisme originel ? Intellectuellement, le marxisme représente encore quelque chose dans les sociétés libérales. Il est vomi, surtout par la jeunesse, dans les pays où il règne en maître absolu.

Si le socialisme rêvé a constitué longtemps les fiançailles du peuple avec le bonheur, le socialisme réalisé a suivi le sort de bien des mariages : les fruits n'ont pas tenu les promesses des fleurs.

Toute la question est de savoir aujourd'hui – ou demain – si le socialisme rendra les Français plus heureux matériellement. Il y a eu des régimes qui visaient à la force, au prestige, à l'exaltation de valeurs patriotiques, militaires ou religieuses. Le seul but du socialisme est le bonheur. S'il n'atteint pas ce but, il ne sert à rien. L'atteindra-t-il ? Rien n'est moins sûr.

Les nationalisations, chacun le sait, n'ont qu'une signification mythique : il est certain qu'elles coûtent cher et il est très probable que l'efficacité des entreprises nationalisées sera moindre que celle des entreprises privées. On me dira qu'au moins les socialistes ont instauré des impôts nouveaux. Quelles qu'en soient les modalités et les contradictions, M. Claude Estier portait l'autre jour au crédit des socialistes la création de l'impôt sur la fortune. Mais l'impôt n'est pas un bien en lui-même. C'est l'usage qu'on en fait qui est bon – ou mauvais. Le premier imbécile venu, pourvu qu'il ait le pouvoir, peut lever des impôts, et le dernier des tyrans aussi. C'est même à l'excès des impôts qu'on reconnaissait jadis les régimes iniques. Les impôts ne sont qu'un moyen. Le but est l'élévation du niveau de vie de tous, et d'abord des plus pauvres. Et c'est là que se situe le débat : il n'est pas du tout certain que le socialisme soit le système qui apporte le plus de bien-être au plus grand nombre. À l'idée d'une société conçue comme un système de vases communicants où les uns s'enrichissent quand les autres s'appauvrissent s'oppose l'idée d'une société conçue comme un système de solidarité et de contagion où tous s'enrichissent ensemble ou s'appauvrissent ensemble. « Quand les gros maigrissent, dit un proverbe chinois, les maigres meurent. »

Je crois de toutes mes forces à la nécessité d'instaurer l'égalité des chances. Mais je ne crois pas du tout à une justice distributive et foncièrement injuste qui imposerait l'égalité des démarches, des talents et des destins. L'uniformité égalitaire ne pourrait sonner que la fin de la liberté. La liberté a besoin de justice, mais elle répugne à l'imposition autoritaire de l'égalité. Elle va de pair, en revanche, avec la prospérité, liée à la concurrence et à l'esprit d'entreprise. Facteur ni de richesse ni de liberté, instrument d'une justice qui peut être la pire des injustices, le socialisme n'est pas nécessairement l'avenir des hommes.

Le Figaro Magazine, 14 novembre 1981

1982

Nouveau dialogue de Candide et du docteur Pangloss

Candide. — Est-ce un songe ? Veillé-je ? Suis-je ici et maintenant ? Est-ce là ce grand métaphysicien que j'ai vu pendre et brûler ?

Pangloss. — Quoi ! c'est Candide, avec son esprit si simple et son jugement si droit ?

Candide. — C'est moi-même, maître Pangloss, arrivé ce matin de Valdberghoff-trarbk-dikdorff et du château de Thunderten-tronckh où le baron du même nom avait la bonté de m'héberger.

Pangloss. — Bravo ! Ne soyez point riche : ni Wolff ni Leibniz dans sa *Théodicée* ne font grand cas de la fortune. Mais ayez des amis riches : ils paient les impôts à votre place et vous pourrez toujours, quand on les pendra, en dire tout le mal que vous voudrez.

Candide. — Ah ! je vous retrouve, mon cher Pangloss, et toutes ces belles ressources de votre philosophie. Mais apprenez-moi, de grâce, mon bon Maître, ce qui se passe dans notre pays, dans ce paradis terrestre si éloigné des horreurs du Paraguay, du pays des Oreillons, de la Turquie et de la Bulgarie.

Pangloss. — Tout va pour le mieux comme toujours, et ce pays est le plus beau des pays dans le meilleur des mondes possibles.

Candide. — Vous me rassurez. De méchantes rumeurs étaient parvenues jusqu'au fond de la Westphalie. Elles disaient que le malheur avait fondu sur la France.

Pangloss. — Voilà qui m'étonnerait. Les princes qui nous gouvernent sont des princes philosophes. Ils n'ont que le mot bonheur à la bouche.

Candide. —Ah ! tant mieux. Est-ce à dire que tout le monde ici est aujourd'hui heureux ?

Pangloss. —Point du tout. Mais tout le monde le sera.

Candide. —Quand cela ?

Pangloss. —Dès demain.

Candide. —Mais aujourd'hui ?

Pangloss. —Aujourd'hui, nos princes – que leurs saints noms soient bénis ! – réunissent les conditions pour le bonheur de demain.

Candide. —Et quelles sont-elles, ces conditions ?

Pangloss. —Il s'agit d'abord d'effacer tout ce qui subsiste des abominations d'hier.

Candide. —Les Français, hier, étaient donc bien malheureux ?

Pangloss. —Plus que demain, assurément. Mais plutôt moins qu'aujourd'hui.

Candide. Vous me surprenez. Que font donc les princes d'aujourd'hui pour les rendre enfin plus heureux ?

Pangloss. —Ils font en sorte que les riches deviennent plus pauvres.

Candide. —Il y a du bon sens là-dedans. C'est, j'imagine, pour que les pauvres deviennent plus riches ?

Pangloss. —Holà ! quelle impatience ! Pas si vite. Il faut d'abord que tout le monde, et les riches et les pauvres, commence par devenir plus pauvre.

Candide. —Les Français, d'un seul coup, se seraient-ils convertis à la philosophie ? Souhaitent-ils vraiment devenir plus pauvres ?

Pangloss. —Non. Ils désirent devenir plus riches.

Candide. —Sont-ils esclaves ?

Pangloss. —Non. Ils sont libres. Et ils élisent leurs princes.

Candide. —J'ai du mal à vous suivre, mon cher Pangloss. Expliquez-moi ce mystère : les Français mettent leur bonheur à être riches ; ils élisent librement des princes qui leur promettent le bonheur ; et ils se retrouvent aujourd'hui un peu plus pauvres qu'hier.

Pangloss. —C'est qu'il n'y a pas d'effet sans cause et que les choses ne peuvent pas être autrement.

Candide. —Pangloss, Pangloss, je crains que vous ne vous moquiez et que vous n'abusiez de ma crédulité. Quelles sont les causes étranges qui entraînent ces tristes effets ? Que font les princes élus pour assurer le bonheur de leurs sujets ?

Pangloss. — Ils veulent augmenter le pouvoir d'achat pour relancer l'économie et lutter contre le chômage.

Candide. — L'augmentent-ils ?

Pangloss. — Non. Ils le diminuent pour freiner l'économie et lutter contre l'inflation.

Candide. — Il me semble, Pangloss, que je suis en train de devenir fou. Je vais retourner chez les Turcs, chez les Bulgares, chez les Oreillons. Les princes, oui ou non, ont-ils promis de relancer l'économie ?

Pangloss. — Oui.

Candide. — La relancent-ils ?

Pangloss. — Non. Ils la bloquent.

Candide. — Avaient-ils, oui ou non, promis d'augmenter les salaires ?

Pangloss. — Oui.

Candide. — Les augmentent-ils ?

Pangloss. — Non. Ils les bloquent.

Candide. — Dois-je comprendre, mon cher Pangloss, que les princes élus mènent en quelque sorte à la fois deux politiques contradictoires ?

Pangloss. — En quelque sorte, oui. Mais il n'y a là rien que de très naturel et il ne faut pas vous agiter comme vous le faites ni vous désespérer. La contradiction aussi fait partie du meilleur des mondes et elle peut y mener.

Candide. — Dites-moi franchement, mon cher Maître, s'il y a d'autres exemples, dans ce merveilleux pays, de cette contradiction constructive ?

Pangloss. — Grâce à Dieu, ils ne manquent pas. Au sein même du gouvernement, un petit nombre de princes élus – un dixième, à peu près – appartiennent à un parti qui condamne expressément la politique du gouvernement.

Candide. — J'imagine que la majorité, à défaut de les faire arrêter, les chasse au moins du gouvernement ?

Pangloss. — Vous n'y êtes pas. Elle les couvre de caresses.

Candide. — C'est peut-être qu'elle s'entend avec eux dans les affaires extérieures ?

Pangloss. — Vous voulez rire ? Les uns sont pour les Indiens d'Amérique et les autres pour les Mongols, les Tatars et les Caucasiens.

38

Candide. — Eh bien ! La France est neutre.

Pangloss. — Je ne dirai pas cela. Au contraire. Elle est engagée des deux côtés. Elle est l'alliée des uns et elle se livre avec les autres à des expériences scientifiques et à des aventures commerciales.

Candide. — Ah ! je vois ! Bravo ! Elle est en bons termes avec les deux camps.

Pangloss. — Non point. En mauvais termes plutôt avec tout le monde. Elle traite les uns d'insolents et elle dénonce les crimes des autres.

Candide. — Elle doit être devenue bien forte pour parler aussi haut ? Sa langue et sa monnaie règnent assurément sur le monde ?

Pangloss. — Pas exactement. Elle donne des fêtes splendides, mais elle s'est ruinée en un an.

Candide. — Mon cher Pangloss, le meilleur des pays possibles m'apparaît comme un tissu d'incohérences et de contradictions. Vous qui êtes philosophe, et linguiste, et politologue, et sociologue, et métaphysico-théologo-cosmolo-nigologue, comment expliquez-vous tout cela ?

Pangloss. — Tous les événements sont enchaînés dans le meilleur des systèmes possibles. Vous avez été fessé en cadence et j'ai été pendu à Lisbonne ; les Bulgares vous ont un peu fouetté ; mademoiselle Cunégonde est devenue affreusement laide et le pauvre baron, son frère, a reçu un coup d'épée dans le ventre. Mais tout cela était nécessaire pour que nous mangions enfin des pistaches et des cédrats confits dans notre petit jardin de la Propontide. De la même façon, il faut que les Français deviennent pauvres avant de devenir riches et que l'économie soit bloquée pour assurer sa reprise. Car tout étant fait pour une fin, qui est le système lui-même, tout est nécessairement pour la meilleure fin. Il est démontré chaque jour par nos princes que les choses ne peuvent être autrement. Par conséquent, ceux qui ont avancé que tout est bien dans la France socialiste ont dit une sottise : il fallait dire que tout est au mieux.

Candide. — Hélas ! mon cher Pangloss, je vois que vous continuez à être saisi par la rage de soutenir que tout est bien quand on est mal. Merci beaucoup. Je retourne chez les Oreillons. Quelque fous qu'ils puissent être, ils ne le sont pas autant qu'ici.

Le Figaro Magazine, 3 juillet 1982

En guise de bilan provisoire
Premier rendez-vous

Voici que s'achèvent à nouveau à la fois un cycle de l'année et une série de ces chroniques du temps qui passe. Cette séparation de l'été marque un anniversaire : il y a un an, la double victoire de la coalition socialo-communiste à l'élection présidentielle et aux élections législatives transformait radicalement la situation de la France. Les uns se réjouissaient, les autres se désolaient. Le pays semblait hésiter entre la consternation et l'espérance. Un grand nombre attendaient. Quelques-uns, aussitôt, se déclaraient publiquement dans l'opposition. Douze mois plus tard, où en sommes-nous ?

Reconnaissons-le tout de suite : nous nous sommes trompés. Les choses ont été beaucoup plus vite que nous ne l'avions imaginé. Nous pensions que vers 1983, ou peut-être 84, les Français commenceraient à se demander s'ils avaient bien fait de porter au pouvoir l'union paradoxale et quasi monstrueuse des socialistes et des communistes. Le printemps 82 vient à peine de s'achever et déjà le franc a subi, coup sur coup, deux dévaluations successives, la situation économique a imposé le blocage des salaires et des prix, ni l'inflation ni le chômage ne sont vraiment vaincus, et des catégories entières de Français commencent à glisser du scepticisme à l'hostilité la plus franche.

Si M. Mitterrand et son équipe s'étaient présentés au printemps 81 en proposant aux Français et aux Françaises un programme correspondant à ce qui s'est vraiment passé – plus de deux millions de chômeurs, une hausse des prix constante puis le blocage des salaires et des prix, l'alourdissement de la TVA sur un certain nombre de produits, etc. –, est-il certain que les électeurs auraient fait le même choix ? Ni la loi Auroux, ni l'impôt sur la fortune, ni les trente-neuf heures n'auraient sans doute suffi à les décider. Comment ne pas tirer la conclusion des contradictions de la politique actuelle : ou bien le gouvernement actuel a trompé les Français, sciemment, volontairement, ou bien il est composé d'incapables qui n'ont pas été en mesure de tenir leurs promesses fallacieuses.

À tort ou à raison, les sondages indiquent que la majorité des Français continue à faire confiance au gouvernement. Mais chacune des consultations électorales prouve jusqu'à présent le contraire. Il est assez douteux que, dans les mois qui viennent, la majorité voie sa situation se renforcer. Elle aura bien de la chance si son image ne se dégrade pas au fur et à mesure que se feront sentir plus vivement les conséquences de sa politique. Les agriculteurs, les commerçants, les professions libérales semblent déjà acquis à l'opposition. Quelle que soit son issue, la stupéfiante affaire de la mairie de Paris, qui soude autour de Jacques Chirac toutes les tendances de l'opposition, n'est pas de nature à renforcer le gouvernement ni à redorer son blason.

Toutes les probabilités sont du côté d'un affaiblissement progressif, mais régulier, d'une majorité qui ne réalisera qu'une partie de ses promesses contradictoires et qui les fera payer extrêmement cher.

S'il s'agissait d'accepter un certain nombre de sacrifices pour parvenir à plus de justice et de liberté, à une cohérence nationale renforcée, à un rayonnement accru de la France dans le monde, quel Français s'y refuserait ? Les manifestations multipliées d'intolérance, la dégradation matérielle et morale du pays, l'emprise sans cesse croissante d'une idéologie partisane qui frôle souvent la propagande pure et simple, la seule présence des communistes au gouvernement, dont personne ne peut s'imaginer qu'elle est gratuite et désintéressée, s'opposent malheureusement à toute interprétation trop optimiste. Les récentes variations du gouvernement, le passage soudain d'une politique de croissance à une politique d'austérité, l'incertitude permanente sur les buts à atteindre et sur les fins fixées mènent à la conviction que nous sommes entrés, depuis un an, dans une période de haut risque politique et économique. On en vient à se demander s'il y a une autre issue à l'incohérence actuelle, à la succession des marches et contremarches, des ordres et contrordres, qu'une chute dans un autoritarisme à tendance nationaliste et surtout anti-américaine. Ou bien ce qui se passe n'a aucun sens et nous irons, cahin-caha, de dévaluation en dévaluation, d'emprunt international en emprunt international et d'échec en échec, jusqu'à l'écroulement économique et au désordre politique ; ou bien nous ne sortirons plus d'une période de contrôle des changes, contrôle des prix, contrôle des salaires – menant inéluctablement à la sortie du serpent monétaire et de la communauté européenne, à la fermeture des frontières, à un nationalisme économique et à l'autarcie, et, en fin de compte, au contrôle des opinions.

Après tout, une fraction non négligeable de l'opinion communiste et socialiste est acquise d'avance à une telle aventure, naturellement suicidaire à plus ou moins long terme, mais qui permettrait de faire face au risque insupportable que font courir aux incohérences du régime socialiste les défis de la liberté économique et de la concurrence internationale. Ce que la France socialiste a le mieux réussi, c'est la diminution de la capacité et de la volonté de travail. Face à un Japon, à une Allemagne, à une Amérique qui travaillent plus et bientôt, hélas ! mieux que nous, où l'initiative privée n'est pas bridée et tenue en laisse par une administration tatillonne et bornée, où la réussite n'est pas considérée officiellement comme une tare à combattre, comment ne pas être tenté par un repli sur soi-même ? Il n'est pas tout à fait exclu que ces deux hypothèses ne parviennent à se cumuler : la France s'enfoncerait alors à la fois dans le désordre et dans l'isolement.

Le pire n'est pas toujours sûr. Je ne vois guère pourtant le franc en train de se redresser, le chômage et l'inflation décroître sensiblement, les investissements reprendre, la croissance triompher. Sous quelque angle qu'on le regarde, le proche avenir est sombre et bouché. Il n'y a – hélas ! – pas grand risque à prédire des malheurs qui ne tarderont pas à retomber sur le pays tout entier.

Pendant vingt-trois ans, le pouvoir d'achat des Français n'a cessé de s'élever. Il y avait, naturellement, dans la gestion du pays depuis le retour au pouvoir du général de Gaulle des zones d'ombre et des zones de lumière. Il y avait des hauts et des bas. Je ne me demande personnellement jamais si j'ai eu raison de m'installer, dès le 10 mai, dans l'opposition à la coalition des socialistes et des communistes : fondée, sinon sur le mensonge, du moins sur la contradiction, l'expérience est condamnée d'avance et il est impossible qu'elle finisse bien. Je me reproche parfois, en revanche, de n'avoir pas été assez critique à l'égard de tel ou tel aspect des gouvernements précédents. Mais, globalement, comme ils disent, malgré les torrents de propagande qui s'efforcent en vain de nous faire croire le contraire, les résultats d'hier étaient incomparablement supérieurs aux résultats d'aujourd'hui À travers les à-coups de la crise internationale (scandaleusement niée par M. Mitterrand et ses amis), le sort de tous s'améliorait. Avec trop d'injustices, trop d'inégalités, qu'une alternance entre le libéralisme et une social-démocratie authentique aurait pu heureusement corriger. Mais enfin, au bout de la route, pour tous, il y avait une espérance. Aujourd'hui, au bout de la route, pour tous, il n'y a que la perspective d'un déclin désespérant, dû à l'exaltation de la médiocrité et à la confusion d'esprit, et peut-être, au loin, la menace d'une catastrophe, due à l'obstination d'idéologues et de partisans, sentant peu à peu s'affaiblir et s'exténuer la confiance des Français.

S'il ne s'agissait que des intérêts matériels de telle ou telle catégorie de Français, on s'en consolerait encore. Que les fameux privilégiés soient touchés, mon Dieu… Que les cadres, les professions libérales, les forces vives de la nation voient diminuer leurs possibilités, c'est désolant, mais on pourrait, à la rigueur, l'accepter. Mais que le pays tout entier, en passe de devenir, au terme de ces fameuses vingt-trois années, une des nations les plus prospères et les plus fortes du monde, soit précipité dans le déclin par de médiocres expérimentateurs en chambre, suffisants et insuffisants, il y a de quoi se cogner la tête contre les murs. En un an, la dégradation, non pas de telle ou telle situation particulière, mais de la France en général, de sa prospérité, de sa crédibilité, de sa situation internationale et de sa monnaie qui n'est que le reflet et le résumé de tout le reste, est proprement atterrante.

Que demandons-nous ? Peu de chose. Que la monnaie reste stable et forte, que les fruits du travail et du talent ne soient pas systématiquement méprisés, que l'administration cesse d'étouffer les ressources de l'initiative et de l'imagination, que l'épargne, source traditionnelle de la prospérité française, soit à nouveau encouragée, que la famille n'ait pas à lutter contre l'État pour l'avenir des enfants, qu'on puisse, à telle ou telle chaîne de la télévision d'État, regarder les informations sans ressentir trop de honte et sans avoir envie de casser le récepteur, que tous puissent travailler librement afin de créer, pour tous, le plus de richesses possible. Voilà ce que nous réclamons. Voilà ce que le gouvernement actuel semble s'acharner, avec une arrogance qu'on croyait réservée aux féodaux disparus, en rejetant puérilement les fautes sur les autres, sur jadis et sur ailleurs, à refuser aux Français.

Les institutions de la Ve République assurent au pays une stabilité dont elle a longtemps manqué. Mais elles risquent de permettre la création et l'élargissement d'une fissure entre l'état réel de l'opinion et les hautes autorités élues de l'État. La Constitution a prévu au moins un instrument de correction : c'est le référendum. Le régime actuel aurait tort de laisser, sur des points capitaux, l'institution du référendum tomber en désuétude. Mais peut-être craint-il de tâter de trop près, avant les délais obligatoires et fatals, le pouls du peuple français ? Qu'il redoute alors de laisser monter et bouillir une impatience rentrée qui risque de provoquer, quand elle pourra enfin s'exprimer, une sorte de raz de marée.

Un dernier mot. Il y a une formule, employée par nos adversaires, qui m'a toujours paru haïssable. C'est celle-ci : « Tout est politique. » Non. Tout n'est pas politique. L'amour, la littérature, les jeux et la grâce des enfants, un certain regard sur la vie échappent à une politique qui s'efforce inlassablement de les récupérer. L'été était politique tant qu'il n'était permis qu'à un petit nombre de profiter de ses charmes. La social-démocratie a du bon : pour tous, aujourd'hui, ou presque tous, au moins dans nos sociétés occidentales de progrès et de liberté, c'est le temps des vacances. Oubliez pour quelques jours – mais pas trop – les difficultés quotidiennes et les épreuves du pays. Malgré tout, soyez heureux.

Le Figaro Magazine, 10 juillet 1982

Un malaise général

Peut-être est-ce l'âge qui vient ? ou peut-être l'approche de l'automne ? ou encore ces taches sur le soleil dont nous parlent ceux qui savent ? Mais un malaise général étend ses ailes sur nous.

Malaise économique, bien sûr. Mais aussi, et c'est plus grave, intellectuel et moral. L'affaire des camps de Chatila et de Sabra est d'abord un choc moral[1]. Ce qu'il est permis de reprocher à M. Begin et au général Sharon, ce n'est pas tant d'avoir mené une politique pleine de risques et d'avoir gagné en vain des batailles inutiles, ce n'est même pas d'avoir fait ou laisser tuer des civils, des femmes, des enfants par centaines – d'autres, après tout, en ont tué beaucoup plus sans qu'on fasse tant d'histoires –, non, la faute peut-être plus qu'historique, la faute métaphysique de M. Begin et du général Sharon, c'est d'avoir brouillé aux yeux du monde l'image du peuple juif : ils l'ont fait basculer, en quelque trente-six heures, du camp des victimes dans le camp des bourreaux.

Voilà le nom de Begin dénoncé un peu partout sur le même air qu'Amin Dada, ou le général Pinochet, ou tel ou tel tyran sanglant des démocraties populaires. Et c'est un scandale et une douleur. C'est dans ce scandale et cette douleur que se dissimule sans doute la grandeur privilégiée du peuple juif. Nous étions tous si habitués à voir les juifs tués par les autres et souffrir par les autres qu'une stupeur angoissée nous saisit à les voir tuer les autres et faire souffrir les autres.

Les massacres de Beyrouth ne constituent pas une exception dans l'histoire passée et moderne des abominations des hommes : les Syriens, les Palestiniens, les Jordaniens, les Irakiens, les Arabes en général, les Iraniens, les Russes, les Allemands et nous, et tous les autres, avons tous fait aussi bien – ou aussi mal. Nous pensions simplement que l'État d'Israël était un peu différent. Sabra et Chatila font, au contraire, rentrer les juifs dans la loi commune et sinistre d'une humanité coupable. Le remarquable – y a-t-il plus bel hommage au peuple élu et martyr ? – est que nous soyons bouleversés et stupéfaits.

C'est que, depuis des siècles et des siècles, les juifs nous apparaissent comme des persécutés. Le grand secret oublié et divulgué,

---

1. Du jeudi 16 au samedi 18 septembre 1982, pendant la guerre du Liban, les deux camps de réfugiés palestiniens de Sabra et Chatila, à Beyrouth-Ouest, ont été la cible de phalangistes libanais, autorisés par les autorités israéliennes à pénétrer dans ces camps : ils massacrèrent entre 700 (source israélienne) et 3 500 civils.

hélas ! par Begin et Sharon, c'est qu'ils pouvaient et peuvent être des persécuteurs. Ou du moins – car on ne sait toujours pas qui a tenu les armes meurtrières – des complices de persécuteurs.

Notre indignation même est ainsi un témoignage de solidarité, d'estime, sans doute d'admiration. Au milieu même de l'horreur, il y a un second motif d'admiration. Les massacres ne manquent ni dans notre histoire ni dans notre temps. Mais tout l'effort des peuples tend à les dissimuler et à les effacer. Parce qu'Israël est une démocratie, les crimes de Beyrouth, au contraire, ont été connus de tous.

On a beaucoup épilogué sur le point de savoir si le gouvernement israélien était au courant dès le vendredi matin du début des massacres. Et il aurait mieux fait, bien entendu, d'intervenir aussitôt et de mettre un terme à l'abomination.

Dès le samedi en tout cas – trop tard, beaucoup trop tard pour les victimes innombrables et pour ceux qui les pleuraient – le monde entier était au courant, voyait les images des cadavres éclaboussés de sang, pouvait témoigner de l'étendue du désastre et condamner ses responsables. C'était un crime atroce, non pas lavé, ni excusé, ni même tempéré – mais, enfin, éclairé et jugé par la télévision.

Où étaient les journalistes, et la télévision, et l'opinion publique, et le tribunal des consciences au Viêt-Nam et au Cambodge, en Chine du temps de la révolution culturelle en Afghanistan, en Iran, à Cuba, en URSS ? La différence entre les démocraties et les dictatures n'est pas tant dans la pureté des unes et l'indignité des autres : il arrive aux démocraties de commettre autant de fautes que les dictatures. La différence est dans le traitement des erreurs. Les démocraties les affichent et les dictatures les dissimulent.

La meilleure méthode pour garder une conscience pure et un casier judiciaire vierge aux yeux de l'univers est de suspendre l'information. Plus de journalistes, plus de nouvelles. L'histoire se déroule à huis clos.

Que de crimes dont nous ne savons rien ! Que de drames dont rien n'a filtré à travers les cloisons étanches de la police totalitaire !

De l'Argentine à Cuba, des tyrannies africaines aux démocraties populaires, que d'hommes et de femmes à jamais disparus !

1982

Katia Kaupp évoque dans *Le Nouvel Observateur* une jeune femme juive, Ida Nudel, déportée en Sibérie pour avoir voulu gagner Israël, et dont personne ne se serait soucié si quelques esprits courageux ne s'étaient inquiétés de son destin. Que d'Ida Nudel à travers le monde ! Elles n'excusent pas naturellement, les centaines et les centaines de cadavres de Beyrouth. Au moins les victimes de Sabra et de Chatila ne resteront-elles pas ignorées.

Des milliers, des dizaines de milliers, peut-être des centaines de milliers d'autres seront à jamais couvertes du voile de l'oubli et de l'hypocrisie meurtrière.

Le Figaro Magazine, 2 octobre 1982

1983

En guise de bilan provisoire
Deuxième rendez-vous

Au moment où les trompettes de l'été sonnent une espèce de trêve dans les combats politiques, un peu plus de deux ans se sont écoulés depuis la victoire socialiste. Assuré de sa durée par la Constitution, le président de la République a encore un peu moins de cinq ans devant lui. L'Assemblée nationale a un peu moins de trois ans devant elle. Même en ce qui concerne la législature, la mi-temps ne sera sifflée que vers le milieu de l'automne. Après tant de tumultes, avant tant d'incertitudes, l'occasion est pourtant propice à la fois à un bilan de plus en plus clair et à une tentative de pronostic nécessairement obscur. Le métier de prophète est très difficile, surtout quand il s'agit de l'avenir.

Peut-être est-il possible de se mettre d'accord, pour le passé, sur un certain nombre de points. La victoire écrasante du parti socialiste a été due moins à un enthousiasme débordant à l'égard des vainqueurs qu'à une déception marquée à l'égard des vaincus. Après vingt-trois ans de pouvoir exercé de façon ininterrompue par les Capétiens directs ou indirects – je veux dire les gaullistes orthodoxes ou dissidents –, un phénomène massif de rejet s'est manifesté en 1981. Un quart de siècle, c'est assez : les Français n'en pouvaient plus de retrouver les mêmes têtes. L'inflation et le chômage ont fait le reste. M. Mitterrand et ses amis (malgré leurs déclarations, ils ont beaucoup changé) ont répété inlassablement aux électeurs que les chocs extérieurs et la crise internationale ne constituaient ni une explication suffisante ni une excuse – et ils les ont convaincus. Plus encore que pour M. Mitterrand, pour ses hommes et pour ses idées, les Français ont voté contre M. Giscard d'Estaing, contre l'inflation et contre le chômage.

M. Mitterrand et les siens – parmi lesquels les communistes, recrutés par les socialistes ni par nécessité numérique ni par amour désintéressé, mais pour éviter un combat sur deux fronts – avaient une politique sur laquelle ils ont été élus : elle s'appelait nationalisations, largesses, relance, reconquête du marché intérieur. Ils l'appliquèrent aussitôt. Au bout d'un an, le gouvernement lui-même était obligé de constater que cette politique aboutissait à un échec. Il n'était pas question de revenir sur les nationalisations, symbole et fer de lance de toute politique socialiste. Mais, freinant brutalement, revenant sur les promesses, tournant le dos aux largesses, à la relance et à la reconquête du marché intérieur, bloquant temporairement les salaires et les prix, chaussant, en plus étroit, les souliers vides de M. Barre, le gouvernement adopte, à son tour, la politique de rigueur et d'austérité qu'il avait si âprement critiquée et contre laquelle il s'était fait élire. Par un paradoxe circulaire, riche d'enseignement et d'humour historique, certains libéraux de droite avaient pu reprocher à M. Giscard d'Estaing de mener d'avance la politique de ses successeurs – voilà que certains socialistes de gauche reprochent à M. Mitterrand de mener avec retard la politique de ses prédécesseurs.

En se faisant le héraut du libéralisme avancé, M. Giscard d'Estaing avait poursuivi en vain la chimère séduisante de la décrispation. En menant la politique de la rigueur socialiste, en poursuivant une espèce de barrisme, plus les nationalisations, plus l'impôt sur le capital, plus la participation communiste, plus ce qu'il est convenu d'appeler la *justice sociale*, M. Mitterrand a cédé, bien entendu, à la nécessité ; mais, faisant contre mauvaise fortune bon cœur, il s'est mis du même coup à flirter avec l'idée de consensus national. Le consensus est à la rigueur socialiste ce que la décrispation était au libéralisme avancé. Il est plus que probable qu'il aura le même sort. M. Mitterrand en sera aussi surpris, aussi contrarié et aussi indigné que M. Giscard d'Estaing. Avec moins de raison. Car, contrairement cette fois à M. Giscard d'Estaing, M. Mitterrand a attendu les difficultés et l'échec de sa première politique pour en appeler à tous les Français.

Un des arguments des socialistes est celui-ci : puisque la politique adoptée aujourd'hui est à l'extrême opposé de la politique suivie en 1981-1982, comment les adversaires de la relance ne seraient-ils pas en faveur de la rigueur ? Si vous n'êtes pas poussé par une mauvaise foi partisane, pouvez-vous être à la fois contre une politique et contre son contraire ? Après l'échec patent de sa période rose, M. Mitterrand a certainement mis des espoirs d'union dans l'appel à l'effort collectif de sa période bleue : c'était Figeac après Valence, c'était Delors après Chevènement.

Tous les observateurs ont remarqué que, pendant plusieurs mois, le mot même de « socialisme » avait disparu du discours présidentiel. Si, par un autre paradoxe, monumental, scandaleux et presque sacrilège, il y a quelque chose de gaullien dans l'ennemi juré du Général, c'est le désir de rassembler. À l'exception peut-être de Georges Pompidou, dont le mandat est resté inachevé, tous nos présidents successifs auront buté, à un moment ou à un autre, sur la notion de rassemblement des Français. Elle aura été la grande espérance et le grand échec de la Vᵉ République.

Depuis toujours, plus encore depuis un an et depuis l'instauration de sa nouvelle politique économique, M. Mitterrand, volontairement, est assis entre deux chaises sur lesquelles il fait semblant de se poser tour à tour. Mais à peine s'est-il assis sur l'une qu'il se relève aussitôt et qu'il se dirige vers l'autre. La première chaise est celle du peuple de gauche et, dans une certaine mesure, celle de la *fracture* et de la lutte des classes. La seconde est celle de l'union des Français. Toute l'histoire de la présidence de M. Mitterrand jusqu'à aujourd'hui est celle des va-et-vient présidentiels entre les deux fauteuils et celle des paris pris sur le siège en fin de compte choisi. La vérité est que M. Mitterrand n'a aucune envie de choisir. Il voudrait une sorte de trône qui repose, très haut, et un peu de guingois, sur les deux chaises à la fois.

En raison surtout de ce déséquilibre, les deux années écoulées ont été moins marquées par la question toute simple : *qu'est-ce qui est en train de se passer ?* que par la question autrement compliquée : *que va-t-il se passer ensuite ?* Chacun a le sentiment qu'un processus est enclenché dont on ne connaît pas l'issue. Encouragées par le président lui-même, qui évoque successivement les hypothèses opposées de l'entente entre les adversaires et de la radicalisation, et surtout par ses ministres qui multiplient stridences, dissonances et couacs, les supputations n'ont jamais cessé d'aller un train d'enfer : durcissement ou recentrage, fuite en avant ou retour en arrière.

À cette incertitude du pouvoir répondent symétriquement les hésitations de l'opposition : respect des échéances ou accentuation de la pression pour des consultations plus rapprochées.

L'incertitude actuelle était déjà en germe dans le programme commun dont il était impossible de savoir s'il menait à une social-démocratie de gauche ou à une amorce de marxisme et de collectivisme. Malgré les dénégations et les ricanements socialistes, pourquoi les communistes s'accrocheraient-ils au gouvernement s'ils ne pensaient pas eux-mêmes que la seconde hypothèse n'était pas tout à fait à exclure ? Avec l'évidence de l'échec, l'incertitude congénitale est devenue chronique. Malgré les curieuses déclarations présidentielles sur l'unique politique possible, il y a toujours deux chemins ouverts quand un traitement échoue à guérir un malade : le premier consiste à abandonner le traitement ; et le second, à le renforcer. L'opposition recommande la première voie ; les communistes ne sont plus seuls à réclamer la seconde, la sortie du SME[1], la taxation des importations, la reconquête volontariste du marché intérieur et une forme accentuée de nationalisme économique : suivi d'un certain nombre de socialistes, un Jean-Pierre Chevènement a emboîté le pas aux communistes – à moins qu'il ne les précède. M. Mauroy déjà plus ou moins effacé, M. Delors incarne seul ou presque seul, avec un mélange de courage et de masochisme obstiné, la lutte pour un socialisme plus ou moins libéral qui, après avoir échoué dans la relance, se précipite dans la rigueur. Sur une ligne de crête qui ne laisse aucune marge de manœuvre, il joue une énorme partie – et le pays avec lui.

Une question domine les semaines que nous vivons : le plan Delors peut-il réussir ? La question est ambiguë. Une partie

---

1. Système monétaire européen.

essentielle de son plan vise, comme on dit, à refroidir l'économie. À cet égard, il réussira. Il réussira à appauvrir les Français. Vous rappelez-vous les tirades moralisatrices sur les Français qui ne prenaient pas de vacances ? Il semble que ces Français déshérités soient plus nombreux que jamais à ne pas partir cet été. Tout le problème est de savoir si cet appauvrissement constituera la condition, le point de départ, le *socle*, dirait M. Mauroy, d'un nouveau décollage et d'un nouvel enrichissement. La réponse est au moins incertaine. En des formules assez étonnantes, le Premier ministre et le président de la République lui-même ont dit et répété que la rigueur n'était pas une fin en soi. Encore heureux. Seuls des monstres, des fanatiques ou des imbéciles instaureraient la rigueur pour la rigueur. La rigueur socialiste est évidemment un détour vers la prospérité. Est-ce le bon chemin ? À voir les sondages et les diverses consultations populaires, les Français n'en semblent pas persuadés. Peut-être à cause du contraste entre promesse et réalité, jamais dirigeants ne sont passés aussi vite de la popularité à une disgrâce manifeste.

La démarche de M. Mitterrand n'a cependant rien de très mystérieux. Il avait toujours annoncé que les années 1983 et 1984 seraient dures pour les socialistes au pouvoir. Son expérience est que les Français ont la mémoire courte : un pouvoir n'est pas jugé sur la totalité de sa durée, mais seulement sur les derniers mois qui précèdent les élections générales ; son espérance est qu'après les tempêtes viendra, sinon le beau temps, du moins une éclaircie suffisante pour éviter un naufrage. Plus on aura tapé dur à mi-parcours, plus le moindre relâchement vers la fin sera le bienvenu. On serre la vis aujourd'hui, on la desserrera demain ; on s'endette aujourd'hui, on s'endettera encore plus demain ; et, avec l'aide d'un système électoral habituellement combiné, le parti socialiste s'en tirera à peu près. Voilà ce qu'est devenu le programme socialiste : une espèce de machine à limiter les dégâts qu'elle a elle-même infligés.

Dans sa dernière intervention radiophonique à l'heure du petit déjeuner, le président de la République a eu cette formule : « Je veux consacrer mon septennat au redressement national. » Elle aurait été plus convaincante si beaucoup de Français n'avaient pas le sentiment que le mot « redressement » suppose un *affaissement* et que cet affaissement est, sinon en totalité, du

52

moins en très grande partie, le fait de ceux-là mêmes qui appellent maintenant au redressement.

Le chômage, l'inflation, le déficit du commerce extérieur seront-ils vaincus en même temps selon les promesses de M. Mitterrand et de M. Delors ? J'espère que oui, mais je crains que non. Les communistes finiront-ils, en 1984 ou 1985, par quitter le gouvernement ? Je pense que oui, mais je n'en sais rien. Le mécontentement populaire, si évidemment perceptible, imposera-t-il au pouvoir des consultations anticipées ? Qui serait capable de prédire des événements imprévisibles ? Ce que je crois, mais je me trompe peut-être, c'est qu'on ne peut pas lutter contre le chômage sans réaliser des conditions favorables à la création d'emplois nouveaux ; ce que je crois, c'est qu'on ne peut pas redresser une balance déficitaire du commerce extérieur en s'acharnant à travailler moins que les concurrents étrangers ; ce que je crois, c'est qu'on ne peut pas sauver une monnaie ni réduire l'inflation sans susciter la confiance, nationale et internationale ; ce que je crois, c'est que la propagande partisane, la mainmise sur la télévision, l'encouragement à l'affrontement des classes ne remplaceront jamais l'élan spontané de tout un peuple. Ce que je crois, c'est que, surtout à la française, le socialisme, avec la lourdeur de ses contrôles et de sa paperasse, avec son culte de l'irresponsabilité, avec ses incitations à ne surtout jamais se dépasser, n'est pas la bonne solution à la crise de notre temps. Les pays qui la dominent, au sein de ce monde libre auquel M. Mitterrand se dit tant attaché, ne suivent pas la même route que le socialisme à la française.

Le Figaro Magazine, 9 juillet 1983

Discours et réalité
ou la paille et le grain

Au milieu de contradictions qui ne sont pas nouvelles, le président de la République, lors de son apparition télévisée de la semaine dernière, ne m'a pas seulement paru bon, comme se contentent de l'écrire, avec trop de réserve, quelques-uns de mes confrères : il m'a semblé prodigieux, grandiose, sublime.

Prenant le taureau par les cornes, il a commencé par constater que les Français, assommés de propagande, ne croient plus un mot de ce que leur racontent leurs dirigeants : « Souvent déçus dans leur espoir, les Français sont comme saint Thomas : ils ne croient que ce qu'ils voient, et ils ont bien raison. » Moyennant quoi, il s'est mis à leur parler pour leur expliquer à peu près le contraire de ce qu'ils peuvent constater.

Jusqu'ici, M. François Mitterrand s'était fait une spécialité de la contradiction dans le temps. Quelques exemples parmi beaucoup d'autres : avant de prendre lui-même le pouvoir et de l'exercer comme on sait, il dénonçait les institutions de la Vᵉ République et la mainmise du gouvernement sur les moyens d'information ; avant d'envoyer des avions et des troupes au Liban et au Tchad, il avait fait désarmer les appareils qu'il passait en revue ; il y a encore quelques mois, il passait l'engagement solennel de ne pas augmenter la pression fiscale en 1983. Et ainsi de suite. Le président de la République est passé à la vitesse supérieure : voilà qu'au lieu de se contenter de faire aujourd'hui ce qu'il condamnait hier ou avant-hier il se met à dénoncer lui-même et dans le moment présent ce qu'il est en train d'accomplir. Jamais, je crois, en aucun pays libre et en aucun temps, aucun chef d'État n'a poussé aussi loin la gymnastique intellectuelle du mépris du citoyen.

La taxe professionnelle n'a pas été instaurée par le gouvernement. C'est une des mesures les plus contestables, parmi d'autres, du gouvernement précédent. Seulement, le gouvernement de M. François Mitterrand s'est bien gardé de l'abroger. M. François Mitterrand avait voté contre lors de son instauration. Non seulement il lui était hostile hier, mais il la traite, aujourd'hui même, « d'anti-économique, d'horriblement injuste, d'insensée ». N'importe : il la maintient. Pourquoi ? Mais parce qu'elle rapporte, dans l'immédiat, un peu de cet argent dont le gouvernement socialiste, après les folies de l'an passé, a un besoin si urgent. Ce qui est dit de la taxe professionnelle par la plus haute autorité de l'État peut être dit, non seulement de l'ensemble du budget, mais de toute la politique économique du gouvernement : elle est insensée mais, à court terme au moins, elle rapporte l'argent nécessaire pour tenir encore quelques mois.

Il y a mieux encore, et plus fort. Les prélèvements obligatoires – parlons simplement : les impôts – dont les Français se plaignent à juste titre, le président de la République les trouve exagérés. D'autres chefs d'État ou de gouvernement ont plaidé ou plaident en faveur de leur caractère nécessaire et inévitable. Chez nous, rien de tel : « Effectivement, c'est trop. » Et le président de la République a ce mot admirable, qui, à propos de ses propres choix, de la politique dont il porte la responsabilité devant l'histoire, semble sorti d'une comédie inconnue de Molière : « Il arrive un moment où c'est insupportable. »

Je me mets maintenant – ou j'essaie – dans la peau d'un homme de gauche ou d'extrême gauche qui a fait confiance à François Mitterrand. Qu'est-ce que j'entends, qu'est-ce que je lis ? Que le président de la République n'est « aucunement l'ennemi du profit, qu'il faut absolument que le droit à l'enrichissement individuel soit reconnu », que les immigrés clandestins « doivent quitter la France », qu'il est souhaitable de mettre fin à la lutte des classes. Je constate alors, avec regret, que le président du patronat français n'a pas tort de déclarer : « Le discours du président de la République se rapproche de nos thèses. »

Deux aspects de l'intervention présidentielle m'ont paru, en effet, insuffisamment soulignés par les commentateurs. Le premier – secondaire – est l'influence évidente sur M. François Mitterrand d'un revenant un peu oublié : M. Jean-Jacques Servan-Schreiber ; tout le passage, un peu confus, sur l'électronique et la communication portait avec évidence l'estampille J.-J. S.-S. Le deuxième est capital : l'intervention présidentielle marquait, avec une clarté aveuglante, le fameux recentrage, tant attendu, de la politique présidentielle. Voilà que M. François Mitterrand en personne nous l'expose noir sur blanc. Et, par un fantastique paradoxe, il semble que personne n'y prenne garde.

L'explication de ce phénomène est que les paroles du président sont naturellement de nature à inquiéter les esprits de gauche, et plus encore d'extrême gauche ; mais ils savent que seule compte la politique effectivement mise en œuvre par des hommes dont ils sont sûrs. Symétriquement, le discours présidentiel est de nature à rassurer les gens de droite ; mais échaudés par l'expérience, ils se méfient de plus en plus de l'adéquation douteuse entre le discours et l'action. « Maintenant, pour reprendre la formule de M. Gattaz, nous attendons que l'on passe de la parole aux actes. »

La schizophrénie manifeste du pouvoir a fait des progrès inquiétants et rapides : l'opposition si évidente, dans le temps, entre les promesses et les réalisations glisse désormais, dans le moment même, à l'opposition entre les mots et les faits. En un exercice de voltige inouï, le président de la République condamne sa propre politique. Cette palinodie instantanée ne lui fera du bien ni à gauche ni à droite. Mais elle sera sans conséquence et à droite et à gauche. Car tout le monde sait désormais que ce que dit M. Mitterrand n'a pas beaucoup d'importance. On dirait plutôt, et à chaque fois davantage, une espèce de numéro de pure forme, apprécié par les amateurs en dehors de toute connexion avec la réalité. Pour reprendre la formule du président de la République, « souvent déçus dans leur espoir, les Français sont comme saint Thomas : ils ne croient que ce qu'ils voient ». Ils ne croient plus ce qu'ils entendent.

Le Figaro Magazine, 24 septembre 1983

1984

La vie est merveilleuse

Mon cher Marc,

Je croyais que les lettres du 1ᵉʳ janvier avaient disparu avec les costumes marins, les autobus à plate-forme, le 3 % perpétuel et la confiance en l'emprunt russe. Voilà que tu m'envoies des vœux qui me projettent dans le passé autant que dans l'avenir. Ils me touchent beaucoup. Voici les miens.

Un peu de mélancolie les entoure. Je voudrais pouvoir te dire que ton avenir est lumineux, ta patrie grande et respectée, ce qui t'attend plein de promesses. Je ne le peux pas. Je préfère ne pas mentir en commençant l'année. Un ami de Jean-Paul Sartre écrivait naguère qu'il ne permettrait à personne de soutenir que vingt ans étaient le plus bel âge de la vie. Que dirait-il aujourd'hui ! Mon cher Marc, mieux vaut regarder les choses en face : à dix-huit ou dix-neuf ans, tu entres dans un monde qui est jonché de décombres.

Nous sortons d'un univers qui valait ce qu'il valait. Plein de privilèges, d'injustices et d'inégalités, il vivait au moins dans l'impatience de l'avenir et dans l'espérance de l'amélioration. C'est ce qu'on appelait le progrès. Ce progrès prenait des visages très différents : la science, l'industrie, la patrie, le socialisme, la paix. Et il est vrai que la science, la technique, l'industrie se sont prodigieusement développées depuis un siècle et demi. La physique, la médecine, l'électricité, les transports, l'automobile, l'avion ont transformé ton existence. Tu ne vivrais pas volontiers comme ont vécu tes aïeux tout au long de tant de siècles.

57

En France au moins, l'immense majorité n'a plus guère froid ou faim. La majorité voyage. Ton espérance de vie n'a jamais été aussi longue. Des miracles ont été accomplis contre la maladie et la souffrance. Beaucoup meurent du cœur ou du cancer parce qu'ils ne meurent plus, avant, de la petite vérole ou de la tuberculose. Et beaucoup meurent de leurs plaisirs, sous forme de drogue ou de tabac ou de vitesse en automobile.

Tout va bien : l'homme est plus puissant que jamais. Tout va mal : il l'est devenu beaucoup trop. Hier, il n'avait pas de moyens, mais il avait des espérances. Aujourd'hui, il a des moyens. Mais il n'a plus d'espérance.

Il n'a plus d'espérance parce que les grandes choses auxquelles il croyait se sont écroulées tour à tour. Les vieilles vertus d'autrefois – le respect pour les anciens, la tradition, la famille, l'exaltation du travail, la patrie – sont tombées au rang de sarcasmes, de matières à plaisanterie, de lubies malfaisantes. Compromises par leurs liens avec des causes impures ou vaincues, avec des intérêts camouflés, avec des idéologies rejetées, elles ont cessé de constituer ce qu'elles avaient été si longtemps : un moteur de l'histoire.

On dirait que l'histoire, vers la fin du siècle passé et pendant les trois quarts du siècle que nous vivons, s'est tournée tout entière vers deux puissances formidables qui ont marqué notre époque de leur triomphe douteux : la science et le socialisme.

Il est de plus en plus clair que le socialisme aura été la grande affaire du XXe siècle. Sous sa forme nationale et sous sa forme internationale, sous ses espèces hitlériennes et sous ses espèces staliniennes, il aura représenté les illusions perdues de nos années troublées, la folle espérance d'une révolution radicale et d'une rénovation de l'homme. S'il fallait à tout prix trouver un seul slogan pour les périodes successives de notre histoire écoulée, peut-être pourrait-on proposer l'*Ordre* pour l'âge classique, les *Lumières* pour le XVIIIe, le *Désir de tempêtes* pour la Révolution, l'Empire, le romantisme. À partir de l'extrême fin du XIXe siècle jusqu'à nos jours, il me semble que le mot d'ordre, longtemps caché et secret, pourrait être : *Changer la vie.* Tu arrives juste à temps, mon cher Marc, pour assister à la fin de ces grandes illusions.

Le socialisme a été un beau et noble rêve. Son déclin et son écroulement prennent des allures théâtrales : le drame wagnérien avec Hitler, la tragédie sanglante avec Staline, la comédie satirique et la bouffonnerie triste avec le socialisme à la française. Sous ses formes diverses et souvent antithétiques, le socialisme s'était identifié de si près aux espoirs et aux rêves des masses qu'il a fallu à chaque fois aller assez loin dans l'expérience – dans le drame ou dans la dérision – pour que les masques tombent et que les yeux se dessillent. Il n'est pas question, bien entendu, de comparer, en quoi que ce soit, M. Mitterrand, si cultivé, le bon M. Mauroy, le doux M. Mermaz ou M. Defferre, bourgeois marseillais, à l'assassin Hitler ou à l'assassin Staline. Simplement, si le socialisme était resté dans l'opposition, on n'aurait jamais su ce que c'était et on aurait continué à le considérer comme une grande espérance. Il a fallu attendre son accession au pouvoir pour que chacun puisse voir et comprendre. Hitler et Staline, qui étaient des dictateurs, ont conservé coûte que coûte le pouvoir et massacré leurs adversaires. Les socialistes français, qui sont des démocrates et des libéraux, se contentent, avec leurs alliés communistes, de s'accrocher au pouvoir en dépit de la désaffection évidente des électeurs. Ils fraudent, ils truquent, ils manipulent les chiffres, ils découpent les circonscriptions, ils concoctent froidement des lois électorales, ils essayent de museler la presse sans envoyer personne dans des goulags qui, grâce à Dieu, n'existent pas chez nous. M. François Mitterrand restera dans l'histoire comme l'homme qui a donné le pouvoir au socialisme français et qui lui a porté en même temps, et de ce fait même, le plus rude de tous les coups. Ah ! que le socialisme était beau quand des opposants le rêvaient !

Que reste-t-il ? La science ? Elle est en mauvaise forme. Non seulement parce que le socialisme, achevant un travail déjà largement entamé, a pratiquement détruit l'Université française, hier encore la première du monde. Mais aussi parce que la science se développant jusqu'à fournir le moyen de détruire la planète, a mis, pour la première fois, et elle-même, des limites à son pouvoir. Toute la notion de progrès m'en paraît ébranlée. Tu arrives à l'âge adulte, mon cher Marc, à une époque où la France est diminuée, où son enseignement est saboté, où son prestige se dégrade, où sa dernière espérance – le socialisme – est en train de s'effondrer et où, phénomène sans précédent depuis des siècles et des siècles, la science hésite et s'interroge sur elle-même et sur notre avenir.

Voilà pour le cadre général. Pour le choix de ta carrière, tout le monde t'a déjà prévenu : surtout ne cherche pas le succès, tu serais suspect aussitôt. Surtout ne t'enrichis pas, c'est une évidence ; mais ne t'efforce même pas d'exceller dans ton domaine : ta vie deviendrait impossible, mène même l'existence la plus médiocre, la plus terne, la plus moyenne possible. À moins, bien entendu, que tu n'entres à la CGT ou au parti communiste. Les grosses fortunes et les grandes réussites ne sont encouragées et défendues qu'à l'ombre de la carte du PC.

Ne vise pas un prix littéraire, ni une industrie florissante, ni un commerce qui marche bien. Ni surtout des journaux que leur succès ferait tomber aussitôt sous le coup de la loi. Mais essaie de jouer au Loto – ou peut-être à ce nouveau Tac-o-tac dont on nous dit tant de bien. Il semble que notre gouvernement réserve ses faveurs aux seules fortunes nées du hasard – mais surtout pas du mérite, de l'épargne, du travail, du talent. Tu pourrais aussi tenter de devenir *aviseur* : c'est le joli nom que ceux qui nous gouvernent réservent aux mouchards et aux dénonciateurs fiscaux. Ne t'attaque jamais aux voleurs et aux assassins : tu finirais en prison. Mais si tu parviens à faire pincer un de ces ignobles richards, on te filera des primes qui ne prêtent pas à rire.

Je ne voudrais pas, mon cher Marc, que ces conseils un peu amers puissent te décourager. Je crois, au fond de moi-même, qu'il y a encore de beaux jours à vivre et de grandes choses à faire. Mais tu ne dois plus compter sur les structures qui nous entourent et qui se sont effondrées. Oublie tout ce que je t'ai dit et ne retiens que ceci : la vie est merveilleuse ; il faut tout trouver en toi-même : la justice, le bonheur, la simplicité, la grandeur. Et alors, peut-être, tu reconstruiras un monde.

Le Figaro Magazine, 7 janvier 1984

Les avions renifleurs[1]
lâchent leurs parachutistes

Je me demande souvent si je suis vraiment fait pour la politique. Davantage encore lorsqu'elle tombe dans le marécage des attaques personnelles. Mais quel moyen d'échapper au piège une fois qu'il est monté ? À partir du moment où, dans une formidable opération de diversion qui n'est sans doute pas la dernière, un des plus hauts magistrats de France a été accusé de *forfaiture* – c'est-à-dire de trahison – et où le Premier ministre a prononcé le mot *escrocs*, comment l'opposition aurait-elle pu se taire ? Par petites touches successives, par insinuations, par allusions, ce que le gouvernement essaie de suggérer c'est que de hautes autorités, y compris un ancien Premier ministre et le seul ancien président de la République vivant, ont mis de l'argent public dans leurs poches. La monstruosité de l'accusation a de quoi indigner.

Un mot d'abord sur le passé. La recherche du pétrole coûte cher. Toute recherche fondamentale entraîne des frais à fonds perdus. Une fois de temps en temps, le gros lot sort au jackpot de la technique appliquée, et c'est une récompense suffisante pour toutes les dépenses stériles effectuées en vain. Un élève de quatrième d'hier, c'est-à-dire un candidat à la licence d'aujourd'hui, a entendu parler de ces lieux communs. Dans le domaine du pétrole, où le moindre forage, surtout *off shore*, coûte les yeux de la tête, une mise de fonds même aléatoire vaut toujours la peine d'être risquée si elle a la moindre chance d'économiser ensuite la folle accumulation des dépenses de routine. La géniale invention linguistique des *avions renifleurs* mise à part, l'idée de se servir de l'aviation pour la recherche pétrolière n'a rien de stupéfiant ni de ridicule en soi. On se sert bien des avions dans l'archéologie d'aujourd'hui et nombre d'autres techniques modernes sont beaucoup plus extraordinaires. Je reste persuadé qu'aucun dirigeant américain, japonais, russe, alle-

---

1. Le financement très couteux d'un appareil fantaisiste censé détecter des gisements de pétrole a débouché sur un scandale politico-financier.

mand, italien ou anglais n'aurait écarté d'un revers de la main l'idée d'une détection aérienne des nappes pétrolifères.

Après l'échec de l'expérience, ce qui est reproché aux dirigeants d'hier c'est d'avoir paru dissimuler les choses. J'ai entendu un journaliste de la télévision demander à M. Giscard d'Estaing pourquoi il n'avait pas parlé personnellement de l'affaire à M. François Mitterrand. La question a quelque chose de comique. Il aurait fallu des contacts quotidiens pendant de longues journées pour parvenir au niveau d'urgence, en fin de compte assez bas, auquel se situe le problème en question. L'entourage de M. Mitterrand était pleinement informé depuis longtemps du sort des recherches effectuées par Elf-Erap. Personne n'a senti la nécessité d'en parler au président actuel de la République et deux ans et demi ont passé avant qu'un problème technique plutôt banal ne soit miraculeusement ressorti des archives sous forme de campagne de presse, d'arme politique, de diversion et de scandale.

Voilà, en bref, pour le passé. Les conséquences, pour l'avenir, de cette opération politique d'assez basse inspiration me paraissent autrement graves.

D'abord, la campagne du pouvoir constitue une nouvelle et puissante incitation à s'abstenir, dans le futur, de toute initiative. Il n'était déjà pas bon, sous ce gouvernement, d'être patron, chef d'entreprise, commerçant prospère, auteur à succès. Il sera mauvais d'être inventeur. Mot d'ordre : ne faites rien ; n'inventez rien ; n'entreprenez rien. Imaginez une société privée ou publique à qui un chercheur vient proposer des techniques qui pourraient mener aussi bien à un échec retentissant qu'à une découverte décisive, aux *avions renifleurs* qu'à la machine à vapeur : elle renifle, se mouche et ne prend surtout aucun risque. Il est vrai que les chances sont assez minces de voir chercheurs et inventeurs s'adresser désormais aux sociétés pétrolières françaises · elles sont déconsidérées pour un bon moment. Chacun sait que la guerre économique fait rage entre les compagnies pétrolières qui s'assènent les unes aux autres les coups les plus durs. Aucune n'a vu se dresser contre elle son propre gouvernement. À cet égard, le gouvernement de M. Mitterrand et de M. Mauroy fournit au monde entier, partagé entre l'hilarité et une secrète satisfaction, le spectacle original d'une grande première absolue dont aucun de nos concurrents n'aurait jamais osé rêver : un gouvernement qui attaque, bille en tête, les recherches d'une société non seulement nationale, mais – comble d'ironie – nationalisée et gouvernementale.

Ensuite, et comme si ce chef-d'œuvre technique ne suffisait pas, le gouvernement de la France a délibérément mis en cause, à des fins politiques partisanes et avec une violence inouïe qui a entraîné les chocs en retour que l'on sait, les plus hautes autorités de la nation. Un ancien président de la Cour des comptes a été traîné dans la boue. Un ancien président de la République a été mis pratiquement en accusation et acculé à la défensive. Si l'un et l'autre, et d'autres encore, ne sont pas encore traînés devant une haute cour de justice, c'est que nos ministres disent n'importe quoi. On répète, à juste titre, que le président de la République ne doit pas être attaqué. Et un ancien président de la République ? C'est un jeu affreusement dangereux et dont on ne sait pas où il s'arrête qui est en train de se jouer. Quand M. Jacques Chirac soutient que rien n'a pu se faire sans l'aval et peut-être sans l'impulsion de M. François Mitterrand, il a parfaitement raison. Comment ne s'interrogerait-on pas alors sur le passé de tous les acteurs ? Que de fange serait remuée ! Il faut être soi-même à l'abri de tous les scandales et de toutes les combinaisons, comme l'était, par exemple, le général de Gaulle, pour prendre le risque redoutable de les dénoncer chez les autres. Et le général de Gaulle ne se servait pas de ces armes-là. On dirait qu'il faut être familier de la compromission pour la découvrir à tout bout de champ et à tort chez des adversaires considérés comme des semblables.

Comment, dès lors, le grand public, indigné, affolé, ne rejetterait-il pas pêle-mêle dans le même sac de réprobation tous les comédiens de ce sale drame ? La masse ne saisit pas tous les détails difficiles, tous les ressorts secrets de l'action. Mais elle subodore un climat, elle se souvient obscurément. Tout cela, indistinctement, la dégoûte et l'exaspère. Il ne faut pas être grand clerc pour sentir qu'un double mouvement est en train d'agiter ce pays : une hostilité de plus en plus marquée contre un gouvernement qui avait promis la lune et qui fait aussi mal ou plus mal que ceux qui l'avaient précédé ; et un rejet général de toutes les idéologies et de tout le personnel politiques.

À qui profite ce double mouvement ? En d'autres temps, il aurait profité à l'extrême gauche et au parti communiste. Impossible : ils sont au pouvoir. Il profitera donc à l'extrême droite. Aucun gouvernement n'aura fait autant que celui de M. Mitterrand en faveur de l'extrême droite. Après beaucoup de coups d'essai déjà bien réussis auxquels ont collaboré avec un bel ensemble M. Defferre et M. Badinter, M. Mermaz et M. Bérégovoy, M. Delors et M. Auroux, les *avions renifleurs* parachutent en masse des armes et des munitions à destination de l'extrême droite. M. Le Pen peut dresser des autels en l'honneur de M. Mitterrand et y brûler des cierges à sa sainte intention.

Le Figaro Magazine, 21 janvier 1984

Une prophétie

Dès le premier jour, la présence au gouvernement de ministres communistes a posé un problème. M. François Mitterrand avait eu besoin des communistes pour arriver au pouvoir. Le succès socialiste aux dernières législatives lui permettait de se passer d'eux. Il les a pris tout de même avec lui. Par gratitude ? Pour mieux les réduire ? Pour élargir encore sa majorité ? Pour éviter toute contestation à sa gauche ? Pour tâcher de revenir sur la scission du congrès de Tours et de refaire l'unité du socialisme ? Toutes les hypothèses, même les plus folles, peuvent être envisagées. Car personne ne sait rien de M. François Mitterrand. Les Français ont à leur tête un ancien catholique devenu le chef du socialisme français, dont il est impossible de dire s'il est marxiste ou non et dont nous ne savons pas où il veut mener les Français.

Je pense, pour ma part, qu'il ne le sait pas lui-même. C'est dire qu'il n'est pas marxiste. Il veut le pouvoir, voilà tout. Il l'a. Il entend ne pas le perdre. Il hésitera longuement avant de s'affaiblir en se débarrassant des communistes. Et les communistes hésiteront aussi à quitter le gouvernement. Mais pour peu que la situation économique et sociale continue à se dégrader – et comment se redresserait-elle dans les conditions actuelles ? –, ce seront eux qui prendront les devants.

Rien ne fascinera plus les historiens que les relations entre socialistes et communistes à l'ombre de François Mitterrand. Ils ont été alliés pour s'emparer du pouvoir. Ils restent alliés pour l'exercer. Mais chacun des partenaires ne pense qu'à son propre destin et à détruire l'allié qui, sur presque tous les points essentiels de politique étrangère et de politique économique, est en même temps l'adversaire.

Le marxisme est dialectique. La destruction suppose d'abord la complicité. Les communistes sont allés assez loin dans cette voie puisqu'ils ont donné le pouvoir suprême à M. François Mitterrand. Et M. Mitterrand a bien compris la leçon puisqu'il a hissé à son tour au pouvoir ceux qui le lui avaient donné. Mais l'arrière-pensée est toujours là : chacun des deux partenaires n'a que méfiance pour l'autre.

Voulant se maintenir à tout prix au pouvoir, les socialistes seraient pourtant tout prêts à se laisser entraîner de plus en plus loin – le passé récent l'a montré – par leurs alliés communistes. Mais, née de leurs propres décisions, la situation économique leur impose la politique à laquelle M. Delors a attaché son nom et à laquelle M. Fabius, par exemple, semble disposé à se rallier. Les communistes, à juste titre pour une fois – et M. Chevènement avec eux –, ne croient guère au succès de cette politique, entachée de trop de contradictions dont ils sont d'ailleurs eux-mêmes, en grande partie, responsables. Les voilà donc bien obligés de marquer leur distance. Ils voudraient revenir, pour leur part, aux folies de 1981 qui ne peuvent mener qu'à une catastrophe dont ils seraient les bénéficiaires. S'ils ne veulent pas se jeter dans la politique du pire, les socialistes n'ont pas d'autre issue que de poursuivre sur le chemin actuel dans lequel ils s'efforcent d'entraîner les communistes pour les *mouiller* à leurs côtés et pour les empêcher de tirer à leur seul bénéfice les marrons du feu qu'ils ont allumé en commun.

Les communistes ont le sentiment d'avoir suffisamment travaillé pour les socialistes. La seule chose qui les retient au gouvernement, ce sont les avantages qu'ils tirent, grâce à la faiblesse socialiste, d'une pénétration des rouages décisifs de l'État.

Cette participation au gouvernement où ils trouvent des avantages, les communistes la paient cher : la politique économique et sociale à laquelle ils se trouvent associés et qu'ils approuvent du bout des lèvres leur fait perdre une fraction croissante de leur soutien populaire. Si, comme on peut le craindre, le gouvernement ne parvient pas à ses fins sur les fronts du chômage et du niveau de vie, les communistes finiront par penser que le jeu n'en vaut plus la chandelle. Que font-ils d'autre aujourd'hui que de réunir un dossier qui leur permettra, quand ils le souhaiteront, d'affirmer qu'ils n'ont pas cessé de mettre en garde le gouvernement auquel ils participaient ? On a souvent dit que les communistes, qui pratiquaient, du temps de Léon Blum, le soutien sans participation, ont choisi, sous Mitterrand, la participation sans soutien. Nous n'en sommes plus là. Il est permis de soutenir que, malgré accords et protestations, ils en sont aujourd'hui à un mélange stupéfiant de participation et d'opposition. M. Mitterrand a dans le sein de son propre gouvernement une contre-opposition communiste.

Le temps viendra – je les entends déjà – où les communistes ressortiront les petites phrases de leurs dirigeants. Ils diront qu'ils ne sont restés au gouvernement que pour tenter de l'infléchir et qu'ils n'y sont pas parvenus.

À ce dialogue entre communistes et socialistes redevenus des ennemis déclarés après avoir été des alliés paradoxaux s'en ajoutera un second entre M. François Mitterrand et les franges actuelles de la majorité et de l'opposition. Un peu plus tôt, un peu plus tard, au moment où les communistes s'écrieront : « Voyez ! même au temps où nous étions au gouvernement, nous avons toujours exprimé avec force nos réserves sur la politique socialiste », M. Mitterrand se tournera vers le centre et lui demandera son aide contre les communistes.

Si les communistes ne réussissent pas, comme je le crois, à incliner le pays vers la démocratie populaire, il n'est pas besoin d'être grand clerc pour prédire ces choses-là.

Le Figaro Magazine, 11 février 1984

Pièges

Dans le débat difficile, et compliqué à plaisir, de la liberté de l'enseignement, il y a deux points très clairs : le premier est que le programme commun des socialistes et des communistes tendait à la supprimer ; le deuxième est que les Français, dans leur immense majorité, sont décidés à la défendre.

J'avoue que je comprends l'amertume et l'indignation des militants laïcs, comme je comprends celles des mineurs. M. Mitterrand et les siens avaient promis que les puits de charbon ne seraient pas fermés et que la production serait portée à trente millions de tonnes. Voilà que les licenciements pleuvent et que la production est ramenée à un peu plus de dix-sept millions de tonnes, avec l'idée derrière la tête de la fixer à dix millions. Il est clair pour tout le monde que la gauche, pour se faire élire, a pris des engagements qu'elle est incapable de tenir. La situation est la même sur le front de l'école libre. M. Mitterrand avait promis un service public unifié et laïc de l'Éducation nationale. Pour un certain nombre de raisons qui vont de la défense des libertés à la dégradation et à la politisation de l'enseignement national, les Français lui disent non. Le piège s'est refermé. Le pouvoir est pris entre deux solutions, pour lui également désastreuses : s'opposer à la volonté d'une majorité massive de Français ou trahir ses partisans en reniant ses engagements.

Il y avait au dilemme une solution raisonnable, explicitement prévue par la Constitution : c'était de consulter le pays par voie de référendum. Le président de la République et son gouvernement s'y refusent pour une raison évidente : ils savent qu'ils seraient battus. La preuve est ainsi faite, de la façon la plus simple, que l'objectif du pouvoir n'est pas d'accomplir la volonté nationale, mais d'imposer une idéologie partisane aux Français, dûment abusés par une propagande incessante. La thèse du gouvernement est que leurs votes de mai et juin 1981 ont engagé les électeurs pour sept ans et pour cinq ans. À ses yeux, il n'y a pas à revenir sur ces suffrages exprimés il y a trois ans. Ils auraient donné au président et au gouvernement, appuyés sur la majorité de l'Assemblée nationale, une sorte de chèque en blanc qui confère tous les pouvoirs. C'est cette conception, apparemment légaliste et en fait totalitaire, qui est à la source de tous nos maux.

Les consultations populaires successives, les sondages, les manifestations, les conversations quotidiennes de chacun indiquent une évolution manifeste des esprits. Le gouvernement estime qu'il n'a pas à en tenir compte. Les Français sont franchement opposés à un certain nombre de réalités auxquelles ils se trouvent maintenant confrontés et en faveur desquelles, par aveuglement peut-être, ils n'avaient pas eu le sentiment de voter en votant pour M. Mitterrand : ils n'avaient pas l'intention de voter pour l'augmentation du chômage, pour la baisse du niveau de vie, pour les communistes au gouvernement, pour la mise sous tutelle de la télévision et de l'information, pour la suppression de l'école libre. On les avait bien mis en garde contre les conséquences de leur vote, mais ils n'y croyaient pas. Les yeux se sont ouverts. Trop tard. Il n'y aura pas de référendum et l'idéologie partisane ne tient pas compte de leurs vœux. Puisque, désormais, personne ne les consulte, comme la Constitution le permet, sur les dispositions les plus graves, ils ont décidé, sur un point d'importance, de faire savoir ce qu'ils voulaient : ils veulent le maintien de la liberté de l'enseignement et ils manifestent comme ils peuvent cette volonté bien arrêtée.

Cette situation nouvelle bouleverse la majorité. Les militants laïcs avaient bien cru comprendre – et je crois qu'ils ont raison – que le candidat François Mitterrand leur avait promis la peau de l'école libre. Le rouge est-il monté au front du président de la République lorsqu'il écrivait, à la veille du formidable rassemblement de Versailles[1], ces lignes patelines aux sénateurs RI : « Quant à la liberté de l'enseignement, nul n'est plus conscient que moi de sa valeur irremplaçable et elle figure parmi les principes que proclame notre loi fondamentale » ? Pourquoi,

_____

1. À Versailles, le 4 mars 1984, plus de 800 000 personnes selon les organisateurs, près de 600 000 selon *Le Monde*, se sont rassemblées devant le château pour protester contre la loi Savary (dont l'objectif était d'intégrer les écoles libres dans un « grand service public »). Le 24 juin suivant, entre 850 000 (selon la police) et deux millions de personnes manifesteront de nouveau à Paris pour réclamer le retrait de ce projet.

alors, avoir fait croire le contraire, il y a trois ans, à ses partisans abusés ?

Au moment précis où M. Jospin annonce carrément un recul du pouvoir dans l'affaire de l'école libre, son second, M. Poperen, dit exactement le contraire. Et puis, quelques jours plus tard, M. Jospin lui-même change à nouveau d'avis et se range parmi les durs. C'est l'équivoque entretenue et la confusion organisée. Je ne partage aucune des idées des communistes, des militants laïcs, de M. Bouchareissas, mais je sais et je comprends ce qu'ils veulent. Allez savoir ce que veulent M. Mitterrand et les socialistes ! Un coup à droite, un coup à gauche, c'est de la bouillie pour les chats, un mélange ambigu de contradictions, de cynisme et de propagande où il est permis, pour tout le monde et dans les sens les plus opposés, de trouver des motifs à soupçons. Je crains pour le gouvernement que personne ne s'en prive, ni à droite ni à gauche.

Le pouvoir a cessé d'être l'interprète de la volonté populaire. Et il sait qu'il n'est plus en mesure de faire accepter la sienne. On dirait, en vérité, qu'il n'a plus de politique du tout. Il se contente, à coups d'habiletés subalternes et parfois de bassesses, de jouer, pour survivre, les unes contre les autres les différentes familles qui font la France. Il a rallumé, pour camoufler ses échecs économiques, la querelle inutile de l'école libre. Devant le refus des Français, il s'efforcera de grignoter, à la longue et par petits bouts, les libertés qu'il n'a pas réussi à détruire en une seule fois. Pour tenter d'échapper au piège où il est pris, il en tendra d'autres à son tour. Déjouons-les sans faiblesse et poursuivons, sans colère, sans l'ombre de haine, avec une calme résolution, dans le respect de tous, la lutte pour les libertés.

Le Figaro Magazine, 10 mars 1984

La cruauté des chiffres et l'évidence des faits

Semaine après semaine, apparaissent et se développent les conséquences des choix effectués par le pouvoir. Coup sur coup ont été publiés les indices de la hausse des prix, du chômage et du commerce extérieur. Les chiffres du commerce extérieur sont médiocres, ceux de la hausse des prix sont inquiétants, ceux du chômage sont franchement mauvais.

En deux mois, l'inflation a atteint 1,4 %. Pour tenir le pari de 5 % pris un peu à la légère par le gouvernement pour 1984, il faudrait qu'en dix mois la hausse des prix ne dépasse pas 3,6 % – soit entre 0,3 et 0,4 % chaque mois. Objectif presque hors d'atteinte. Quant aux engagements formels du pouvoir sur le chômage, ils sont balayés une fois de plus par la brutalité des chiffres. Le niveau fatidique des deux millions de chômeurs – la fameuse « *crête* » de M. Mauroy – est dépassé de 10 %. La manipulation et le trucage, l'envoi des jeunes chômeurs en stages de formation et des plus âgés en préretraite n'auront pas suffi à camoufler la réalité. Ce sont ses propres promesses que le pouvoir socialo-communiste est incapable de tenir. C'est lui qui a parlé des 5 % d'inflation ; c'est lui qui a parlé des deux millions de chômeurs ; après avoir échoué, pendant plus d'un an, dans la relance de la consommation et dans la reconquête du marché intérieur, il échoue dans la rigueur depuis près de deux ans. Inapte par nature à provoquer la reprise, à encourager la croissance, à créer de nouveaux emplois, il lui est impossible d'envisager un second tête-à-queue économique et social, un autre virage politique à 180°. Le commerce extérieur ne se redressera pas durablement. L'inflation ne sera pas maîtrisée comme aux États-Unis ou en Allemagne. Le fléau du chômage ne cessera de s'aggraver.

Est-ce que, selon l'accusation classique portée par les responsables contre ceux qui ont vu clair, est-ce que nous nous réjouissons de cette accumulation d'échecs et de cette avalanche de mauvaises nouvelles ? Bien sûr que non. D'abord parce que nous en souffrons tous. Ensuite parce que les solutions de rechange, à l'intérieur du système socialiste, seraient pires que le mal. Alliés objectifs contre M. Delors, les communistes et M. Chevènement annoncent, depuis presque aussi longtemps que nous, l'échec de la nouvelle politique économique mise en place par M. Mitterrand depuis l'été 1982. Mais que proposent-ils pour la remplacer ? Les communistes souhaitent le retour aux excès de 1981 : il ne manquerait pas de leur fournir, à assez brève échéance, une situation désastreuse qui ferait assez bien leur affaire. M. Chevènement préconise la fin des mécanismes libéraux, une austérité encore accrue, peut-être la sortie du SME, un protectionnisme renforcé qui pourrait aller jusqu'à la fermeture des frontières et une quatrième dévaluation. De quoi faire regretter la politique de M. Delors ou de M. Fabius – qui va pourtant vers l'échec.

La vérité est que ce qui est mauvais dans la politique actuelle, et ce qui serait encore pire dans les solutions de rechange à l'intérieur du système, c'est l'idéologie socialiste, rendue plus pesante et plus dangereuse par la pression communiste sur le gouvernement. La propagande quotidienne nous parle de la crise internationale. Cette crise existe. Elle existait surtout quand M. Mitterrand et M. Marchais la niaient, à des fins partisanes, pour nuire plus efficacement à la majorité d'avant mai 1981. Aujourd'hui, la crise s'atténue aux États-Unis et dans l'Europe libérale. Le pouvoir, qui n'en est pas à une contradiction près, reconnaît implicitement ce reflux de la crise quand il attend comme le Messie le contrecoup tant espéré de la reprise américaine. Mais l'idéologie socialiste ne lui permet pas, par définition de profiter de la reprise. Là où il faudrait des entreprises, des emplois nouveaux, de l'enthousiasme, de l'initiative, nous avons l'État tout-puissant, des fonctionnaires, une bureaucratie étouffante, une fiscalité et une réglementation délirantes. Ni l'inflation, ni le chômage, ni le déficit du commerce extérieur ne seront jamais vaincus par le contrôle ni par l'omniprésence de l'État. Ils seront vaincus par la liberté qui – nous commençons à le savoir : regardez autour de vous – est la source de toute prospérité comme elle est la source de tout bonheur.

Je ne suis pas de ceux qui clament que nous vivons dans la servitude. Je dis seulement que le gouvernement hésite, tergiverse, balance entre la liberté et son contraire et qu'il est prisonnier de principes qui ne lui permettent pas de choisir la seule solution à nos maux – et aux problèmes qu'il a lui-même sinon créés, du moins aggravés – : l'initiative privée et le développement libre.

Voyez son comportement dans l'affaire de l'école libre. Après avoir rallumé inutilement des querelles oubliées et éteintes, il n'ose ni rester fidèle à ses folles promesses qui vont à contresens de la volonté populaire ni choisir la liberté que réclament les Français. Résultat : il mécontente ses partisans sans convaincre ses adversaires. Dans tous les domaines, n'en doutez pas, il agira de même, essayant de tromper successivement et les uns et les autres. Jusqu'à ce que la liberté d'entreprendre et de progresser l'ait définitivement emporté sur le socialisme à la française.

Le Figaro Magazine, 24 mars 1984

Un État qui se défait

Le président de la République, au cours de son voyage en Amérique, a déclaré que tout allait au mieux en France et qu'il menait la politique qu'il avait le devoir de mener. Il a bien fait : sa tâche, après tout, est de donner à l'étranger la meilleure image possible de notre pays. Mais ce qu'il a dit n'est pas vrai.

M. François Mitterrand mène peut-être aujourd'hui la politique qu'il a le devoir de mener. Ce n'est, en tout cas, pas celle sur laquelle il s'est fait élire. Il n'avait annoncé ni la rigueur, ni les licenciements, ni les 2 600 000 chômeurs que prévoit pour la fin de l'année un de ses ministres communistes, ni trois dévaluations successives et peut-être une quatrième si jamais la baisse – tant réclamée ! – du dollar se mettait à se confirmer. Il y a eu tromperie sur la marchandise. Le moins qu'on puisse dire est que M. François Mitterrand se fait de son devoir des idées successives, ambiguës et contradictoires.

Laissons là la conception du devoir de M. Mitterrand. Le plus grave est que le pays, loin d'aller vers la réconciliation de tous, vers l'effort commun et vers des lendemains qui chantent, est, par la faute de la coalition des communistes et des socialistes, en train de se défaire sous nos yeux.

Nous n'avons cessé de nous opposer ici à la toute-puissance d'un État omniprésent. Mais nous avons toujours soutenu, en même temps, la nécessité d'un État fort, au-dessus des querelles partisanes, arbitre entre les courants opposés qui, de tout temps, traversent la France. Ce que nous voyons aujourd'hui, c'est un État démesurément gonflé, hypertrophié, impatient de se mêler de tout et d'étouffer l'individu – et en même temps faible, méprisé, bafoué.

Chaque jour, à Paris et d'un bout à l'autre du territoire national, se multiplient les manifestations de quelques centaines ou de quelques milliers de personnes, en train de défiler derrière des banderoles ou de bloquer la circulation. La montée des revendications sectorielles traduit à la fois un mécontentement populaire qui ne trouve pas d'autre moyen de s'exprimer et une atomisation des préoccupations et des intérêts, encouragée par une politique qui, souverainement indifférente à la volonté générale, ne semble plus prendre en considération que les mouvements de masse quand ils se déroulent dans la rue.

M. Lionel Jospin a déclaré dimanche dernier, avec une franchise désarmante, que le gouvernement ne tiendrait aucun compte de l'opinion des Français telle qu'elle se dégagerait des résultats des élections européennes de juin. Autant jeter tout de suite dans la rue les groupes de pression les plus divers et les fureurs exacerbées. C'est à ce climat de fractionnement, de division, peut-être bientôt de haine, qu'aboutit une idéologie partisane qui, forte d'un blanc-seing arraché par l'équivoque – je veux dire sur des promesses qui n'ont pas été tenues – il y a bientôt trois ans, ferme obstinément les yeux sur la volonté populaire.

Tout va dans le sens de l'affaiblissement d'un État désireux de tout contrôler et pourtant chaque jour un peu plus désarmé et impuissant. Les derniers exploits de M. Defferre au sein de la police essaient de faire d'un corps traditionnellement attaché au service de la collectivité, l'instrument obéissant de la minorité au pouvoir. Malgré toutes les dénégations officielles, qui se heurtent à l'évidence quotidienne, la sécurité dans les rues, dans le métro, chez soi, voire sur les routes, est en constante diminution. L'État est bien assez fort pour harceler les citoyens à coups d'impôts et de règlements, il n'est pas assez fort pour assurer l'ordre, la sécurité, la libre circulation. Ni la prospérité de tous. Ni la défense effective du territoire. Qui peut croire qu'avec un ministre des Transports communiste le pays serait capable de faire face à une mobilisation en cas de menace venant d'un pays communiste ? Tout va bien en paroles : il est toujours permis à chacun d'exprimer sa satisfaction et de se décerner des lauriers. Dans les faits, le déclin de l'État tentaculaire est largement entamé.

Ce déclin est naturellement scellé par la politique économique du gouvernement. Les avocats du pouvoir nous assurent, avec de bons sourires, que la situation n'est pas si grave et que celle des États-Unis est autrement préoccupante. La vérité est que les socialistes feront tout le possible, et même l'impossible, pour garder le pouvoir, mais qu'ils se consoleront, s'ils le perdent, en pensant à l'héritage – eh oui !... – qu'ils laisseront à leurs successeurs : un État endetté jusqu'au cou et dont les charges empoisonneront l'existence de chacun des citoyens de ce pays qui avait été très riche pendant de longues années et encore prospère en pleine crise – jusqu'au 10 mai 81.

On découvre aujourd'hui combien la France était heureuse sous la sagesse et la compétence de Georges Pompidou. Je doute que l'idéologie mêlée d'opportunisme de M. François Mitterrand laisse jamais pareil souvenir. Peut-être son socialisme à la française apparaîtra-t-il comme relativement supportable au prix de ce qui nous attend ? Mais il est assez clair qu'en développant outre mesure le domaine de l'État et en l'affaiblissant en même temps, il aura préparé tous les malheurs qui risquent de naître de lui et de l'action partisane, équivoque, incohérente que, volontairement ou involontairement, par machiavélisme ou par faiblesse, il n'a cessé de couvrir et d'encourager.

Le Figaro Magazine, 31 mars 1984

Le plus exceptionnel de tous les Français moyens

Ce qui frappe d'abord chez Georges Pompidou, c'est la triple carrière de l'universitaire, du banquier et de l'homme d'État. Dans chacune de ces vies successives, en quelques années et sans effort apparent, il se hisse au premier rang. Il peut y avoir un miracle isolé et un hasard providentiel : Il n'y a pas trois miracles et trois hasards dans trois domaines différents. Dans son remarquable ouvrage, *Georges Pompidou*[1], Éric Roussel montre

---

1. Paris, Jean-Claude Lattès, 1984.

très bien comment ce Français moyen était un homme exceptionnel.

Dès le début, très loin de tous les stéréotypes du cancre génial ou de l'analphabète triomphant, le petit garçon éveillé et l'élève excellent brille par l'intelligence. Avant de rejoindre la khâgne de Louis-le-Grand – une des meilleures de France –, où il se liera avec René Brouillet, futur ambassadeur de France au Vatican, avec Jean Stoezel, futur maître des sondages, avec Paul Guth et avec Senghor, et d'entrer à l'École normale, il rafle tous les prix à Albi et à Toulouse. « Durant toutes ces années albigeoises, écrit Pompidou lui-même, j'ai lu au moins un livre par jour. » À Toulouse, il remporte les cinq premiers prix de version grecque, de version latine, d'histoire, d'histoire ancienne et d'allemand, et le second prix de composition française.

Mais ce jeune homme doué n'est pas le fort en thème classique et bûcheur. Plutôt socialiste et vaguement dandy – un peu, en moins marqué, à la façon de Léon Blum –, il joue au dilettante et laisse croire qu'il ne travaille guère. « Lisait-il ? écrit M. Pierre Gutral, un de ses collègues du lycée Saint-Charles de Marseille, où, frais émoulu de Normale, il est professeur à la veille de la guerre. Autant que nos souvenirs sont fidèles, il lisait assez peu. »

Surprise

C'est que ce grand lettré issu d'une lignée paysanne d'Auvergne n'est pas vraiment un intellectuel. Il est peut-être le contraire d'un intellectuel. Plus que les spéculations, ce qui l'intéresse, c'est le monde réel. Servi par une intelligence aiguë et une mémoire prodigieuse, Georges Pompidou est d'abord un réaliste, extraordinairement cultivé.

Quand, sortant du cabinet de Charles de Gaulle et de la banque Rothschild, l'ancien universitaire est propulsé d'un seul coup à l'Hôtel Matignon, son nom est une surprise pour la plupart des Français. C'est la deuxième caractéristique de cet homme moyen qui réussit tout ce qu'il touche : il arrive inconnu jusqu'aux sommets de l'État.

René Brouillet, Gaston Palewski, Louis Vallon – quelque chose qui ressemble à de la haine opposera plus tard Pompidou et

Vallon –, plusieurs autres encore mettent « sur le toboggan » qui mène jusqu'au pouvoir suprême l'écolier vif et joufflu de Montboudif, le dilettante ironique de la rue d'Ulm, le confident des Rothschild. Bien avant 1958, Pompidou confiait à Michel de Saint Pierre : « J'accepterai d'être Premier ministre si le général de Gaulle revient un jour au pouvoir, mais je n'accepterai sûrement ni le ministère des Finances ni celui des Affaires étrangères. » Et Olivier Guichard est convaincu, d'après Éric Roussel, que Georges Pompidou savait qu'il serait un jour Premier ministre.

Sur ces sommets, par un paradoxe extraordinairement romanesque, ce paysan socialiste d'avant-garde sera successivement, dans une ombre éclatante, dans un mystère en pleine lumière, le favori, le rival et le successeur du général de Gaulle, issu de l'Action française pour sauver le pays avec l'aide des communistes.

En janvier 1959, quand le général de Gaulle prend officiellement ses fonctions et descend les Champs-Élysées, Pompidou, encore obscur, est assis à ses côtés dans la voiture présidentielle. Dix ans plus tard, le 30 avril 1969, après bien des aventures, le général envoie au candidat à la présidence qu'il a aimé et qu'il n'aime plus, tout en l'aimant encore, une lettre prodigieuse au style inimitable : « Dans les circonstances présentes, il est archinaturel et tout à fait indiqué que vous vous présentiez... »

Pompidou après de Gaulle, c'est la mutation dans la fidélité. Au visionnaire succède l'intendant. Après le gaullisme historique vient ce qu'Éric Roussel appelle très bien le gaullisme de gestion. Voilà le troisième trait fort de l'inconnu touche-à-tout-qui-réussit-partout : Il fait entrer la France dans le monde industriel moderne.

« Les peuples heureux n'ayant pas d'histoire, je souhaiterais que les historiens n'aient pas trop de choses à dire sur mon mandat. Pas de guerre, pas de révolution. Je souhaiterais en revanche qu'on lise dans les manuels d'histoire que de 1960 à 1976 la France a connu une période d'expansion, de modernisation, d'élévation du niveau de vie ; que, grâce au progrès économique et social, elle a connu la paix extérieure ; que l'étranger l'a respectée parce qu'il voyait en elle un pays transformé, économiquement fort, politiquement stable et dont l'action extérieure était entièrement tournée vers la paix et le rapprochement des peuples. Que mon nom soit mentionné ou ne le soit pas n'est pas très important. Ce qui compte, c'est que mon mandat soit pour la France une période de sécurité et de rénovation, de labeur et de dignité. » On voit dans ces quelques lignes tout ce qui sépare de Gaulle de Pompidou. C'est la paix après la guerre, c'est le bonheur après l'honneur. Il y a bien quelque chose, sous le gouvernement de Pompidou, qui ressemblait un peu à une révolution : mais c'était une révolution pour rire – contre la prospérité.

Le livre d'Éric Roussel m'a paru excellent. Il repose moins sur des documents que sur des témoignages. L'enquête est prodigieuse : elle rassemble des contributions de quelque deux cents personnalités, de Mendès France à Chirac et à Chaban-Delmas, de Giscard d'Estaing à Mitterrand – dont Pompidou disait : « Ni un homme de gauche ni un homme de droite : un aventurier. » L'ouvrage a la force et la faiblesse que lui confèrent des centaines et des centaines de conversations : on croirait lire un roman aux multiples personnages – mais peut-on croire tout ce qu'ils disent ?

Rigueur de pensée

Je crains que ce beau travail ne satisfasse entièrement ni notre majorité d'aujourd'hui ni notre opposition : la majorité, parce qu'il montre avec trop d'éclat ce qu'est le souci du bien public, de la compétence administrative, d'une politique économique et sociale efficace, d'une grande rigueur de pensée en dehors de toute idéologie partisane ; l'opposition, parce qu'il jette des lueurs parfois un peu effrayantes sur les luttes intestines qui pavent les chemins du pouvoir. On dirait que le pouvoir n'est jamais rien d'autre que sa conquête. Le miracle est que la sagesse s'y mêle à l'ambition et que le bonheur des peuples sorte – parfois – de ces jeux.

Je ne détesterais pas terminer ces quelques lignes sur le jugement d'un écrivain aussi éloigné que possible des combats politiques : « Ce qui plaisait dans le président Pompidou, écrivait Marcel Jouhandeau, c'est qu'il ressemblait à tout le monde sans perdre sa dignité. » « Par un singulier paradoxe, ajoute M. Pierre Grimal, cité par Éric Roussel, ses vertus moyennes le mettaient au-dessus de la plupart des hommes. »

Le Figaro, 2 avril 1984

Encore et toujours M. François Mitterrand à la croisée des chemins

La première moitié du septennat prend figure sous nos yeux. Nous commençons à savoir ce qu'en retiendra l'histoire et les dates essentielles qui en marquent les articulations. Du printemps 81 à l'été 82, c'est la période de la fidélité aux promesses démagogiques et aux engagements insensés. Au bout d'un peu plus d'un an, le gouvernement lui-même est contraint de reconnaître ce que nous n'avons cessé, parmi d'autres, de soutenir ici même : la reconquête, par la relance, du marché intérieur est une illusion qui ne peut mener qu'à des catastrophes. Après un interlude de quelques mois à peine, le socialisme à la française renoue avec la politique qu'il avait dénoncée et condamnée : par-dessus la tromperie et les psychodrames de l'état de grâce, la rigueur socialiste succède à l'austérité et la reprend en l'aggravant.

À la fin de l'hiver 83 – au terme d'une longue incertitude et dans l'hésitation la plus cruelle, si l'on en croit les rumeurs – le président de la République procède à un deuxième choix, aussi décisif que le premier : contre la sortie du SME et une forme de protectionnisme, il choisit l'ouverture, la compétition mondiale, le marché, dans une certaine mesure le retour à l'esprit d'initiative et à la libre entreprise. Pour dire les choses très en gros, il joue le réalisme contre le volontarisme et Delors contre Chevènement. Les dés sont jetés. Ils ne vont plus cesser de rouler.

Le programme commun était absurde. Mais dans la querelle qui les oppose aux socialistes, les communistes ont raison : leur analyse est correcte, leur lecture est la bonne. Sans vouloir l'avouer, le gouvernement s'éloigne, à chaque mesure davantage, de son dessein initial, insensiblement renié, peu à peu délaissé. Du changement promis, de la nouvelle logique, de la fracture radicale, de la rupture avec le capitalisme encore chantée à Valence, il ne reste presque rien. Ce qui semble faire l'essentiel du socialisme à la française, ce n'est plus le souci de justice, l'amélioration du niveau de vie, l'élan vers une autre société, c'est la restructuration industrielle et la modernisation du pays. Il est permis de soupçonner que la lutte contre les inégalités n'a servi qu'à faire passer les sacrifices nécessaires. Par un prodigieux paradoxe, ce que les socialistes finiraient par reprocher aux gouvernements qui les ont précédés, ce n'est pas d'avoir été trop loin dans le sens du réalisme industriel – c'est de ne pas être allés assez loin.

Cette évolution intérieure s'inscrit dans un choix extérieur fondamental : jamais, depuis les débuts de la Ve République, la France n'a été plus proche des États-Unis. Au moment même où la crise du déploiement des missiles en Europe se mettait à faire rage, la France se rangeait franchement dans le camp atlantique. Comment les communistes se sentiraient-ils à l'aise dans un tel gouvernement ? Le plus inquiétant est qu'ils restent alors que les socialistes les entraînent dans leur impopularité. Il est clair qu'il suffirait aux communistes de se retirer et de s'installer carrément dans une opposition de gauche pour remonter dans les sondages. Peu soucieux des règles du jeu démocratique, ils préfèrent le pouvoir à la popularité. Ce qu'ils voudraient, en vérité, c'est à la fois l'un et l'autre. Mais le président de la République ne l'entend pas de cette oreille. S'il a pris les communistes, c'est pour les compromettre et pour les enchaîner. Le drame de Mitterrand est que, pour réduire les communistes, il les a installés au pouvoir. Toute la première partie du septennat s'est déroulée sous le signe de la participation. Toute la seconde partie se déroulera sous le signe de la rivalité.

Après l'été 1982 et la fin de l'hiver 1983, le printemps 1984 marque la troisième date fatidique depuis mai 1981. Pour mettre au pied du mur un parti communiste qui joue le double jeu et s'efforce d'être à la fois à l'intérieur et à l'extérieur d'un gouvernement impopulaire et en difficulté, le président de la République a recours, par Premier ministre interposé, à un vote de confiance. Est-ce que les communistes vont se laisser intimider ? Bien sûr que non ! Ils ne se soumettent pas et ils ne se démettent pas. Pour rester au pouvoir sans révolter leurs militants, ils votent pour un gouvernement auquel ils participent et dont ils condamnent la politique.

Il est clair pour tout le monde que la situation, après l'échec de la clarification, est bien pire qu'auparavant. Au risque de passer pour des maniaques, nous répétons inlassablement qu'on ne construit pas un programme sur du flou ni une politique sur la contradiction et que la rupture était inévitable entre socialistes et communistes. La rupture a bien eu lieu. Elle est un fait accompli. Mais par le paradoxe le plus inouï de cette époque qui les prodigue, elle s'est produite *au sein même du gouvernement*. Les communistes ont rompu avec les socialistes qui tournent le dos à la politique sur laquelle la gauche avait été élue – mais ils restent au gouvernement. François Mitterrand est tombé dans le piège qu'il avait lui-même tendu.

Il est possible qu'il s'en tire. Mais il ne peut s'en tirer que contre les communistes. Le programme commun est définitivement mort en avril 1984. Les communistes restent au gouvernement, non plus comme des alliés, mais comme des ennemis de Mitterrand. Il est tout à fait exclu que M. Mitterrand continue à les diriger en les diminuant. Il n'a plus le choix qu'entre deux formules : être leur prisonnier ou être leur adversaire. Tout porte à croire qu'il a déjà tranché en faveur de la deuxième solution – mais sans pouvoir se résoudre à en tirer les conséquences.

Il faut bien reconnaître que le socialisme pur et dur ne survit qu'à l'état de traces mythologiques dans la politique du gouvernement. Le pouvoir prétendument socialiste n'attend son salut que de la croissance capitaliste en Amérique et en Allemagne. Et quand il s'agit de mettre sur pied des mesures d'urgence dans des secteurs menacés – en Lorraine, par exemple –, on jette par-dessus bord idéologie et principes et on applique les bonnes vieilles recettes empruntées à l'ennemi de classe. Autant dire tout de suite que le socialisme est de la frime et qu'il n'y a d'efficacité que dans le libéralisme. Il a suffi au socialisme de triompher pour échouer. Et, intellectuellement au moins, le libéralisme a trouvé dans son éclipse plus de motifs de satisfaction qu'il n'en avait jamais eu au temps où il régnait.

Je ne sais pas quel est l'avenir politique de M. François Mitterrand. Son avenir moral me paraît extrêmement sombre. Il est possible qu'il l'emporte – mais il lui faudra abandonner tout ce qu'il représentait. Dans cette histoire qui lui est si chère, il risque de rester comme un politicien très habile, mais infidèle au socialisme – et surtout au mode de socialisme – qu'il avait prétendu incarner. Il peut au contraire rester fidèle au socialisme à la française et à l'alliance avec les communistes. Mais alors, il est perdu et il se précipite, et il nous précipite, mains liées, yeux bandés, dans un futur imprévisible. Le plus probable, une fois de plus, est que, le plus longtemps possible, il essaiera de ne pas choisir et de louvoyer entre les mots et les faits.

Le Figaro Magazine, 5 mai 1984

Pour Simone contre François
Pour Simone contre Georges
et contre Jean-Marie

Dans quinze jours les élections au Parlement de Strasbourg. C'est d'abord, naturellement, le destin de l'Europe qui sera en jeu le 17 juin. En dépit de l'ennui que suscitent trop souvent les débats sur l'Europe, il faudrait être aveugle pour ne pas voir que dans tous les domaines – et surtout dans celui de la défense – chacun de nos pays est solidaire de tous les autres. Aucun ne peut espérer un salut solitaire. L'Europe s'unira et vivra ensemble, malgré la crise et les périls, dans la prospérité, la sécurité, la liberté et la paix – ou elle périra divisée.

Comment, cependant, le scrutin du 17 juin ne prendrait-il pas aussi une signification nationale ? Il constituera la seule consultation à l'échelle nationale et sans implications locales entre les deux législatives de juin 1981 et mars 1986. La thèse du gouvernement est que les Français, une fois pour toutes, lui ont donné un blanc-seing à la fin du printemps de 1981 et que ce chèque ne sera révocable qu'au début du printemps de 1986.

Formellement et légalement, ce raisonnement n'est pas contestable. Ce qui se passe en fait, c'est qu'une évolution profonde s'est produite dans les esprits et qu'un fossé de plus en plus large sépare le gouvernement de l'opinion publique. Le pouvoir n'en tient aucun compte et, loin de s'appuyer, à la façon du Général, sur des référendums qui pourraient lui donner le pouls de l'opinion, il poursuit imperturbablement, avec d'invraisemblables zigzags, son petit bonhomme de chemin et accumule les mesures dont les Français ne veulent pas. Ils ne veulent pas des zigzags économiques et sociaux. On ne les consulte pas. Ils ne veulent pas du chemin lui-même vers un socialisme soutenu par les communistes comme un pendu est soutenu par la corde que ses complices lui ont passée au cou. On ne leur demande pas leur avis. Les Français ne veulent pas de la loi sur l'école libre. Qu'importe ! On la leur impose. Charles X s'appuyait sur la légitimité pour se faire détester par les Français. François Mitterrand s'appuie sur la légalité formelle pour aboutir au même résultat. Personne, personne ne peut imaginer notre fluctuant Président – qui accusait naguère de dictature le général de Gaulle – dans le rôle illustre de son prédécesseur : « Si vous me dites non, je m'en vais. » Toujours admiré et estimé par l'ensemble des Français, et même par ses adversaires époustouflés par tant de grandeur, c'est le prétendu dictateur qui est parti de lui-même. Équivoque, ambigu, de cette habileté qui n'entraîne pas l'estime, le démocrate professionnel s'accroche à son pouvoir dans une impopularité grandissante.

Contre ce pouvoir qui s'obstine à entraîner les Français sur une voie dont ils ne veulent pas ou plus, le peuple français, soucieux de paix civile et de légalité, ne dispose pas de beaucoup d'armes. Il manifestera en masse à Paris le 24 juin. Il votera le 17 juin dans l'ensemble de la France.

Pour qui voter ? Les choses sont simples et claires. Simone Veil incarne à elle toute seule l'opposition nationale et son union sans faille. A-t-on assez réclamé – et j'étais de ceux qui criaient trop souvent dans le désert – la fin des querelles partisanes au sein de l'opposition ? Voilà l'unité réalisée. Elle se fait derrière une femme qui représente à la fois le libéralisme et la fermeté. Le risque du libéralisme est d'être mou et veule. Le risque de la fermeté est d'être partisane, extrémiste, intolérante. Simone Veil échappe à l'un et l'autre de ces périls. Elle est ferme comme un roc et le libéralisme même. Elle est la plus populaire des figures nationales d'aujourd'hui. Mesurer la confiance à une femme politique qui se situe en tête de tous les sondages au moment même où elle accomplit le vœu de toute l'opposition enfin unie constituerait un paradoxe et une absurdité.

La liste de M. Jospin est l'incarnation officielle des espérances déçues et des promesses bafouées. Elle est celle de l'échec et de la tromperie. La liste de M. Marchais est communiste : c'est assez dire. Chacun sait où sont ses modèles et qu'elle travaille d'abord à la mise hors jeu de l'Europe occidentale et à sa négation même. Toutes les autres listes sont des listes de division et d'affaiblissement de l'opposition. Voter pour quelque liste que ce soit hors de la liste de l'opposition unie, c'est voter par définition contre l'union de l'opposition.

Un mot particulier doit être dit de M. Le Pen. M. Le Pen a bien entendu le droit de s'exprimer comme tout le monde et il ne peut être que servi par les violences imbéciles qui s'exercent contre lui. Mais précisément parce qu'il monte dans les sondages, il représente plus que personne le péril de la division. Et ce n'est pas seulement à cet égard qu'il constitue un danger. Par l'image qu'il donne, par les méthodes qu'il préconise, par son idéologie, ses références, ses modèles, il est l'allié objectif le plus précieux de la majorité au pouvoir. S'il n'existait pas, elle l'aurait inventé.

Nous combattons les socialistes et leurs alliés communistes au nom du libéralisme. Ce n'est pas pour nous confondre à notre tour avec ceux qui le rejettent et le menacent. Voter Le Pen, c'est, d'une façon ou d'une autre, faire le jeu de Marchais et de Mitterrand. Voter Simone Veil est la seule façon efficace et honorable de s'opposer à eux.

Le Figaro Magazine, 2 juin 1984

À la Bastille, trois ans après

J'y étais. Et vous aussi, vous y étiez, à ce rassemblement formidable, un des plus énormes de tous les temps, le plus puissant de l'histoire d'une ville qui s'y connaît en fureurs, en révoltes et en ébranlements. J'ai participé, en quarante ans, à quatre défilés : celui de la Libération en 1944, celui du soutien à de Gaulle qui marquait, le 30 mai, la fin des orages de 1968, celui de Versailles le 4 mars dernier, celui du dimanche 24 juin qui est déjà entré dans l'histoire. Jamais foule aussi nombreuse n'avait donné, dans l'ordre et dans la dignité, dans la gaieté aussi, une telle impression de force et de calme résolution.

Il y avait les Bretons et les Vendéens, ceux des pays de la Loire, ceux du Nord et du Centre, ceux de l'Alsace et de la Lorraine, ceux de la Savoie et de la vallée du Rhône, ceux de la Corse et de tous les Midis : mêlée au peuple de Paris, la France entière était là. Toutes les régions, tous les âges, tous les métiers, toutes les couches sociales et professionnelles – et peut-être toutes les opinions. Ce n'était pas le peuple de droite qui manifestait à la Bastille. C'était le peuple de France

Des hommes et des femmes s'étaient levés tôt dans la nuit pour parcourir en car ou en train des centaines de kilomètres et pour aller piétiner pendant des heures, sous des menaces de pluie et sous le soleil enfin retrouvé, dans les avenues de Paris. Ce soulèvement populaire, pacifique et joyeux, à quoi était-il donc dû ? À la seule cause, naturellement, qui peut valoir, de nos jours, des efforts et des sacrifices : celle de la liberté. Par un terrible et révélateur paradoxe, ce défilé de la liberté était dirigé contre un pouvoir de gauche.

Le gouvernement a bien senti le risque que représentait pour lui le passage de la liberté dans le camp de l'opposition. Le Premier ministre a juré ses grands dieux que, même flanquée de ses amendements de dernière heure, la loi Savary[1], loin de menacer nos libertés, les affermissait plutôt. Pareil à la petite

---

1. Voir l'article « Pièges », 10 mars 1984, et la note 1, p. 23.

fille prise sur le fait qui multiplie les explications contradictoires – « Ce n'est pas vrai, ce n'est pas moi, je ne l'ai pas fait exprès » –, il ajoutait en même temps qu'il n'y avait aucune raison de s'inquiéter puisque les dispositions de la loi n'entreront pleinement en vigueur que dans huit ou onze ans. Voilà donc une bonne loi, qui assure la liberté, mais dont on repousse les effets pour je ne sais quels motifs obscurs – l'espoir de la lassitude, peut-être, du découragement, de l'oubli de la liberté – jusqu'à la saint-glinglin.

Il y a plus grave encore. Un obscur tâcheron de l'extrémisme partisan – le même, peut-être, qui avait trouvé la formule fameuse : « Vous avez juridiquement tort parce que vous êtes politiquement minoritaire » – a laissé percer le bout de l'oreille du sectarisme en inventant une autre perle : « La liberté à sauvegarder, ce n'est pas celle des parents, mais des enfants. Et, en démocratie, c'est à l'État d'y veiller. » Autant que je sache, ni le Premier ministre ni le président de la République n'ont repoussé avec indignation cette interprétation totalitaire, venue de leur propre camp, de la loi Savary. Au-delà des détails techniques, voilà pourquoi quelque deux millions de Français et de Françaises de tout bord, attachés à la liberté et peu disposés à laisser l'État écarter les parents pour peser plus facilement sur l'esprit malléable des enfants, ont défilé à Paris.

Ils l'ont fait avec sang-froid et avec drôlerie, sans trop s'occuper de politique. Leur seul souci était de défendre une liberté fondamentale. Le cortège où je figurais croisait le métro aérien. Dans une rame qui passait, derrière les vitres des wagons, de nombreux voyageurs levaient les doigts en forme de V. Non, monsieur le président de la République, pas plus que la marée humaine qui traversait Paris, les voyageurs du métro n'étaient pas tous des fascistes, des réactionnaires, des représentants de cette droite sur qui vous rejetez les échecs qui ne viennent que de vous. C'était le peuple de France qui ne se reconnaît plus en vous.

Malgré les tentatives répétées d'intoxication de la part de Matignon et de la Place Beauvau, pas un incident, pas une provocation, pas une insulte contre le pouvoir tout au long des cortèges interminables et innombrables. Tout juste cette formule, un peu exagérée, mais qui faisait rire malgré les

drames : « Donnez-nous Sakharov, nous vous rendrons Savary. »
Ce n'était pas nous qui voulions faire de ce défilé pacifique
qui ne portait que sur la liberté d'enseignement une manifestation politique. Mais M. Pierre Mauroy n'a pas cessé de dénoncer
le caractère politique de cette journée. Avant la manifestation,
il voulait, bien entendu, en écarter le plus de Français possible.
Après la manifestation, le voilà pris à son propre piège. Il faut
bien croire le Premier ministre : en dépit des intentions de
ses organisateurs, la plus formidable manifestation de tous les
temps était une affaire politique. Et elle était dirigée contre
le pouvoir.

C'est à la Bastille que, le 10 mai 1981, le peuple de gauche
avait laissé éclater sa joie et ses espérances. C'est à la Bastille
que, trois ans plus tard, le peuple de France a marqué son rejet
d'une politique injuste, partisane et absurde. Avant-garde d'une
majorité de plus en plus manifeste, les deux millions de Français
sur le pavé de Paris ne peuvent contraindre le pouvoir ni à
disparaître, ni à reculer, ni à changer de politique. Ils ne mettent
pas en question la légitimité formelle de M. François Mitterrand.
Ils montrent seulement avec éclat qu'il a cessé d'être aimé –
avant, s'il persiste, de se mettre à être haï.

Le Figaro Magazine, 30 juin 1984

Triomphe de la confusion

Le Premier Monsieur. — Bonjour, monsieur.

Le Deuxième Monsieur. — Bonjour, monsieur.

Premier. — Pardon, monsieur, est-ce que vous êtes du quartier ?

Deuxième. — Tout à fait exceptionnellement, oui.

Premier. — Alors, vous allez pouvoir me renseigner. J'arrive de
très loin et j'ai été absent longtemps. Que s'est-il passé par ici
depuis près de six semaines ?

Deuxième. · – Pas grand-chose. Il ne se passe jamais rien.

Premier. — Ce n'est pas ce qu'on me dit. On m'assure que
jamais été ne fut plus agité.

Deuxième. — Nous avons changé de gouvernement.

Premier. — Tiens !

Deuxième. — M. Delors est parti.

Premier. — Ah ! mon Dieu ! C'est un virage à gauche.

Deuxième. — Pas du tout. Les communistes sont partis aussi.

Premier. — Ah ! C'est un virage à droite.

Deuxième. — Voilà. C'est un virage à droite et un virage à gauche. Vous voyez bien qu'il ne se passe rien.

Premier. — Et qui est donc arrivé si les communistes sont partis ?

Deuxième. — M. Chevènement.

Premier. — Au revoir, monsieur.

Deuxième. — Vous savez déjà tout ce que vous vouliez savoir ?

Premier. — Je sais déjà que vous vous moquez de moi. Si M. Chevènement est arrivé, c'est que les communistes sont encore là. Il n'y avait pas de plus ardent défenseur de l'union de la gauche que M. Chevènement.

Deuxième. — Je ne fais pas de commentaires. Je vous dis les choses comme elles sont.

Premier. — Je veux bien vous croire, encore que... Alors, c'est que nous avons un gouvernement aussi proche que possible de l'union nationale. Tout de suite après l'union de la gauche, le cheval de bataille de M. Chevènement, c'était l'union nationale.

Deuxième. — Pas du tout. Nous avons un cabinet étroitement socialiste. Un journal a même parlé drôlement de gouvernement de salut privé. C'est une sorte d'union nationale entre les tendances internes du parti socialiste.

Premier. — Alors, dites-moi au moins que c'en est fini de la rigueur. M. Chevènement n'avait pas de mots assez durs pour la politique de rigueur menée par M. Delors.

Deuxième. — Vous n'y êtes pas. M. Chevènement est arrivé et la rigueur continue. M. Bérégovoy, qui remplace M. Delors, a dit clairement que la politique de M. Delors se poursuit sans M. Delors – et avec M. Chevènement qui était l'adversaire de M. Delors.

Premier. — La tête me tourne. Tâchons d'être simples : peut-on au moins considérer qu'il s'agit du fameux recentrage, si souvent agité au nez de la majorité – c'est-à-dire de l'opposition – au milieu des coups de bâton ?

Deuxième. — Oui, bien sûr – c'est-à-dire non. Les communistes sont sortis, et les marxistes sont entrés. L'opposition a souvent traité de marxistes des gens qui ne l'étaient pas du tout. Mais ce n'est pas faire insulte à deux nouveaux ministres – M. Joxe et M. Chevènement – que de les qualifier de marxistes. Ils ont souvent revendiqué avec fierté cette qualification. Mettons, si vous voulez, qu'il s'agit d'un recentrage à injection de marxisme.

Premier. —Je vois que vous continuez à vous moquer de moi. Dites-moi des choses plus sérieuses. Je suis sûr que vous me cachez des révélations importantes. Qui incarne le recentrage ?

Deuxième. — M. Baylet.

Premier. —Vous êtes incorrigible. Je ne peux pas croire que le président de la République n'ait pas répondu d'une façon ou d'une autre au rejet par les Français des idéologies partisanes et des jeux politiques.

Deuxième. —Vous avez raison. Il y a un champion de patins et un vulcanologue. Il est chargé des catastrophes.

Premier. —Gageons qu'il aura du travail. Qui est Premier ministre ?

Deuxième. — C'est M. Fabius. Il ressemble de plus en plus à M. Giscard d'Estaing. Il veut décrisper et rassembler.

Premier. — Est-ce un parent de l'autre ?

Deuxième. — Quel autre ?

Premier. —Celui qui était secrétaire d'État au Budget tout au long de l'année folle de 1981.

Deuxième. — C'est le même.

Premier. —J'aurais peut-être mieux fait de ne pas rentrer. Je ne comprends plus grand-chose. Mais il faut reconnaître…

Deuxième. –… que le gouvernement a beaucoup rajeuni.

Premier. — Comment avez-vous deviné ?

Deuxième. —C'est le pont aux ânes et la tarte à la crème d'aujourd'hui.

Premier. — Pauvre M. Defferre !

Deuxième. —Pourquoi pauvre M. Defferre ?

Premier. —Il doit se désoler d'avoir été mis au rancart.

Deuxième. —Vous n'y êtes pas du tout. M. Delors est parti, les communistes sont partis, le gouvernement a pris un coup de jeunesse, mais M. Defferre est toujours là.

Premier. —Plus de communistes, mais des marxistes ; la politique de Delors, mais sans Delors et avec ses adversaires ; le rassemblement national autour du seul parti socialiste qui représente moins d'un Français sur quatre ; la jeunesse à coups de vieillards : qu'est-ce que ça veut dire, tout ça ?

Deuxième. — Ça veut dire qu'il n'y a plus ni consensus national, ni union de la gauche, ni projet d'ensemble, ni ligne directrice claire, ni même d'idéologie socialiste. Il y a le gouvernement d'un homme seul dont le Premier ministre n'est que le mince instrument. On vous parlera beaucoup d'un référendum sur le référendum. Cette bataille de talmudistes n'est que brouillard et poudre aux yeux. Elle n'a pas d'autre objet que de détourner l'attention des Français de leurs problèmes réels et de la vérité qui s'impose : appuyé sur une base qui se rétrécit chaque jour, M. Mitterrand se bat, contre l'opposition, sans les communistes, dans une certaine mesure en marge de son propre parti, pour la survie et le renforcement d'un pouvoir de plus en plus per sonnel.

Le Figaro Magazine, 1ᵉʳ septembre 1984

Monologue de Mauroy

Le misérable ! J'en tremble encore à y penser. J'en ai rougi tout seul, l'autre soir, devant mon poste de télé : me traiter comme ça, de menteur, avec la voix la plus douce, devant des millions de Français ! Non mais, écoutez-le : ceux qui font croire qu'ils ont des remèdes miracles contre le chômage, ceux qui font croire qu'ils vont le faire reculer... Qui voulez-vous que ce soit, ces menteurs-là, sinon moi-même ? Ah ! le salaud ! Et dire que c'est un socialiste – et réchauffé dans mon sein – qui me traite si ignominieusement... Jamais Giscard, ni Barre, ni Chirac, ni Simone Veil, ni même... je ne sais pas, Amouroux ou d'Ormesson ne m'avaient traité aussi mal. Il faut que ce soit un de mes ministres – est-ce qu'il se souvient encore qu'il était avec moi (et un des plus ardents) en 1981 ? –, et mon successeur, et un socialiste – mon cul ! – qui m'envoie dans la gueule, devant tout le monde, que je suis un menteur. Autant crier tout de suite que ce sont nos adversaires qui ont raison et que c'est nous qui avons tort.

Qu'est-ce qu'il fait, d'ailleurs, l'enfant du miracle, notre Judas-Chérubin, le traître à visage d'Eliacin, sinon faire sauter au marteau-piqueur tout ce socle du socialisme que je voulais édifier ? La loi Savary ? Retirée. Le référendum ? Enterré. La loi sur la presse ? À la trappe. Allez, hop ! Ni fleurs ni couronnes. Pas la peine d'attendre les législatives et l'alternance pour défaire tout ce qu'on a fait. Ce qui m'étonne, c'est qu'il n'ait pas encore touché aux nationalisations et à la Sécurité sociale. Attendons un peu. Sous couleur de rassemblement et de modernisation, il finira bien par faire mieux que Reagan et que tante Margaret.

Mais, voyons, qu'est-ce qu'il dit, qu'est-ce qu'il fait qui ne pourrait pas être signé et contresigné par Giscard ? C'est fou d'ailleurs ce qu'ils se ressemblent. Physiquement, intellectuellement, moralement. Le style, vous savez, l'élégance, le charme discret de la bourgeoisie. Moderne ! Moderne ! Est-ce que je cherchais à être moderne, moi ? Est-ce que je cherchais à décrisper ? Je voulais ressembler à Danton, à Proudhon, à Jaurès. Voilà que je tombe – c'est le cas de le dire – sur un jeune cadre moderne qui pourrait sortir d'une multinationale (ou peut-être y entrer ?) ou de *Votre Beauté*. Mais pourquoi ce type-là est-il venu de mon côté plutôt que du côté de Giscard dont il est le sosie ? D'ailleurs, il est du côté de Giscard.

Et l'Autre, là-dedans ? L'Autre, qui l'a mis en place, et le laisse dire et faire, et le manipule à son gré ? C'est que l'Autre aussi, là-haut, a été insulté et traité de menteur tout autant que moi-même. S'il ne s'était pas présenté avec ses remèdes miracles contre le chômage et l'inflation – Menteur ! Menteur ! –, est-ce que vous imaginez un instant qu'il aurait été élu ? J'en étais comme deux ronds de flan devant ma télévision et, pas seulement pour moi, non, pas seulement pour moi, je vous jure que j'en aurais pleuré.

Le vainqueur de « La Tête et les Jambes[1] », je veux bien le croire plus intelligent que moi. Je ne suis pas très intelligent. Mais je sais que ce qu'il faut donner aux gens ce ne sont pas des idées, ce sont des rêves. Il n'y a pas l'ombre d'un rêve dans le socialisme de Laurent. Moi, j'étais peut-être idiot, et peut-

---

1. Jeux télévisé diffusé de 1960 à 1978.

être menteur, puisque mon successeur à la tête du gouvernement de la gauche y tient absolument. Mais je faisais rêver le
peuple de la gauche. Je me demande s'il y a un seul Français,
une seule Française que Laurent puisse faire rêver. À quoi ? À
la baisse des impôts, peut-être ? Au rassemblement autour du
Grand Battu ? À l'union de la gauche avec le patronat ? Laissez-
moi rire ? Laurent, serrez-ma-haire-avec-ma-discipline. Laurent
ne fait pas rêver.

Je vais vous dire autre chose. Il y a quelques années – un peu
avant la deuxième ou la troisième dévaluation, je ne sais plus,
je m'y perds – j'ai dit à un de ces petits imbéciles de la droite,
à d'Ormesson peut-être qui méritait bien ce trait assez fin, qu'il
représentait le château. Eh bien ! Laurent pue le château. Pompidou, c'était la bonne vieille maison paysanne, où on mangeait
de la soupe épaisse entre des murs solides sur lesquels, surprise,
il y avait des Agam, des Poliakoff, des Max Ernst et des Nicolas
de Staël ; Giscard, c'était la gentilhommière terriblement distin-
guée, avec des poutres apparentes et presque rien à absorber
parce que la nourriture, ce n'est pas élégant.

Laurent, c'est un castel d'antiquaire bourré d'ordinateurs et
de gadgets électroniques à la J.-J. S.-S. et où on ne consomme
que des chiffres, des chiffres, des chiffres, et encore des chiffres.
Et pas une goutte de rêve.

À cette même télévision qui, du jour au lendemain, a cessé
d'être la mienne, j'ai encore vu Priouret déclarer que Laurent
– déjà battu aux yeux de tous – assurait au moins l'avenir (lointain) de la gauche. Eh bien ! je vais vous dire encore : le seul
qui, dans l'échec, ait versé un peu d'espoir dans le cœur meurtri
de la gauche, c'est moi ! Moi disparu, il n'y avait plus d'union
de la gauche. Il y avait Joxe et Chevènement, ardents partisans
– mais en paroles seulement – de l'union de la gauche. Il n'y
avait plus d'union de la gauche. Tout le gouvernement est un
gouvernement à la Delors sans Delors, à la Rocard sans Rocard.
Delors est hors du jeu, tant mieux pour lui. Mais le pauvre
Rocard me fait pitié : déshabillé par tous ses copains qui se sont
partagé ses défroques, qui se sont tous fait (et payé) sa tête, qui
jouent tous à être Rocard et qui le laissent tout nu.

Moi parti... Vous vous rappelez où j'en étais, en loques, usé
jusqu'à la corde, plus bas que terre, au trente-sixième dessous...

Eh bien ! moi parti, il me semble que tout s'est écroulé. J'entends encore l'Autre, le grand là-haut, laisser tomber de sa bouche : « J'ai décidé… » Et aussi, vous vous en souvenez : « Sur aucun point, je ne renoncerai. » Sur tous les points, il renonce. Sur l'école, il renonce. Sur le référendum, il renonce. Sur la presse, il renonce. Sur l'union de la gauche, il renonce. Sur le socialisme il renonce. Est-ce qu'il y a encore un gouvernement de gauche ? Le socialisme est en miettes.

Quels reniements ! Quels reniements ! Encore une fois, je ne parle pas de moi. Je parle du socialisme. Un exemple parmi mille autres. Pendant des mois et des années, nous avons dénoncé la diplomatie secrète et réclamé la transparence de la politique nationale et internationale. Voyez le Maroc et ce voyage clandestin dont on n'a pas dit un mot à la presse ni même au Conseil des ministres. Quelle honte ! Quelle tristesse !

J'ai bien tort de me plaindre. Pensons à Rocard, à Chevènement, à Cheysson, à Defferre, à Badinter, à la pauvre Bouchardeau. Tous, d'une façon ou d'une autre, couverts de honte et du mépris princier.

Pensons à Savary. Est-ce que vous pouvez imaginer un instant les sentiments et les réactions de cet homme qu'on sait honnête – si affreusement berné ? Ce qui me console, c'est la sottise et la légèreté de beaucoup dans l'opposition qui choisissent l'écroulement du socialisme à la française pour s'émerveiller de la subtilité du Très Grand, qui aurait su renverser la situation et envelopper le centre de l'adversaire dans une manœuvre napoléonienne. Seigneur ! Quelle manœuvre ? Et où est le socialisme ? Et où sont nos promesses ?

Ce qui me désole, c'est qu'il faut que ce soit un adversaire, et un type du château, qui ait l'air de comprendre vaguement – dans *Le Figaro-Magazine* ! – ce que la gauche élégante et moderne – Sottise ? Lâcheté ? Soumission aveugle au pouvoir ? – ne semble même pas soupçonner.

Le Figaro Magazine, 15 septembre 1984

Élémentaire, mon cher Watson !...

Dans la confusion de l'automne, en face d'un gouvernement de gauche accusé par l'extrême gauche de mener une politique de droite, tâchons une fois de plus de dire des choses très simples.

Sur un point, les communistes ont raison : bien plus encore que le gouvernement de M. Mauroy, le gouvernement de M. Fabius tourne le dos aux promesses et aux engagements de 1981. La liste des reniements est si longue et si évidente qu'elle en devient comique. Citons, presque au hasard, quelques exemples parmi tant d'autres. Tous les téléspectateurs ont pu voir et entendre M. Bérégovoy faire l'éloge du nucléaire si ardemment combattu (qu'en pense Mme Bouchardeau ?) et instruire le procès d'un endettement dont les socialistes nous expliquaient hier encore qu'il n'avait rien d'excessif. Avec un cynisme désarmant, le gouvernement découvre, sous des dénominations à peine modifiées, les bienfaits du travail intérimaire ou temporaire ou encore flexible, qu'il condamnait il y a trois ans. La diplomatie secrète, dénoncée à longueur de journée par l'idéologie de gauche, a fait une rentrée remarquée avec le voyage clandestin de M. Mitterrand au Maroc, si chargé de mystère que les ministres eux-mêmes, peu curieux de nature sans doute, n'ont pas eu droit à la moindre information. Je ne jurerais pas qu'une espèce de police personnelle et prétorienne ne soit pas en train de se constituer dans les profondeurs de l'Élysée. Le budget 1985 est tout ce qu'on voudra et à peu près n'importe quoi, sauf un budget de gauche. Venu tout spécialement de l'extrême gauche du parti socialiste, M. Chevènement se met à dos les laïcs purs et durs en enterrant sans ménagements le projet de M. Savary qui, comble de paradoxe, était plutôt un modéré. Innovation remarquable, la loi sur la presse est votée, mais restera au réfrigérateur et ne sera pas appliquée. M. Rocard est sur la touche et M. Delors est sorti, mais leur politique triomphe. M. Mitterrand et M. Fabius n'ont pas un mot pour le socialisme, mais font l'éloge de l'entreprise et de l'initiative privées. On les dirait convertis, par conviction ou par nécessité, à la politique même qu'ils combattaient naguère sans merci. Les communistes sont ivres de rage. Les socialistes eux-mêmes font contre mauvaise fortune bon cœur, ou au moins bon visage – mais ne sont pas très heureux. Que peut, que doit faire, dans de telles circonstances, une opposition parfois décontenancée par des retournements si rapides et si complets ?

Voici qu'il faut déjà s'arrêter sur le mot *opposition*. Il est tout à fait clair que communistes et libéraux se retrouvent aujourd'hui dans l'opposition. Il est tout à fait clair aussi qu'il ne s'agit pas de la même opposition. Les communistes voudraient qu'on en revînt aux délires de 1981 dont les socialistes eux-mêmes ont compris – sans le reconnaître publiquement, car l'avouer serait se désavouer – le caractère suicidaire. Les libéraux veulent, au contraire, tourner le dos, non seulement au socialisme flamboyant des promesses, mais au socialisme rampant des remords, des repentirs et des bouts de ficelle élyséens.

C'est ici qu'intervient une manœuvre si grossière qu'il est à peine utile de la dénoncer : c'est la farce, déjà éventée, de la décrispation. « Voyez, disent les gens du pouvoir à l'opposition libérale, le chemin que nous parcourons vers vous. Faites donc un pas vers nous et nous nous rassemblerons à mi-chemin. Comment d'ailleurs ne pas vous reconnaître dans les mesures que nous prenons puisque nous vous les empruntons ? »

Cette proposition aurait été honnête en 1981. Mais c'est le chemin inverse qui a été pris à l'époque, en plein accord et en toute fraternité avec le parti communiste, par le CÉRÉS, par M. Lang et par bien d'autres, par le congrès de Valence et par M. Mitterrand lui-même. Pourquoi, aujourd'hui, cette brutale volte-face ? Pourquoi l'abandon, au moins apparent, du socialisme ? Pourquoi le poing fermé s'est-il transformé en main tendue ? Pour trois raisons d'une simplicité enfantine.

La première est que, conformément aux prévisions et aux prédictions de l'opposition, alors traitée de Cassandre obsédée par les catastrophes, le socialisme ne marche pas. Continuer sur la voie des promesses démagogiques de l'union de la gauche, c'était se précipiter, tête baissée, vers l'abîme où les communistes aimeraient bien entraîner le pays. La durée dont ils disposent s'est retournée contre les socialistes. Il a fallu serrer les freins et faire marche arrière. De même que l'hypocrisie est un hommage que le vice rend à la vertu, le gouvernement Fabius après le gouvernement Mauroy est un hommage que le socialisme rend au libéralisme.

La deuxième raison est que, les élections approchant, il fallait tenir compte du peuple des électeurs et non plus seulement du peuple mythique de la gauche. L'opinion de la majorité des Français aujourd'hui, le gouvernement lui-même nous l'indique en camouflant son socialisme original et en faisant à peu près rigoureusement le contraire de ce qu'il a fait pendant des mois et dont le pays ne veut plus.

La troisième raison saute aux yeux. Les communistes ayant quitté le gouvernement, il devenait urgent de chercher des ouvertures du côté opposé. Arrivés au pouvoir avec les communistes, les socialistes sont aujourd'hui terriblement isolés. Ils poursuivraient volontiers le parcours en échangeant l'alliance avec les communistes qui ne fonctionne plus contre une alliance avec le centre gauche. Ainsi devient lumineux le style nouveau de Fabius qui ne peut qu'exaspérer les communistes et même une fraction des socialistes. La fraternisation du socialisme avec les communistes ayant échoué comme il était aisé de le prévoir, M. Mitterrand se tourne ou fait semblant de se tourner vers ceux qui la dénonçaient pour engager une politique de fraternisation du socialisme avec une frange des libéraux. La radicalisation a fait long feu. Ses menaces ne sont plus de mise. Essayons le radicalisme et son miroir aux alouettes.

Et pourquoi pas ? Pourquoi ne pas envisager une espèce de social-démocratie à la française qui sortirait de l'échec de l'union de la gauche ? Je n'aurais rien, pour ma part, contre une social-démocratie où le libéralisme s'unirait au souci des moins favorisés. Mais, dans les circonstances et avec l'équipe actuelle, il ne s'agit de rien de tel. Il n'est que trop clair que c'est à des préoccupations purement tactiques que répond aujourd'hui M. Mitterrand. Il n'est que trop clair que nos socialistes au pouvoir déplorent le départ des communistes et ne détesteraient pas – ils l'avouent, ils le proclament – reprendre, malgré l'amère expérience, la vie commune avec eux après un intermède pseudo-libéral. Il n'est que trop clair que M. Mitterrand, prêt à employer tous les moyens, se fixe toujours pour fin – il l'a dit – ce socialisme à la française dont nous avons eu l'avant-goût.

En face de l'énigme de notre temps, un Sherlock Holmes de la société n'hésiterait pas à s'écrier : « Élémentaire, mon cher Watson ! »

Le Figaro Magazine, 22 septembre 1984

1986

Après la bataille

Une élection est gagnée par ceux qui, dans une Assemblée représentative, disposent de la moitié des suffrages plus un. Telle est la loi de la démocratie. Dans le tintamarre orchestré de la semaine écoulée, on pouvait finir par douter des vérités les plus élémentaires. La vérité est qu'au terme du scrutin décisif de dimanche dernier il y a un vainqueur et un vaincu. Le vainqueur est le bloc RPR-UDF. Le vaincu est le PS, qui disposait à lui seul, dans l'Assemblée précédente, de la majorité absolue. Le socialisme est désavoué par des électeurs enchantés par ses promesses et désenchantés par son bilan. Le pays bascule. L'opposition devient majorité. Et la majorité devient l'opposition.

Il faut souligner aussitôt – mais seulement en second lieu – la résistance du PS et la minceur de la victoire du bloc RPR-UDF. Un spectacle assez surprenant s'est offert à nos yeux : des vainqueurs qui se désolaient, égarés par leurs espérances ; des vaincus qui se réjouissaient, éblouis par une défaite qui ne les écrasait pas.

Par un paradoxe formidable et peut-être unique dans l'histoire, le chef du parti vaincu reste le chef de l'État et le maître du jeu. Il s'est engagé dans la bataille, il y a jeté toutes ses forces, il a été à deux doigts de gagner un pari qui pouvait paraître insensé : rendre ingouvernable le pays dont il avait la charge à seule fin d'empêcher le remplacement du socialisme battu par le libéralisme victorieux. Deux pièges à brouiller les cartes l'ont aidé puissamment : l'instauration massive de la proportionnelle, la courte échelle à M. Le Pen.

Le scrutin majoritaire aurait donné une large victoire à l'union libérale. Il n'aurait pas permis l'ascension du Front national qui est un des grands vainqueurs du scrutin du 16 mars. M. Le Pen peut rendre grâce à M. François Mitterrand qui a permis et voulu la montée du Front national pour affaiblir l'union du RPR et de l'UDF et pour tenter, mais en vain, de leur interdire de gouverner.

M. François Mitterrand, qui est l'artisan de l'ascension du FN, est l'artisan aussi du déclin du PC. Jamais le parti communiste n'aura été aussi bas. L'histoire retiendra que deux hommes, et deux hommes seulement, ont fait reculer le communisme en France : le général de Gaulle et son ennemi mortel, M. François Mitterrand.

Il y a beaucoup de choses inquiétantes, et peut-être explosives, dans le scrutin du 16 mars. Une majorité de quelques voix, une situation instable avec des extrémistes de tout bord aux aguets, une collaboration hasardeuse, et un peu plus que hasardeuse, entre une coalition victorieuse, rendue méfiante par l'expérience, et un président vaincu et pourtant tout-puissant risquent d'aller dans le sens dénoncé par M. Barre. M. Barre a marqué le pas hier parce qu'il n'a pas joué l'union avec assez de résolution. Il peut avoir raison demain si le président de la République ne sort pas franchement de son rôle partisan et s'il n'est pas, comme il le doit, le serviteur fidèle et enfin scrupuleux de la volonté populaire.

À côté de tant de circonstances franchement préoccupantes, il y a aussi, dans la situation, des éléments positifs et des signes encourageants. Le pays est calme. Aucune haine ne l'agite. À la différence de 1968, son premier vœu est de travailler. Et de vivre en paix. Le socialisme a clairement été rejeté par le peuple. Le parti communiste, qui représentait naguère un électeur sur quatre, est marginalisé par un parti socialiste dont une fraction au moins semble en train d'évoluer vers la social-démocratie. La situation est trouble. Elle me paraît très loin d'être catastrophique. Pourquoi ne pas faire confiance à un peuple qui a montré, une fois de plus, son intelligence et sa sagesse ?

J'ai poussé l'audace jusqu'à donner des conseils au président de la République. Je peux bien en souffler un aussi à la coalition libérale devenue majorité. Si, surmontant des querelles qui ne sont que de personnes et qui irritent et exaspèrent au plus haut point une opinion fatiguée de ces jeux inutiles, l'UDF et le RPR décidaient, pour profiter des leçons à la fois de leur victoire et de leur déception, de se rénover, de s'unir et de constituer un grand rassemblement national et libéral qui serait le premier du pays, ce serait un coup de tonnerre dans la politique de la France. Et peut-être dans son histoire.

Le Figaro Magazine, 22 mars 1986

1988

Elle s'est laissé réduire en miettes[1]

Ce qu'il y a de moins clair dans notre défaite si claire, si évidente, ce sont ses motifs. Essayons d'abord l'hypothèse la plus simple : si le candidat socialiste a gagné, c'est que les Français sont devenus socialistes. Tout montre qu'il n'en est rien. Il n'y a pas 54 % de socialistes en France. Il n'y en a même pas 34 % : dès le premier tour, des centristes peut-être, des communistes en tout cas avaient voté pour M. Mitterrand. Si ce n'est pas le socialisme qui a fait la victoire du candidat socialiste, d'où vient-elle donc ?

La réponse, hélas ! ne fait pas trop de doute : une fois encore, une fois de plus, la victoire de la gauche ne vient pas de la gauche – elle vient de la droite.

La première cause de la défaite, c'est la désunion de la majorité. M. Barre a déclaré que deux candidats permettaient à la majorité de ratisser plus large. L'argumentation vaut peut-être pour des élections législatives. Elle ne paraît pas s'appliquer à l'élection présidentielle où un lien de type charismatique se noue entre les électeurs et leur candidat. Ce lien n'a pas pu s'établir avec force puisqu'il y avait deux candidats. Et ceux des électeurs qui avaient choisi M. Barre ne se sont pas reportés avec un enthousiasme unanime sur M. Jacques Chirac.

---

1. Il s'agit de la droite, à l'occasion de l'élection présidentielle du 8 mai 1988.

Le Front national a joué à la perfection le rôle que lui avait assigné M. Mitterrand : celui de servir d'épouvantail et de diviser la droite. Comme le parti communiste, naguère, avant l'union de la gauche, servait d'épouvantail et divisait la gauche. Avec la multiplicité des candidatures, avec le Front national, ce n'est pas assez de dire que la majorité était divisée : elle était en miettes.

Multipliant les précautions, les astuces, le talent, M. Mitterrand ne s'est pas contenté de laminer ses adversaires. Il a vidé le débat de son contenu. À aucun moment, il n'a parlé sérieusement d'un bilan ni d'un programme. Il s'est jeté avec bonheur sur le plus monumental des ponts aux ânes du monde moderne : la communication. Sur le rassemblement, sur l'unité, sur le refus des tensions, il a *com-mu-ni-qué*. Ça marche. Pourquoi n'aurait-ce pas marché ? La publicité marche bien.

La désunion de la majorité, le talent de communicateur de M. François Mitterrand. Il y a sans doute une troisième raison au triomphe du président. Elle ne tient ni à lui ni à ses adversaires. Elle tient au peuple français. Les Français veulent être tranquilles. C'était M. Mitterrand qui leur offrait l'image la plus rassurante.

C'est ce qu'il y a, peut-être, de plus inquiétant pour l'avenir.

Le Figaro Magazine, 14 mai 1988

Lettre ouverte au Premier ministre[1]

Monsieur le Premier ministre,

Par vos hautes fonctions, vous êtes à la tête de ce que le président de la République a appelé récemment « le parti vainqueur » et « les forces de progrès ». J'appartiens au parti vaincu et à ce qu'il faut appeler, j'imagine, les forces de régression. Car il y a, pour le président de tous les Français, pour l'ancien champion de l'ouverture et du rassemblement, des gens qui incarnent le progrès : ce sont les socialistes et les communistes. Et il y a tous les autres : c'est parmi eux que je me range. C'est

---

1. Il s'agit de Michel Rocard, nommé le 10 mai 1988.

vous dire – mais vous le saviez – que nous ne sommes pas du même bord.

Pourtant, quand le président de la République vous a choisi comme Premier ministre, il me semble qu'il y a eu dans le pays comme une sorte d'espérance. Tout le monde sait que vous êtes un honnête homme, un partisan du dialogue, un de ceux pour qui l'ouverture n'est pas seulement une manœuvre. Pendant quelques heures, on a pu se demander si les promesses du candidat victorieux à l'élection présidentielle allaient être tenues et si les Français allaient se mettre enfin, sous votre direction intelligente et sensible, à travailler tous ensemble. Je le dis sans détour : il aurait valu la peine d'être vaincus si c'était pour arriver, après tant de malheurs, à un tel résultat. Si les autres avaient su dominer leur victoire, nous aurions su, de notre côté, dominer notre défaite. Votre nom, votre passé, tout ce que vous représentez allait dans le sens de la réconciliation souhaitée par tant de Français.

Les fruits, malheureusement, ont été loin de passer les promesses des fleurs. Les événements qui se sont succédé depuis votre nomination ont déjà entamé le capital de confiance dont vous disposiez au départ. Vous avez remporté un succès – qui attend encore sa confirmation : c'est l'accord sur la Nouvelle-Calédonie. Le reste… Dès la composition de votre premier gouvernement, beaucoup de ceux qui avaient confiance en vous ont reçu un coup sur la tête : vous étiez entouré de tous ceux qui donnaient du socialisme une image opposée à la vôtre. Oh ! je sais bien : depuis que M. Mitterrand a réduit les communistes en les mettant au gouvernement, tout le monde répète que la meilleure façon de se débarrasser de ses adversaires, c'est de les porter au pouvoir. Toute la question est de savoir si ce n'est pas le raisonnement que s'est tenu, une fois de plus, à votre égard, le président de la République en vous appelant à Matignon et si c'est vous qui mangerez MM. Joxe et Poperen et Laignel et Mermaz et Mauroy et les autres ou si c'est eux qui vous mangeront. Votre deuxième ministère[1] a reproduit le premier

---

1. Le premier gouvernement Rocard a duré quarante-trois jours, du 10 mai au 22 juin 1988. Le second durera un petit peu moins de trois ans, jusqu'au 15 mai 1991 et la nomination d'Édith Cresson.

avec deux nouveautés qui n'étaient pas faites pour déclencher l'enthousiasme : il y avait beaucoup trop de ministres, puisqu'il y en avait près de cinquante alors qu'il en aurait fallu dix ou douze pour causer un choc dans le pays ; et il y avait beaucoup de battus au suffrage universel, ce qui ne faisait pas, avouons-le, très « tradition républicaine ».

Le cœur n'est pas sûr

L'affaire Schwartzenberg[1] et l'affaire Arpaillange[2] faisaient franchement désordre. Mais il y avait plus grave. À droite, M. Mitterrand a mis fin brutalement, par ses déclarations du 14 juillet, à la comédie de l'ouverture : il a très bien indiqué que l'ouverture consistait, pour les gens de l'opposition, à trahir leur camp vaincu pour « rallier la majorité présidentielle » au pouvoir. Impossible, pour une fois, d'être plus net et plus clair. Mais c'est à gauche, je crois, que vous guettent les pires dangers.

Le danger le plus grave pour vous vient du président de la République. Tout le monde sait, et vous le premier, qu'il n'a pas pour vous une tendresse particulière. On pourrait se demander s'il vous aime tellement plus qu'il n'aimait Jacques Chirac. Il aimait Mauroy, il aimait surtout Fabius. Vous, il ne manque pas une occasion de vous mesurer sa confiance, son estime, son affection. Pensez-vous qu'il voudra de vous comme successeur à la présidence ? Vous pourriez utiliser à son égard le vers où Vigny exprime sa méfiance à l'égard de l'autre sexe : « Toujours ce compagnon dont le cœur n'est pas sûr. »

L'appui que vous risquez de ne pas trouver à l'Élysée, vous ne le trouverez pas non plus, je le crains pour vous, du côté du PS. L'action de M. Mauroy à la tête du PS et cette manie qu'il

---

1. Léon Schwartzenberg, nommé ministre délégué à la Santé, doit démissionner neuf jours après sa nomination, victime de ses prises de position trop personnelles.

2. Pierre Arpaillange fut critiqué pour un non-lieu intervenu dans l'affaire Luchaire (la société Luchaine aurait contourné l'embargo vers l'Iran) alors qu'il était garde des Sceaux.

a de tendre à tout bout de champ la main aux communistes vous enchantent-elles positivement ? Comment avez-vous aimé le grand article de M. Jospin dans *Le Monde* sous le titre « Gouverner mieux » ? Êtes-vous entièrement satisfait de toutes les déclarations de M. Poperen ou de M. Emmanuelli ? Je doute que le parti socialiste vous soutienne autrement que du bout des lèvres. On dirait qu'il vous reproche une ouverture vers le centre qui a pourtant échoué. Entre un président qui ne vous aime guère, des centristes qui ne vous suivent pas et des socialistes qui vous en veulent d'avoir pris au sérieux les déclarations présidentielles sur l'ouverture et le rassemblement, vous voilà mal parti. On comprend le titre de *Libération,* il y a quelques jours : « Rocard brûle-t-il ? »

Pouvoir et opposition autrement ?

J'éprouve pour vous, Monsieur le Premier ministre, toute l'estime et le respect que les vôtres vous refusent. C'est vous dire si j'ai été tenté par les promesses d'ouverture, si vite effacées et rejetées par le président de la République. Quel dommage que quelques hommes comme vous ne se soient pas rapprochés davantage du libéralisme et des libéraux ! Nous vous aurions accueillis avec joie dans notre camp et nous aurions entrepris ensemble une véritable ouverture, un authentique rassemblement. Pourquoi l'ouverture et le rassemblement se feraient-ils à sens unique ? Venez donc rejoindre le libéralisme au lieu de vous engluer parmi des socialistes archaïques et hostiles ! Qu'est-ce qui sépare votre politique de la nôtre ? Si peu de chose, en vérité.

Tout ce qu'on peut retenir du programme du président de la République, c'est cet impôt sur le patrimoine qui vient s'ajouter à tous les autres pour des raisons démagogiques et qui est, vous le savez, inefficace et inique. Aussi l'avez-vous réduit à sa plus simple expression. Mais les contradictions sont telles que vous auriez mieux fait de le supprimer complètement. Deux exemples seulement : inclure les œuvres d'art aurait été suicidaire ; pensez-vous, pour autant, qu'il soit juste de les exclure ?

L'une et l'autre solution est également désastreuse parce que l'impôt est mauvais. Et pensez-vous qu'il soit bon, dans la crise démographique que connaît le pays, d'avoir deux poids et deux mesures pour un homme et une femme qui paieront l'impôt sur la fortune s'ils sont mariés et s'ils ont des enfants et qui ne le paieraient pas s'ils n'étaient pas mariés et s'ils n'avaient pas d'enfants ? Des injustices aussi révoltantes condamnent l'impôt qui les provoque.

Monsieur le Premier ministre, vous aviez l'intention, je le crois, d'assurer « autrement » l'exercice du pouvoir. Je tâcherai, pour ma modeste part, d'assurer « autrement » l'exercice d'une opposition où je me situe fermement. Je ne bouderai pas vos succès. Je ne guetterai pas vos fautes. Je ne me réjouirai pas de vos erreurs. Je tâcherai, autant que possible, de résister à la tentation de la partialité. Simplement, je ne crois pas que vous réussirez. D'abord parce que les socialistes, à commencer par le premier d'entre eux, ne vous soutiendront pas franchement. Ensuite parce que le socialisme est le contraire du progrès. L'autre nom du progrès, c'est le libéralisme.

À tous mes lecteurs, et à vous, Monsieur le Premier ministre, je souhaite un heureux été.

Le Figaro, 20 juillet 1988

1991

L'année de la chute de la maison Mitterrand

L'effondrement de l'image du président de la République prend des allures dramatiques : près de quatre Français sur cinq ont déserté son camp. Rien n'y fait : ni la rigueur conservatrice de M. Bérégovoy, ni la propagande effrénée du ministre de la Culture et de la Communication, ni la télévision, ni l'Europe.

Le fond de l'affaire, c'est que personne ne sait plus très bien où le président se situe ni quelle politique il compte suivre : comment lui ferait-on confiance ? Après dix années de haute voltige et de fascination, l'habileté légendaire de celui que Mauriac appelait *le Florentin* s'est retournée contre lui et contre le parti qu'il a forgé à son image pour aider son ascension.

Faute, pour les socialistes, d'avoir été capables de choisir à temps entre le réformisme et l'union de la gauche, l'image du PS et de son chef est brouillée. Comment les Français s'y reconnaîtraient-ils, quand le président et les siens leur annoncent du même souffle que le communisme est un régime abject et qu'il faut s'allier, pour les élections, avec ses représentants les plus obstinés ; quand nos dirigeants s'évertuent en même temps à condamner l'argent et à le cajoler sous ses formes les plus détestables ; quand l'entreprise privée est tour à tour un partenaire privilégié et l'ennemi à abattre ; quand le même pouvoir, qui avait tant chanté le pacifisme, s'est épanoui dans la guerre ?

Depuis plus de dix ans, la contradiction est au cœur du socialisme français. Virtuose d'une politique de l'ambiguïté et du flou, c'est François Mitterrand qui a introduit, dans le paysage politique et social, une incertitude, une obscurité, un mystère qui l'ont longtemps servi. Voilà que, brutalement, tout se retourne contre lui. L'homme qui fascinait les Français ne parvient plus à les convaincre. Tout le servait hier, tout le dessert aujourd'hui. Le charme, l'intelligence, une formidable expérience politique semblent soudain inutiles. L'habileté du double jeu ne domine plus un malaise qui se répand comme la peste et se transforme en rejet.

Chèques en blanc sur l'avenir

M. Mitterrand a raison : c'est dans la tête des Français que se situe le mal. Quand vous comparez la situation de la France à celle de la plupart des autres pays du monde, vous êtes bien obligé de constater que la France est une contrée privilégiée. On y vit mieux qu'ailleurs. La vie y est plus douce. Les grandes catastrophes, qui frappent tant de régions, de l'Afrique à la Russie, de l'Amérique latine au Liban, du Tibet à Cuba, nous sont encore épargnées. C'est l'argument-clé du président de la République : vous êtes mieux ici qu'en face. Comment ne pas voir que c'est l'argument traditionnel du conservatisme et de la réaction ? Tous les régimes successifs ont usé et abusé du thème de la douce France comparée à l'étranger.

Et les hommes comme Mitterrand n'ont cessé de le récuser. Il faut ajouter que la comparaison ne peut pas se faire seulement dans l'espace. Elle doit se faire aussi dans le temps. Il n'est pas sûr que les Français se considèrent plus heureux ni plus protégés aujourd'hui qu'il y a quinze ou vingt ans. Leur situation se dégrade et les craintes se font plus vives. Le chômage, l'insécurité, le sentiment d'injustice, l'incertitude sur l'avenir sont ressentis plus vivement sous le règne de Mitterrand que sous celui de ses prédécesseurs.

On dirait que le président de la République est plus proche aujourd'hui des réactions et de la situation de ceux qu'il avait tant critiqués – le général de Gaulle, Pompidou, Giscard d'Estaing – que des positions qu'il occupait quand il était dans l'opposition. À force d'emprunter les bottes du Général – pour ne pas dire, comme certains, le képi du Maréchal –, il en a pris les petits côtés sans en prendre les grands. Il s'attaque à la sinistrose. Il se méfie de la presse, il en appelle à l'union, il va jusqu'à s'éloigner, à tort ou à raison, de ceux qui l'ont porté au pouvoir. La continuité finit par l'emporter avec éclat sur la rupture qu'il avait incarnée. On dirait que le thème de la rupture ne lui a servi qu'à se hisser au pouvoir et qu'installé à l'Élysée, il rejette le masque et les béquilles qui l'ont amené où il est.

La philosophie de son action se résumait à une phrase : changer la vie. Cette ambition-là est abandonnée sans recours au profit de conseils plus modestes qui étaient plus à leur place dans la bouche des adversaires qu'il perçait jadis de ses flèches : la patience, l'effort, la confiance, l'union derrière le chef qu'il faut laisser travailler, dans le silence et dans le respect, au bien commun de tous.

Pour changer la vie, il avait une méthode : l'union de la gauche et la rupture avec le capitalisme. L'économie de marché est devenue, sans que personne ne le dise vraiment, la Bible du socialisme, et l'union avec les communistes, rejetée avec violence sur le plan extérieur, n'est plus qu'une ficelle électorale sur le plan intérieur.

Enfin, le président avait été élu sur un slogan : avec ses adversaires, la France risquait d'aller vers la catastrophe de deux millions de chômeurs. Nous en sommes à trois millions, et le président est toujours là, à prendre des engagements et à donner des conseils. Comment les Français ne seraient-ils pas déboussolés, découragés, exaspérés ?

L'effondrement de la cote de popularité du président, passée de sommets plus qu'honorables à des abîmes consternants, n'a pas d'autre explication. Il a été élu sur des espérances et il est jugé sur des résultats. Le comble est qu'après dix années de pouvoir absolu, il continue à prodiguer les critiques et les promesses qui lui ont permis d'être élu en 1981 et d'être réélu après la parenthèse de la cohabitation – qui lui a permis, paradoxalement, de survivre pendant quelques années. Après dix ans de pouvoir presque absolu, il s'obstine à tirer des chèques en blanc sur l'avenir au lieu d'offrir enfin un bilan de son passé. Si la chute est si forte, c'est que les Français ne voient plus quel dessein politique peut bien se cacher derrière les paroles.

108

On finit par se dire que plus les paroles sont brillantes et les interventions réussies, plus la déception est cruelle. Le chef politique est devenu un artiste dont le succès est passé, et ses déclarations ne sont plus que des numéros à la saveur nostalgique et à l'usage des vétérans. Il illustre assez bien l'histoire du capitaine qui sort de la tranchée et s'élance à l'attaque en criant : « En avant ! » Les soldats applaudissent, mais se gardent bien de bouger de leur tranchée.

Bien sûr, il y a l'Europe. Et l'Europe est un grand dessein. Mais M. Mitterrand n'a pas été élu sur l'Europe. Il a été élu sur un programme de coalition avec les communistes, qui sont les ennemis les plus déterminés de l'Europe. M. Mitterrand a sauté de grand dessein en grand dessein comme un cavalier qui, pour gagner la course, sauterait de cheval en cheval, et personne ne peut savoir quel sera le prochain cheval qui portera ses couleurs. Ainsi naît la suspicion d'un destin politique qui, loin de s'imposer à l'Histoire, se contente plus modestement d'en épouser les contours. Personne n'a appliqué avec plus de talent que M. Mitterrand le fameux précepte de Cocteau : « Puisque ces mystères nous dépassent, feignons de les organiser. »

Le général de Gaulle, que M. Mitterrand a toujours tant détesté avant d'essayer de l'imiter, avait une grande idée, et il n'en démordait pas : c'était la France. On finit par se demander si la seule idée que M. Mitterrand ait jamais vraiment cultivée ne serait pas la sienne propre. Si le communisme ne s'était pas écroulé, M. Mitterrand aurait été très bien placé pour continuer à diriger la coalition des socialistes et des communistes que M. Mauroy et bien d'autres au sein du parti socialiste, il y a à peine quelques semaines, appelaient encore de leurs vœux. À son arrivée au pouvoir, le dernier Premier ministre choisi par M. Mitterrand témoignait ouvertement de son hostilité pour la Bourse – qui reste, qu'on le veuille ou non, l'instrument régulateur de toute économie de marché – et regrettait le bon vieux temps de 1981. Mais le communisme s'est écroulé. On a changé de grand dessein. Et le rêve européen s'est substitué au rêve de la rupture d'avec l'économie de marché. Comment veut-on que les Français prennent encore au sérieux une politique sans principes où les changements à vue sont devenus la règle de l'orientation du pays, et où la seule permanence est celle d'un homme qui change tout le temps et dont personne ne sait ce qu'il fera demain ?

Les choses ne marchent pas si mal en France parce que la France est un pays d'une richesse prodigieuse, dont les habitants ont acquis, au fil de l'histoire, un haut degré de tolérance, d'intelligence et de civilisation. Si le mal, comme le dit M. Mitterrand, est dans les esprits, c'est lui qui, par ses volte-face, par son ambiguïté, par son habileté meurtrière, l'a inoculé. Le grand projet du socialisme français était d'ordre moral ; il était d'ordre culturel, au sens large du mot. C'est dans ce domaine-là que les dégâts à long terme sont d'une ampleur désastreuse et peut-être, hélas ! irréversibles.

L'éducation s'effondre. Instrument culturel au premier chef, la télévision se défait. Le moral est au plus bas. On ne peut pas semer le mensonge et s'attendre à des moissons qui combleront tous les vœux. M. Mitterrand était l'ennemi de l'argent : l'argent étouffe le régime. M. Mitterrand s'était personnellement engagé sur le chômage : le chômage fait des ravages. M. Mitterrand était, et à certains égards – électoraux, bien entendu – est encore l'allié des communistes : il dépeint le communisme comme un régime épouvantable. M. Mitterrand déclare que la sécurité des Français est solidement assurée : chacun constate autour de soi que dans les rues, à l'école, dans la vie de chaque jour, l'insécurité ne cesse de progresser. M. Mitterrand a raison : le mal est un mal moral.

Un certain nombre de domaines étaient traditionnellement réservés, dans la Ve République, à l'action personnelle du président de la République. Pour hostile qu'il fût à la Constitution, M. Mitterrand a poursuivi cette tradition. La politique extérieure, notamment, est longtemps apparue comme un point fort de la politique socialiste. Et la guerre du Golfe a été, pour M. Mitterrand, comme un ballon d'oxygène qui l'a fait remonter dans les sondages après un premier déclin. Mais les événements formidables qui se sont déroulés ces derniers mois ont pris chaque fois à contrepied la politique française. Ne parlons même pas de l'Iran, de la Libye, de Cuba, qui semblent prendre un malin plaisir à déjouer les plans de notre gouvernement et à apparaître successivement comme des amis qu'on retrouve et des adversaires qu'il faut combattre.

110

Climat délétère

La réunification de l'Allemagne et l'éclatement de l'URSS ont été comme les pierres de touche d'une insuffisance manifeste au niveau le plus élevé. Il est permis de dire sans esprit partisan que M. Mitterrand ne croyait pas à la rapidité spectaculaire de la réunification allemande, imposée par M. Kohl, qui apparaît comme le grand homme de l'Europe de ce siècle, et qu'il n'a cessé d'agir à contretemps avec M. Gorbatchev, le lâchant trop vite quand il ne fallait pas et le soutenant trop fort quand il ne fallait plus.

Le parti socialiste n'a pas aidé, il est vrai, le président de la République. Personne n'a oublié l'accueil réservé à M. Eltsine par de hautes personnalités socialistes. Personne ne sait quel est aujourd'hui le degré de confiance accordé par M. François Mitterrand au parti socialiste – ni par le parti socialiste à M. François Mitterrand. La maison de la gauche est divisée, désormais contre elle-même, au moins autant que l'opposition. Le parti socialiste s'appuie électoralement sur le parti communiste, qu'il ne cesse de traîner dans la boue ; et le président de la République s'appuie idéologiquement sur le parti socialiste, dont il s'éloigne chaque jour un peu plus dans la perspective d'un après-Mitterrand déjà tapi dans l'avenir. Tout cela crée un climat délétère qui n'est que le fruit d'une absence de choix clairs, desseins affichés et d'une politique ouvertement définie et poursuivie avec résolution.

Comment s'étonner, dès lors, de la chute de la maison Mitterrand dans l'opinion française ? La France n'impose pas une politique à l'Histoire que nous vivons. C'est l'Histoire que nous vivons qui impose une politique à la France. Faut-il dire, du coup, que nous sommes écrasés sous un régime insupportable ? Bien sûr que non. Faut-il dire que la liberté ne règne plus en France, que la Constitution est bafouée, que la tyrannie est au pouvoir ? Bien sûr que non. Ce serait le comble. Ce qui est vrai, c'est que les Français ont le sentiment, un peu plus fort chaque jour, qu'ils ont été trompés et que l'avenir qu'on leur prépare n'est pas celui qu'on leur avait promis. Ils se moquent bien des jeux où se comptait le président et qui ne répondent plus aux besoins du moment. Ils s'inquiètent de leur emploi, de leur pouvoir d'achat, de leur sécurité, de leur avenir. Ils constatent que l'éducation, l'information, la justice, s'en vont en morceaux. Et que l'administration bureaucratique, si chère aux socialistes, est de plus en plus étouffante, sans mener à plus d'efficacité, de bien-être ni d'équité. Ils ont peur pour leur avenir. Et ils ont raison. Comme dirait M. Mitterrand – et il est orfèvre en la matière parce qu'il est à la source du mal –, c'est leur moral qui est atteint.

Le Figaro, 30 décembre 1991

1992

Le mât de cocagne

Fontenelle, qui devait mourir à cent ans, assurait qu'il avait atteint cet âge avancé parce qu'il n'avait jamais fait de morale ni donné de leçons.

Rien n'est plus haïssable, en effet, que les donneurs de leçons et les moralistes professionnels. S'il m'est arrivé, par faiblesse, par distraction, de me ranger dans l'une ou l'autre de ces catégories peu reluisantes, je l'ai toujours regretté. Il faut être soi-même au-dessus de tout soupçon pour se permettre de faire la morale. Ou, comme le dit la sagesse populaire, il ne faut pas avoir de pièces à son cul pour monter au mât de cocagne.

L'ennui avec ceux qui nous gouvernent, c'est qu'ils ne cessent jamais de grimper au mât de cocagne. Et qu'ils ont des pièces à leur cul. L'affaire Tapie est une illustration plus belle que nature des contradictions du pouvoir. M. Bernard Tapie est ce qu'il est. C'est un homme d'affaires, un manieur d'argent, un joueur, un fonceur. Dans sa catégorie, il est plutôt sympathique. Il dit n'importe quoi : c'est reposant. Tantôt – quand il ne l'est pas – il proclame qu'être ministre est le dernier des métiers, tantôt – quand il l'est – il assure qu'être ministre est la plus noble des tâches. Il s'est laissé aller, malheureusement, lui aussi, au démon meurtrier de la moralisation. Et il a traité de salauds ceux qui ne pensaient pas comme lui. À peine était-il entré dans le cercle maudit des moralistes qu'on a pensé à lui en haut lieu. Malgré tous les avis contraires qui leur étaient prodigués. M. Mitterrand et M. Bérégovoy, moralistes patentés, en ont fait un ministre.

Le pouvoir est politiquement coupable

Je ne sais pas du tout si M. Tapie est coupable ou non de ce qu'on lui reproche. Mais je sais qu'il est inouï que le chef de l'État et le chef du gouvernement aient imposé parmi eux un homme un peu douteux dont, quelques jours plus tard, ils exigent la démission. M. Bernard Tapie après Mme Cresson : il n'est pas bon, aujourd'hui, d'être l'ami du pouvoir. On se demande ce qu'il faut le plus reprocher au pouvoir : d'avoir fait venir M. Tapie parce qu'on s'imaginait qu'il était un gagneur, ou de le lâcher aussitôt parce qu'il risque de tout perdre. Car, si l'honnêteté est une vertu, la fidélité en est une autre.

Le plus comique est que la moralisation de la vie publique et la lutte contre la corruption sont des ingrédients essentiels du rideau de fumée que répand le pouvoir. Un des thèmes constants du président de la République, c'est l'argent corrupteur. On n'a cessé de lui répéter que c'était une drôle d'idée pour un contempteur de l'argent de choisir M. Tapie pour lutter contre la misère. Rien n'y a fait. Il a défendu M. Tapie, comme il avait défendu, en leur temps, M. Pelat ou M. Nucci, comme il avait soutenu l'initiative socialiste de l'amnistie sélective pour les hommes politiques. Mais à peine M. Tapie – comme les hauts fonctionnaires dans la sinistre affaire Habache, comme Mme Georgina Dufoix dans l'affaire encore pire du sang contaminé – devient-il une menace qu'on le balance par-dessus bord.

On me dira sans doute encore, comme on a déjà osé me le dire, que je mêle la vie privée et la vie publique. La vie privée m'est bien égale, je la regarde comme sacrée. Mais je constate que la vie publique, qui se réclame tant de la morale, est sans cesse polluée par une vie privée qui la piétine.

La vérité est que les Français, si larges d'esprit, si tolérants, sont écœurés par ce qu'ils constatent. Ils constatent que le pouvoir est tenu solidement par ce qu'on peut appeler le CMC – le Cercle des moralisateurs corrompus. La grande affaire, aujourd'hui, aux yeux de la majorité des Français effarés, ce n'est pas Maastricht, qui les dépasse de très loin, ce n'est même plus le chômage dont ils souffrent dans leur chair, c'est le cynisme éloquent de ceux qui nous gouvernent et qui sont corrompus jusqu'à la moelle. Qu'on soit corrompu passe encore. Après tout, Mazarin n'était pas blanc bleu, et Talleyrand non plus. Mais ils n'avaient pas fait de la morale la base même de leur action politique. Ce qui est insupportable avec le CMC, c'est le mélange constant de la moralité affichée et de la corruption quotidienne. Le mot d'ordre du pouvoir à son niveau le plus élevé, c'est l'affreux : « Faites ce que je dis, ne faites pas ce que je fais ».

Corruption par l'argent, bien sûr. Corruption aussi de toute l'action politique. Les socialistes ont été portés au pouvoir parce qu'ils représentaient d'abord et avant tout une espérance morale. Il fallait lutter contre les privilèges, contre l'inégalité, contre le chômage, contre le mensonge. Ce n'est partout que mensonges, chômage, inégalités accrues, privilèges renouvelés. Le rêve de changer la vie a été peu à peu remplacé par la pure et simple ambition de se maintenir au pouvoir. On appelle Tapie parce que le football est populaire. Et on le laisse tomber parce que les inconvénients, contestés en public, il y a quelques jours à peine, par le chef de l'État en personne, se révèlent aussitôt plus sérieux que les avantages.

J'ignore si M. Tapie est juridiquement condamnable. Mais je sais que le pouvoir est politiquement coupable. Les responsables de l'affaire Tapie, ce ne sont pas un préfet qu'on peut révoquer, un ambassadeur qu'on peut déplacer, un ministre subalterne auquel on peut faire porter le chapeau. Ce sont le chef du gouvernement et le chef de l'État. Au moment où se mettent en place tant d'enjeux décisifs, un coup nouveau et grave vient d'être porté, contre eux-mêmes, par les moralistes corrompus auxquels est confié, pour quelques mois encore, le destin du pays.

Le Figaro, 25 mai 1992

Une odeur de cuisine

Ce qui est en train de se passer en France autour de Maastricht[1] suscite des sentiments qui vont de l'étonnement au dégoût. La tête nous tourne. De la gauche à la droite, une incompréhension mêlée de suspicion s'empare des esprits Et plus on est favorable à l'Europe, plus on est déboussolé. J'ai moi-même exprimé, avec autant de force que possible, mon attachement à une Europe qui était en droit, à mes yeux, d'aller aussi loin qu'on voudrait. Je n'en suis que plus affligé du spectacle qui s'offre à nous.

À un pouvoir en bout de course, déconsidéré par des scandales successifs, battu aux dernières élections régionales et cantonales, l'Europe glissait en douce une dernière chance de salut. Tout le monde le savait, tout le monde le répétait. Le mot *piège* s'étalait à la une de tous les journaux. Ceux qui étaient, comme moi, pour l'Europe se disaient qu'il fallait surmonter les querelles politiciennes pour faire l'histoire et entrer dans l'Europe. Une telle attitude supposait, bien entendu, la mise à l'écart de toute manœuvre, de toute arrière-pensée, de toute récupération. Elle supposait, de la part de tous, de la réserve et de la dignité. Or, que voyons-nous ? Des compromissions stupéfiantes et des attelages contre nature qui voient, côte à côte, sur les tréteaux d'une propagande qui n'est pas innocente, les adversaires d'hier prêts aujourd'hui à des rapprochements qui annoncent d'évidence la fameuse recomposition, annoncée depuis si longtemps, du paysage politique.

Je suis convaincu que la masse des Français ne comprend pas et n'approuve pas ces évolutions obscures préparées sans doute de longue date et sorties on ne sait d'où. On voit bien, en revanche, l'avantage que peut y trouver le pouvoir : à quelques mois de sa défaite annoncée, il divise l'opposition et tisse des liens étroits avec la fraction qu'il se sent en mesure de séduire.

---

1. Le 20 septembre 1992 doit se tenir en France un référendum pour ratifier le texte du traité sur l'Union européenne préalablement signé à Maastricht par François Mitterrand et les chefs d'État des douze autres pays membres de la Communauté économique européenne.

116

On n'ose pas évoquer l'avantage que peuvent y trouver des dirigeants de l'opposition très proches tout à coup de ministres du
gouvernement qu'ils combattaient jusqu'à hier.

Tout cela a quelque chose d'écœurant. Que faire en face de
cette manœuvre sournoise qui se développe comme à la parade ?
Encore que la pression de ceux qui condamnent comme imbéciles et comme arriérés les partisans du « non » commence à se
faire pesante et peut-être un peu indécente, je ne pourrai pas
voter « non ». L'avouerai-je ? Je souhaite toujours la victoire du
« oui ». Parce que, à la différence de la politique socialiste,
l'Europe est une grande idée. Mais les méthodes employées,
les ruses du pouvoir, la faiblesse d'une partie de l'opposition
me paraissent si répugnantes que je ne pourrai pas non plus
me joindre à ceux qui ne visent qu'à se servir de l'Europe pour
rester au pouvoir ou pour y parvenir. Cette cuisine-là se fera
sans moi.

J'hésitais encore devant cette idée, qui faisait lentement son
chemin en moi, et presque malgré moi, de s'abstenir devant un
jeu piégé et truqué, lorsque me sont tombés sous les yeux des
textes d'ailleurs publiés par *Le Figaro*. De quoi s'agissait-il ? De
l'entrée dans l'Europe, au temps de Pompidou, de cette Angleterre même dont la reine vient de rendre visite à la France.
M. François Mitterrand, qui a reçu la souveraine en grande
pompe, était pour l'adhésion de l'Angleterre proposée par Pompidou. Mais il était contre Pompidou. Que disait notre maître
à tous, alors premier secrétaire du parti socialiste ? Il disait, je
le cite : « Nous approuvons l'entrée de la Grande-Bretagne dans
le Marché commun […]. Mais nous ne voulons pas pour autant
donner [au gouvernement] un blanc-seing pour le reste de sa
politique. C'est pour cela que nous avons refusé de participer
à la grande fête référendaire. » Il précisait, pour être bien clair,
que le parti socialiste, « ne voulant dire ni non à l'Europe ni
oui à Pompidou, refuse de cautionner cette mascarade et
demande aux Français de s'abstenir, de voter blanc ou de voter
nul ». Peut-on mieux dire ? Il suffit de remplacer le nom de
Pompidou par le nom de Mitterrand, et de suivre les directives
de Mitterrand.

Dans l'état actuel des choses, et de leur dégradation, je ne
vois pas d'autre solution, pour échapper à une nausée meur-

trière, que de se rallier aux vues si brillamment exposées en leur temps par M. François Mitterrand. Je suggère à tous ceux qui sont pour l'Europe et contre M. Mitterrand de suivre les consignes de M. Mitterrand à qui personne ne peut reprocher d'avoir jamais été contre l'Europe.

Ils obéiront ainsi à notre chef de l'État et ils échapperont au piège que leur tendent, de concert, un pouvoir décidément trop malin et une fraction de l'opposition décidément trop complaisante.

Le Figaro, 12 juin 1992

Mitterrand ou la tentation de la grandeur

Les sondages deviennent fous. Ils sautent d'un extrême à l'autre, d'un large avantage pour les « oui » à un équilibre presque parfait, voire à un mince avantage pour les « non ». La vérité, soulignée par le Premier ministre, est que les « oui » et les « non » sont dans un mouchoir de poche. Le sort de la France et de l'Europe ne peut pas se jouer sur un coup de dés. Le président doit partir.

Le spectacle que donne la France au monde stupéfait et à l'Europe en train d'essayer de se faire devient insupportable. Dans les circonstances qui se créent actuellement, quelle que soit l'issue de la bataille en cours, le pays en sortira en miettes. Si les « non » l'emportent d'un souffle, les conséquences seront désastreuses. Et l'image, aux yeux de l'Histoire, de M. François Mitterrand en sera ternie à jamais. Même si les « oui » finissent par gagner, ils gagneront de si peu que la situation de la France et son poids dans la nouvelle Europe en seront gravement affectés. Et la position du président deviendra vite intenable. Mais, surtout, personne ne peut prévoir aujourd'hui où nous en serons au soir du 20 septembre. Ce jeu de funambule au bord de l'abîme ne peut pas se poursuivre. Le président doit partir.

Le président, le gouvernement, le peuple français, donnent le spectacle d'inconscients qui jouent à la roulette russe le destin de la nation et du continent. Les arrière-pensées sont partout.

Chez les électeurs désemparés, qui dissimulent ce qu'ils vont faire, qui n'écoutent plus personne, qui ne savent plus où ils en sont et qui changent d'avis d'une heure à l'autre. Chez les dirigeants de tout bord, en train de perdre la tête et de se couper du pays. Chez le président, qui s'obstine à forcer un destin qui se dérobe et qui joue avec le feu. Ce n'est pas ainsi que se fait l'Histoire. Ce n'est pas ainsi que se prennent des décisions qui engagent l'avenir de l'Europe et de la planète. Le président doit partir.

Le général de Gaulle est parti sur un débat qui, pour important qu'il fût, ne concernait que le sort d'une Haute Assemblée nationale et des régions françaises. Sur ce qui peut apparaître comme une péripétie de l'Histoire, de Gaulle a pris, après la défaite, une décision qui a consacré sa stature historique. Sur une affaire qui est une des plus décisives des temps modernes, et où il s'est engagé tout entier en choisissant la voie référendaire au lieu de la voie parlementaire où le succès était certain, M. Mitterrand se doit, pour assurer sa propre victoire, de prendre la même décision. Le président doit partir.

Il ne s'agit plus, ici, de médiocres combinaisons politiques. Les Allemands nous regardent. Les Anglais nous regardent. Le monde entier nous regarde. Si nous nous réveillons, le 21 septembre, avec une Europe brisée, le seul responsable sera François Mitterrand. Il s'agit du destin de la nation et de l'Europe. Il s'agit aussi, pour le principal intéressé, de la trace qu'il laissera dans la mémoire des hommes. Le président doit partir.

Les Français doivent se reprendre. Je crois qu'ils ne demandent rien d'autre. Je crois qu'ils sont tout prêts à reconnaître la grandeur d'un sacrifice qui hisserait soudain François Mitterrand à ces dimensions historiques dont il rêve en secret, et auxquelles il n'a atteint ni par l'union de la gauche, ni par sa double élection à la tête de l'État, ni par ses tentatives successives pour jouer le rôle qu'il ambitionne. Voilà qu'il peut, d'un seul coup, sortir de la politique pour entrer dans l'Histoire. Voilà qu'il ne dépend plus que de lui d'assurer cette naissance de l'Europe à laquelle il tient plus qu'à tout. Voilà qu'il lui appartient de transfigurer son image aux yeux de ses adversaires comme aux yeux de ses amis qu'il est encore en mesure, à condition de se retirer, d'entraîner tous ensemble derrière lui. Le président doit partir.

Qu'il annonce un départ qui sera son triomphe et qui libérera les 10 % ou 15 % d'électeurs décidés à voter contre lui, et la victoire des « oui », sortant enfin de la zone rouge, est largement assurée. Personne ne peut en douter. Qu'il reste, et un poison mortel s'emparera des esprits. Tout est possible. L'issue du référendum est devenue un pari. Ce pari ne peut être gagné par François Mitterrand qu'en choisissant la grandeur. C'est la seule solution digne de lui. Et du pays dont il a la charge. Le risque est trop grand pour lui. Pour la France. Pour l'Europe. Le président doit partir.

Le Figaro, 10 septembre 1992

Haut-le-cœur

Même dans les pires situations, je reste toujours optimiste. Je suis fondamentalement confiant dans l'avenir de l'opposition. Mais la remise en cause du projet de primaires et la reprise des querelles en son sein ont eu quelque chose de désespérant. Sans y croire vraiment, les Français avaient fini par espérer qu'une forme ou une autre d'arrangement avait été trouvée au sommet. Ils avaient même cru comprendre qu'un accord avait été conclu pour éviter le retour des dissensions meurtrières entre les ambitions personnelles. Il semble bien qu'ils se soient trompés. Ils en éprouvent souvent une indignation qui n'est pas très loin du dégoût.

Au moment où, pour toutes les raisons que l'on sait, les difficultés de navigation de l'équipe au pouvoir tournent au naufrage, l'opposition se divise à nouveau. C'est la proximité de l'alternance qui réveille sans doute les appétits. Mais ces appétits mettent précisément l'alternance en question. À chaque fois que reparaissent les tensions au sommet, à la désaffection du pays pour les socialistes répond une désaffection des électeurs pour l'opposition.

Au point où en sont les socialistes, la seule aide peut leur venir des fautes de l'opposition. L'opposition s'obstine à leur en fournir sur un plateau : le plateau consternant des ambitions des présidentiables. Ce qui caractérise peut-être, hélas ! aujourd'hui la politique française, c'est que chaque camp ne tient que grâce aux erreurs de l'autre.

Les socialistes se sont détruits eux-mêmes par la contradiction, le reniement, l'affairisme. Sentant le vent du boulet, ils vont jusqu'à se déchirer sur l'avenir de leur formation. C'est ce qui donne sa chance à une opposition qui, pour ne pas être en reste, non contente de ne pas briller, jusqu'à présent, par la force et l'originalité de ses conceptions politiques, pousse l'amabilité pour ses adversaires jusqu'à leur offrir le réconfort de ses propres disputes.

L'opposition tire sa force de la déliquescence des socialistes. Les socialistes survivent grâce à la division de l'opposition. À quelque cinq mois d'une consultation décisive, le mot d'ordre n'est plus *haut les cœurs !* mais plutôt *haut-le-cœur*.

Cessez, je vous prie, de disserter avec éloquence sur l'éloignement des Français pour la politique. La source de cet éloignement, qui prend des allures de rejet, est dans les mensonges des socialistes. Et dans la conduite des dirigeants de l'opposition.

Faute d'accord entre eux, le mal est à peu près sans remède. Car toute tentative de passer par-dessus la tête des deux chefs de tribu pour tâcher de débloquer la situation la complique et l'empire au lieu de l'améliorer. Quand un Séguin, un Pasqua ou un Léotard, ou je ne sais qui, se pointent pour mettre fin à la querelle Chirac-Giscard, les choses vont encore plus mal.

Les quadras valent les mandarins. Ce que veulent les électeurs de l'opposition, qui sont en masse pour l'union mais qui ne savent pas à quel saint se vouer, c'est tout simplement l'union. Et un chef. Et le respect des accords passés qui, pour fragiles qu'ils fussent, constituaient au moins une espérance et une lueur dans le tunnel où se battent les nègres de l'opposition.

L'opposition a bonne mine de demander à Mitterrand de quitter au plus vite son fauteuil présidentiel. Au moins, ce fauteuil, Mitterrand l'occupe. Ni Chirac ni Giscard ne veulent renoncer à un fauteuil qu'ils n'occupent même pas encore.

Bien sûr, demain ou après-demain, devant l'ampleur des dégâts, les princes qui ne nous gouvernent pas encore mais qui se disputent déjà, vont trouver le moyen de reculer et de se réconcilier. Je crains que le mal ne soit fait. Encore une fois. Une nouvelle fois.

L'espoir

Ah ! me dira-t-on, mais, à la fin, que proposez-vous ? Mais la plus simple des choses. La plus évidente. La plus élémentaire. Que les chefs de l'opposition, enfin, s'entendent. C'est leur devoir le plus strict. Et la première de leurs tâches.

Il est tout de même plus facile de régler les problèmes de l'opposition que de régler ceux de la France. Qu'ils montrent qu'ils savent gouverner l'opposition avant de vouloir gouverner la France. Qu'ils s'entendent. Ou qu'ils s'en aillent. Qu'ils respectent les accords conclus. Qu'ils ne passent pas leur temps à les remettre en question. Qu'ils essaient, une fois pour toutes, s'ils le peuvent, de penser un peu moins à eux et un peu plus à ceux dont ils essaient désespérément de s'attirer les faveurs. C'est-à-dire, en fin de compte, à la France. S'ils veulent la gouverner, qu'ils commencent par ne pas la diviser et la désespérer. La meilleure façon de récolter l'adhésion n'est pas de semer l'écœurement.

De l'excès de mal peut pourtant sortir un bien. Comme *La Lettre volée* de Poe que l'évidence seule empêche de voir, la solution des maux de l'opposition crève les yeux : c'est la création, évoquée par Édouard Balladur, d'une formation unique de l'opposition. Qu'est-ce qui sépare un militant UDF d'un militant RPR ? La querelle de leurs chefs. C'est tout. On nous a longtemps dit que deux partis ratissaient plus large qu'un seul.

Dans la situation actuelle, au regard du drame que constituent les divisions, c'est un détail. Les avantages d'un seul mouvement l'emportent largement sur ces inconvénients. M. Mitterrand a pris place dans l'Histoire parce qu'il a fait l'union de la gauche.

Le mérite éclatant de M. Chirac et de M. Giscard d'Estaing serait de mettre fin à une désunion meurtrière en fusionnant leurs deux partis en une seule grande formation où ne subsisteraient que des nuances, des tendances, des courants. Quel choc, pour une fois salutaire, dans ce pays si l'UDF et le RPR, que pratiquement plus rien n'oppose, annonçaient demain leur fusion ! L'espoir est là.

Le Figaro, 26 octobre 1992

Les chemins de diversion

Il y avait de bonnes nouvelles dans l'intervention télévisée qui a tenu en haleine pendant au moins vingt-quatre heures tout le petit monde de l'agitation politique. Et d'abord l'amélioration de la santé du président. On s'en réjouit sincèrement. Il a montré dans l'épreuve un courage simple qui touchait au stoïcisme.

À celui qui occupe mieux que personne une scène que son départ rendrait assez vide, à l'animateur sans égal de nos soirées télévisées, à l'acteur incomparable qui a brillé dans tant de rôles divers et souvent opposés, on souhaite de tout cœur un complet rétablissement.

On pourrait profiter de l'expérience pour mettre fin définitivement à la comédie ridicule des soi-disant bulletins de santé de l'hôte de l'Élysée. A-t-on assez amusé le tapis, vers les débuts du règne, avec le gadget de la transparence ?

C'était l'époque où la politique extérieure devait devenir transparente, où les finances publiques et privées devaient devenir transparentes, où la santé du président devait devenir transparente. La transparence universelle aux sommets de l'État était annoncée à grands renforts de trompes.

Chacun voit où nous en sommes dans les deux premiers domaines : c'est l'opacité la plus complète. Dans celui de la santé de notre premier magistrat, nous avons appris en même temps qu'il était opéré et qu'il était atteint d'un cancer qui n'était pas né d'hier.

Revenons donc à un peu plus de réserve et un peu de dignité et reconnaissons que la publication régulière des fameux bulletins de santé était une farce démagogique, inconvenante et cruelle.

Une autre bonne nouvelle est le démenti cinglant infligé au parti socialiste et à ses parlementaires par le président de la République. Quelques voix s'étaient élevées, avec la modestie nécessaire, pour suggérer que les ministres ne pouvaient pas être à l'abri de toute investigation et qu'il serait peut-être équitable d'examiner leur degré de responsabilité. Les socialistes avaient repoussé avec vigueur tout mouvement en ce sens.

Le président leur a donné tort. Il n'a pas apporté le moindre soutien à ses ministres en difficulté[1], il n'a même pas mentionné des astuces subalternes du genre jury d'honneur. Il a livré ses satellites, sans la moindre hésitation, à la Haute Cour de justice. C'est une espèce de coup de pied dans la termitière socialiste.

En vérité, il s'est défaussé. Il s'est débarrassé de ses cartes, autrefois les plus chères, devenues tout à coup inutiles ou dangereuses. Il a coupé les membres qui risquaient de s'infecter. Dans l'affaire du sang contaminé, il a prononcé le mot : pardon. Mais si le mot pardon peut et doit être prononcé, c'est qu'il y a une faute quelque part. Tout le jeu du président a consisté à répartir avec soin cette faute entre le pénal – la Haute Cour – et le constitutionnel – la réforme des articles « bancals, bâtards, mal fichus » de la Constitution. Le but de l'opération saute aux yeux : contourner et évacuer toute responsabilité politique.

On demande pardon aux hémophiles, on lâche les ministres responsables, on désigne du doigt le bouc émissaire de la Constitution : passez muscade, des années et des années de toute-puissance politique dont on voit où elles nous ont menés sortant blanchies de l'affaire.

Ce qu'il faut opposer aux manipulations et aux tours de magie rose du président de la République, c'est l'échec de sa politique. Rien ne sert aujourd'hui de sacrifier les ministres compromis, hier encore comblés de bienfaits à la façon de ces favoris qu'on faisait cardinaux à l'âge le plus tendre dans les cours d'Ancien Régime, ni de crier haro sur le baudet de la Constitution : ce n'est que poudre jetée aux yeux, diversion pour gogos, gesticulation inutile.

---

1. Laurent Fabius est empêtré dans l'affaire dite « du sang contaminé » (faute de mesures de sécurité adaptées, plusieurs personnes ont été contaminées par le virus du sida à la suite d'une transfusion sanguine entre 1984 et la fin de l'année 1985, alors que Fabius était Premier ministre), or, d'après la déclaration de François Mitterrand du 9 novembre 1992, « Les ministres doivent rendre compte de leurs actes ». La Cour de justice de la République (Haute Cour de justice avant 1993) prononcera la relaxe de Laurent Fabius le 9 mars 1999.

Ce qu'attend le pays, ce n'est pas la révision de quelques articles « mal fichus » de la Constitution. En 1958, un travail constitutionnel s'imposait au pays parce que le pays s'écroulait. Aujourd'hui, ce qu'il y a de plus solide – de trop solide, disent certains, mais il ne faut pas se laisser emporter par la passion politique –, c'est la Constitution. Ce qu'il y a de mauvais, c'est l'usage qu'on en fait. Ce n'est pas la Constitution qui laisse à désirer. Ce sont ceux qui l'interprètent et qui en jouent contre une volonté populaire qui n'est guère ambiguë et qui devrait leur dicter leur devoir comme elle l'a dicté jadis au général de Gaulle.

Le président, qui a bénéficié pendant douze ans de la solidité d'une Constitution qu'il a toujours détestée, veut profiter de ces derniers mois pour ne pas transmettre à ses successeurs la stabilité et le pouvoir dont il a joui si longtemps et auxquels il s'accroche avec acharnement. En jetant un os à ronger dans les marigots de la politique, il espère en outre détourner l'attention des problèmes fondamentaux qu'il n'a pas pu régler en dépit de ses promesses et qui sont les seuls à intéresser les Français – et, en premier lieu, le chômage.

Une Constitution ne doit jamais être touchée pour régler les problèmes au coup par coup. Ce n'est pas la révision de quelques articles de la Constitution qui répondra à l'attente et aux exigences des Français.

Ce que veulent aujourd'hui les Français, tourmentés d'avoir élu et réélu M. François Mitterrand, c'est une autre politique. Et d'autres hommes. Ils veulent du travail, de l'honnêteté, de la sécurité. Ils se moquent bien de je ne sais quelle révision, de je ne sais quel article dont la nécessité leur échappe ; pour leur changer les idées, le président de la République les entraîne sur des routes de traverse, sur des itinéraires bis, sur des chemins de diversion.

Le Figaro, 12 novembre 1992

La tragédie de Laurent Fabius

Henri Emmanuelli, ancien trésorier du PS, ancien ministre, président de l'Assemblée nationale, troisième personnage de l'État : inculpé[1]. Laurent Fabius, premier secrétaire du PS, ancien président de l'Assemblée nationale, ancien Premier ministre, peut-être traduit en Haute Cour[2]. Il y a quelque chose de pourri dans le royaume du Danemark.

« Lynchage médiatique », assure M. Jack Lang. Et qui aurait envie de hurler avec les loups et de jouer le rôle détestable de donneur de leçons, tenu naguère avec tant d'éclat par les amis de M. Lang et par M. Lang lui-même ? Impossible pourtant d'ignorer aujourd'hui la pression d'une opinion publique qui exige un peu de lumière à défaut de vérité et à laquelle le président de la République lui-même est contraint de céder : sur ceux qui lui sont le plus proches, sur ceux à qui l'unissent les liens les plus anciens, sa protection cesse de s'étendre.

Par une formidable ironie de l'histoire, ce sont ceux qui, si longtemps, ont joué aux justiciers et aux redresseurs de torts qui se trouvent aujourd'hui au cœur de la tempête. Ils dénonçaient l'argent. C'est sur l'argent qu'ils tombent. Ils avaient plein la bouche de la dignité de l'homme. C'est dans le sang des hommes que leurs pieds leur ont glissé.

Le favori abandonné

La réponse de l'un, on la connaît : « Je ne me suis pas enrichi. Je travaillais pour une cause. J'ai fait ce que tout le monde fait. » Si un prêtre, si un illuminé, si un simple citoyen opposait ces

---

1. En qualité de trésorier du parti socialiste, Henri Emmanuelli est mis en examen le 14 septembre 1992 pour « recel et complicité de trafic d'influence » dans l'affaire Urba, du nom de cette société qui a perçu des commissions d'entreprises désireuses de se voir octroyer des marchés publics et qu'elle a reversées au parti socialiste. Il sera finalement condamné le 16 décembre 1997 à dix-huit mois de prison avec sursis et à deux ans de privation de ses droits civiques.
2. Voir article précédent et note 1, p. 124.

arguments au tribunal chargé de le juger, que croyez-vous qu'il se passerait ? Le parti socialiste tout entier s'est solidarisé avec Henri Emmanuelli et a demandé à être inculpé avec lui. C'est avouer que la politique est en dehors des lois communes et que, pourvu que ce soit à des fins collectives et partisanes, vous avez un droit moral au mensonge, à l'extorsion de fonds, à cette forme atténuée du chantage qu'est l'ingérence politique. Autant s'aligner tout de suite sur l'adage même que récusait avec horreur tout le moralisme affiché de la gauche : « La fin justifie les moyens. »

Le cas de M. Laurent Fabius est autrement difficile. Il est autrement difficile parce qu'il y a mort d'hommes. Il est autrement difficile parce que les passions se déchaînent, selon les recettes les plus antiques, autour du favori abandonné par son maître. Il est impossible de considérer d'un œil froid la courbe du destin de M. Laurent Fabius. S'il y a une tragédie moderne, M. Laurent Fabius en est un des acteurs, comme Brutus ou Lady Macbeth étaient les personnages de la tragédie classique.

Il y a dix ans à peine, tout réussissait à M. Laurent Fabius avec une insolence qui faisait pâlir ses rivaux. Il était l'image même du succès. Il avait tout reçu de la vie. Il menait une carrière exemplaire. La fortune, les privilèges, le travail, l'intelligence, les grandes écoles, la chance : il cumulait, il avait tout. La télévision, un soir, dans une de ces émissions qui suffit à porter un nom aux nues – elle s'appelait « La Tête et les Jambes » –, avait braqué ses projecteurs sur un jeune homme très doué qui montait fort bien à cheval et qui savait presque tout : c'était le jeune Laurent Fabius.

C'était le début d'une ascension fulgurante qui allait être couronnée par un bienfait presque divin : la faveur d'un prince. M. Laurent Fabius devenait une espèce de dauphin presque ouvertement désigné. Un soir d'été, la France enivrée apprenait de la bouche de ce qu'il y avait de plus haut dans la hiérarchie d'une morale et d'une politique qui finissait par se confondre au sommet de l'État, qu'elle avait le bonheur de nourrir dans son sein l'un des plus jeunes dirigeants de sa longue histoire.

C'était trop de bonheur. Il aurait fallu se méfier. Personne, et peut-être pas même le principal intéressé, à la culture si étendue, ne semblait se rappeler une vérité que les enfants des écoles anonnaient à douze ans : la roche Tarpéienne est près du Capitole. Ce qui a achevé, peut-être, de donner son caractère dramatique au destin de Laurent Fabius, c'est le voile de silence qu'a jeté sur son nom, il y a quelques jours, à la télévision, le président de la République.

Comment ne pas imaginer Laurent Fabius, chez lui peut-être, tout seul, ou entouré de sa famille, ou au siège du PS, je ne sais pas, au milieu de ses amis, en train de guetter sur le petit écran la phrase d'amitié ou de compassion tombée, au détour du numéro de funambule en équilibre sur son fil d'acier, de la bouche présidentielle ? Cette phrase, elle n'est pas venue. Le prince lâchait son favori, il l'abandonnait au lynchage dénoncé par un autre grand féodal d'un régime qui se défait sous la tempête. À moins que tout cela – ce qui n'est pas non plus impossible, et qui serait plus tragique que tout – ne soit que comédie entre complices associés qui auraient mis au point, pour traverser la bourrasque, une division du travail, il m'a semblé que Laurent Fabius avait marqué le coup devant Anne Sinclair, le soir de « 7 sur 7 ».

Une ambulance qui fauche des passants

Une chute si effroyable après tant d'ambitions et déjà tant de succès... Selon un mot terrible, on ne tire pas sur une ambulance. Mais il arrive que l'ambulance ait fauché des passants. Il arrive qu'il y ait des morts, des victimes, des familles qui réclament justice. C'est ce qui s'est passé avec le sang contaminé. Henri Emmanuelli avait dit : « Je ne me suis pas enrichi. Tout le monde a fait comme moi. » Laurent Fabius répond : « Je suis innocent. Je ne savais pas. » La tragédie est nouée.

Écartons tout de suite une ambiguïté monstrueuse. Personne n'accuse Fabius de s'être dit sciemment : « Il va y avoir des morts. Mais je m'en lave les mains. » Mais, le pire à peine rejeté, la question qui surgit alors aussitôt est celle-ci : est-ce que le Dr Garretta[1]

---

1. Le docteur Michel Garreta était directeur du Centre national de transfusion sanguine. Il a été condamné le 23 octobre 1992 à une peine de quatre ans de prison pour avoir distribué sciemment à des patients hémophiles, entre 1984 et la fin de l'année 1985, des produits sanguins contaminés par le virus du sida.

lui-même s'est dit quelque chose de cet ordre pour des motifs financiers ? Est-ce que l'un et l'autre, à des niveaux différents de responsabilités, n'ont pas été emportés par un même tourbillon qui se situe à mi-chemin de l'ignorance et de la culpabilité ? En d'autres termes, il se pourrait que M. Fabius fût innocent, mais alors M. Garretta ne le serait-il pas aussi ? Et si M. Garretta est coupable, alors M. Fabius ne le serait-il pas aussi ? Où fixer la barrière qui sépare souverainement les innocents des coupables ? Entre M. Garretta et M. Hervé[1] ? Entre M. Hervé et M. Fabius ? Plus on monte dans la hiérarchie politique et sociale, plus le poids des responsabilités deviendrait-il léger ? Ou deviendrait-il plus lourd ?

J'hésiterais, je l'avoue, à répondre d'un mot tranchant à ces interrogations dramatiques. Je suis en tout cas de ceux qui admirent les chefs qui assument, et au-delà, leurs responsabilités. J'admire les ministres qui démissionnent parce que les choses se sont mal passées dans le domaine qui dépend d'eux, ou les dirigeants qui prennent sur eux les fautes de leurs subordonnés. J'admire les supérieurs qui couvrent ceux qui dépendent d'eux et qui ne rejettent pas sur les inférieurs ce qui doit remonter jusqu'au sommet. Sans doute sommes-nous là dans un domaine qui relève plus de la morale personnelle que de la justice collective. Ce domaine-là, en vérité, appartient d'abord à ce qu'on appelait jadis le for intérieur. Il échappe à tel point non seulement aux décisions de justice mais aux considérations courantes qu'on ne peut presque rien en dire. Ce dont on peut parler, en revanche, et ce dont on doit parler, c'est de politique.

Une responsabilité politique

Ce qu'il y a de plus surprenant dans la défense de M. Fabius, c'est l'accusation qu'il porte à son tour contre ses adversaires : il leur reproche des considérations politiques. Mais de quoi s'agirait-il s'il ne s'agissait pas de politique ? Encore une fois, personne n'accuse M. Fabius d'assassinat prémédité. Toute la

---

1. Edmond Hervé était secrétaire d'État à la Santé dans le gouvernement Fabius au moment des transfusions de sang contaminé.

question est de savoir s'il n'encourt pas, dans la mort de tant de centaines d'innocents, une responsabilité politique.

Un cri montait naguère de la gauche, après être monté de l'extrême droite : « Tout est politique. » Ce cri m'indignait. Il me semblait que beaucoup de choses échappaient à la politique. On m'expliquait que j'étais un esprit léger, arrière, réactionnaire, et que je ne comprenais rien au monde moderne. Le cri se retourne aujourd'hui contre ceux qui le poussaient, contre ceux qui soutenaient, dans les temps du bonheur, de la domination, de l'orgueil – ce que les Grecs appelaient *ubris* –, que tout est politique.

La responsabilité politique pèse d'autant plus lourd sur les épaules de M. Fabius qu'il appartient à une famille de pensée qui élargit, peut-être démesurément, le rôle de l'État. Un des arguments de M. Fabius consiste à souligner que le scandale du sang contaminé est pratiquement propre à la France. C'est que, dans la plupart des autres pays, le poids de l'État, le contrôle qu'il exerce, son intervention dans les affaires du sang, sont bien moins évidents qu'en France. Dans aucun autre pays le chef de l'État n'a été contraint à prononcer le mot de « pardon ». Si une nécessité de pardon se fait sentir, c'est qu'il y a des coupables quelque part. Où donc ? Il est à craindre que ce ne soit dans l'appareil de l'État. D'où toujours la même question : jusqu'où remonte la responsabilité dans l'appareil de l'État ?

Imaginons un industriel privé dont les produits auraient empoisonné les consommateurs. Imaginons, par exemple, qu'il fabrique des yaourts et que les enfants meurent par centaines après avoir mangé ces yaourts. Ou bien imaginons une industrie de produits toxiques qui fasse mourir les gens à la ronde. Pensez-vous que l'industriel pourrait venir à la barre, assurer qu'il avait délégué ses pouvoirs à quelque directeur ou à quelque contre-maître, et déclarer : « Je ne savais pas » ?

La gauche est composée d'esprits qui considèrent, en majorité, la Révolution française comme un bloc. Beaucoup regrettent sans doute la condamnation à mort du roi, et surtout de la reine. Mais enfin, ils voient en eux les symboles de la responsabilité souveraine. Et il me semble qu'à des échelons moins élevés de la hiérarchie d'Ancien Régime, beaucoup de victimes de la Révolution ont revendiqué elles-mêmes l'honneur d'apparaître comme des symboles. Cette fonction symbolique semble totalement absente de la conscience politique des doctrinaires de la toute-puissance de l'État.

Responsables sans être coupables ?

Personne ne réclame la tête de ministres comme montagnards et conventionnels réclamaient la tête de Louis XVI ou de Marie-Antoinette. On se demande seulement si une doctrine du Tout-État n'entraîne pas, pour ceux qui la professent, un certain nombre de conséquences. Les dirigeants d'aujourd'hui semblent très loin de tirer ces conséquences. Ils acceptent le pouvoir, les honneurs, les privilèges, les motards. Ils refusent les contraintes et les responsabilités.

J'ignore, en vérité, quel peut être le degré de culpabilité de M. Henri Emmanuelli. J'ignore encore bien plus quel peut être le degré de culpabilité de M. Laurent Fabius. Il m'arrive, je l'avoue, de les plaindre et même de les comprendre. Mais l'Histoire est cruelle. Elle se retourne avec une facilité incroyable contre ceux qui s'imaginent la dominer. Il semble inévitable que, d'une façon ou d'une autre, les dirigeants politiques soient considérés et se considèrent eux-mêmes comme responsables. Selon la formule fameuse de Mme Georgina Dufoix[1], tout le problème est de savoir qui et dans quelle mesure il est possible de se reconnaître responsable sans se reconnaître coupable.

Je ne sais pas si les responsables arriveront à convaincre de leur innocence ceux qui sont chargés de se prononcer. Je le souhaite pour eux. Je doute un peu que cette innocence, si elle est éventuellement reconnue, les lave – même à leurs yeux, peut-être surtout à leurs yeux – de tout scrupule et de tout remord. Au mieux, ils auront été écrasés par l'Histoire, par la responsabilité d'un système dont ils avaient la charge et qu'ils ne domi-

---

1. Georgina Dufoix était ministre des Affaires sociales et de la Solidarité nationale dans le gouvernement Fabius au moment des transfusions de sang contaminé. Sa formule « responsable mais pas coupable », dite à la télévision en 1991, a fait florès.

naient pas. Le plus significatif et le plus grave est qu'un grand parti, le parti socialiste, se soit rangé en bloc, dans un cas et dans l'autre, derrière les dirigeants en cause. Ce n'est pas tout à fait par hasard. Ce qui est mis en accusation, c'est un système. Ce système n'a pas seulement entraîné mensonge sur mensonge. Il a entraîné mort d'hommes. Mais on ne juge pas un système. On ne peut juger que les hommes qui l'incarnent. Se peut-il, en conscience, qu'ils se dépouillent, après coup, de toute autorité et qu'ils se contentent de rejeter sur des sous-filtres, sur des exécutants, sur des boucs émissaires, les responsabilités qui étaient les leurs et qui faisaient leur honneur ?

Le Figaro, 20 novembre 1992

L'année de tous les doutes (2)

1992. Jamais le monde n'a été, à la fois, plus invraisemblable, et, en apparence du moins, plus rassurant. Il y a près d'un demi-siècle que la menace nazie a été abattue. La menace soviétique n'existe plus. Le communisme a été balayé dans sa propre patrie. Contre toute espérance, les pays de l'Europe de l'Est sont redevenus les pays libres de l'Europe centrale. La démocratie l'emporte en Pologne, en Hongrie, en Tchécoslovaquie, en Bulgarie. Le cas de la Roumanie est plus ambigu. Ce qui s'est produit en Roumanie, c'est que le plan Gorbatchev, pour une transition à un communisme à visage humain, y a réussi : le relais y a été passé à des communistes progressistes dont le modèle est Iliescu, apparatchik à peine converti qui sait encore se servir de manifestations spontanées organisées avec soin et dignes de la Securitate de sinistre mémoire. Mais, enfin, dans l'Europe entière, jusqu'à l'Oural et au-delà, l'inimaginable est pourtant devenu réalité. L'URSS a éclaté. La Russie a ressuscité. Leningrad, à nouveau, s'appelle Saint-Pétersbourg. L'Ukraine est indépendante. Le mur de Berlin est abattu. L'Allemagne est réunifiée, non pas comme on pouvait le craindre, avec des concessions au totalitarisme, mais dans la démocratie la plus authentique, incarnée par Helmut Kohl. Il n'y a plus qu'un Grand : les États-

Unis. L'Europe est en train de se faire. Le souvenir de la guerre du Golfe, en 1991, disparaît dans le passé. C'est le triomphe de la paix. Et de la démocratie.

Un criminel de guerre

Dans ce décor presque idyllique, où seuls la Chine, la Corée du Nord, le Vietnam et Cuba restent encore communistes, le drame éclate en pleine Europe. La chute du communisme a violemment ébranlé la construction artificielle que constituait la Yougoslavie, où coexistaient, dans le cadre d'une république fédérale, deux écritures, trois religions, quatre peuples, cinq nationalités et six républiques différentes que seule la poigne de Tito, communiste et croate, mort en 1980, avait pu maintenir ensemble.

À mesure que la Fédération se défait, la tension monte. La sécession de la Slovénie se fait dans un calme relatif, parce que la population du pays est largement homogène. Le sang coule en Croatie où le nom de Dubrovnik, chef-d'œuvre de l'art mondial, et ceux de Vukovar et d'Osijek, villes martyres, acquièrent une triste célébrité. Mais c'est en Bosnie-Herzégovine, en 1992, et notamment autour de la capitale Sarajevo, d'où partit en 1914 la Première Guerre mondiale, que la guerre se déchaîne. Le nom qui, peu à peu, s'installe au-devant de la scène, est celui de Slobodan Milosevic, serbe, communiste, et ultranationaliste.

Le nationalisme est une des forces qui, dans l'Europe de l'Est, succède tout naturellement au communisme en déroute. Milosevic est à la fois communiste et nationaliste. Les Français gardent une fidélité aux Serbes à qui les unissent, depuis la guerre de 1914, beaucoup de liens historiques. Et le gouvernement socialiste français, très indulgent pour Niescu, pour Fidel Castro, pour Ratsiraka, dictateur communisant de Madagascar, commence par ménager visiblement Milosevic. Lorsque, après les tueries de Vukovar et d'Osijek, après les bombardements de Dubrovnik, la guerre se déchaîne en Bosnie, la France et l'Europe adoptent un profil bas. L'action humanitaire, qui ne choisit pas entre les deux camps, l'emporte sur une action politique résolue. La découverte des atrocités serbes, des viols collectifs de femmes musulmanes, des camps de concentration, des plans révoltants de « purification ethnique » émeuvent les opinions publiques. Mais il est déjà très tard.

Une intervention militaire restreinte en Bosnie-Herzégovine aurait été possible et sans doute efficace au début de 1992. On aurait pu envisager, il y a dix ou douze mois, de réduire sans trop de peine les nids d'artillerie qui bombardaient Sarajevo. Mais la doctrine, à cette époque-là, est celle de l'humanitaire pur.

À la fin de 1992, M. Bernard Kouchner, que l'on a vu se dépenser partout avec générosité et courage, réclame une intervention militaire en Bosnie. Que n'a-t-il écouté ceux qui le suppliaient de prendre parti plus tôt et de ne pas mettre dans le même sac agresseur et agressé ! La politique, chacun le sait, est d'abord l'art de prévoir. Elle est l'art du moment juste, du moment opportun qu'il ne faut pas laisser passer.

D'un bout à l'autre de l'année 1992, le problème se pose d'une intervention militaire internationale en Bosnie. Et, à mesure que le temps passe, elle devient plus difficile. Demain peut-être, le Kosovo flambera à son tour. Aujourd'hui, Slobodan Milosevic, truqueur d'élections, doit, en tout cas, être dénoncé par les plus hautes instances internationales comme criminel de guerre. Et le droit des gens à vivre en paix chez eux, quelles que soient leur nationalité, leur langue, leur religion, doit être défendu contre lui.

Une épreuve de fond

L'impuissance de l'Europe dans l'ex-Yougoslavie est un des arguments avancés contre Maastricht par les adversaires du traité. Et il n'est pas impossible que Dubrovnik et Sarajevo aient nui gravement à Maastricht. 1992 n'en a pas moins été dominée d'un bout à l'autre par l'Europe en train de se faire. Le 1er janvier 1993 devait constituer une date historique et marquer les débuts de l'union européenne. Le « non » danois, un « oui » français étriqué, les réticences anglaises, les difficultés sur la politique agricole, qui ont fait les délices du gouvernement britannique et le désespoir du gouvernement français, qui en venaient

134

presque à inverser leurs positions, ont un peu douché les enthousiasmes.

Les réunions de Lisbonne et d'Édimbourg n'ont pas été de grands succès : elles ont tout juste évité le pire. 1992 ne sera pas un grand cru de l'aventure européenne. L'année n'a été, au regard de l'Europe, ni une catastrophe ni un triomphe. Mais on en attendait tant que le 1er janvier 1993 prendra pour les partisans de l'Europe plutôt des teintes d'automne que des couleurs de printemps.

L'avenir appartient pourtant à la plus grande idée de ce temps, la seule qui puisse non seulement sauver le Vieux Continent, mais apporter à la planète l'équilibre et l'inspiration dont elle a tant besoin. Dans la course à l'Europe, 1992 a plutôt constitué une épreuve de fond que le sprint final. La compétition se poursuit.

La surprise du chef

Comment les États-Unis considèrent-ils l'Europe en train de naître ? Avec sympathie et avec crainte, répondait-on il y a un an. La crainte a dû s'atténuer. Et de quel œil l'Europe considère-t-elle les États-Unis ? Avec surprise et circonspection. Tout le monde, au début de l'année, aurait parié sur George Bush. Les chances de Bill Clinton paraissaient insignifiantes. Sa montée dans les sondages avant les élections a stupéfié une nouvelle fois tous les non-Américains, comme les avait stupéfiés l'accession à la Maison-Blanche de Truman, de Ford, de Carter, de Reagan. Aux États-Unis au moins, les figures nouvelles ont toujours une chance, et l'imprévisible peut arriver.

Les États-Unis sont aujourd'hui le seul Supergrand. Et jusqu'à ces derniers jours de 1992 où Bill Clinton constitue son gouvernement, personne ne pouvait dire de quoi sera faite demain la politique américaine. Il n'y a qu'une grande puissance pour dominer le monde, et le monde ne sait pas encore ce qu'elle veut. Bill Clinton est la surprise du chef de l'année écoulée.

Ce n'est pas le seul paradoxe de la politique américaine. L'autre grand paradoxe est que la plus grande puissance mondiale est endettée jusqu'au cou, que son déficit est redoutable

135

et que la pauvreté la menace. Il ne suffit plus de dire qu'il y a des flots de pauvreté aux États-Unis, les États-Unis sont un océan de pauvreté avec des continents de performance et de prospérité. Comment Bill Clinton relèvera le défi ? Personne n'en sait rien. Il semble qu'après la surprise de l'élection les premières réactions soient plutôt favorables. Mais il est douteux que ce président démocrate soit plus facile à manier que son prédécesseur républicain. Il est probable que, sans aller jusqu'à l'isolationnisme, il soit acculé, pour redresser son pays, à un certain protectionnisme. Les difficultés du Gatt sont plutôt une image de l'avenir qu'un reliquat du passé.

Les risques de la liberté

Une curieuse coalition s'est réjouie de la chute de George Bush : les Israéliens, qui le trouvaient trop favorable aux Arabes ; et Saddam Hussein, dont il était l'ennemi. Dans l'année qui a suivi la guerre du Golfe, George Bush est tombé, et Saddam Hussein est toujours là. George Bush est tombé, mais Mikhaïl Gorbatchev est tombé avant lui. Boris Eltsine, qui a remplacé Mikhaïl Gorbatchev au Kremlin, a connu en 1992 à la fois son triomphe et ses premières difficultés.

Il se retrouve en face d'un Parlement où figurent encore bon nombre de représentants du complexe militaro-industriel et de conservateurs communistes. La situation est l'inverse de celle de la Roumanie, où un président néocommuniste doit compter avec un Parlement où les communistes sont en minorité. 1992, en Russie, est l'année de l'affrontement entre Boris Eltsine, réformateur libéral, et son Parlement, dominé par les conservateurs. Les conservateurs communistes n'ont pas perdu tout espoir : l'introduction des réformes libérales dans un pays qui a subi trois quarts de siècle de totalitarisme pose des problèmes monstrueux, la pauvreté et la pénurie continuent à sévir, parfois même de plus belle, et les communistes ont remporté en Lituanie un succès électoral.

En face de la menace réelle d'un retour en force d'un communisme qui a détruit les ressorts des pays où il a sévi et qui exige moins d'efforts que l'économie de marché, Boris Eltsine

est le rempart du libéralisme. Traité de façon presque ignomi-
nieuse par les socialistes français, il a donné des preuves de son
courage et de ses capacités. Dans des circonstances extraordinairement difficiles, il faut souhaiter son succès et le soutenir
contre ses adversaires.

Partout, en Europe de l'Est, l'apprentissage de la liberté et
la montée des nationalismes suscitent des tensions qui, sans être
dramatiques comme en Yougoslavie, ne sont pas sans conséquences : la Slovaquie, par exemple, se sépare de Prague. La
confusion est telle qu'ici ou là, à l'Ouest, quelques esprits chagrins se mettent à regretter le bon temps où l'Europe était divisée en deux blocs et où le bloc de l'Est était tenu d'une main
de fer par l'appareil communiste.

D'autant plus que le prix de la réunification allemande
dépasse toutes les prévisions. À court terme au moins, elle affaiblit l'Allemagne au lieu de la renforcer. Après l'enthousiasme
suscité par la chute de la tyrannie et par la disparition du mur
de Berlin, 1992 est l'année des interrogations sur la capacité de
la liberté à s'organiser, dans la prospérité et la paix, sur les
ruines du communisme.

À la tension Est-Ouest survit, et s'exaspère, en 1992 la tension
Nord-Sud. En Algérie notamment, la menace intégriste se fait
plus redoutable. Des armements nucléaires soviétiques apparaissent en Iran. La fin de l'apartheid en Afrique du Sud ne se
déroule pas sans heurts. Avant que la fin de l'année ne voie
surgir à nouveau des tensions graves, la victoire des travaillistes
en Israël a semblé ouvrir la voie à des négociations entre Palestiniens et Israéliens, déjà encouragées par le tandem Bush-Baker.
De toute évidence, rien n'est réglé dans ce foyer où couve toujours l'incendie, déjà attisé dans les premiers mois de l'année
par l'Intifada.

Nord et Sud

Partout, la tâche de rapprochement entre pays pauvres et pays
riches – pays pauvres de plus en plus pauvres, pays riches de
moins en moins riches – apparaît de plus en plus urgente et
de plus en plus difficile. La triste aventure du président Color,

au Brésil, illustre les difficultés où se débattent des pays jeunes, aux ambitions légitimes, mais déjà guettés par des délires et des désordres.

Les Nations unies, à qui M. Perez de Cuellar avait donné un lustre nouveau, deviennent de plus en plus actives avec M. Boutros-Ghali. Elles font ce qu'elles peuvent – et c'est peu – en Bosnie-Herzégovine. Elles font aussi ce qu'elles peuvent en Somalie, où des bandes armées s'opposent à l'action humanitaire. Les uns soutiennent qu'il faut faire plus et agir plus vigoureusement. Les autres crient à un néocolonialisme dont les conséquences lointaines seront aussi redoutables que celles de l'ancien colonialisme.

L'idée, pourtant, que les Nations unies doivent être présentes dans les zones à haut risque fait lentement son chemin. Peut-être 1992 aura été l'année où, à travers les pires tragédies (la Bosnie, la Somalie, le Cambodge), une certaine forme d'organisation internationale, appuyée sur place par des moyens militaires, commence à prendre forme. L'immensité de la tâche a de quoi décourager. On se massacre au Soudan, en Arménie, à Madagascar, dans le continent indien entre hindouistes et musulmans. Il semble que la misère et la famine ne reculeront jamais. À la tentation d'intervenir partout s'oppose la tentation de n'intervenir nulle part.

« *Annus horribilis* »

Sur l'Europe, sur l'après-communisme, sur l'après-guerre du Golfe, sur le Liban abandonné, la diplomatie française a remporté des succès mitigés. Il n'y a pas eu de désastre. Il n'y a pas eu de coup d'éclat. Les délires tiers-mondistes des débuts du premier septennat ne sont sans doute plus que des souvenirs – perpétués ici ou là par la femme du président de la République, dont on ne sait jamais jusqu'à quel point elle utilise ou elle outrepasse les fonctions officielles de son mari. La grande époque de la diplomatie française, ressuscitée par le général de Gaulle, s'évanouit dans le passé. La francophonie n'en est qu'une imitation assez pâle. La diplomatie française s'est engagée tout entière – on ne saurait l'en blâmer – dans la construction européenne. Elle marche à son rythme et subit ses à-coups.

On assure que la reine Élisabeth a parlé de 1992 comme d'un « *annus horribilis* ». L'état du monde dans l'année écoulée est sans doute moins sombre que la situation conjugale de la famille royale d'Angleterre, qui semble avoir introduit à Buckingham Palace les tourments et les fantasmes chers à Woody Allen. Il n'est pas beaucoup plus brillant, il est moins rassurant qu'on ne pouvait l'espérer à première vue après la chute du totalitarisme soviétique. À la situation dramatique et figée qui naissait de la guerre froide et du mur de Berlin a succédé une situation inquiétante, instable, impossible à cerner. On a le sentiment que 1992 a été une année d'attente, une année d'incertitudes, une année de troubles et d'interrogations.

Le Figaro, 29 décembre 1992

1993

La grenouille et le scorpion

Il faudrait être aveugle ou obstinément partisan pour ne pas voir les avances de M. François Mitterrand en direction de l'opposition. Sa récente interview dans *Le Monde* est une déclaration de paix. Naturellement, ici ou là, les coups de griffe ne manquent pas. Le président de la République est un homme politique : il sait qu'il ne faut aller au-devant de l'adversaire qu'avec d'infinies précautions et qu'il faut lui abandonner le moins de terrain possible. Mais, enfin, le sens général de l'action de M. Mitterrand depuis quelques mois – et plus encore depuis quelques semaines – est à peine ambigu ; il va vers la cohabitation sans pistolet ni gros bâton. Il fait preuve de bonne volonté.

Qui ne s'en réjouirait ? Les Français sont las des querelles intestines. Ils sont fatigués des petites phrases du dimanche et des numéros du cirque politique. Ils en viendraient, pour un peu, à rejeter en bloc tous les hommes politiques. Dans la crise économique et morale que traverse le pays – comme la plupart des pays de la planète –, la meilleure solution ne serait-elle pas de travailler tous ensemble au redressement nécessaire ? De lutter tous ensemble contre le chômage, contre l'intolérance, contre la violence ? D'abolir ces distinctions artificielles entre droite et gauche qui n'ont plus grand sens aujourd'hui, quand les divisions à l'intérieur d'un bloc ou de l'autre sont souvent plus sensibles que l'opposition entre les deux blocs ? Comme ce serait bien de prendre les meilleurs de la majorité et les meilleurs de l'opposition pour les faire travailler ensemble aux grandes tâches nationales et internationales, en éliminant les extrémistes des deux bords ! C'est ce que j'appellerais volontiers, avec une ombre de naïveté et presque un soupçon d'enthousiasme, la tentation de la confiance.

Sirop d'orgeat

Il y a un hic. Si le président de la République tend la main à l'opposition, c'est qu'il est en train de se noyer. On voit ça dans tous les films : celui qui a voulu tuer l'autre est tombé dans le vide ou dans la mer déchaînée. Il tend la main à l'autre dans un poste désespéré, et l'autre hésite à la saisir. Car il y a deux issues possibles : ou les deux adversaires, réconciliés à jamais, se jettent dans les bras l'un de l'autre, ou l'assassin, à peine sauvé, se jette sur l'autre – mais pour le tuer.

Comment ne pas se dire que, si les sondages, au lieu d'être exécrables pour M. François Mitterrand, lui étaient favorables, il ne serait pas question de réconciliation nationale. La cohabitation douce proposée par M. Mitterrand est un fruit de sa défaite. Il file doux pour attendre l'accalmie, pour guetter la bonace – c'est-à-dire les vents qui souffleront en tempête sur l'opposition devenue majorité. La seule façon, pour M. Mitterrand, d'échapper aux conséquences de la catastrophe électorale qui le guette, c'est de noyer le poisson de la bataille déjà perdue dans le sirop d'orgeat d'un consensus national. La question est de savoir si ce consensus aurait été proposé avec autant de conviction si les perspectives étaient moins sombres pour les socialistes. Elle est aussi de savoir si le président de la République, si doux, si consensuel, ne se changera pas à nouveau en chef de guerre dès que les inévitables problèmes commenceront à changer de camp et à surgir devant son gouvernement détesté, issu de la cohabitation.

On juge un arbre à ses fruits. Les fruits de M. Mitterrand ne sont pas d'une extrême fraîcheur. Celui qui parle, vaincu, de cohabitation dans la confiance, évoquait, vainqueur, la nécessité de la « fracture ». M. Jack Lang, ministre d'État, consensuel en diable par les temps de gros vent, chantait, dans le printemps éclatant du socialisme à la française, la lumière en train de chasser les ténèbres. Il est difficile de s'ôter de la tête l'idée que l'appel à une unanimité nationale – si clairement illustré par l'étonnant dialogue télévisé entre M. Bérégovoy et M. Léotard – n'est qu'une tactique électorale de vaincu.

D'autant plus difficile que M. François Mitterrand a pris la plaisante habitude, avec M. Rocard par exemple, de tirer dans les pattes de son propre gouvernement. Ce qu'il faisait avec des socialistes, résistera-t-il à le faire avec des libéraux ? Nous nous sommes longtemps interrogés, de ce côté-ci de la planète, sur la surprenante formule du grand timonier Mao Zedong : « Feu sur le quartier général ! » C'était tout simple : il s'agissait de détourner sur d'autres la fureur populaire. C'est ce que M. Mitterrand a fait plus d'une fois, dans le passé, avec un gouvernement de son bord. Comment ne le ferait-il pas, à nouveau, dans l'avenir, avec un gouvernement du bord opposé ?

Le calcul de M. Mitterrand est d'une simplicité biblique : il faut avaler sa défaite et son impopularité pour mieux attendre l'impopularité et la défaite de l'opposition. Il joue donc la carte du consensus tant qu'il est en position de faiblesse. Dès que ce sera le tour du gouvernement de la cohabitation, affronté à des problèmes monstrueux, d'être en position de faiblesse, il sortira du consensus pour remonter à l'assaut.

Profil bas sous la tourmente

Aujourd'hui, on apaise le jeu, on partage tous ensemble la responsabilité de la crise et du chômage, on appelle à la patience tous les protestataires. Demain, on soufflera sur les braises, on jettera de l'huile sur le feu, on dénoncera le gouvernement, on encouragera les chômeurs, les grévistes et les protestataires.

Profil bas sous la tourmente qui souffle sur les socialistes ; flamberge au vent sous la tourmente qui, inévitablement, souf-flera sur les libéraux : voilà, je le crains, le programme du président. Main tendue quand on perd pied. Poing tendu quand les autres commenceront à perdre pied. Et comment ne perdraient-ils pas pied sous l'avalanche des problèmes ? Il est déjà difficile de gouverner de nos jours. Gouverner sous l'autorité d'un président tout-puissant dont la seule idée est de vous voir échouer ressemble à un défi impossible à gagner ou, en termes moins châtiés, à un jeu de cons.

Confiance en Mitterrand ? Est-ce possible ? Les précédents ne sont pas encourageants. Les perspectives sont douteuses. Il faudrait que François Mitterrand ait changé du tout au tout pour qu'il ne soit pas en train d'affûter les couteaux à égorger ses ministres. Je crains que, malgré toutes les tentations et toutes les espérances, M. François Mitterrand ne ressemble au scorpion d'une histoire bien connue, en train de piquer à mort la grenouille qui a accepté avec naïveté et confiance de lui faire traverser la rivière. « Mais pourquoi ? gémit la grenouille. — Pourquoi ? C'est ma nature », répond le scorpion. Il me semble que la cohabitation, sans doute inévitable, s'inscrit d'ores et déjà sous le signe du beau vers de Vigny :

> *Toujours ce compagnon dont le cœur n'est pas sûr.*

Il n'est malheureusement pas permis de se dire : « On verra bien ». Quand on trouvera le président de la République à la tête des cortèges de routiers, de cheminots, de contribuables, d'infirmières, il sera trop tard pour aviser.

La cohabitation, en vérité, ne saurait s'envisager qu'avec un pacte de gouvernement : le président serait solidaire du Premier ministre qu'il aurait choisi. À défaut de solidarité, le minimum serait la neutralité présidentielle la plus stricte et la non-intervention. Qui peut y croire ? Dans les circonstances actuelles, l'idée que le chef de l'État sera tapi dans l'ombre pour guetter les faux pas de ses ministres dans un escalier qu'il aura lui-même savonné est insoutenable jusqu'à la bouffonnerie. Nous sommes payés pour le savoir ! C'est l'opposition installée au sommet du pouvoir avec droit de vie et de mort sur un gouvernement dont on sait d'avance les difficultés – en partie léguées par le gouvernement actuel et par le président.

Le dragon et le mouton

« Solidarité contre le chômage ! », réclame M. Bérégovoy. « Solidarité avec le gouvernement ! » devrait réclamer l'opposition avant d'aller au pouvoir. On parle de pièges à retardement et de machines infernales déposés dans l'avenir contre le nouveau gouvernement. Il serait intolérable que la plus puissante des machines infernales soit installée à la tête de l'État avec mission de dénoncer les sacrifices qui seront réclamés aux Français en raison de l'état où M. Mitterrand et ses amis ont laissé le pays. Comment le soupçon ne nous viendrait-il pas que le dragon Mitterrand, métamorphosé en mouton par le malheur des temps, ne bêle aujourd'hui que pour mieux mordre demain.

Le Figaro, 12 février 1993

Dieu, les affaires et nous

C'est, décidément, le temps des contradictions. M. Bérégovoy se dit partisan de la clarté. Il vient de déclarer que Mme Pelat publierait prochainement la liste des meubles et livres anciens qui ont servi à rembourser la moitié de son « prêt[1] ». Mais, si le Premier ministre n'a rien à se reprocher, pourquoi la Chancellerie qu'il contrôle a-t-elle demandé au parquet d'arrêter l'enquête ?

Autre exemple : l'annonce d'une formidable vente d'armes aux Émirats arabes unis constitue une très bonne nouvelle pour l'économie française. C'est pourtant une nouvelle détestable pour des élus socialistes.

Avant 1981, les socialistes dans l'opposition n'avaient pas de mots assez durs pour les marchands de canons, de chars d'assaut et d'avions de combat. Je crois que tout le monde se souvient d'un geste de M. François Mitterrand, qui avait fait désarmer les avions militaires présentés au salon du Bourget.

Voilà qu'un pouvoir socialiste se félicite bruyamment de ce que les candidats socialistes condamnaient avec indignation.

---

1. Pour acheter son appartement, dans le XVIe arrondissement de Paris, Pierre Bérégovoy avait reçu en 1986 un million de francs de Roger-Patrice Pelat, ami intime de François Mitterrand inculpé en 1989 dans l'affaire Pechiney-Triangle pour délit d'initié. Ce prêt sans intérêts, passé devant notaire, fut qualifié de légal par la Chancellerie.

De ce que condamnait encore un président socialiste qui n'avait pas eu le temps de renier ce qui faisait le cœur de l'idéologie socialiste.

L'« *argent roi* »

On me dira que le cœur de l'idéologie socialiste, ce n'était pas la lutte contre les armes de guerre et l'industrie d'armement, mais l'éloignement, hérité peut-être d'une vieille tradition chrétienne et de saint Thomas d'Aquin, de tout ce qui touche à l'argent.

On me dira que le cœur de l'idéologie socialiste, c'était la méfiance à l'égard de ce que M. François Mitterrand appelle l'« argent corrupteur ». Je veux bien le croire.

« L'argent, écrivait il y a quelques années, avec le talent qu'on lui connaît, M. François Mitterrand, l'argent, toujours l'argent. L'argent roi. L'argent qui coule de tous les côtés [...]. L'argent qui paie tout [...]. L'argent, l'argent, partout l'argent. Eh bien, moi, je préfère tendre la main aux travailleurs plutôt qu'aux maîtres de l'argent. »

Or voilà que nous apprenons qu'un ministre d'un gouvernement socialiste, d'un gouvernement de gauche, un homme à qui le président de la République et le Premier ministre passent leur temps à serrer la main vend une affaire pour la bagatelle d'un peu plus de 2 milliards de francs[1].

Loin de moi l'idée de dénoncer dans cette transaction quelque irrégularité légale que ce soit : comment ne pas être persuadé que tout s'est passé de la façon la plus appropriée ? Je ne suis pas hostile au fonctionnement du capitalisme – dénoncé naguère avec tant d'éloquence par le président de la République. Qu'on m'épargne surtout le disque, qui commence à s'user, d'après lequel on en voudrait à M. Tapie sous prétexte qu'il vient d'un milieu dit « modeste ». Ce n'est pas là-dessus

---

1. Bernard Tapie, nouveau ministre de la Ville, décide – sous les injonctions de François Mitterrand – de vendre Adidas pour éviter d'éventuels conflits d'intérêts. Il confie un mandat de vente à une filiale du Crédit Lyonnais – banque publique – et fixe le prix à 2,8 milliards de francs.

que porte le débat. Ce n'est pas leur origine, c'est leur seul comportement qui met une différence entre les hommes.

Tous les Français sont des partisans convaincus de l'égalité des chances. Moi aussi. Je suis seulement surpris qu'un ministre qui se range sous la bannière d'un dirigeant politique aussi violemment hostile à l'argent que M. François Mitterrand soit tout bonnement en mesure de procéder à des opérations financières de cette envergure – où activités publiques et activités privées sont d'ailleurs curieusement imbriquées.

Leçons de morale

Si je comprends bien, des fonds publics – donc l'argent de nous tous – ont contribué au rachat d'une affaire mise en vente par un ministre d'un gouvernement socialiste. Le président de la République, le Premier ministre, le gouvernement tout entier, sont-ils tombés sur la tête ?

En faisant entrer au gouvernement un homme capable de se servir de son titre de ministre pour se faire racheter, en partie par l'État, une affaire privée, en le couvrant d'éloges, en se déclarant solidaires de lui, le président de la République et le Premier ministre sont en train de creuser leur propre tombe.

Ne parlons même plus de morale politique : le sujet est depuis longtemps dépassé. C'est du point de vue de leur propre intérêt que l'affaire Adidas est un désastre. Pour un président de la République, pour un Premier ministre, qui prétendent donner, l'un et l'autre, l'image de la rectitude, et qui ne manquent jamais l'occasion d'asséner aux Français des leçons de morale, être l'ami à la fois de Pelat et de Tapie, c'est trop. Comment ne pas voir que, pour la bonne réputation d'un parti socialiste déjà en perte de vitesse, cette affaire-là sera aussi meurtrière que la fameuse amnistie qui lui a déjà coûté tant de voix ?

Un des grands thèmes lancés par la gauche, il y a une douzaine d'années, était la séparation du pouvoir politique et du pouvoir économique. Jean-Jacques Servan-Schreiber avait écrit là-dessus des pages assez vives. La séparation radicale des deux domaines était devenue une des tartes à la crème de la sensibilité de gauche. Où en sommes-nous aujourd'hui ?

Il ne faut pas chercher plus loin que dans ces contradictions – et dans quelques autres – les motifs du discrédit où est tombée la gauche dans ce pays. Après les exploits d'une France socialiste marchande de canons, et la présence d'un capitalisme de choc qui mêle fonds publics et intérêts privés, au cœur du gouvernement de la gauche, qui pourrait croire encore aux promesses et aux effusions des candidats de la gauche présidentielle, la gauche socialiste ?

C'est pour cette raison, j'imagine, que les socialistes dans leur très grande sagesse et forts de leur expérience n'ont pas de programme du tout : ils auraient trop peur que leurs électeurs leur rappellent celui sur lequel ils ont été élus.

Le Figaro, 26 février 1993

Le vide et le trop-plein

En face du naufrage du PS et de la gauche tout entière, emportée dans le désastre par l'échec historique du socialisme à la française, les dirigeants socialistes – et les commentateurs du même bord – ont organisé leur défense en retraite autour de deux axes principaux.

Le premier axe s'appuie sur ce qu'on pourrait appeler l'argument du trop-plein. Il consiste à dénoncer l'hégémonie de la nouvelle majorité : l'Assemblée, le Sénat, le gouvernement, les régions, les conseils généraux, appartiennent désormais aux adversaires du socialisme.

C'est un argument très curieux. Autant dénoncer tout de suite le suffrage universel. Si tout a basculé, en effet, du même côté, c'est la conséquence d'un vote démocratique qui est lui-même la conséquence des erreurs et des fautes d'un pouvoir socialiste radicalement rejeté par les Français. La prétendue hégémonie n'est que l'envers de la déroute socialiste.

147

Le président en cause

Le deuxième axe s'appuie sur ce qu'on pourrait appeler l'argument du vide. Il consiste à mettre en lumière avec force – comment faire autrement ? – l'effondrement des socialistes pour mieux souligner que leurs adversaires n'ont pas progressé dans les mêmes proportions. Les voix perdues par la gauche n'ont pas vraiment profité à l'autre camp. L'ancienne opposition ne l'emporte avec éclat que parce que l'ancienne majorité a tout simplement implosé. Comment ne pas voir que cet argument met directement en cause le président de la République ?

Chef avoué des socialistes, leader incontesté de l'ensemble de la gauche, M. François Mitterrand a été curieusement absent de tous les débats au soir du premier tour. Il s'était pourtant engagé dans la bataille législative.

Il avait annoncé un sursaut du PS qui le situerait aux environs de 22 %. Il n'est pas suffisant de dire qu'il est frappé de plein fouet par le désastre de son parti : il ne représente plus rien, il n'a plus d'existence politique.

La cohabitation, objet de tant de spéculations durant tous ces derniers mois, se présente, du coup, sous des aspects entièrement nouveaux. Le président de la République n'est pas un vaincu en état de négocier avec ses vainqueurs. Il est un chef de parti dont le parti a été balayé.

Graves problèmes de conscience

Le président de la République n'a plus aucun poids politique. Tout ce qu'il peut espérer, c'est que le gouvernement, dont il aura choisi le chef parmi ses adversaires les plus déterminés, ne réussisse pas à sortir le pays du gouffre dans lequel son parti battu a contribué à le jeter.

Ce gouvernement, d'après les règles de la démocratie, représente le pays. Le président de la République en est réduit à jouer contre la France.

Il est impossible que cette situation ne lui pose pas de graves problèmes de conscience. Et, si elle ne lui en pose pas, il est impossible que cette absence de problèmes de conscience ne pose pas des problèmes à ceux qui, au pouvoir, n'auront plus en face d'eux qu'une volonté de nuire qui ne s'appuie plus sur rien.

Le Figaro, 23 mars 1993

Édouard Balladur ou la voie royale

Le sursaut n'a pas eu lieu. Pour quelque temps au moins, le socialisme français disparaît de la scène politique. Ou peut-être plutôt les socialistes. Ce n'est pas une idée qui a été rejetée par les Français ; ce sont des hommes. Les socialistes ont été hissés au pouvoir par M. François Mitterrand. Presque tous – et quelques-uns des meilleurs d'entre eux – commencent une lente et pénible traversée du désert. Protégé par les institutions qu'il a longtemps combattues, seul surnage celui qui a été l'artisan du désastre après avoir été l'artisan du triomphe : M. François Mitterrand. Les élections, en grande partie, ont été dirigées contre lui. Le premier acte de la constitution du nouveau gouvernement tourne tout entier autour de lui.

Une curieuse comédie du pouvoir s'est jouée ces derniers jours. Pour mieux éviter d'être appelé à Matignon, où il a déjà donné dans la première cohabitation et où il ne souhaite plus s'user, M. Chirac s'est déchaîné contre le président, en ne lui laissant pas d'autre choix que d'appeler M. Balladur. Pour éviter de voir, dès le départ, sa liberté d'action mise en cause, le président a dû faire agiter par des amis la menace (tout à fait vaine) de ne pas appeler M. Balladur. M. Balladur a calmé le jeu. Il savait très bien, sous ses dehors si urbains et étonnamment policés, qu'il était le maître de la situation. Vous souvenez-vous des affres de l'opposition d'hier, quand elle se voyait déchirée entre Giscard et Chirac ? Les choses se sont arrangées et clarifiées comme par miracle. Tout le monde pense déjà à l'élection présidentielle, mais personne n'en parle encore. Démesurément mesuré, Jupiter apaisant d'un geste les eaux déchaînées par la tempête, silencieux, consensuel en diable avec une grande fermeté, M. Édouard Balladur, tout seul, sans rival, acclamé par les uns, accepté par les autres, devrait entrer avec courtoisie, avec solennité, sans bousculer personne, mais sans que personne se permette de lui faire ombre, dans les salons dorés de l'Hôtel Matignon.

Le président de la République s'est trouvé dans la situation des Américains dont le constructeur d'automobiles Henry Ford disait qu'ils pouvaient choisir à leur gré la couleur de leur voiture, à condition qu'elle soit noire. M. François Mitterrand – oui, oui, bien sûr, la Constitution était formelle – pouvait choisir qui bon lui semble. À condition qu'il s'agisse de M. Édouard Balladur. On eût dit d'un conte de fées – ou d'une percée de rugby : plus les choses devenaient compliquées, plus les obstacles s'accumulaient, et plus les branches s'écartaient pour mieux montrer la voie royale vers le palais enchanté, plus les autres joueurs semblaient frappés de stupeur pour mieux laisser Édouard s'en aller tout seul marquer l'essai vainqueur. Pour ce motif ou pour un autre, Chirac, non ; Giscard, non ; Léotard, non ; Raymond Barre, non ; Simone Veil, non. Restait, modeste, resplendissant, vainqueur tout seul en face des vaincus tout seuls, M. Édouard Balladur devant M. Mitterrand.

Ticket pour l'enfer

La voie royale, la voie dorée, est un ticket pour l'enfer. Les socialistes refilent le pouvoir aux libéraux comme une pomme de terre brûlante, comme le mistigri des jeux de cartes. Le Gatt, l'Europe, les marins pêcheurs, les paysans, les infirmières, le chômage, la crise qui n'en est qu'à ses débuts : M. Balladur a devant lui une tâche de titan. Il l'aborde en costume rayé. Et avec beaucoup de résolution.

Je crois que M. Balladur trompe son monde, et qu'il étonnera par sa fermeté. Rien de tel, pour être implacable, que les hommes courtois et très bien habillés. La difficulté pour M. Balladur sera évidemment la diversité vertigineuse des horizons vers lesquels il devra tourner ses regards. Il y a l'Élysée, bien entendu, et M. François Mitterrand qui ne se laissera pas oublier dès que les nuages apparaîtront. Il y a le Palais-Bourbon, avec sa Chambre miracle qui risque d'être encombrante. Il y a les alliés d'hier et de demain, sous les aspects de Giscard, de Barre, de Léotard et de tant d'autres, dont l'affection réclamera autant de temps et de soins que les adversaires les plus résolus. Il y a même l'ami intime, l'alter ego, l'autre lui-même : Jacques Chirac. Chacun sait qu'entre Chirac et Balladur on ne réussirait pas à glisser une feuille de papier à cigarette. Mais tous les psychanalystes vous le diront : c'est quelquefois avec soi-même qu'on a le plus de problèmes.

Le passé auquel succède M. Édouard Balladur est lourdement obéré. D'aucuns ont pu conseiller de refuser l'héritage. M. Balladur a décidé de l'accepter. La tâche n'est pas aisée. Les enfants crient famine. Les créanciers se pressent aux portes. Les voisins guettent le scandale. Mon Dieu ! Où en serons-nous dans trois mois, dans six mois ? La toiture va-t-elle tenir ? Elle est en si mauvais état ! Mais le pire est que l'ancêtre est toujours là. Il a abandonné l'usufruit. Mais il garde la nue-propriété avec une sorte de voracité. Au déjeuner de famille, on va se regarder en chiens de faïence. Il faudra toute l'aménité de M. Édouard Balladur et son sens de la tenue pour que les réunions ne se passent pas trop mal.

Pour reprendre une formule du général de Gaulle, on souhaite bien du plaisir à M. Édouard Balladur. Les risques qu'il prend sont immenses. Mais il s'engage sur la voie royale avec tant d'élégance, il accueille son triomphe avec tant d'indifférence, qu'on finit par se demander si l'échec peut avoir prise sur lui. Déjà, le succès semble l'ennuyer tellement que les drames hésiteront peut-être à se frotter à lui. Ils verront toute l'inconvenance qu'il y aurait à faire perdre son calme et son flegme tout britannique à un gentleman si comme il faut.

Le Figaro, 30 mars 1993

Réponse à Charasse, Lang et quelques autres

La mort de Pierre Bérégovoy[1] a bouleversé les Français. De toutes les familles, de tous les bords. Un mois avant son suicide,

---

1. Pierre Bérégovoy s'est suicidé le 1ᵉʳ mai 1993.

Pierre Bérégovoy était le chef du gouvernement d'une des cinq ou six plus grandes puissances de ce monde. Il y a quelque chose de la tragédie antique dans le destin de cet homme passé en quelques jours des sommets du pouvoir aux abîmes du désespoir. Il illustre aussi les rigueurs de ce métier politique, si décrié aujourd'hui. C'est un métier dur et souvent cruel. Pierre Bérégovoy est, dans l'histoire de la République, le premier chef de gouvernement à se donner la mort. Il n'est pas le premier homme politique acculé au suicide. Démultipliée par les médias, par l'image, par la communication, la pression sociale qui s'exerce sur les hommes politiques devient démesurée. Peut-être, comme l'a suggéré Simone Veil, est-ce une des raisons du nombre relativement restreint de femmes dans les gouvernements ? Les hommes les plus résistants, les plus rompus aux épreuves, n'y résistent souvent pas. Les vrais motifs de l'acte de désespoir de l'ancien Premier ministre, nous ne les connaissons pas. Un suicide est toujours un acte plein de mystère et qui exerce sur les autres une sorte de terreur sacrée. Le suicide d'un homme qui a été au sommet du pouvoir pose beaucoup de questions qui s'adressent aux historiens, aux psychologues, aux sociologues, et qui exigent, bien entendu, d'être traitées avec tout le respect et la discrétion nécessaires. Un suicide est un acte libre qui constitue sans doute la seule issue à une situation inextricable. Il est aussi une sorte d'appel ultime à ceux qui restent.

Comment ceux qui restent seraient-ils insensibles à cet appel ? Il est tout à fait naturel que les amis les plus proches de Pierre Bérégovoy aient ressenti avec douleur ce dernier cri tragique. Mais les préoccupations politiques se sont mêlées aussitôt à la stupeur et au chagrin. On a entendu les amis politiques de M. Bérégovoy rejeter aussitôt sur leurs adversaires la responsabilité du drame. M. Lang a accusé l'« establishment » d'avoir provoqué la mort de l'ancien Premier ministre, M. Charasse a dénoncé « les juges et les journalistes », et il a assuré qu'à leur place il ne dormirait plus.

L'« establishment » est une de ces formules toutes faites qui, comme les « gens du château », n'a qu'une valeur incantatoire. S'il y a un « establishment » aujourd'hui, les socialistes en font partie autant et plus que personne. C'est même ce qui constitue une bonne part de leur drame. L'idée que M. Bérégovoy ait pu être poursuivi ou moqué en raison de ses origines modestes est une idée honteuse, qu'elle vienne de ses adversaires ou de ses amis. Il est permis d'espérer que le seul sentiment qu'un trajet comme celui de M. Bérégovoy puisse inspirer, c'est l'admiration. Il est tout à fait gratuit et, pour tout dire, un peu suspect de supposer qu'un « establishment » mythique ait pu tramer une conspiration contre M. Bérégovoy. Il était naturellement permis de combattre sa politique : la démocratie repose aussi sur la confrontation des idées. Il est aussi injuste de rendre responsable de sa mort ses adversaires politiques qu'il le serait d'en rendre responsables ses amis politiques qui n'ont pas toujours partagé et soutenu toutes ses vues.

Ce qu'a dit M. Charasse est de nature, une fois de plus, à soulever l'indignation. La mémoire sélective, à ce point-là, n'est pas digne d'un homme qui a eu de grandes responsabilités. De si grandes responsabilités que son sommeil, à lui aussi, aurait pu être troublé en plusieurs occasions. Rejeter en tout cas la responsabilité de la mort de Pierre Bérégovoy sur les juges et les journalistes est, pour le moins, un peu rapide. Les uns et les autres ont fait leur métier, et il est difficile d'imaginer qu'ils ne continuent pas à le faire. Que la presse, notamment, ait un pouvoir qui suscite des interrogations, ce n'est pas une nouveauté. Ce n'est pas une raison pour la charger de tous les maux ni pour essayer de la faire taire à coups de chantage après avoir essayé de la faire taire à coups de menaces.

Mémoire sélective

Ce qui sous-tend la plupart des déclarations souvent abusives des amis de M. Bérégovoy, c'est qu'une chasse à l'homme a été déclenchée contre lui. C'est le contraire qui est vrai. À tous, M. Bérégovoy inspirait plutôt de la sympathie et imposait un certain respect. Il est possible que la force de la rumeur, que connaissent bien les sociologues, lui ait porté un coup fatal. Que dire alors de M. Giscard d'Estaing et de la campagne déchaînée contre lui à l'occasion de l'affaire des diamants, certainement aussi mince, sinon plus que celle du prêt sans intérêt ?

153

Que dire de M. Boulin ? Il est peu d'assurer que sa mort n'a pas été respectée : elle a été utilisée sans vergogne contre le gouvernement par l'opposition d'alors.

M. Lang a soutenu qu'aucune parole d'approbation n'était venue reconnaître les mérites de M. Bérégovoy. Là encore, c'est le contraire qui est vrai. J'ai de bonnes raisons de savoir que des adversaires de la politique de M. Bérégovoy ont rendu hommage à sa gestion financière alors même que les critiques ne manquaient pas dans son propre camp. M. Bérégovoy a été plutôt mieux traité par ses successeurs que M. Giscard d'Estaing par les siens. Et le départ de M. Bérégovoy n'a-t-il pas été moins dur que celui de M. Giscard d'Estaing, hué par ses adversaires à la sortie de l'Élysée ?

Aucun adversaire politique de M. Bérégovoy n'a essayé d'exploiter le drame humain que constitue son suicide. Et c'est la moindre des choses que de respecter le dernier acte de liberté d'un homme public ou privé poussé au désespoir. La même réserve n'a pas été le fait de plusieurs de ses amis politiques, qui ont vu dans sa mort l'occasion d'une manœuvre. La mort de M. Bérégovoy mérite le respect, le recueillement, la discrétion. Il a suffisamment souffert dans sa vie des tourmentes politiques et de leurs échos médiatiques pour qu'il soit épargné dans sa mort. Mais que ce respect et cette réserve soient observés par tous. Et que ce destin tragique ne serve pas de tremplin à des ambitions déçues et à de tenaces rancœurs.

Le Figaro, 4 mai 1993

Mitterrand-Balladur : un couple dans la tourmente

Le succès mérité du livre de Franz-Olivier Giesbert, *La Fin d'une époque*[1], si plein de portraits réussis et d'anecdotes révélatrices sur ceux qui nous gouvernent, démontre une fois de plus combien les Français s'intéressent aux acteurs des événements que nous vivons. Sans doute, comme le soutenait, le plus souvent

---

1. Paris, Fayard-Le Seuil, 1993.

sans nuance, la théorie marxiste, la pression de la situation historique, économique et sociale est-elle plus décisive que le rôle des individus. Il reste que les personnages en qui s'incarne l'Histoire continuent à la transformer et à lui donner ses couleurs. Sans Napoléon, sans Lénine, sans Hitler, sans Churchill, sans de Gaulle, notre Histoire ne serait pas ce qu'elle a été.

Notre existence collective est commandée aujourd'hui par l'évolution des techniques et des mœurs, par la démographie, par la crise et le chômage, par la chute du communisme en URSS. Elle est commandée aussi par le couple président-Premier ministre qui, depuis plus d'un tiers de siècle – période déjà assez longue dans l'histoire constitutionnelle de la France moderne – domine la Ve République.

De la tension à l'hostilité

Depuis trente-cinq ans se sont succédé chez nous quatre présidents de la République et, de Debré à Balladur, quatorze Premiers ministres. Leur répartition est inégale entre les présidents : trois pour de Gaulle en dix ans, deux pour Pompidou, deux pour Giscard, sept pour Mitterrand – dont quatre au cours de son second septennat. À plusieurs reprises – de Gaulle et Pompidou, Pompidou et Chaban, Giscard et Chirac, Mitterrand et Chirac, Mitterrand et Rocard –, le couple, comme n'importe quel couple de la vie contemporaine, a connu des remous et a fait parler de lui. Les remous ne se limitent pas aux époques de cohabitation. Outil de stabilité et d'efficacité qui a largement fait ses preuves jusque dans les crises les plus sévères, la Constitution de la Ve République crée presque inévitablement une tension entre le président, qui a des pouvoirs plus considérables qu'aucun chef d'État démocratique à travers le monde, et son Premier ministre, qui définit et conduit la politique du pays.

En période de cohabitation, cette tension peut tourner à l'hostilité la plus franche. Avec des sentiments divers, chacun guettait, en mars dernier, les débuts d'une cohabitation nouvelle sur laquelle jetait son ombre une première cohabitation dont le moins qu'on puisse dire est qu'elle n'avait pas été un grand succès.

Il faut rendre cette justice au président de la République, que, ni en 1986 ni en 1993, il n'a cherché à ruser avec la volonté populaire. En 1986, le nom de Chirac s'imposait. Il a choisi Chirac ; en 1993, tout le monde attendait Balladur : il a choisi Balladur. C'est là que tout recommençait. La France retenait son souffle. Qu'est-ce qui allait sortir de ce *remake* d'un film raté ? Que se passerait-il si la tempête se levait ?

Ce qu'il est convenu d'appeler la cohabitation douce a plusieurs motifs, les uns objectifs, les autres subjectifs, que tout le monde connaît : le caractère du Premier ministre, l'expérience de la première cohabitation, le fait, sans doute décisif, que le président, cette fois-ci, ne se représentera pas. Une des causes, ou un des effets, de cette fameuse douceur est l'absence, malgré ce qu'a pu dire, dimanche encore, M. Laurent Fabius, de toute chasse aux sorcières et de tout système des dépouilles. Et c'est là, peut-être, qu'apparaît une des premières caractéristiques de la deuxième cohabitation, c'est dans le camp de la majorité que se sont élevées des voix, ou des murmures, pour regretter qu'un changement plus décisif n'ait pas été entrepris dans la foulée du raz de marée de mars. Pour un peu, comme dans tout autre couple, la famille du Premier ministre lui reprocherait ses concessions au président de la République.

Le loup et le bois

Ce n'est pourtant pas que la cohabitation ait signifié, d'un côté ou de l'autre, quelque ralliement que ce soit aux thèses de l'adversaire. Malgré la politique du franc fort et de la lutte contre l'inflation, il ne serait pas exact de soutenir que M. Balladur poursuit dans la voie de M. Bérégovoy. Théoricien et praticien de la cohabitation, M. Balladur n'en reste pas moins un adversaire de celui avec qui il est bien forcé de cohabiter. Pour apaisée qu'elle puisse être, la cohabitation demeure, selon un mot devenu fameux, une communauté réduite aux aguets. On sent le président à l'affût. On sent le Premier ministre sur ses gardes. Des mouvements sociaux comme ceux que nous sommes en train de vivre pourraient fournir au loup Mitterrand l'occasion de sortir du bois. Chacun s'abstient évidemment de porter le premier coup avec trop d'imprudence. Mais personne ne baisse la garde.

Apaisement des passions

Cet apaisement des passions, cette correction dans les rapports sont considérablement aidés par les relations qu'entretient avec les siens, avec sa propre famille, chacun des membres du couple. Le plus isolé dans son milieu d'origine est le président de la République. Il est en si mauvais termes avec ceux qui parlent aujourd'hui au nom du socialisme qu'il est rejeté malgré lui du côté du Premier ministre qu'il a été contraint de choisir. On pourrait presque soutenir, avec un peu d'exagération, mais à peine, qu'il est si mal avec ses amis qu'il ne peut pas se payer le luxe d'être trop mal avec ses ennemis. La deuxième cohabitation fonctionne mieux que la première, non seulement parce que le président ne sera pas le rival direct de son Premier ministre et qu'il n'a donc pas de raison de le détester, mais parce qu'il déteste franchement celui qui risque d'être l'adversaire de ce Premier ministre qu'il devrait détester et qu'il ne déteste pas.

Dans le ciel de la politique, M. Rocard, successeur depuis peu de M. Mitterrand au poste légendaire de premier secrétaire du parti socialiste, est, aux yeux du président qui l'ignore superbement, comme ces trous noirs qui dévient les trajectoires des corps célestes qui les entourent. M. Mitterrand a beaucoup d'amis qu'il n'aime pas, mais celui-là il le déteste. Du coup, il manque de force pour s'opposer à ses adversaires. Combattre Balladur, d'accord. Mais au bénéfice de qui ? De Rocard, peut-être ? Quelle horreur !

Aiguiser les rivalités

La vie sentimentale du Premier ministre est plus calme que celle de son conjoint, le président de la République. M. Balladur est sincèrement attaché à ses amis – et d'abord au premier d'entre eux : M. Jacques Chirac. Je suis convaincu qu'il y a un accord profond entre eux et que chacun des deux s'efforce d'être fidèle à cet accord. Mais on ne fait pas toujours ce qu'on veut et il arrive tous les jours que les événements soient plus forts que votre volonté. Un des drames de l'opposition d'hier, de la majorité d'aujourd'hui, c'était la rivalité entre ses deux composantes, incarnées par M. Giscard d'Estaing et M. Jacques Chirac. Ce drame, cette rivalité, M. Balladur les a gommés comme par miracle : il est soutenu par le RPR, mais tout autant par l'UDF.

Quel rêve ! Quel succès ! Presque trop grands, peut-être. Comme souvent, les choses, en s'arrangeant trop bien, font surgir des drames nouveaux à la place des drames anciens : en réussissant avec éclat à faire l'union de toutes les tendances de la majorité, M. Balladur risque tout naturellement d'aiguiser les rivalités au sein de sa propre tendance. Il faudrait être aveugle pour ne pas voir qu'au dilemme Giscard d'Estaing/Chirac qui opposait deux partis aujourd'hui réconciliés risque de succéder au sein d'un même parti un dilemme Chirac/Balladur.

Le succès personnel si vif de M. Balladur auprès des Français incite à la fois ses adversaires et quelques-uns de ses amis à mettre en cause sa volonté d'action et de changement. Les uns parlent d'anesthésie ou de soporifique, les autres lui reprochent, de ne pas en faire assez. Ce qui est tout naturel de la part des adversaires est moins légitime de la part des amis.

Dans les conditions où il a pris le pouvoir – crise internationale et délabrement intérieur –, la tâche du Premier ministre était de toute façon très difficile. Quelle que soit sa douceur, la cohabitation avec un président dont la préoccupation première est moins d'aider son Premier ministre que de guetter ses faux pas, rend cette tâche presque surhumaine. D'où l'injustice des reproches qui visent à dénoncer la prétendue inaction du gouvernement. Dans les circonstances actuelles, dont les mouvements sociaux récents, montrent la gravité, au milieu de la récession, du chômage, de la grogne, sous le regard d'un président qui guette la première occasion et dont le mieux qu'on puisse attendre est une neutralité suspicieuse, peut-on imaginer une politique foncièrement différente de celle que le Premier ministre a mise en œuvre avec prudence, avec modération, mais avec résolution et avec fermeté ?

C'est sans doute en temps de cohabitation qu'un Premier ministre de la Vᵉ République est le plus puissant, car il mène à son gré la politique de son gouvernement : M. Balladur n'aura jamais avec un autre président autant de pouvoir qu'il en a aujourd'hui. Mais la présence au-dessus de lui de l'autre membre du couple met des limites à cette liberté. On peut imaginer avec quelle promptitude le président de la République se jetterait dans la moindre brèche que lui ouvriraient des difficultés gouvernementales.

C'est d'abord à la majorité de tirer les leçons, dans les temps agités d'aujourd'hui, de la dyarchie à la tête de l'État. Au moment où toute une série de raisons font que la vie de couple entre l'Élysée et Matignon n'est pas trop agitée par la tempête, au moment où, à la différence de la première cohabitation, la coexistence profite plutôt à Matignon qu'à l'Élysée, il serait insupportable que la tâche du Premier ministre fût compliquée par ceux qui, dans son propre camp, affirmeraient, bien à tort, qu'il n'en fait pas assez ou qu'il ne va pas assez vite.

Le Figaro, 26 octobre 1993

Tout le malheur du monde

L'événement majeur de ces derniers jours, c'est le froid. La politique économique et sociale s'est soudain réduite – ou élargie – à des données météorologiques. Les Français qui ont de quoi manger et de quoi se chauffer ont compris, tout à coup, que des gens, chez eux, dans un des pays les plus riches et les plus développés du monde, mouraient de faim et de froid.

Il y a eu d'abord des réactions sentimentales. Beaucoup sont rentrés en eux-mêmes et ont ressenti quelque chose qui ressemblait à de la honte. L'abbé Pierre a bouleversé des centaines de milliers d'auditeurs. Parce que le froid frappait cruellement ceux qu'on appelait jadis des clochards et qu'on appelle aujourd'hui des SDF – sans domicile fixe –, une sorte de prise de conscience, où se mêlent la révolte, la compassion, la solidarité, la stupeur, s'est emparée du pays. Il y a eu des réactions politiques. Il y a eu enfin ce qu'on pourrait appeler des réactions techniques, du même ordre que celles qui entourent les grandes catastrophes naturelles, inondations ou tremblements de terre – ou encore les drames sociaux tels que les accidents de la circulation. « Comment est-ce possible ? Ne pouvait-on pas prévoir ce qui allait se passer ? Que faire pour que de tels drames ne se reproduisent plus ? » La réponse à ces questions relève sans doute de l'organisation. Elle relève surtout de la morale. Ceux qui meurent de faim et de froid réclament évidemment des abris, des vêtements, de la nourriture. Ils réclament aussi une dignité qui leur est trop souvent refusée. Un semblant d'espérance. Un peu de cet avenir dont s'inquiètent tant les heureux de ce monde.

Le froid, ce révélateur

Le froid, en vérité, et un hiver un peu en avance n'ont fait que servir de révélateurs à une cruelle vérité, dont on se doutait obscurément mais qu'on parvenait à camoufler tant que des êtres humains ne mouraient pas dans la rue : la misère est parmi nous. Une misère profonde, et qui s'étend : un tout récent sondage nous apprend qu'un Français sur deux craint d'être marginalisé !

Même dans la crise qui frappe fort, la France reste un pays riche. Elle se prépare pour les fêtes, les vitrines sont pleines de marchandises, les restaurants ne sont pas vides, les rues sont illuminées et les sapins de Noël poussent déjà un peu partout. Dans ce décor de luxe, des pauvres meurent de froid. Rien de plus saisissant que ce contraste.

C'est un peu comme pour les camps de concentration où les juifs mouraient par millions, comme pour les massacres de Staline : on s'en doutait, bien sûr, mais on ne le savait pas avec une pleine certitude. Ou on parvenait à l'oublier. Un livre comme celui de Pierre Bourdieu sur *La Misère du monde*[1] avait pourtant fourni de quoi s'épouvanter. Et l'abbé Pierre ne cessait de mettre en garde contre l'inacceptable. Mais les sociétés s'entendent très bien à faire une sorte de part du feu qui est rejetée au loin.

_____

1. Paris, Le Seuil, 1993.

L'extrême misère est comme le chômage : on la déplore, mais qu'est-ce qu'on y peut ? Il a fallu que des hommes meurent pour qu'on la regarde en face.

La misère a toujours existé. Nous nous imaginions peut-être que les sociétés modernes, et surtout la société de consommation, la faisaient reculer, ou au moins la contenaient. C'était une erreur.

D'une certaine façon, les choses empirent. Peut-être la misère des paysans, jadis, était-elle plus supportable que la misère urbaine d'aujourd'hui. Il y a des témoignages terribles dans le livre de Bourdieu, tel celui d'un syndicaliste : « Nos parents, comment ils parlaient nos parents, quand j'avais 14 ans, comment ils parlaient : "Tu fais rien à l'école, t'iras à l'usine." Les parents nous parlaient comme ça. Mais maintenant, les parents ils peuvent plus dire : "T'iras à l'usine", il n'y a plus d'usine. » Encore un pas, et c'est le mot d'une chômeuse : « Il y a tout qui va pas. »

« Les exclus de l'intérieur »

Les SDF qui meurent de froid sur le pas de nos portes sont l'image tragique de ce que Bourdieu appelle « les exclus de l'intérieur ». Ce sont eux qui nous sont le plus proches : ils sont le *prochain* de l'Évangile. Mais, au-delà de ce pays, privilégié parmi les privilégiés, s'étend une misère pire encore que tout ce que nous connaissons. À Sarajevo, qui est presque tombé dans l'oubli, et dans toute la Bosnie, l'hiver et la neige ajoutent encore au martyre des populations. Nous savons aussi – mais de loin… – qu'en Afrique, en Asie, en Amérique latine, des milliers et des milliers d'enfants meurent chaque année de misère. C'est un défi formidable – au sens propre du mot *formidable*. Tout le monde répète à longueur de journée que l'opposition Nord-Sud a remplacé l'opposition Est-Ouest. Nous avons attendu le froid pour comprendre l'étendue de la misère chez nous. N'attendons pas des événements plus dramatiques encore pour comprendre que la misère du monde est le plus grave défi moral, politique, économique, social que nous lance notre temps.

Le Figaro, 25 novembre 1993

En France, le raz-de-marée de mars

Le bilan intérieur de 1993 pourrait tenir en une phrase : la crise a continué, la gauche est partie et Balladur est arrivé. L'année pivote évidemment autour des élections législatives de mars : elles font succéder une écrasante majorité de droite à la majorité de gauche, en place depuis les législatives de 1988 qui avaient marqué la fin de la première cohabitation et le début du deuxième septennat de M. Mitterrand. Avec 484 députés – 247 RPR et 213 UDF plus 24 divers droite – contre 23 communistes et 54 socialistes flanqués de 6 radicaux de gauche et 10 « majorité présidentielle », le raz-de-marée de la droite est spectaculaire. Plus spectaculaire encore que le triomphe des gaullistes et de leurs alliés en 1958 – 378 contre 75 radicaux et socialistes –, beaucoup plus spectaculaire que le succès des socialistes en 1981 – 289 socialistes et apparentés contre un peu plus de 150 députés de la droite. Victoire impressionnante, mais sûrement pas inattendue. La chute du socialisme en mars 1993 n'est que la chronique d'une défaite annoncée.

Annoncée par l'usure naturelle du pouvoir après douze années de règne sans partage, à peine entrecoupé par une cohabitation de deux ans, annoncée par des scandales à répétition, annoncée par une loi d'amnistie qui a semblé exonérer les hommes politiques des responsabilités communes et des lois de la République, annoncée surtout par le chômage. Toute l'année qui s'achève est placée, dans le monde entier, sous le signe d'une crise qui n'en finit pas et dont le premier effet est le chômage. La crise et le chômage frappent la France plus durement encore que les États-Unis, où se manifestent les premiers signes d'une reprise encore timide, ou que l'Allemagne, pourtant handicapée par le prix, plus lourd que prévu, de la réunification. Les socialistes, M. Mitterrand, M. Mauroy, M. Bérégovoy, s'étaient engagés à faire baisser le chômage – ou au moins à le contenir. Leur échec entraîne leur rejet.

Ce rejet, si profond, a autant de motifs d'ordre moral que d'ordre économique. Les socialistes sont malades d'un chômage qui est le fruit d'une crise à laquelle ils ne peuvent pas grand-chose. Ils sont aussi malades d'une dégradation de leur image morale. À tort ou à raison, le nom de M. Fabius, ancien Premier ministre, ancien président de l'Assemblée nationale, est mêlé au scandale du sang contaminé. Le nom de son successeur à la présidence de l'Assemblée, M. Henri Emmanuelli, est mêlé à des affaires de financement occulte du PS. Le Premier ministre lui-même, M. Pierre Bérégovoy, est poursuivi par une affaire de prêt consenti par M. Roger-Patrice Pelat, ami intime de M. Mitterrand. Il semble que M. Mitterrand, qui avait pris avec vigueur la défense de M. Nucci, de M. Emmanuelli, de M. Pelat, plus tard de M. Tapie, dont le nom, flanqué de celui de l'OM, allait retentir d'un bout à l'autre de l'année, n'ait pas couru avec la même ardeur au secours de M. Bérégovoy, dont le suicide, le 1er mai 1993, allait bouleverser le pays. Ajouté à la fatigue des Français devant un pouvoir qui s'éternisait, tout cela, la crise, le chômage, les affaires, a créé pour le parti en place le climat le plus détestable. La chute était attendue. Ce qui étonna, ce fut son ampleur.

L'avenir du parti vaincu

Du coup, l'année 1993 a vu le parti socialiste passer, lentement mais sûrement, de la tutelle de M. Mitterrand à la direction de M. Rocard. Dès février, M. Rocard, à Montlouis-sur-Loire, avait prononcé un discours où il appelait « à une rupture pour accomplir une renaissance » et « à un vaste rassemblement » destiné à jouer au milieu des années 90 le rôle que le programme commun avec les communistes avait joué à la fin des années 70 et au début des années 80. Le 23 octobre, après une foule de psychodrames internes au PS, de coups de force ou de théâtre, de péripéties de toute sorte, Michel Rocard est élu premier secrétaire du parti socialiste. Il succède à François Mitterrand, qui avait succédé à Guy Mollet, et, dans des circonstances affreusement difficiles qui rendent aléatoire toute prévision, sur son avenir et sur celui de son parti, il reprend le flambeau qu'avait porté avant lui un Jaurès ou un Blum. Le candidat potentiel pour 1995 est devenu candidat officiel. Dans un parti naguère dominant et aujourd'hui sinistré, seule rôde encore autour de lui l'ombre de Jacques Delors.

D'un bout à l'autre de 1993, le problème pour la gauche décimée est celui qui avait miné si longtemps la droite dans l'opposition : le manque d'unité et de cohérence. L'échec génère toujours des ruptures. Entre M. Chevènement et les autres socialistes, entre M. Rocard et M. Fabius, entre M. Lang et M. Badinter, rien ne va plus. Et l'absence d'affection entre Mitterrand et Rocard n'est un secret pour personne. Franz-Olivier Giesbert rapporte dans son dernier ouvrage la liste fournie par le président, peut-être en matière de plaisanterie, mais en tout cas révélatrice, de ceux qui seraient capables de le remplacer : « 1er : Delors ; 2e : Léotard ; 3e : Barre ; 4e : Giscard ; 5e : Chirac ; 6e : mon chien ; 7e : Rocard. » La liste, évidemment caduque, date de quelques années. C'est pourquoi n'y figure pas M. Édouard Balladur.

L'homme de l'année

M. Édouard Balladur est à coup sûr, en France, l'homme de l'année 1993. Dès avant les élections de mars, son nom s'impose dans l'opinion comme celui du futur Premier ministre et, comme en 1986 avec M. Jacques Chirac, le choix du président ne fait qu'entériner le choix des électeurs. Balladur était en 1986 le théoricien d'une première cohabitation qui n'a pas bien fini pour la droite puisqu'elle s'est terminée par le retour de la gauche. Il est en 1993 le scénariste, le metteur en scène, la vedette incontestée de la deuxième cohabitation. Cette cohabitation avec un président socialiste est en même temps une cohabitation entre les différentes tendances de la nouvelle majorité. Le gouvernement qu'il compose fait la part belle aux centristes : à la surprise de beaucoup, qui attendaient la part du lion pour la formation du Premier ministre, c'est un gouvernement RPR à dominante UDF. Sur les quatre ministres d'État, trois – Mme Simone Veil, M. Léotard, M. Méhaignerie – ne sont pas gaullistes. Seul M. Pasqua, deuxième des ministres d'État après Mme Simone Veil, est RPR. C'est lui d'ailleurs, tout au long de l'année, qui va être le vrai gagnant de la course à la popularité nationale. Appuyé sur les deux piliers de la sécurité et du contrôle de l'immigration, il répond aux vœux de ceux qui l'ont élu – et même des autres. Il est, derrière Balladur, l'homme de l'année bis.

Il ne manque pas de voix à droite pour reprocher à M. Balladur, fort pourtant du soutien de M. Pasqua, de mener une politique qui ne se distinguerait guère de celle de M. Bérégovoy. C'est que M. Balladur choisit, sinon la continuité – car il est franchement libéral et pas du tout socialiste –, du moins la concertation plutôt que la rupture. Il ne casse pas la vaisselle, il ne bouleverse pas le paysage, il ne se livre pas à une chasse aux sorcières, il ne provoque jamais le président, il mène une cohabitation douce. Mais il est le vrai patron. D'un bout de l'année à l'autre, sa cote de popularité stupéfie les journalistes. On dirait qu'il y a les événements d'un côté – la crise, le chômage, les grèves, le découragement, qui restent des éléments importants de l'année, au point qu'il serait possible de renverser la phase liminaire de ce bilan de fin d'année : « la gauche est partie, Balladur est arrivé et la crise a continué » – et le Premier ministre de l'autre, impavide, intouchable et comme déconnecté de tourmentes qui ne parviennent pas à l'ébranler. Personne ne sait ce que peut nous réserver 1994, mais en 1993 en tout cas la deuxième cohabitation a tourné franchement à l'avantage de M. Balladur. Non que le président ait été écrasé ni qu'une rupture se soit produite avec lui : Édouard Balladur est trop habile pour couper tous les ponts. Simplement, comme prévu par la Constitution, le Premier ministre détermine et conduit la politique de la nation.

La reprise, Arlésienne tant espérée

Le succès des privatisations et l'énorme succès de l'emprunt Balladur confirment les sondages : courtois mais implacable, apparemment absent et prodigieusement présent, costume rayé et main de fer, M. Édouard Balladur est aussi ou plus populaire que M. Pinay, que M. Mendès France, que M. Chaban-Delmas, qui ont été, dans leur temps, des champions de la popularité. Dans l'ivresse de la victoire de mars, des Cassandre murmuraient déjà que le résultat des législatives était un cadeau empoisonné par la violence de la crise et que l'automne serait chaud. L'automne n'a pas été une promenade de santé pour le gouvernement. Les licenciements, les grèves, les manifestations de fonctionnaires et d'étudiants, le conflit d'Air France surtout, long et dur, se sont succédé sans répit.

Dès les premiers jours de l'année, M. Balladur lui-même avait rendu public dans *Le Figaro Magazine* un document sur « Le véritable état de la France » et il ne dissimulait pas les difficultés de sa tâche. Plus que contre lui, d'ailleurs, les manifestations de l'automne semblaient se dérouler plutôt contre la nature des choses : contre la crise et contre le chômage. Le chômage, dans la première partie de l'année, avait été une des causes de la chute du gouvernement socialiste. Dans la dernière partie de l'année, il reste le grand défi lancé au gouvernement de M. Balladur.

Une des clés de 1993, c'est qu'on ne croit plus beaucoup au père Noël. Là où ils ont été essayés, le communisme a échoué, le socialisme a échoué, le nationalisme a échoué, le protectionnisme a échoué. On veut bien essayer le libéralisme, qui est peut-être moins désastreux que les autres systèmes, mais on ne lui fait pas une aveugle confiance.

On attend plutôt Godot – c'est-à-dire la reprise, Arlésienne tant espérée et toujours un peu mythique. Un des traits cachés, mais pourtant évidents, de 1993, c'est qu'on y guette la reprise avec, selon les tempéraments, un désespoir affiché, une espérance ironique, un fatalisme lassé. On a fini par apprendre qu'aucun pays n'est seul au monde. Ce n'est pas tellement le régime en place que l'environnement international qui est le facteur décisif. M. Balladur essaie de colmater les brèches dont il n'est pas responsable et de tenir comme il peut jusqu'aux premiers frémissements d'une reprise dont les signes avant-coureurs commencent à parvenir d'Amérique dans les derniers jours de l'année.

Le piège et le tremplin

La situation nationale est ici liée de très près à la situation internationale. 1992 avait été l'année de Maastricht. 1993 est l'année du Gatt. Les choix fondamentaux pour la politique intérieure sont des choix de politique extérieure. À l'intérieur, il est permis de se passionner pour la querelle des 32 heures :

vaut-il mieux travailler moins pour partager le travail disponible – ou une réduction du temps de travail nous affaiblira-t-elle encore davantage en face des pays nouveaux, notamment dans le Sud-Est asiatique, dont les produits nous envahiront avec plus de vigueur encore et détruiront encore plus d'emplois ? La vraie, la seule réponse aux problèmes apparemment insolubles de l'emploi est dans la reprise de la croissance. Elle est liée à la fin de la crise dans le monde et à l'organisation du commerce international. D'où l'importance du Gatt et des débats autour de lui.

Dans son discours de politique générale, le Premier ministre avait parlé de l'« exemple français ». Au fil des jours de l'automne de 1993, l'« exemple français » est devenu, dans la bouche de beaucoup, l'« exception française ». La culture avait été le point fort des gouvernements socialistes, et peut-être l'agriculture leur point faible. L'« exception culturelle » et le sort des agriculteurs français auront été au premier rang des préoccupations du gouvernement Balladur à la fin de 1993. M. Balladur avait dénoncé « le piège » des négociations du Gatt. Il a multiplié les consultations, il a fait preuve à la fois de souplesse et d'énergie, il a réussi à sortir du piège sans y laisser trop de plumes et en se forgeant sans doute l'image d'un homme d'État. Artiste de la stratégie au bord du gouffre, il n'a pas son pareil pour transformer l'obstacle en tremplin. Tout au long de 1993, Édouard Balladur, en bon judoka, a pris appui sur les problèmes et les difficultés pour mieux rebondir et s'élever.

Il s'est élevé si haut qu'à la fin de 1993, au moment où le début de la campagne de 1995 n'est plus qu'à quelque douze mois, Édouard Balladur s'installe avec aisance dans le peloton restreint des présidentiables. Il n'est pas le seul. Jacques Chirac est là, assuré de l'estime, de la fidélité, de l'affection des siens – parmi lesquels Balladur : un affrontement Chirac-Balladur n'est sans doute qu'un fantasme nouveau à l'usage des médias. Giscard et Barre ne sont pas très loin, avec, l'un et l'autre, leur intelligence si brillante. Et, de l'autre côté, Rocard, qui force l'estime et la sympathie. Et Jacques Delors, dont la stature internationale ne fait de doute pour personne. Qui a dit que le personnel politique était discrédité en France ? En France, à la différence de l'Italie, 1993 pourrait bien marquer, à travers Bal-

167

ladur et en grande partie grâce à lui, une remontée de l'image des dirigeants politiques. À droite et à gauche, en tout cas, contrairement à ce qu'ils pensent volontiers et aux caricatures, souvent amusantes, du « Bébête Show » et des « Guignols de l'info », les Français ne manquent pas d'hommes de valeur que beaucoup d'étrangers peuvent nous envier.

Le combat de la confiance contre le découragement

C'est un mince rai de lumière dans une année difficile. Avant et après le bouleversement de mars, 1993 est une année de grisaille, de marasme, de faillites, de dépôts de bilan, d'inquiétude devant l'avenir. On dirait que Balladur flotte tout seul au-dessus d'une mer de tempêtes.

Les Français ont peur du futur. Ils craignent pour leur emploi, pour leur niveau de vie, pour leur place dans le monde. La première tâche du gouvernement Balladur a été d'essayer de leur rendre un peu de confiance en eux-mêmes et dans leur avenir. Il s'est efforcé de rassembler les Français et de leur redonner une espérance justifiée par des faits qui sont encore tapis assez loin dans le futur. Nous ne saurons que dans les années qui sont encore devant nous s'il y a réussi.

Le Figaro, 30 décembre 1993

1994

L'ombre de Delors

Ainsi, Mitterrand l'a emporté sur Rocard. L'histoire récente du PS se confond avec la rivalité Rocard-Mitterrand. Il y a peut-être encore une gauche et une droite, mais les hostilités, et parfois les haines, à l'intérieur de la gauche ou à l'intérieur de la droite sont souvent plus fortes que les oppositions entre gauche et droite. Mitterrand n'avait nommé Rocard à Matignon que pour mieux l'abattre. Rocard s'était vengé, au lendemain de la déroute socialiste de mars 1993, en arrachant le PS des mains de Laurent Fabius, le dauphin bien-aimé. Ce que l'échec socialiste avait fait après les législatives, l'échec socialiste l'a défait après les européennes. Mitterrand a ouvertement soutenu Tapie qui a pris à Rocard les 5 ou 6 points fatidiques qui auraient tout changé. Rocard n'aura dansé qu'un seul hiver. Ce qui lui échappe, ce n'est pas seulement la direction du PS. C'est aussi, évidemment, la candidature à l'élection présidentielle. Pour la deuxième, pour la troisième fois, pour la quatrième fois, l'ombre de Mitterrand est passée sur Rocard.

Le remplacement de Rocard par Emmanuelli à la tête du PS constitue un virage à gauche. Le but de Rocard était une nouvelle alliance, une grande coalition capable de mordre sur ce centre où se gagnent les batailles. Après son échec aux européennes, l'arrivée d'Emmanuelli prend la signification d'un retour à la rigueur idéologique et à l'ancrage à gauche.

Apparemment, il n'y a rien là pour séduire un Jacques Delors catholique et social-démocrate. Delors s'entend sans doute mieux avec Rocard qu'avec Emmanuelli. Que peut bien signifier alors, dans la perspective décisive de l'élection présidentielle, la prise en main du PS par Henri Emmanuelli ? Un isolement accru d'un parti socialiste pur et dur ? La destruction du parti par François Mitterrand ? Une impasse machiavélique sur la présidentielle de 1995 en vue de l'élection de l'an 2002 ? Une sorte de suicide programmé ? C'est la conviction des rocardiens désabusés, telle que l'exprime, par exemple, un Jean-Paul Huchon, proche de Michel Rocard.

En vérité, la seule espérance des amis d'Henri Emmanuelli est dans une candidature Delors aux présidentielles. Seule, cette hypothèse, encore douteuse, est capable de donner un sens à l'opération qui vient de se dérouler sous les yeux enchantés de François Mitterrand. Il n'est pas sûr que Jacques Delors veuille se porter candidat. Son âge, sa santé, les risques d'une candidature peuvent le faire réfléchir. Il est probable que Jacques Delors sera moins populaire après une campagne de quelques semaines qu'avant. Mais la pression qui va s'exercer sur lui va être exceptionnellement forte. Les amis de Mitterrand et les amis d'Emmanuelli vont lui chanter sur tous les tons qu'il est le seul à pouvoir porter avec quelque chance de succès les couleurs de la gauche. Delors quitte ses responsabilités européennes à la fin de l'année. Juste à temps pour sauver la gauche. Pourra-t-il résister au chant de séduction et d'angoisse des sirènes ?

La conjonction Emmanuelli-Delors, qui est plutôt une opposition, sera alors redoutable. Avec un PS ancré à gauche, le candidat à la présidence pourra déployer librement tous les charmes de la social-démocratie et mordre sur le centre pendant qu'Emmanuelli défendra les valeurs de la gauche radicale. Mitterrand avait réussi, à lui tout seul, à fédérer la gauche, des communistes au centre gauche. Ses successeurs, sa petite monnaie, devront s'y mettre à deux : Emmanuelli pour la fermeture et la rigueur doctrinale, Delors pour l'ouverture et la séduction européenne.

Irresponsable foisonnement

Le danger sera alors considérable pour la majorité actuelle. La chute de Rocard modifie du tout au tout le paysage politique. Elle n'est pas tout à fait inattendue, mais tout se passe, du côté de la majorité, comme si elle n'avait pas encore eu lieu. Puisque les sondages donnaient la majorité victorieuse contre Rocard dans tous les cas de figure, allons-y gaiement. Au moment même où l'ombre de Delors apparaît derrière Emmanuelli, les candidatures se multiplient à plaisir dans la majorité. On n'en est plus à deux ou à trois, mais à quatre, à cinq, à six. Il suffit que l'irresponsable foisonnement se poursuive tout l'été et tout l'automne dans la majorité pour que l'espoir change en effet de camp. Le PS a tout avantage à reprendre les choses en main en silence jusqu'à la fin de l'année et à faire rentrer au bercail les pures brebis échappées. Au début de l'année prochaine, quatre mois à peine avant l'élection décisive, Delors surgit, calme, rassembleur, légèrement ennuyeux, tout auréolé d'une réputation européenne et lointaine, pour faire à la droite du PS tout le travail qu'Emmanuelli aura déjà fait à sa gauche. Alors, la simplicité et la force de la stratégie seront tout entières du côté du PS. Et les coups tordus et les rivalités et les incertitudes du côté de la majorité.

C'est aujourd'hui, avec l'élection d'Henri Emmanuelli à la tête du PS et l'ombre, encore douteuse mais rôdant déjà au loin, de Jacques Delors, que se mettent en place des périls que la majorité ferait bien de mesurer avant qu'il ne soit trop tard. Il ne faudra pas venir pleurer dans dix mois si on continue à se conduire, dans la majorité, comme on le fait aujourd'hui.

Le Figaro, 26 juin 1994

Perplexité

Il y a quelqu'un, dans la majorité, de plus nul que tous les autres : c'est moi. Voilà plusieurs mois que je clame à tous les vents que Jacques Delors, après un long et savant suspense, va naturellement se présenter à la présidence de la République. Toutes les rumeurs qui courent dans un Paris fiévreux murmurent que Delors aurait décidé de ne pas se présenter. Jacques Chirac, qui a toujours soutenu cette thèse, aurait donc raison. Et, moi, j'aurais tort. D'avance, et à toutes fins utiles, je présente au maire de Paris mes félicitations les plus vives et mes excuses les plus plates.

Ce doute croissant sur la candidature de Delors, que signifie-t-il ? Il signifie d'abord que, grâce peut-être aux qualités médiatiques cachées de Jacques Delors – ou grâce, peut-être, par une singulière ironie, à son défaut principal : l'hésitation –, le candidat surnaturel de la gauche est devenu le pivot de toute conjoncture politique. Il inaugure une catégorie nouvelle dans la vie publique : celle de l'homme providentiel dont personne ne sait encore s'il le sera et qui s'en réjouit, celle du chevalier blanc, ou rose, qui brille surtout par son absence. Delors ou le chevalier invisible, Delors ou le baron perché de la politique française. Quel succès ! Quel triomphe ! Le drame, pour lui, sera de sauter de son arbre et de sortir enfin de cette situation si enviable. On comprend qu'il la fasse traîner. L'idéal, pour lui, serait de la prolonger jusqu'à la date de l'élection. Ou, mieux encore, au-delà.

Le silence à deux temps de Jacques Delors – premier temps : « Je ne sais pas, je me tâte, ne me tourmentez pas, j'hésite » ; deuxième temps : « Je sais enfin, mais je ne dirai rien » – fait que la France tout entière joue à un jeu étonnant : un jeu dont personne ne peut dire si ce sera la belote, le bridge, la pétanque ou les barres. Delors présent ou Delors absent, la conjoncture politique se modifie du tout au tout.

Le vent du boulet

Il y a encore deux ou trois mois, la majorité était triomphante : elle cherchait à la loupe un adversaire à sa taille. La présence absente de Delors a plongé la majorité dans le chagrin et la honte que l'on sait : divisions, déchirements, rivalités, vent du boulot. Qu'amènerait donc son absence définitive ?

À première vue, la consternation dans le camp de la gauche, un immense soulagement dans le camp de la majorité. Regardons-y

172

d'un peu plus près. La situation de la gauche, en effet, ne serait pas brillante. Michel Rocard ? Henri Emmanuelli ? Jack Lang ? Pierre Mauroy ? Laurent Fabius ? La fille du regretté absent ? Le bordel, si l'on ose dire, changerait enfin de crémerie. On leur souhaite bien du plaisir.

Mais la situation de la majorité en serait-elle plus reluisante ? L'avantage de Delors, c'était qu'il représentait une menace telle qu'il pouvait finir par faire régner, dans les grincements de dents, une sorte de cohésion forcée – à laquelle s'attache, parmi beaucoup d'autres, un Pasqua, un Juppé, un Sarkozy – dans les rangs de la majorité. Le chevalier perché envolé, la bagarre reprendrait de plus belle dans notre majorité bien-aimée. Les plus optimistes – ou les plus pessimistes ? – pourraient aller jusqu'à espérer une bataille au second tour entre deux représentants de la majorité. Je n'irai pas jusqu'à suggérer que l'hypothèse de diviser encore un peu plus profondément une majorité incorrigible pèserait dans la décision de Delors de ne pas se présenter. Ce serait prêter un machiavélisme un peu trop diabolique à un socialiste qui est d'abord un chrétien. Mais on pourrait soutenir qu'il vaudrait mieux, pour la cohésion de la majorité, que Delors se présentât.

On le voit, ce qui a succédé au chagrin et à la honte, c'est la perplexité. On n'est même plus désespéré : personne ne sait plus où on en est, personne ne comprend plus rien. Jamais silence n'a fait plus de bruit. Il en fait même tellement qu'on hésite à le rompre avec un article. Pourquoi tâcher de deviner les règles d'un jeu dont on ignore la nature ? Tant que Delors n'aura pas parlé – on a presque envie de préciser : tant qu'il n'aura pas avoué –, inutile de rien dire. On comprend que tant de pouvoir – en creux – monte un peu à la tête d'un candidat non déclaré dont la seule déclaration – dans un sens ou dans l'autre – risque de lui faire perdre d'un seul coup tout l'attrait du mystère. Delors illustre la version politique de la fameuse formule sur l'amour : « Le meilleur moment, c'est quand on monte l'escalier. » Mais quoi ! S'il se tait, taisons-nous. On parlera quand il parlera. On s'intéressera à nouveau aux règles du jeu politique quand on saura à quel jeu on joue.

Le Figaro, 10-11 décembre 1994

De Delors à Tapie

Un refrain constant de la gauche est qu'il n'y a pas de sauveur suprême. Elle le dit dans ses discours, elle le crie dans les rues, elle le chante dans ses chansons. Un des motifs majeurs de son opposition au général de Gaulle, incarnée par François Mitterrand, était précisément le caractère providentiel de l'homme du 18 juin. Jacques Delors apparaît pourtant, dans les regrets de la gauche, non seulement comme un homme providentiel, mais, circonstance aggravante, comme un homme providentiel qui n'a pas eu l'occasion de démontrer qu'il était. C'est un homme providentiel putatif, un homme providentiel rétrospectif, un homme providentiel en creux. Il tenait, dans l'imaginaire collectif, la gauche à bout de bras. Il la lâche. Elle s'écroule.

Hommage rendu au grand homme dont l'éloignement pour le pouvoir tranche avec éclat sur la ruée vers le pouvoir manifestée par tant d'autres, rythme cardiaque de retour à la normale et toutes larmes séchées, il faut bien s'étonner que le sauveur évanoui de la gauche fût un social-démocrate chrétien qui, outre les motifs personnels, a expressément donné comme raison de son refus l'absence de soutien des centristes. Surprenant, mais logique. Tout programme commun de la gauche à la façon Mitterrand était exclu pour Delors, parce que le thème dominant de l'Europe fédéraliste séparait avec violence les communistes des socialistes. Malgré la présence à la tête du PS d'un Henri Emmanuelli dont l'ambition reste d'ancrer le parti le plus à gauche possible, Jacques Delors n'avait pas d'autre choix que de guetter un signe des centristes. Ce signe n'est pas venu. Delors, qui n'était pas certain d'être candidat, n'était pas certain d'être élu. Pis encore : s'il était élu, il n'était pas certain – à tort, peut-être ? – d'être capable de provoquer cette révolution des esprits qui bouleverse les paysages politiques. Il n'était pas sûr du pays, et il n'était pas sûr de lui.

L'étrange est que, Delors à peine disparu de la scène, un autre social-démocrate, un autre centriste, un autre homme de gauche qui ne se reconnaît pas dans le PS tel qu'il est, vient l'occuper tout entière jusqu'à ce qu'il soit mis en liquidation

174

judiciaire. Après Delors, Tapie. Le coup est rude pour le PS. Inutile d'insister : tout oppose les deux hommes. Tout, sauf une chose : l'un et l'autre veulent sauver la gauche par le centre. L'un et l'autre se méfient d'un PS qu'ils entendent sauver presque malgré lui. À quel spectacle assistons-nous ? À peine se sont-ils détournés de Delors, dont on peut penser ce qu'on veut, mais qui est un honnête homme et qui voit haut et loin, que les projecteurs de l'actualité n'en ont plus que pour Tapie. Tapie après Delors ! Le contraste est un peu fort. Le PS est-il tombé si bas qu'il en soit réduit à se jeter dans les bras du premier sauveur venu ? Il semble que seul un centriste providentiel, quel qu'il soit, d'où qu'il vienne, soit capable de tirer de l'abîme qui le guette un parti socialiste en perdition.

On avait dit que Mitterrand laisserait le parti socialiste dans l'état où il l'avait trouvé. La prédiction est à peu près accomplie. Rocard, détruit, Delors, évanoui, voici pour quelques heures. Tapie en sauveur suprême. Le parti de Jaurès, de Blum, de Rocard aussi, et de Delors, n'en méritait pas tant

Je ne suis pas socialiste. J'imagine les sentiments de bon nombre de socialistes. J'imagine surtout ce que peuvent penser les Français ni de droite ni de gauche qui contemplent les ruines. Que voient-ils ? Une droite et une gauche également rongées par les affaires, également dépourvues de grands projets, également décervelées par la télévision qui les trimbale à son gré, également hagardes devant un avenir qu'elles ne contrôlent plus. Le deuxième septennat ne se termine pas bien.

Le Figaro, 15 décembre 1994

Une année glauque

Il y a des années triomphantes où la patrie est libérée, où des hommes vont marcher sur la Lune. Il y a des années sinistres où le territoire national est occupé, où la guerre civile couve dans les esprits et les cœurs. Avant-dernière année du second septennat de M. François Mitterrand, 1994 aura été une année un peu grise, un peu médiocre, une année un peu glauque, marquée par les scandales et par les divisions. Peut-être aussi une année shakespearienne, pleine de bruit et de fureur, avec des ascensions fulgurantes et des chutes retentissantes sous le regard encore vif, mais déjà marqué par la douleur, d'un roi Lear vieillissant.

Toutes les années, on commence à le savoir, sont toujours des années charnières. Il est tout de même permis de soutenir que 1994 est une année de transition. Pourquoi ? Parce que c'est la dernière année de cohabitation entre François Mitterrand, élu de la gauche, et un gouvernement de droite. Et aussi, et surtout, parce que 1994 est coincée entre 1993 qui a vu, aux législatives, la défaite écrasante du socialisme au pouvoir depuis de longues années et 1995 qui verra une autre élection, et cette fois-ci décisive : l'élection présidentielle. Peut-être pourrait-on suggérer que la première partie de l'année en train de s'écouler se situe encore dans le prolongement des élections législatives perdues par les socialistes et que la seconde partie est déjà comme aimantée par la lointaine perspective de la présidentielle de 1995.

Une année rude pour le président

L'année entière est tout naturellement dominée par les deux hommes dont dépend le destin du pays : le président de la République et le Premier ministre. Les deux hommes ne s'entendent pas trop mal. À la différence de la première, la seconde cohabitation se passe sans drames, presque sans heurts. De temps en temps, une flèche est décochée par l'Élysée en direction de Matignon, une pierre tombe dans le jardin d'un Premier ministre dont le flegme quasi britannique est une vertu majeure. Rien de très grave. Au moins jusqu'à ces tout derniers jours – car l'échéance présidentielle approche et la tension monte – l'attelage fonctionne.

On pourrait presque soutenir que, dans cette année de grâce et de disgrâce de 1994, les périls pour le président et pour le Premier ministre viennent plutôt de leurs amis que de leurs adversaires. Ce n'est pas tant de l'autre que chacun doit se méfier – c'est d'abord de soi-même – et surtout de ses proches.

L'année a été rude pour le président de la République. Sa santé s'est dégradée, l'âge a commencé à se faire sentir, ses fidèles l'ont lâché. La santé de François Mitterrand fait l'objet de rumeurs depuis les débuts du premier septennat. Voilà douze ans que les gens bien intentionnés, et soi-disant bien informés, laissent entendre qu'il est mourant – et il n'est pas mort. Ces derniers mois, pourtant, les alertes se sont succédé. Il a dû se soumettre, en juillet, à l'hôpital Cochin, à une seconde opération. La convalescence a été longue et un peu difficile. Il arrive aux Conseils des ministres d'être légèrement écourtés. Les années et son corps se rappellent brutalement au souvenir du président de la République.

Éprouvé dans son corps, il l'est aussi dans sa vie privée et dans ses amitiés. On meurt beaucoup autour de lui. Et on se suicide. Aussi proche du président que Pelat ou Bérégovoy. François de Grossouvre choisit de se donner la mort, au printemps, dans le palais même de l'Élysée. C'est un scandale, mais il y a longtemps que les scandales ne suffisent plus à ébranler les palais présidentiels.

Les épreuves de la majorité

Une autre forme de scandale est délibérément déclenchée par le président lui-même. À la suite de la parution d'un livre sur sa jeunesse, peut-être pour reprendre l'initiative lui-même, peut-être pour se mettre en règle avec sa propre vie. François Mitterrand fait sur ses relations avec le régime de Vichy des révélations qui n'en sont pas, mais qui suffisent à bouleverser, plus encore que ses ennemis, pas mal de ses amis. D'autant plus qu'il semble bien qu'il ne dise pas tout sur ses liens assez étroits avec René Bousquet, au cœur d'un débat brûlant. Une sorte de crise de conscience à l'égard de François Mitterrand, de sa jeunesse, de sa francisque, de ses amitiés avec des collaborateurs, agite les esprits de la gauche.

Rien de tel, en début d'année, avec Édouard Balladur. Il vole, dans les sondages, de triomphe en triomphe. En janvier 1994, dans la perspective de l'élection présidentielle de 1995, un sondage de la Sofres donne 44 % au Premier ministre, 27 % à

Jacques Delors, 23 % à Chirac, 21 % à Rocard. Viennent loin derrière Raymond Barre, Charles Pasqua et Valéry Giscard d'Estaing. Balladur est intouchable et l'emporte sur tous les autres dans tous les cas de figure.

L'échec du projet de contrat d'insertion professionnelle (CIP) constitue une première alerte. Mais ce sont surtout les affaires financières, où sont compromis des membres du gouvernement, et les divisions de la majorité qui affaiblissent, au fil des mois, comme il l'avait d'ailleurs lui-même et d'avance annoncé, la position, apparemment inexpugnable, du Premier ministre dans les sondages d'opinion.

Coup sur coup, en juillet, en octobre, en novembre, Alain Carignon, ministre de la Communication, Gérard Longuet, ministre de l'Industrie, Michel Roussin, ministre de la Coopération, sont contraints à la démission. Un climat très lourd d'incertitude et de suspicion entoure le gouvernement. Des rumeurs, non vérifiées, se mettent à courir sur une quatrième, sur une cinquième démission. Les scandales financiers avaient gravement compromis les socialistes au pouvoir. Voilà que d'autres scandales, mais les mêmes, menacent le gouvernement issu des élections de 1993.

Les épreuves du Premier ministre ne s'arrêtent pas là. À mesure que s'approche l'échéance fatidique de l'élection présidentielle, des divisions meurtrières s'installent dans la majorité. Un accord avait beau être intervenu naguère sur l'unité de candidature au sein de la majorité, toutes ces belles promesses explosent devant le mirage du pouvoir suprême. Charles Pasqua essaie bien, avec une énergie farouche, de défendre le projet de primaires qui avait été envisagé, les ambitions personnelles sont les plus fortes. Les primaires sont écartées. Les noms de Balladur, de Chirac, de Giscard, de Barre, de Pasqua, de Léotard, de Millon, de Monory, de tant d'autres sont prononcés pêle-mêle. On va vers un émiettement des candidatures qui touche à la caricature. Un vertige, mêlé de désespoir, s'empare des électeurs de la majorité. Pour mettre fin au malaise, et pour prendre les devants, Jacques Chirac annonce sa candidature au début de novembre. Entre Édouard Balladur et Jacques Chirac, amis de vieille date, complices, en des termes différents, de la première et de la seconde cohabitation, s'instaurent des relations d'antagonisme et de rivalité qui font craindre le pire pour la majorité en 1995.

Le jeu de massacre de la gauche

Si la droite apparaît, en 1994, comme le lieu d'une foire d'empoigne, la gauche offre le spectacle d'un curieux jeu de massacre. L'affaire commence au mois de juin avec les élections européennes. Elles voient le succès de Philippe de Villiers et de Bernard Tapie, francs-tireurs de la majorité et de l'opposition, une performance très moyenne de Dominique Baudis et un échec cruel de Michel Rocard, qui n'atteint pas 15 %. De même que le résultat médiocre de Baudis est dû en grande partie à la percée de Philippe de Villiers, le mauvais résultat de Rocard est évidemment la conséquence de la candidature Tapie encouragée en sous-main, et presque ouvertement, par le président de la République. Mitterrand n'aime pas Rocard. Il ne l'a nommé Premier ministre que pour l'affaiblir. Il l'achève en 1994.

Les conséquences de l'échec de Rocard aux européennes ne se font pas attendre. Huit jours à peine plus tard, Rocard perd au profit d'Henri Emmanuelli la direction du PS. Le parti socialiste prend une orientation sensiblement plus à gauche et Rocard cesse, du jour au lendemain, d'être le candidat virtuel et naturel du PS à l'élection présidentielle.

Le paradoxe est qu'à peine Rocard éliminé par un PS qui met la barre à gauche avec vigueur commence l'irrésistible ascension vers la magistrature suprême d'un Jacques Delors social-démocrate, catholique et modéré. Son atout principal est que tout le monde l'a vu de loin et que personne ne l'a vu de près. Il n'est pas mêlé aux affaires intérieures du pays. Il occupe à Bruxelles un poste prestigieux qui lui vaut statut de chef d'État. Il est ultra-européen, ce qui pourrait être un handicap dans un pays qui se partage à peu près également entre partisans et adversaires de Maastricht. Mais tout réussit à Jacques Delors et Maastricht le gêne aussi peu que l'extrémisme d'Emmanuelli. Il gagne sur tous les tableaux, il ne perd sur aucun. En quelques mois, il rattrape Balladur, affaibli par Chirac, et il le dépasse. Vers la fin de l'automne, successeur aux yeux de la gauche du candidat naturel qu'était Michel Rocard, Jacques Delors apparaît comme un candidat surnaturel à qui tout réussit. Au début de l'année, on ne voyait personne qui pût même faire de l'ombre à Balladur. Au début de décembre, Delors apparaît comme pratiquement invincible. Quel retournement !

Un second retournement va se produire dans le retournement. Chacun a encore présent à l'esprit le soir du dimanche 12 décembre, où Delors annonce à la télévision qu'il ne sera pas candidat à l'élection présidentielle. C'est un coup de tonnerre et, à coup sûr, l'événement le plus dramatique de l'année.

À peine Delors forfait, Bernard Tapie vient offrir ses conseils et ses services à un PS groggy. Pas pour longtemps. En même temps qu'il parade avec un aplomb stupéfiant dans la presse et à la télévision, le filet de la justice se referme sur lui. Il sera inéligible – ce qui ne signifie pas qu'il ne pèsera pas de tout son poids sur les élections où il ne pourra pas se présenter. Il endosse avec une espèce d'allégresse le costume de l'exclu au service des exclus. C'est un émule d'Ouvrard ou d'Oustric[1], pour ne pas prononcer le nom de Stavisky, sous le masque du populisme.

Deux champs de ruines

Ainsi, au terme d'une année qui a vu successivement le règne d'Édouard Balladur et le déclin de Mitterrand, la chute de Rocard et le triomphe de Delors, puis l'évanouissement spectaculaire de Delors et les démêlés judiciaires de Tapie, deux champs de ruines symétriques s'étendent à droite et à gauche dans le jardin de la France. À droite, le trop-plein des ambitions a eu raison de la volonté affichée des électeurs de la majorité de voir naître et prospérer une candidature unique. À gauche, la destruction successive, externe ou interne, de Rocard et de Delors crée un vide vertigineux que Bernard Tapie ne peut plus combler, que Pierre Mauroy ou Martine Aubry ne veulent pas

---

1. Gabriel Julien Ouvrard (1770-1846) était un financier fameux, qui fit fortune sous la Révolution et finit ruiné, et Albert Oustric (1887-1971) un banquier dont la faillite frauduleuse fut retentissante.

combler et que Jacques Lang voudrait bien combler si ses amis, avant même ses adversaires, n'accumulaient pas les obstacles sur son chemin présidentiel.

Cette année si calme et un peu terne, agitée seulement par les affaires financières et par les querelles de personnes, aura ainsi connu une suite de coups de théâtre impressionnante. Pendant une première partie de l'année, le succès de la majorité ne fait de doute pour personne. Pendant une deuxième partie de l'année, le succès de la gauche avec Delors semble de plus en plus assuré. Dans la dernière partie de l'année, la gauche, veuve de tout candidat, ne sait plus à quel saint se vouer et laisse le champ libre aux querelles internes de la majorité.

Un coin de ciel bleu

Sous ces agitations dramatiques mais destinées à être oubliées assez vite, le gouvernement d'Édouard Balladur a poursuivi en silence une œuvre de redressement nécessaire. L'inflation a été contenue, les grands équilibres rétablis. Les problèmes de la Sécurité sociale et surtout du chômage sont très loin d'être réglés. Des fractures apparaissent de plus en plus évidentes au sein de la société. Mais, grâce à une reprise plus forte que prévu, il semble qu'un frémissement se fasse sentir, qu'un peu de confiance revienne. Ce n'est pas sous un régime de cohabitation que les grandes réformes nécessaires peuvent être entreprises et tout est gelé jusqu'à l'élection présidentielle. Peut-être, pourtant, est-il permis de déceler, sous le désarroi et la morosité, quelque chose, au loin, qui, en cette fin d'année plutôt morose, ressemble à l'espérance.

Le Figaro, 29 décembre 1994

1995

Les dures réalités d'une campagne

Une des critiques majeures qu'on a pu adresser à l'élection du président de la République au suffrage universel direct, c'est qu'elle divisait un pays déchiré par le premier tour, coupé en deux par le second tour. Que voyons-nous maintenant ? Une division qui, bien avant de s'installer dans le pays, s'installe d'abord dans chacun des deux camps. La gauche, après le retrait de Rocard et de Delors, n'en finit pas d'hésiter sur le nom de celui qui, après avoir survécu aux coups bas venus d'en haut et aux peaux bananes glissées sous ses pas, aura l'honneur d'être battu. La droite, n'ayant pas réussi à perpétuer l'éternel et insipide combat entre UDF et RPR, a réalisé ce chef-d'œuvre d'opposer l'un à l'autre deux compagnons du RPR.

Une immense majorité de la majorité réprouve ces divisions. Elle en souhaitait la fin avec ardeur, mais elle ne savait pas comment faire. Les primaires préconisées par M. Pasqua n'ont pas vu le jour. La solution a bien failli être imposée de force par M. Jacques Delors : seul M. Balladur avait une chance de le battre. Que se serait-il passé si Delors était allé au combat ? Il aurait bien fallu que la majorité choisisse pour l'affronter, et sous peine de désastre, le meilleur de ses champions. Mais M. Delors n'étant plus candidat, le danger s'éloigne et la bataille reprend, non seulement au sein de la majorité mais au sein du RPR.

182

Une bataille sentimentale

Cette bataille n'est pas seulement une bataille politique. Elle est sentimentale, et elle traîne derrière elle des effluves d'amitié rompue et des relents d'amertume. La rage prend beaucoup d'entre nous devant le gâchis politique d'une division meurtrière. Mais il y a aussi de la tristesse devant la cruauté des choses de la vie. Beaucoup d'entre nous avaient un double attachement pour Chirac et pour Balladur. Édouard Balladur et Jacques Chirac étaient des amis avant d'être des rivaux. C'est une situation qui peut prêter au comique et aux rires des amuseurs professionnels qui, beaucoup plus que les élus et autant que les juges, font et défont aujourd'hui les réputations politiques. C'est aussi un drame très classique qui ne manque pas d'une grandeur mélancolique et amère.

La vérité politique doit être regardée en face : depuis qu'il est installé à Matignon, M. Balladur, qu'on le veuille ou non, domine la situation et survole le débat. Pendant des mois et des mois, sa popularité, au zénith, a constitué un phénomène exceptionnel. La question qu'on se posait, rappelez-vous, c'était celle de savoir si un tel état de grâce était capable de durer. Et, en effet, à l'automne, l'ombre de M. Delors s'est étendu sur M. Balladur.

On ne reviendra pas ici sur le thème, pourtant fascinant, de la montée en puissance et de la chute volontaire de l'homme de Bruxelles acclamé par une France qui avait voté du bout des lèvres pour le traité de Maastricht. J'étais de ceux, je l'avoue, qui pensaient, très nombreux, que Delors se présenterait. J'étais aussi de ceux, plus rares, qui pensaient qu'il serait battu par Balladur – mais seulement par Balladur.

Delors disparu, Balladur a repris, comme si de rien n'était, sa marche triomphale. Il est vrai qu'il a été aidé : il a été aidé par l'issue quasi miraculeuse du détournement de l'Airbus d'Alger. L'intéressant dans l'affaire est qu'elle constitue comme une vérification pratique sur le terrain et comme une réponse à une critique souvent adressée au Premier ministre.

Parce que, à plusieurs reprises, notamment sur les lois scolaires ou sur le CIP dont personne ne se souvient déjà plus, le

Premier ministre avait fait marche arrière, on l'avait accusé de mollesse et d'indécision. Il a montré à Marignane[1] qu'il était capable, sans forfanterie, de fermeté et de décision. Les sondages ont traduit aussitôt une popularité encore accrue.

Il n'est pas exclu que Balladur ait de la chance ; est-ce un défaut ? On sait que Napoléon demandait à ceux qu'il voulait promouvoir s'ils étaient heureux, c'est-à-dire s'ils avaient de la chance. Le Premier ministre a de la chance. Et il sait en profiter.

Quelle que soit sa chance, les risques et les dangers ne font pas défaut sur son chemin. Tout le monde les connaît. Trois ministres contraints à la démission, c'est un coup dur pour un gouvernement. Mais l'intégrité personnelle de son chef n'est contestée par personne. Du déluge des affaires qui ont frappé à droite et à gauche, M. Balladur sort plus intact, et avec plus de raisons, que M. Mitterrand. Du coup, ce n'est pas seulement du côté des juges et des affaires que peuvent venir les périls, c'est aussi du côté des politiques qui ne se résignent pas à sa domination.

Un vide angoissant

C'est qu'à côté des attaques contre sa prétendue mollesse et son indécision surgissent des attaques contre sa dureté et sa volonté de pouvoir. Il n'est pas normal, entend-on murmurer, qu'un homme survole sans adversaires le champ de bataille politique. Quel scandale de voir un homme se détacher d'aussi loin ! À qui la faute ?

Personne n'empêche les adversaires de se déclarer. Rocard était un adversaire qui comptait et Delors était un adversaire qui comptait. Si personne n'émerge en leur absence, on ne peut pas en faire grief au Premier ministre. Le vide à gauche est si angoissant que des coups de main sont lancés à droite, avec le concours plus ou moins déclaré de la gauche, pour occuper les terrains vagues tombés en déshérence. Ce n'est un secret

---

1. C'est à Marignane, où était immobilisé l'avion, que le GIGN intervint – le Premier ministre Édouard Balladur ayant donné son feu vert – et dénoua la prise d'otages, le 26 décembre 1994. Voir « Entre guerre et paix », p. 110.

pour personne que, déçu par Tapie qu'il soutenait avec ardeur, lâché par Delors qu'il n'aimait pas mais auquel il se résignait, franchement hostile à Rocard, qu'il a contribué à abattre, Mitterrand ne verrait pas d'un mauvais œil une ascension de Raymond Barre qui mettrait un peu de désordre dans le camp de Balladur.

Et, appuyé sur de jeunes et brillants intellectuels, tel qu'Emmanuel Todd, Jacques Chirac tente de pousser ses pions en direction d'une gauche qui l'attire par son vide. On finirait presque, à droite, par s'affronter à fronts renversés : Balladur, qui représentait le lien du gaullisme avec les libéraux et le centre, se retrouvait pour un peu à la droite de Jacques Chirac, traité jadis avec beaucoup d'injustice et de mauvaise foi, de quasi fasciste par certains antigaullistes professionnels qui se retournent vers lui aujourd'hui.

Les paradoxes ne s'arrêtent pas là. Un des arguments avancés aujourd'hui contre Balladur ne porte plus sur un passé qu'on peut étudier, mais sur un avenir dont on ne sait rien : s'il est élu, susurre-t-on, le peuple descendra dans la rue. Peut-être pourrait-on suggérer aux adversaires du Premier ministre, qui ont bien le droit, après tout, de combattre son action, de choisir au moins entre les armes à leur disposition. Il est difficile d'accuser à la fois Balladur d'être tout seul sur le champ de bataille et d'avoir tout le monde contre lui. Il est difficile de l'accuser en même temps d'être si autoritaire qu'il appelle la révolte et si indécis qu'il n'impose jamais sa volonté.

Par la force des choses

Au-delà de toutes ces querelles subalternes, une évidence s'impose, qui n'échappe d'ailleurs pas aux observateurs étrangers qui n'ont pas le nez sur le détail de nos bagarres quotidiennes : après la querelle inepte et meurtrière entre Chirac et Giscard, qui a abouti à quatorze ans d'un règne néfaste pour la France et les Français, sur un plan économique qui a vu l'explosion de la pauvreté et sur un plan moral qui a vu l'explosion de l'hypocrisie affairiste, un troisième homme est apparu. Ce n'est pas Dieu sur la Terre, ce n'est pas un sauveur universel, ce n'est pas un meneur providentiel, ce n'est pas l'incarnation des forces du bien et de la lumière contre l'obscurité et les forces du mal. C'est un émule de la popularité de Pinay qui aurait la chance d'être gaulliste. C'est un héritier de Pompidou qui aurait réussi à avoir pour lui l'UDF et les centristes.

On lui a reproché d'avoir tardé à se déclarer. Quelle curieuse attaque ! *Listen who speaks* – et que Jacques Toubon me pardonne ! A-t-on déjà oublié que, sous les acclamations des foules admiratives, M. Mitterrand a annoncé naguère sa candidature, après un suspense infernal qui ne trompait que les imbéciles, un mois à peine avant l'élection ? Il n'est pas bon d'entrer trop tôt dans l'arène, surtout quand on exerce le pouvoir.

Mais supposons un instant que M. Balladur, dans quelques jours, vienne nous dire solennellement, comme M. Delors hier, que, toute réflexion faite, il n'est pas candidat. Quel coup de tonnerre pour tous ! Quelle déception pour beaucoup ! Je ne suis même pas sûr que Jacques Chirac bénéficierait d'un tel tremblement de terre.

Édouard Balladur n'est pas vraiment l'image de l'ambition à la conquête du pouvoir à tout prix. Il y est porté, je ne dis pas malgré lui, ce qui ne serait pas bon signe pour un homme politique, mais par la force des choses. Il rassure. Il rassemble plus que personne. Il est peut-être le seul à être capable de rendre un peu d'espérance à un pays qui en manque cruellement. Pour tout esprit non prévenu, sa candidature n'est le fait ni d'un appétit démesuré, comme on le murmure à droite, ni, comme on essaie de nous le faire croire à gauche, d'une résignation lassée. Ce n'est pas un moindre mal. C'est une évidence.

Le Figaro, 16 janvier 1995

Larmes à gauche

L'histoire est capricieuse et cruelle comme une fille de seize ans. Rappelez-vous. Il y a un an. À mi-chemin, à peu près, entre l'effondrement des socialistes aux législatives de mars 1993 et l'élection présidentielle du printemps 1995, la majorité versait des larmes de sang. La machine à perdre se remettait en route. C'était une malédiction. La droite pouvait gagner toutes les législatives qu'on voulait. Elle allait perdre à nouveau l'élection décisive de la Ve République : l'élection présidentielle.

C'est qu'il y avait, du côté de la majorité triomphante et déchirée, quatre, cinq, six candidats potentiels de premier plan. Et, parmi eux, un ancien président de la République, un Premier ministre en exercice, deux anciens Premiers ministres. La situation des partis vainqueurs aux élections législatives apparaissait si bloquée, et en vérité si désespérée, que les humoristes suggéraient le poignard ou le cyanure, et les politiques, des primaires. M. Pasqua attachait son nom à la préparation de ces primaires. Elles ne virent jamais le jour et quand, à l'automne de 1994, l'étoile de M. Delors se mit soudain à monter, la droite tira ses mouchoirs et se mit à pleurer.

Où en sommes-nous aujourd'hui ? M. Balladur triomphe et caracole au sommet des sondages. La gauche est déchirée entre trois candidats, quatre avec M. Hue, cinq avec Mme Laguiller, six avec Mme Voynet, sept avec M. Kouchner, s'il se décide, huit avec M. Tapie, s'il échappe à la justice. Des règlements de comptes sanglants se poursuivent au sein d'un parti socialiste menacé d'explosion et de disparition. Mais que s'est-il donc passé ?

La gauche avait deux candidats qui pouvaient faire l'unanimité des socialistes et au-delà, et qui avaient des chances sérieuses de s'installer à l'Élysée. Ils ont été abattus en plein vol. Par qui ? Eh bien, le premier par le président de la République en personne ; et le second, par lui-même. Un assassinat et un suicide. Appelons le lieutenant Columbo.

Un Tonton flingueur

Accuser le président de la République d'avoir éliminé de la course à l'Élysée son ancien Premier ministre pourrait paraître osé si la victime elle-même n'avait fourni, avant d'expirer, le nom de son assassin, et indiqué, en prime, la nature de l'arme employée. M. Rocard a clairement laissé entendre que M. Mitterrand avait envoyé contre lui un missile nommé Tapie. Le déclin de Michel Rocard a commencé avec son échec aux élections européennes qui voyaient, en revanche un beau succès de M. Tapie, Bernard Tapie, en fait, talonnait à 2 points Michel Rocard. C'était un désastre pour M. Rocard, premier secrétaire du parti socialiste, et un triomphe pour Bernard Tapie.

M. Tapie est, entre autres choses, une créature de M. Mitterrand. De M. Bousquet à M. Tapie en passant par M. Pelat et M. Nucci, et par tant d'autres, M. Mitterrand a toujours eu de curieuses amitiés. Il détestait M. Rocard et il aimait M. Tapie. Il s'est servi de M. Tapie pour détruire M. Rocard.

M. Delors s'est détruit tout seul. Avec grandeur, avec panache, avec beaucoup d'allure. Le panache de M. Delors a mis le parti socialiste dans une drôle de panade. Il n'est pas tout à fait exclu que M. Mitterrand en ait ressenti, au milieu – bien sûr – d'une grande douleur, une secrète satisfaction. Il ne s'en est pas franchement réjoui, peut-être, mais il n'en a pas été surpris. Il s'y attendait. Il n'avait pas confiance dans les capacités de décision et d'obstination de M. Delors. « S'il est élu président de la République, aurait murmuré M. Mitterrand, à qui remettra-t-il sa démission ? »

Nous abandonnons ici le lieutenant Columbo pour une psychanalyse de Café du Commerce. M. Mitterrand détestait M. Rocard et n'en voulait à aucun prix comme successeur. Il s'accommodait de M. Delors – mais il ne l'aimait pas. Et surtout il éprouve sans doute comme un amer plaisir à voir le PS en cendres. Il l'avait construit, il l'avait tenu à bout de bras. Le PS avait triomphé avec lui. Comment, sans lui, ne s'écroulerait-il pas ?

Les Trois Mousquetaires

Rocard éliminé, Delors éliminé, la machine à perdre a quitté la majorité pour s'installer à demeure au foyer de la gauche. Et les fameuses primaires, que la droite n'avait pas réussi à mettre sur pied, elles vont se dérouler, dans quelques jours, sous nos yeux au sein du parti socialiste.

Les socialistes candidats à la candidature sont trois, chacun le sait. Ils répètent le trio Giscard-Chirac-Balladur, mais à l'étage du dessous. Aucun n'a été président de la République, aucun n'a

188

été Premier ministre. Il n'y a pas de raison de les appeler les Pieds-Nickelés – Croquignol, Filochard et Ribouldingue –, ce qui aurait une connotation polémique et déplaisante. Appelons-les, pour leur faire honneur, les Trois Mousquetaires.

Plus encore que Joxe, Dumas, Badinter, discrètement pressentis – et qui se sont discrètement défilés –, il y a un nom qui manque dans la distribution socialiste : c'est celui de M. Laurent Fabius. Avec son allure normalienne, giscardienne et énarque, égarée et choyée dans les serres de Mitterrand, M. Fabius, très jeune, a été Premier ministre. Il serait évidemment dans la course à la présidence s'il n'y avait pas eu l'affaire du sang contaminé. Je suis de ceux qui pensent que M. Fabius ne porte pas de responsabilité directe dans cette terrible affaire. L'étude de la notion de responsabilité – sida, Furiani, Vaison-la-Romaine, accidents de toutes sortes, pollution, etc. — dans notre monde d'aujourd'hui reste encore à entreprendre, et ce sera une tâche capitale. À tort ou à raison, M. Fabius est en tout cas hors d'état d'entrer aujourd'hui dans la bataille pour l'Élysée. C'est pourquoi, d'Artagnan blessé, meurtri, hors de combat, il laisse, pour s'opposer aux hommes du redoutable Cardinal, carte blanche aux Trois Mousquetaires : M. Jospin, M. Lang et M. Emmanuelli.

Le Figaro, 24 janvier 1995

Quand l'Histoire recommence

Qui pourrait soutenir encore que la campagne pour l'élection présidentielle est terne et sans ressort ? Les choses ne cessent de bouger et de rebondir. Balladur était élu, c'était fait. Et puis Delors était élu, c'était écrit. Et puis les socialistes sont tombés dans le trou noir que l'on sait et tout le monde pleurait sur leur sort, définitivement réglé. Et voilà qu'ils ressuscitent sous la houlette de Jospin.

Ce qui s'est passé à gauche, c'est ce que souhaitait Pasqua à droite : des primaires ont eu lieu et elles ont désigné un candidat auquel tous les socialistes se sont ralliés comme un seul homme. Delors avait suivi les conseils de Balladur en retardant le plus possible l'annonce de sa décision. Jospin a suivi les conseils de Pasqua en favorisant des primaires.

Un troisième candidat

La droite a de bonnes idées. C'est la gauche qui les met en œuvre. Du coup, le balancier est reparti dans l'autre sens. La désunion, qui était à droite, était passée à gauche, elle repasse à droite avec beaucoup d'éclat. Les socialistes ont un candidat unique et le RPR en a deux – en attendant la pochette surprise d'où sortira peut-être d'ici quelques jours le candidat UDF réclamé à grands cris par M. Millon ou M. Raffarin – sans parler de M. Stirn ou de M. Soisson.

Il y a M. Le Pen, qui obtiendra quelque chose comme 10 % de voix. Il y a M. de Villiers, dont les idées simples font mouche à la télévision, et qui montera lui aussi aux environs de 10 %. Faut-il que la droite soit – ou se croie – forte en France pour qu'un troisième candidat de la majorité puisse même songer à entrer en lice contre Chirac et Balladur ! Mais le jeu est évidemment dangereux. Que ce soit Barre ou Giscard, le nouveau venu, s'il se décide, prendra évidemment, sans chance considérable de succès, des voix et à Chirac et surtout à Balladur. Le risque est grand de donner à Jospin, sur un plateau, la première place au premier tour.

Comme les choses changent vite dans notre joli pays ! Il y a trois semaines à peine, les socialistes n'étaient même pas capables de figurer au second tour. Voilà que, grâce à l'union partiellement retrouvée de la gauche et à la désunion franchement affirmée, et même revendiquée, par la droite, l'espoir n'est plus interdit au candidat socialiste de se retrouver en tête au premier tour.

Un code de bonne conduite

Quel succès ! Quel triomphe ! Qui pouvait imaginer que le socialisme ait disparu en France ? Lionel Jospin est un honnête homme. Sa présence dans le débat suffira à le rehausser. Mais enfin, ce n'est pas, à la télévision, un débatteur éblouissant, ce

190

n'est pas une vedette charismatique. Ce qui a suffi à l'imposer, c'est l'union qui s'est faite derrière lui au sein du parti socialiste. Et surtout la désunion dans la majorité.

Cette désunion, qui s'est donné libre cours parce qu'elle tablait avec légèreté sur l'effondrement de la gauche, ne pose pas seulement de graves problèmes pour l'élection d'un président qui aurait besoin, pour agir, d'une majorité massive et qui pouvait légitimement l'espérer : elle compromet l'avenir. Aussitôt après l'élection présidentielle, doivent se tenir des élections municipales. Comment l'union se refera-t-elle dans la majorité après les déchirements inévitables d'une campagne qui ne fait que commencer ?

On a beaucoup répété qu'un des drames de l'élection du président au suffrage universel direct était la coupure en deux du pays. Ce ne sera pas seulement le pays qui sera coupé en deux : ce sera la majorité. Et, au sein même de la majorité, chacun des deux partis dominants qui la composent : l'UDF et le RPR.

L'idée d'un code de bonne conduite a été lancée. Très bien, il est douteux que ce code soit strictement respecté. La majorité, qui s'était engagée à présenter un candidat unique, qui avait prévu des primaires, qui avait juré ses grands dieux qu'elle avait compris la leçon, a donné trop de preuves de sa propension à se diviser pour qu'on lui fasse une confiance aveugle. Rien n'est pourtant plus urgent que de maintenir les conditions d'une union dont tout dépend.

Il faut que des esprits libres se refusent à des affrontements partisans. Il faut que, dès à présent, avant que des dérapages irréparables ne se produisent, une pression s'exerce sur les acteurs du débat pour que tout excès soit évité. Il faudrait, en vérité, que se renouent entre les différentes factions d'une majorité déchirée des liens plus forts que les divisions. Serait-ce trop demander que de suggérer la création, au sein de la majorité, sous une dénomination ou sous une autre, d'un comité pour l'union qui regrouperait des politiques des différentes tendances et qui serait chargé d'éviter les ruptures irrémédiables et de recoller ce qui aurait été brisé ?

Le RPR est aujourd'hui la formation la plus importante de la majorité. Elle est aussi la plus divisée. Au point qu'on en oublie qu'il s'agit d'un *Rassemblement*. Il faut essayer de rassembler les

Français. Il faut commencer par rassembler le Rassemblement et essayer, dans la foulée, de rassembler la majorité. Il est déjà assez consternant d'appartenir à une nation dichotomique et hémiplégique, divisée de façon absurde entre la droite et la gauche. Que dire de la division inacceptable et scandaleuse au sein d'une majorité qui semble obsédée par l'idée de se détruire ?

Le Figaro, 18 février 1995

Rien n'est joué

La France est un pays étonnant. Voilà que sa présidence va se jouer entre deux hommes de droite et un homme de gauche, alors qu'elle aurait pu aussi bien se jouer entre deux autres hommes de droite et un autre homme de gauche qui viennent de quitter avec éclat le devant de la scène politique. Jamais Giscard n'a été plus brillant, et ce n'est pas peu dire, qu'en annonçant son retrait. Jamais Barre n'a été meilleur que dans sa déclaration de non-candidature. Jamais Delors n'a été aussi sûr de gagner qu'au moment même où il nous apprenait qu'il n'entrerait pas dans la course.

Des trois qui restent en lice, l'un monte en flèche, l'autre reste stable et le troisième descend. Les plus intéressants, évidemment, ce sont les deux qui bougent et qui échangent leurs positions. Les jours qui viennent de s'écouler ont été rudes pour Balladur. Coup sur coup, après les affaires judiciaires, une affaire policière et une affaire financière se sont levées en tempête. Les affaires judiciaires concernaient trois ministres. L'affaire policière prenait pour cible un ministre d'État. L'affaire financière le concerne lui-même. Le cercle se resserre. Chaban avait eu l'affaire de sa déclaration d'impôts. Giscard avait eu l'affaire des diamants. Voilà que Balladur a l'affaire de son patrimoine[1]. Dans les trois dossiers, qui ont été lancés à peu près selon les

1. Le 10 mars 1995, Édouard Balladur a rendu public son patrimoine comme l'impose la loi du 11 mars 1988 à tout candidat à l'élection présidentielle.

mêmes méthodes, il n'y a rien à reprocher à ceux qui en sont les victimes. Mais l'effet sur le public n'en est pas moins réel. À un peu plus d'un mois du premier tour, à un peu moins de deux mois du second tour, Balladur illustre la loi qui fait du favori des sondages la cible privilégiée de toutes les attaques d'où qu'elles viennent. Dans le monde politique aussi, dans le monde politique surtout, rien n'échoue comme le succès.

Cavalier intrépide

Jacques Chirac a géré avec un grand talent sa situation de mouton noir, sa réputation de perdant, son image souvent négative de cavalier intrépide qui ravage le camp ennemi – mais en oubliant son cheval. On le savait à l'aise dans les campagnes électorales. Il a mené celle-ci tambour battant. Il n'était pas bon, il le savait, il le disait lui-même, à la télévision. Il a fait des progrès spectaculaires. À plusieurs émissions, notamment à « L'heure de vérité », il a trimbalé les journalistes, il en a fait ce qu'il voulait. Le succès a surgi peu à peu de l'impopularité, et les ralliements les plus invraisemblables ont succédé au dédain. Vous souvenez-vous des cris de « facho Chirac » et de la commisération affichée par la gauche à l'égard du soudard et de l'aventurier qui ne cessait de changer d'opinions ? Oublié tout cela.

Chirac, dans les jours difficiles, a été bien servi par la fidélité. Loin de ceux qui se précipitent quand les sondages se renversent, une poignée de partisans l'a accompagné sans faiblir dans sa traversée du désert. Ils avaient confiance dans l'avenir, et l'avenir leur a donné raison. La question, aujourd'hui, est de savoir si les jeux sont faits ou si le renversement qui s'est opéré au profit de Chirac peut se produire une nouvelle fois au profit de Balladur. Comme au théâtre, comme à la Bourse, comme en amour, comme partout, tout est question de temps et de moment opportun.

Il est bien tard pour Balladur. Personne ne met en doute la stature du Premier ministre, ses capacités d'homme d'État, ses qualités exceptionnelles et, contrairement à ce qu'on a pu dire, sa fermeté. Il est de ceux, on le sent, qui sont meilleurs dans la gestion des affaires publiques que dans la campagne électorale. Mais lui reste-t-il assez de temps pour rebondir comme l'a fait Chirac et pour rendre à Chirac le coup du renversement que Chirac a si bien réussi aux dépens de Balladur ? Le Premier ministre a quinze jours, trois semaines tout au plus, pour poursuivre le travail qu'il a entrepris, avec succès, à « 7 sur 7 » et pour donner, au fond de l'eau, le coup de talon qui le ferait remonter à la surface. Le temps est serré avant que le croupier de l'histoire ne s'écrie : « Rien ne va plus ! » mais les jeux ne sont pas encore faits.

Dans la bataille en cours, puisqu'il faut bien, hélas ! parler de bataille, il est intéressant d'observer l'attitude des candidats qui ont renoncé. Delors, tout naturellement, s'est rallié à Jospin. Mais Barre et Giscard, si proches l'un de l'autre, et notamment sur l'Europe, ont pris deux positions différentes : Barre est pour Balladur et Giscard pour Chirac.

Giscard pour Chirac ! On croit rêver. S'il s'agissait d'un roman sentimental – mais ne s'agit-il pas d'un roman sentimental ? – on ne finirait pas de s'interroger sur l'invraisemblance de l'épilogue. Peut-être pourrait-on dire qu'entre l'ennemi de vieille date à qui il s'oppose depuis tant d'années (Chirac) et l'adversaire d'aujourd'hui qui lui vole sa politique, sa place, ses ambitions (Balladur), Giscard, selon une vieille recette, a choisi l'ennemi contre l'adversaire. Ainsi s'explique le ralliement à Chirac de Millon, hostile à Balladur depuis la formation du gouvernement, et d'Hervé de Charrette, ministre du gouvernement de Balladur et qui entraîne contre le chef du gouvernement les clubs Perspectives et Réalités de sensibilité giscardienne. L'Europe, qui rapproche Giscard de Balladur plutôt que de Chirac, l'Europe, espoir suprême et suprême pensée, n'aura pas pesé lourd dans ce choix surprenant.

Maintenant que Chirac est en position de favori et qu'il attire à lui des éléments venus d'en face, on peut s'attendre à voir la gauche se déchaîner contre sa candidature. Tant que Balladur était en tête, l'opposition inclinait du côté de Chirac. Désormais, et surtout si Balladur ne se redresse pas assez vite, le péril vient de Chirac. Il devient la cible et l'adversaire privilégié, et peut-être le seul, de Jospin, dont beaucoup de chiraquiens s'imaginaient, bien à tort, qu'il était déjà tombé dans les oubliettes de l'histoire. Décidément, Delors absent du jeu, Balladur largement distancé par Chirac, Jospin présent au second tour, Giscard volant au secours de Chirac, rien ne se passe, dans cette campagne, apparemment sans grand ressort, comme on l'aurait pensé il y a encore trois mois. Toujours l'inattendu arrive, et ce qui était invraisemblable hier semble évident aujourd'hui.

Le plus intéressant, peut-être, est pourtant de voir l'avenir se dessiner sous le présent. Deux noms, de toute évidence, ont largement émergé, l'un à droite, l'autre à gauche : celui de Martine Aubry, d'un côté ; celui d'Alain Juppé, de l'autre. S'il fallait parier aujourd'hui sur l'élection présidentielle de 2000 ou de 2002, c'est sur ces deux-là qu'on parierait. Ministre de Balladur, partisan fidèle de Chirac, intronisé par Giscard, qui l'aurait choisi pour Premier ministre, dauphin de Chaban à Bordeaux, on peut dire d'Alain Juppé que c'est une valeur sûre. Qu'il se méfie donc ! Mais avec confiance.

Le Figaro, 14 mars 1995

Mais où est donc passée l'idéologie ?

Ce qui n'a peut-être pas été suffisamment souligné à l'issue du débat du 2 mai, c'est que, pour la première fois dans notre histoire, deux énarques s'affrontaient dans la cérémonie télévisée rituelle de pré-investiture présidentielle. Giscard d'Estaing était énarque, mais Mitterrand ne l'était pas, Pompidou ne l'était pas – et de Gaulle, évidemment, qui se servait de la télévision mais qui planait au-dessus d'elle, ne l'était pas non plus.

Deux énarques face à face à l'époque de la mort de l'idéologie. On a beaucoup parlé de la mort de l'idéologie. C'était le 2 mai ou jamais qu'il fallait en parler. Si le débat a été courtois et un peu terne, technique et dépassionné, c'est que toute idéologie en était absente. Elle en était absente au point que journalistes, experts, chercheurs, savants rôdaient autour des deux hommes qui ont fait, plus d'une fois, appel à leur compétence. Qui ne se méfie aujourd'hui de la technostructure ? Dans le vide d'une idéologie renvoyée aux placards de l'histoire, elle était pourtant à l'œuvre le 2 mai. D'où une certaine absence de souffle, de grands desseins et de vastes horizons. Chirac et Jospin, après tout, s'occupaient de ce que réclament les électeurs : les problèmes d'une vie quotidienne qui jettent par-dessus bord l'idéologie.

Dans ce débat à l'intérieur de problèmes d'ordre technique et vaguement teintés de social-démocratie – avec plus ou moins d'injonction libérale d'un côté ou de l'autre –, les adversaires s'épargnaient jusqu'à se traiter de « compétiteurs ». Pour un peu : de partenaires. L'apaisement régnait. Comment ne pas s'en réjouir ? On restait un peu sur sa faim. Comment ne pas le déplorer ?

La cour des grands

À peine la confrontation, le tête-à-tête, la conversation terminée, chaque camp criait victoire. Chirac avait été d'un calme souverain, il n'avait cessé de se dominer et de sourire. Jospin avait passé avec succès son examen de passage dans la cour des grands. Chacun voyait midi à sa porte et trouvait des motifs de se réjouir et de pavoiser. Immédiatement après le choc, une radio interrogeait un journaliste étranger : il avait consulté ses confrères de la presse étrangère et il donnait Jospin vainqueur.

En vérité, chacun poussait un soupir de soulagement. L'attente avait été lourde ; l'enjeu était considérable ; un nuage, sinon d'angoisse, ce qui serait trop dire, du moins d'inquiétude pesait sur le studio 101 – qui ne passera sans doute pas à l'histoire. Tout s'est déroulé plutôt bien – et pour chacun des deux hommes. Tous les deux avaient évité non seulement les noms d'oiseau et les attaques personnelles, mais les problèmes brûlants : on a passé son temps, dans le studio 101, à contourner le fantôme de Le Pen et des électeurs du Front national.

Ce statu quo, cette bonace, cette surface lisse de l'eau qui dort, a pourtant, me semble-t-il, et peut-être je me trompe, profité, non pas positivement mais au moins en creux, à l'un des deux compétiteurs. Lequel ?

Jospin a marqué des points. Il a prononcé, en s'excusant avec
courtoisie, la seule « petite phrase » du débat, et les journalistes,
bien sûr, se sont jetés dessus comme la misère sur le bas clergé :
« Mieux vaut cinq ans avec Jospin que sept ans avec Chirac. »
Mais la formule, déjà, avait quelque chose d'ambigu : elle mettait
sur le même plan celui qui la proférait et celui à qui elle s'adressait, et elle ne donnait le bénéfice qu'à celui des deux qui occu-
perait la place moins longtemps.

Piège et broutilles

Chirac n'a pas eu de formule. Mais il a, plus d'une fois,
rebondi sur des perches que lui tendait Jospin. Quand Jospin
s'est plaint de l'accueil désinvolte réservé par une ambassade
de France à des membres éminents de l'opposition socialiste
en voyage à l'étranger, Chirac a balayé l'argument d'un revers
de la main : lui, dans la même situation, n'attendait rien, ne
sollicitait rien de la représentation française à l'étranger.

Broutilles, bien sûr. L'essentiel, c'est que si Jospin a réussi
son examen de passage, c'est qu'il s'est hissé à la hauteur de
son compétiteur. Le piège était là. Il a fonctionné. Jospin a fait
merveille : il a tenu tête à Chirac. Mais Chirac était déjà installé
dans les fonctions présidentielles.

Pourquoi Chirac aurait-il fait feu des quatre fers ? Il lui suffisait d'être là, de tenir bon, d'être souriant et décontracté.
La courtoisie le servait. Plus qu'elle ne servait Jospin. Aucun
des deux ne voulait prendre le risque d'une empoignade qui
recélait, pour chacun, plus de périls que d'espérance. Mais
l'équilibre assuré, l'absence de tempête, le calme un peu ron-
ronnant du débat, servait le vieux routier solide plus que le
débutant fragile. Plus l'ancien Premier ministre que l'ancien
ministre d'État. Plus le maire de Paris que l'ancien premier
secrétaire.

Jospin a fait plus de chemin que Chirac. Mais il suffisait à
Chirac de demeurer immobile. Jospin a cueilli des fleurs le long
du mât de cocagne. Chirac était déjà installé au sommet.

Jospin a travaillé avec succès pour son avenir. Chirac a assuré
le présent. Chacun était dans son rôle. Jospin a très bien justifié

sa présence – en tête – au second tour. Chirac – deuxième seulement à l'étape – avait déjà le maillot jaune.

L'ENA, la technique, les experts et les savants rôdaient autour d'un débat des plus *clean* et des plus « politiquement corrects » d'où étaient expulsées toute passion et toute idéologie. Il y avait, le 2 mai, un autre absent que la passion et l'idéologie. C'était le président dont on briguait le fauteuil.

Je ne sais pas si Édouard Balladur a regardé le débat. Je ne sais pas si François Mitterrand a regardé le débat. Il serait bien intéressant d'avoir les réactions et de l'un et de l'autre Si le président en exercice a écouté les deux finalistes, il aura pu se livrer à une de ces méditations qu'il affectionne sur le passage du temps, sur l'oubli qui vient si vite et sur l'ingratitude de l'histoire. On pourrait dire beaucoup de choses sur le jeu de l'absence et de la présence de Mitterrand dans la campagne de Jospin.

La tâche de Jospin n'était pas facile : fallait-il assumer ou rejeter l'héritage ? Fallait-il rechercher l'investiture de Mitterrand ou la fuir comme la peste ? Au débat du 2 mai, en tout cas, le président sortant était déjà sorti. Comment, au terme du débat, n'aurait-on pas rêvé un instant sur ce qu'aurait été le destin du compétiteur de Chirac si François Mitterrand n'avait pas existé ?

Le Figaro, 5 mai 1995

Un adieu au président sortant

Voilà que ce diable d'homme va enfin quitter ses fonctions et nos esprits. Après quatorze années de pouvoir, sinon absolu, du moins suprême, il laisse sa place à nos espérances. En 1981, j'espérais Giscard : ce fut Mitterrand. En 1988, j'espérais Chirac : ce fut encore Mitterrand. Il aura fallu boire jusqu'à la lie le socialisme de Mitterrand. Chirac arrive. C'est un bonheur. Un gaulliste à l'Élysée, un disciple et un ami de Georges Pompidou à l'Élysée : la joie de la foule à la Concorde, c'est la nôtre.

En 1981, avec l'audace du chagrin, je donnais rendez-vous à François Mitterrand devant le tribunal de l'Histoire. Voici qu'approche le moment où nous pourrons enfin juger l'homme et son œuvre. La revanche a été longue à venir. Les longs couteaux s'affûtent. Et non seulement dans notre camp, mais dans le sien. Comme il arrive souvent, il semble que des voix plus amères et plus criardes encore s'élèvent de son camp plutôt que du nôtre. Une espèce de curée se prépare.

Une écharpe jaune

Que se passe-t-il ? Voici qu'à l'instant même où le fumet, un peu froid, de la vengeance vient chatouiller nos narines, la plume hésite devant son œuvre. Jusqu'à son dernier souffle de président, pourtant, il aura irrité adversaires et partisans. Il avait ouvert son règne au Panthéon, une rose rouge à la main. Il a réussi à se débrouiller, par génies interposés, pour le clore encore au Panthéon qui accueillait les Curie. Ah ! il exagère. Il tire à soi toutes les gloires. Il use le pouvoir jusqu'à la corde. On voit bien qu'il est capable de se réjouir, par vanité personnelle, par souci de sa statue, d'être remplacé par un adversaire au lieu d'être remplacé par un disciple. Quelle duplicité ! Quel machiavélisme ! Qu'il s'en aille et qu'on n'en parle plus !

Il faut pourtant parler encore de lui. Dimanche, son camp est battu. Un camp qu'il a soutenu avec une modération qui pourrait faire contre lui l'unanimité de ses ennemis et de ses partisans. Et lundi est son jour de gloire. On savait qu'il avait préparé de longue date la cérémonie de la célébration de la victoire sur le nazisme. On se préparait à défendre contre lui les thermopyles du souvenir. Et puis, peu à peu, la simplicité grandiose du spectacle l'a emporté sur l'hostilité. On a vu, côte à côte, Chirac et Mitterrand. Chirac ramassait l'écharpe jaune de Mme Mitterrand. L'ancien président et le nouveau conversaient l'un avec l'autre. Et les chefs d'État et de gouvernement venaient rendre hommage au vieux renard blessé qui menait jusqu'au bout, avec un courage exemplaire et dignité, son combat solitaire. Lundi, place Charles-de-Gaulle, aux côtés de Chirac et de Balladur, Mitterrand c'était la France.

Lundi soir, au Schauspielhaus de Berlin, avant de se rendre avec les autres chefs d'État à Moscou célébrer la victoire des

Alliés sur le nazisme et protester contre la sale guerre de Tchétchénie, Mitterrand c'était l'Europe. L'avouerai-je ? J'ai rarement été aussi ému par un discours politique que par le discours
berlinois de Mitterrand. Là encore, il était la France. Il était
l'Europe, il était la réconciliation, engagée par de Gaulle, entre
la France et l'Allemagne, il était la voix de la paix, de la justice
et de la vérité. Et il était la France dans ce qu'elle a de meilleur.

L'Allemagne, décidément, réussit à Mitterrand. Vous souvenez-
vous du discours de Mitterrand à Bonn, sur l'affaire des missiles ?
C'était le plus grand, le plus courageux des discours de Mitterrand. Jusqu'à celui de lundi.

Écoutons-le lire ce discours, ou plutôt l'improviser comme
une mémoire vivante du passé, comme une promesse de l'avenir.
Après le président allemand, Roman Herzog, après le Premier
ministre russe, Tchernomyrdine, après le Premier ministre britannique, John Major, après le vice-président américain, Al
Gore, François Mitterrand, accomplissant l'un de ses derniers
actes de chef d'État, a parlé de l'Allemagne, de « l'Allemagne
d'aujourd'hui, de l'Allemagne de toujours, que l'histoire, la géo-
graphie et la culture ont indissolublement liée à la France ». Il
a parlé de la science allemande, de la philosophie allemande,
de la culture allemande, piétinées par les mauvais maîtres du
nationalisme aveugle et de la brutalité. Il a parlé devant Helmut
Kohl et devant le public allemand fasciné, « des camps de
concentration, de l'Holocauste, de l'oubli de toutes les valeurs
humaines ». Il a parlé de l'avenir, ce qui était encore facile. Et
il a parlé du passé. Écoutons-le : « Peu importe l'uniforme ou
l'idée qui habitait ces soldats. Ils étaient courageux. Leur cause
était mauvaise, mais ils aimaient leur patrie. » Intraitable sur la
cause mauvaise, qui ne sera jamais assez condamnée, il a rendu
hommage à ceux qui n'avaient pas d'autre choix que de mourir
pour une patrie qui, pour dévoyée qu'elle fût, était encore leur
patrie.

J'imagine que l'image d'un grand écrivain dont on a récemment célébré le centenaire, Ernst Jünger, flottait sur les esprits
de celui qui parlait et de ceux qui l'écoutaient. Des milliers,
des centaines de milliers d'autres Allemands ont été pris, malgré
eux, par la faute d'assassins et de déments, dans les mêmes
tourbillons. Je pense au lieutenant Heller, dont tant d'écrivains

français ont conservé la mémoire et que j'ai eu le bonheur de connaître et d'aimer, à la fin de sa vie, comme traducteur de mes livres. Il n'est question ni d'oubli de l'horreur ni même de pardon pour ceux qui ont commis tant de crimes Il est question, selon les mots mêmes de Mitterrand, du « triomphe de l'esprit » sur les forces du mal.

Un étrange retournement

François Mitterrand a soulevé l'enthousiasme de ses auditeurs allemands. On les comprend. Ses adversaires eux-mêmes ont été bouleversés. Il y a déjà de longues années, le général de Gaulle, dans des conditions autrement difficiles, engageait toute l'Europe sur la voie de la réconciliation franco-allemande. Sur ce point-là au moins, François Mitterrand est le continuateur du général de Gaulle.

En arriverais-je, par hasard, à une apologie de François Mitterrand ? Ce serait un bien étrange retournement, une curieuse palinodie pour quelqu'un qui attendait avec tant d'impatience le jugement de l'Histoire. Mieux vaut, en tout cas, que cet art de la palinodie s'exerce au bénéfice d'un pouvoir qui s'en va plutôt que d'un pouvoir qui arrive. C'est plus honorable. On pourrait alors me reprocher de couvrir de fleurs un homme qui ne représente plus un danger. Je ne le couvre pas de fleurs. Il m'a ému, c'est tout. Et impressionné. Et peut-être un peu plus. Il reste un adversaire. Mais un adversaire qui, tout à coup, est entré dans la grandeur. Et peut-être lui aussi sera-t-il plus sensible aux éloges d'un minuscule adversaire qu'aux éloges – ou aux critiques – de ses propres partisans.

Si c'était à refaire, je voterais encore contre François Mitterrand. Mais il y a un apaisement, et peut-être presque un bonheur à découvrir pourquoi tant d'hommes et de femmes ont pu aimer un adversaire pour qui on n'avait pas d'indulgence. François Mitterrand, on le savait, a un immense talent, il a plus que cela. Il a du courage et une vision. À peine a-t-on prononcé le mot « vision » que surgit l'image du général de Gaulle. Bien entendu, ce n'est pas la même chose. Par un étrange renversement, le conservateur était un rebelle. Le socialiste est un politique. Je mets les rebelles plus haut que les politiques. Mais ce politique-là, si vilipendé, si détesté – vilipendé par qui, détesté par qui ? mais par moi, bien sûr, et par ceux qui pensent comme moi –, a cherché à sa façon une forme de vérité C'est ce qui l'a mené, j'imagine, à des convictions politiques que je ne partage pas, et aussi à un effort spirituel qui s'exprime dans ses entretiens avec Élie Wiesel, dans sa vocation européenne et dans son discours du Schauspielhaus de Berlin.

Il y a des gens, et je les comprends, qui doivent se dire aujourd'hui qu'il est très délicieux de voir partir un homme qu'ils ont toujours combattu et à qui ils refusent et refuseront toute vertu. Je trouve plus agréable, pour ma part, plus roboratif, plus satisfaisant pour l'esprit et le cœur, de me dire que j'étais, un parmi beaucoup d'autres, l'adversaire politique d'un homme dont je comprends enfin au moment tant attendu du règlement des comptes, pourquoi d'autres ont pu l'aimer.

Le Figaro, 12 mai 1995

Une France réconciliée

Après quatorze années de président socialiste, voilà un gaulliste de retour à l'Élysée. Le matin même de la passation des pouvoirs et de son investiture officielle, Jacques Chirac est allé s'incliner sur la tombe du Général à Colombey-les-Deux-Églises. Impossible de souligner avec plus de force la fidélité au gaullisme et à son fondateur.

Ce n'est pas seulement à l'Élysée que revient en force le gaullisme, ou le néogaullisme. Mais aussi à Matignon, avec Alain Juppé, et à l'Assemblée nationale, présidée par Philippe Séguin. Et au Sénat, dans les régions, dans les départements, la majorité règne en maîtresse. Cette concentration des pouvoirs est volontiers dénoncée par l'opposition de gauche. Elle n'est pourtant que l'effet démocratique de la volonté populaire. Mais il est vrai qu'elle fait peser sur le président de la République et sur sa majorité le double poids d'une grande espérance et d'une grande responsabilité.

Au terme d'une passation des pouvoirs exemplaire, où l'émotion et la grandeur le disputaient à la simplicité, Jacques Chirac, dans un discours excellent, a mis l'accent sur l'emploi, sur l'Europe, sur le rôle d'un gouvernement qui doit conduire lui-même les affaires du pays sous la haute direction d'un président qui n'intervient pas dans la politique quotidienne. Il a mis l'accent aussi sur une justice indépendante, sur l'état impartial, sur une démocratie équilibrée et sur la réconciliation des Français.

François Mitterrand a joué son rôle dans cette conception apaisée de l'alternance. Chacun établira son bilan de l'action présidentielle pendant quatorze années – une durée qui constitue un record absolu dans l'histoire de la République. Il y a, sans aucun doute, des aspects plus sombres que d'autres. Au moins la paix civile a-t-elle été assurée et les conditions confirmées d'une alternance sans heurts. L'opposition continuera, bien entendu, à jouer le rôle qui est le sien. Elle attaquera, n'en doutons pas, avec vivacité la majorité au pouvoir qui s'efforcera, de son côté, de renforcer ses positions et de convaincre les Français. Telles sont les lois de la démocratie.

Les conditions de la passation des pouvoirs étaient, cette fois, exceptionnelles. Le général de Gaulle était parti, avec la grandeur qu'on lui connaît, sur la publication d'un communiqué flamboyant de quelques mots : « Je cesse d'exercer les fonctions de président de la République. »

Georges Pompidou avait été frappé par la mort avant l'expiration de son mandat. Valéry Giscard d'Estaing, qui se représentait, avait été battu par son successeur. Seul de tous les présidents successifs de nos trois Républiques, François Mitterrand, après s'être succédé à lui-même, est arrivé au terme normal de son second septennal. L'alternance est ainsi entrée définitivement dans les habitudes nationales.

C'est un triomphe pour les institutions de la Ve République. Ardemment combattues par Mitterrand candidat, elles ont été magnifiées par Mitterrand président. Elles ont ainsi fait l'unanimité et de leurs adversaires et de leurs partisans. Sans doute évolueront-elles avec le temps, comme toutes les choses humaines. Leur réforme profonde et immédiate n'est plus à l'ordre du jour.

Incarné par Jacques Chirac en 1995, comme il avait été incarné par François Mitterrand en 1981, le changement est manifeste. Il s'inscrit pourtant dans la continuité d'une démocratie apaisée. Jacques Chirac n'est pas le président d'une partie des Français contre l'autre. Il est le président de tous les Français et il les appelle tous à coopérer à la tâche commune. Ce n'est pas, sans doute, que les notions de droite et de gauche se soient évaporées comme par enchantement. Mais leur opposition s'est peut-être atténuée. Par un paradoxe révélateur, il n'est pas impossible que ce soit à l'intérieur de la gauche comme à l'intérieur de la droite que les tensions se renforcent : les déchirements qu'a connus la droite, la gauche n'est-elle pas en train d'en faire à son tour l'apprentissage ?

Les baisers Lamourette

Les problèmes qui vont se poser au gouvernement de Jacques Chirac sont difficiles et nombreux. Il est capable de les aborder dans des conditions aussi bonnes que possible. Après avoir beaucoup répété que Jacques Chirac ne serait jamais élu à la présidence de la République, on a beaucoup répété qu'il ne bénéficierait d'aucun état de grâce. Il semble, au contraire, qu'il soit porteur d'une grande espérance. Il a la chance de profiter d'une reprise qui semble se confirmer. Il a la chance d'opérer sur un terrain qui a été préparé depuis deux ans avec efficacité par Édouard Balladur dont il n'est que juste de souligner l'action. Il a la chance de s'installer dans un climat économique et social sans doute encore très difficile, mais aussi dans un climat politique où ne règne ni la haine, ni l'esprit de revanche du côté des uns, ni un sentiment d'injustice insupportable du côté des autres.

Est-ce l'idylle, le meilleur des mondes, le paradis terrestre, les baisers Lamourette, embrassons-nous Folleville ? Bien sûr que non. Surtout, pas d'angélisme. La lutte politique se poursuit. Et elle sera rude. Mais la démocratie s'est pacifiée, l'alternance fonctionne, la détestation recule un peu, l'intolérance reflue. Jacques Chirac incarne à la fois le retour du gaullisme et une ouverture, un équilibre, une réconciliation qu'il a prônée avant son élection et dont il a reparlé avec force après son élection. Il est clair que, comme Mitterrand, il est le président de tous les Français. En face du défi de l'Histoire et des tâches énormes qui se présentent à lui, il aura besoin du soutien actif du plus grand nombre possible d'entre eux. Au même titre que l'emploi, au même titre que l'Europe, son idée fixe doit être la réconciliation des Français avec eux-mêmes et entre eux, condition nécessaire d'un retour de l'espérance.

Le Figaro, 18 mai 1995

Ce grand frère dont les Français attendent tout

Il y a cent jours, Jacques Chirac entrait à l'Élysée. Après quatorze années de socialisme incarnés, à la tête de l'État, par François Mitterrand – un record absolu –, Chirac, deux fois vaincu, était enfin vainqueur. C'était le triomphe de la volonté. Beaucoup pensaient que Chirac ne serait jamais président. Rocard, Delors, Balladur étaient donnés gagnants avec tant de certitudes successives qu'il n'y avait même plus de place pour une compétition. Pour des raisons diverses, Rocard, Delors, Balladur se sont écroulés l'un après l'autre. Et la fidélité et le courage ont fait entrer dans la réalité un projet qui paraissait évident il y a quelques années et impossible il y a quelques mois.

La confiance des Français

On a beaucoup dit, surtout à gauche, que le président était mal élu, qu'il ne représentait qu'une minorité et qu'il n'y aurait pas d'état de grâce. C'était arguments de circonstance et qui ne valaient pas grand-chose. Sans doute, il y avait des troubles à l'intérieur d'une majorité qui sortait de ce qu'on pourrait appeler un « âge de confusion ». Mais, dans l'opposition aussi, les déchirements ne manquaient pas. À gauche comme à droite, les années Mitterrand ont été des années de désarroi et de rivalités entretenues avec soin dans un camp et dans l'autre. Après de longues années de socialisme en France et de crises économiques dans le monde entier, la situation était assez sérieuse pour qu'une majorité substantielle de Français fasse confiance à Chirac. Et, tout de simplicité, de chaleur, de bonne volonté évidente et de décontraction moderne, le style Chirac fait de lui avec évidence le président de tous les Français.

Voilà que Mitterrand fait tout à coup figure auprès de lui de vieux monsieur, indigne pour les uns, de statue de cire antique et contestée pour les autres. Mitterrand passionne encore comme un de ces témoins du passé qui rappelle de grands bonheurs ou de grandes déceptions. Le présent, c'est Chirac. Et l'avenir, c'est Chirac. On pourrait même dire que le triomphe de Chirac, et son drame en même temps, c'est que les Français attendent tout de lui.

Le style Chirac

Ils attendent tout de lui parce qu'il a beaucoup promis. Un mal fait des ravages dans le monde, et peut-être plus encore en France où François Mitterrand s'était fait élire parce qu'il assurait qu'avec Giscard, son adversaire, le pays compterait deux millions de chômeurs. En dépit des statistiques officielles, nous en sommes bien au-delà de trois millions et Chirac a promis, pour les élections législatives de 1998, 700 000 chômeurs de moins. Cet engagement pourra-t-il être tenu ? Ce n'est pas en cent jours que la réponse peut être donnée. Peut-être osera-t-on dire que les Français ont le sentiment que tout ce qui pouvait être fait l'a été. À gauche comme à droite, des voix se sont élevées pour rendre hommage à la détermination du président, à sa volonté de jeter toutes ses forces dans la bataille pour l'emploi, à son énergie mobilisatrice. Chirac, c'est d'abord un style. Les Français y sont sensibles. Tout le monde savait que Chirac était excellent dans les campagnes électorales. Il n'a pas cherché, au pouvoir, et il a bien fait, à rivaliser avec ses prédécesseurs. Il a gardé son image. Un fonceur et un battant.

Il a même accentué cette image en décidant, contre l'opinion publique mondiale, la reprise des essais nucléaires français dans le Pacifique. Je me demande s'il ne faut pas, dans cette affaire, distinguer la forme du fond. Sur le fond, la majorité des Français rejoint l'opinion internationale : elle est réticente devant la menace d'une guerre. Sur la forme, en revanche, je suis persuadé que les Français, loin d'en vouloir au président, sont enchantés de le voir faire à nouveau cavalier seul et défier les Australiens qui font le dos rond devant les Chinois, qui se vengent bassement sur nos vins, et punissent leurs visages en se coupant le nez.

Une politique contestée et populaire

On pourrait soutenir que l'image internationale de Chirac est sortie renforcée d'une initiative qui fait l'unanimité contre elle. Ce sont les miracles de l'âge de la communication. Aux États-Unis notamment, on est contre, bien sûr, les essais nucléaires ; mais la cote de Chirac est très loin d'être mauvaise : ils ne détestent pas celui qui leur apparaît comme un « *tough guy* ». En Allemagne, en Angleterre, un peu partout, on éprouve, peut-être avec soulagement, le sentiment qu'il y a, à la tête de la France, quelqu'un de décidé et dont la mollesse n'est pas le fort.

Deux drames, à cet égard, ont sans doute servi Chirac. Le premier, c'est la Bosnie ; le deuxième, les attentats. La fermeté de Chirac a été moins décisive en Bosnie que l'offensive surprise des Croates. Mais elle a coïncidé avec une distribution nouvelle des cartes qui rompt au moins avec le sentiment oppressant d'impuissance et d'enlisement qui s'attachait aux événements de Bosnie. Sur le plan intérieur, Pasqua n'est plus là, mais Chirac est là pour rassurer les Français et pour unir une certaine sérénité à une détermination certaine.

Le cousin Giscard

Tout le monde sait et répète que les Français n'en finissent pas d'avoir besoin d'être rassurés. Pétain, c'était le grand-père menacé par le grand âge. De Gaulle, c'était le père, rassembleur du patrimoine, houspillé par les fils prodigues venus, mais un peu tard, au remords le plus poignant et à résipiscence. Pompidou, c'était le fils, mais devenu père à son tour. Giscard, c'était le cousin qui avait fait des études, si brillant, mais un peu trop lointain. Mitterrand, ça crève les yeux, c'était le parrain dans toute sa splendeur. Chirac, dans la famille, inaugure un style nouveau : c'est le grand frère qui fait le fou, invite les copains en jean sur les gazons du château, se sert à tort et à travers du fusil de chasse de papa, et organise, d'une poigne de fer, en leur tapant sur l'épaule, l'avenir de ses petits frères.

Chirac n'est pas seul. Il s'est bien débarrassé de ceux qui ne lui lâchaient pas les baskets. Comme le temps passe ! Où sont disparu Pierre Juillet et Marie-France Garaud ? Giscard, Barre, Balladur, Pasqua sont tombés dans les trappes de l'échec à la mairie de Clermont, du succès à la mairie de Lyon et de l'alternance à contretemps du triomphe et de l'échec. Mais d'autres sont venus les remplacer. D'autres ? Deux, essentiellement : Alain Juppé et Philippe Séguin. Le premier a un avantage et un inconvénient considérables : il est au pouvoir ; le second a un inconvénient et un avantage considérables : il n'est pas au pouvoir et il attend d'y aller.

Cent-Jours et un Directoire

Au moment de l'élection présidentielle, on pouvait avancer, un peu en gros, que les étrangers, en Europe surtout, regardaient Chirac avec neutralité, Juppé avec sympathie et Séguin avec terreur. C'est ce qui a rendu inévitable la nomination de Juppé à Matignon. Et qui rend son maintien nécessaire. Parce qu'il y a l'Europe qui reste le grand dessein, parce qu'il y a l'environnement international, parce qu'il y a aussi la personnalité du Premier ministre, les Cent-Jours de Chirac ont été aussi les Cent-Jours de Juppé. On dirait volontiers qu'il y a Chirac d'abord, Juppé ensuite, Séguin ailleurs, et puis rien. On ne veut pas insinuer bêtement par là qu'il n'y a pas de personnalités remarquables dans le gouvernement : il y en a, qui en doute ? Mais, ce qui compte d'abord, c'est Chirac et Juppé. On a l'impression que Juppé, à plusieurs reprises, a dû serrer les boulons d'un gouvernement peut-être un peu pléthorique et peut-être un peu trop harmonieusement équilibré – on veut dire par là que les forces s'y annulent si bien entre les nombreux ministres que seul compte le premier. Il est partout. Il rattrape les gaffes, qui ne manquent pas. Il explique. On l'écoute. On le voit. Il dirige tout. Sous l'autorité incontestée d'un président qui est tout sauf potiche, les Cent-Jours de Chirac, c'est le directoire de Juppé.

Un coup de jeune

Chirac avait promis le changement. Il avait fustigé la « technostructure ». Il avait annoncé un rajeunissement des cadres. Je doute un peu que les effectifs des cabinets ministériels aient fondu comme neige au soleil et que les énarques s'y comptent sur les doigts d'une seule main. Mais, en cent jours, le rajeunissement est sensible. On dirait que Chirac a réussi avec plus de succès ce que Giscard avait entrepris, peut-être pour son malheur : se rapprocher des gens avec un air de jeunesse. Par un étrange paradoxe, on pourrait soutenir qu'il y a chez ce gaulliste authentique, chez ce petit-fils du Général, quelque chose d'américain. Un hybride du général de Gaulle et de J.-J.S.-S. ? Il n'est pas très surprenant que ce gaulliste nucléaire ait une bonne image aux États-Unis.

Cent jours ne suffisent pas pour réussir une politique. Ils suffisent parfois à tout perdre. Il est permis d'assurer que Waterloo n'est pas en vue. Après avoir annoncé l'absence de tout état de grâce, voilà que nos Cassandres entonnent le refrain de la rentrée chaude. Personne ne peut dire ce qui se passera en octobre. Mais, quoi qu'il se passe, on ne voit pas bien qui pourrait mieux affronter les menaces que le tandem Chirac-Juppé. Sans chasse aux sorcières, sans recours à la réaction, avec parfois des accents de gauche, avec de temps en temps un acquiescement tombé de lèvres de tel ou tel leader de l'opposition, en prononçant sur le régime de Vichy les paroles attendues, Chirac n'a rien compromis. Il a plutôt confirmé ses chances, sinon de succès. du moins de consentement national.

Au moment de la campagne, Balladur apparaissait comme un temporisateur en face de Chirac, candidat bouillant du changement. Par un savoureux paradoxe, on reprocherait plutôt aujourd'hui à Chirac de n'avoir pas suffisamment profité de ses Cent-Jours pour avancer les grandes réformes que réclament l'administration, le système fiscal, la Sécurité sociale, la situation de l'emploi. Mais on ne nettoie pas en trois mois les écuries d'Augias. On a rassemblé les balais, la lessive et les bonnes volontés. Personne ne pouvait imaginer que Chirac, en cent jours, viendrait à bout d'une situation qui empire depuis quinze ans.

On peut estimer, et ce n'est déjà pas si mal, qu'il a montré, dans ces Cent-Jours, qu'il n'était pas absurde de lui faire confiance. Les Cent-Jours passés, il a un peu plus de deux ans pour ralentir sérieusement le chômage, pour faire progresser une Europe qui a échoué à Sarajevo, pour faire repartir une économie traumatisée par les cadres rigides et rouillés de l'administration, pour rendre aux Français un peu d'une confiance ébranlée par les crises et par les scandales. Deux ans ! Ils passeront plus vite que les Cent-Jours.

Le Figaro, 23 août 1995

Le bonheur d'être français

Voilà un bon bout de temps déjà que nous avons renoncé à être mieux que les autres. Longtemps, c'était parole d'Évangile, nous avons été plus gais, plus charmants, plus cultivés, plus intelligents, et surtout meilleurs amants que ces misérables, dans le vaste monde, qui n'avaient pas le bonheur d'être français. C'était l'époque où tout Français en voyage à l'étranger était la coqueluche des beaux esprits et des cœurs sensibles qui aspiraient à autre chose. La gloire de Pasteur et de Victor Hugo, de Brigitte Bardot et de Sarah Bernhardt s'étendait au bout du monde. Les petites femmes de Paris et le Collège de France régnaient sur les cinq continents. D'une façon ou d'une autre, nos académies étaient incomparables.

C'est fini. Notre satisfaction un peu *benête* s'est inversée en morosité. Paul Valéry et André Gide sont tombés dans une trappe, des beautés exotiques menacent Mimi Pinson, les romans français ne se vendent plus en Amérique, des indices convergents, de furtives informations semblent indiquer que les Jaunes sont plus doués que les Blancs, et que les Noirs, *horresco referens* mais la vérité avant tout, font mieux l'amour que nous. Qu'est-ce que vous dites de ça ? Du coup – on le serait à moins – nous sommes devenus grognons. Notre belle confiance et notre bonne humeur se sont évaporées. Nous avons renoncé au bonheur d'être français.

On chante en américain, on se nourrit à la chinoise, on envie les Allemands qui ont le génie de l'organisation et les Japonais qui ont celui de l'imitation, on admire les Anglais pour leur sens de la patrie – mais on se garde bien de les imiter. Il ne vient plus à l'idée de grand monde d'aller voir et complimenter l'armée française : les uns ont longtemps bêlé le bonheur d'être russe, les autres nous cassent les oreilles avec le rêve américain. On finirait par raser les murs à l'idée d'être français. On attend que ce soient les autres qui nous disent que la France ce n'est pas plus mal qu'ailleurs : il n'y a plus que les étrangers pour avoir l'audace de nous souffler à l'oreille que nous avons bien de la chance de vivre quelque part entre la Bretagne et l'Alsace, entre les Flandres et la Provence, avec la Corse pour appendice, et de pouvoir lire dans le texte la mélancolie bourgeoise de Mme Bovary et les chagrins d'Hermione, de Bérénice et de Phèdre.

Pour nous rappeler un bonheur dont nous ne faisons plus cas, il y a peut-être autre chose, encore, que les bons sentiments de ceux qui veulent bien se dire nos amis : ce sont les mauvais sentiments de ceux – ils ont tort – qui se prétendent nos ennemis. Quand nous entendons Boris Eltsine, qui s'est fait les muscles sur les Tchétchènes, nous accuser d'une voix pâteuse de « cruauté » en Bosnie ; quand nous voyons un spot publicitaire en forme de carabine viser successivement au front et à la braguette, « là où ça fait le plus mal », un sympathique buveur de bordeaux ou de bourgogne ; quand nous contemplons bouche bée des ministres japonais, héritiers d'un grand malheur mais aussi d'un lourd passé, nous accuser de militarisme ; quand nous regardons, les yeux écarquillés, des dirigeants de cette Australie à qui nous devons beaucoup mais qui s'est édifiée sur les cadavres et les ruines de tout ce qui était aborigène nous faire la leçon en matière de droits de l'homme, il y a quelque chose en nous, quelles que soient nos opinions, qui commence à s'agiter : on n'est pas tellement plus mal, dans tous les sens du mot, ici que presque partout ailleurs.

S'il y a un endroit sur cette planète où il est encore possible de vivre, non pas sans doute comme coqs en pâte ni comme anges du paradis, mais enfin sans trop de honte ni de ridicule, c'est peut-être bien chez nous. Depuis un peu plus de mille ans, à travers guerres civiles et guerres de religion, parmi les guillotines et les tribunaux d'exception, malgré les querelles de famille sur les avantages acquis ou les accents circonflexes, nous avons fini par mettre au point quelque chose d'assez rare dans le monde d'aujourd'hui : une sorte d'art de vivre fondé sur la tolérance et où les legs d'un passé qui en remontre à tout le monde ne se mêlent pas trop mal aux espérances de l'avenir.

Ce n'est pas chez nous, tenez, qu'un dirigeant politique serait acculé à la démission pour des motifs de vie privée. Un détail ? Peut-être. Mais qui donne une idée du bonheur de vivre en France. Sexe, race, religion, opinions : personne n'a le droit, chez nous, de mépriser personne. Cessons de donner raison au mot cruel de Cocteau : « Un Français, c'est un Italien de mauvaise humeur. » Répétons-nous plutôt, en tâchant toujours d'aider la divine providence, qui en a souvent besoin, un vieux dicton allemand qui n'a pas trop perdu, malgré tant de malheurs, de son actualité : « Heureux comme Dieu en France. »

L'Express, 28 septembre 1995

Pour l'islam

À la menace soviétique a succédé la menace islamique. À peine le mur de Berlin écroulé, l'antagonisme Nord-Sud, longtemps occulté par l'antagonisme Est-Ouest, s'est révélé dans toute son âpreté. Ce n'était pas une nouveauté. Bandoeng, le tiers-mondisme, les dernières secousses de la lutte contre le colonialisme, la misère et la faim dans les pays d'Afrique ou d'Amérique latine, avaient depuis longtemps alerté et ému tous ceux qui ne se cachaient pas la figure sous le sable. Cuba se situait très exactement au confluent de la lutte du Sud contre le Nord et de l'Est contre l'Ouest.

D'où l'importance historique, apparemment démesurée, de cette île minuscule. Mais les stéréotypes de la menace soviétique, d'ailleurs largement justifiés, rejetaient dans l'ombre l'autre conflit. L'implosion de l'Union soviétique a suffi à mettre en lumière la formidable poussée du Sud, récupérée par l'islam, seule force organisée de la misère du tiers monde.

Le seul ennemi

L'islam, aujourd'hui, frappe sur tous les fronts. En Algérie, en France, en Égypte, en Iran, au Pakistan, en Afghanistan, au Cachemire – et aux États-Unis. Des bombes dans le RER à la manifestation monstre au pied du Capitole de Washington, en passant par les attentats des Frères musulmans au Caire ou les prises d'otages à Srinagar, court le fil vert de la violence isla-mique. Les assassins de Paris et les poings levés de Washington se réclament les uns et les autres d'une conception combattante de l'islam. De Martin Luther King, apôtre de la non-violence, à Elijah Muhammad, chef de la secte Nation et Islam, à Malcolm X, fondateur du Black Power, et à l'imam Farrakhan, raciste anti-sémite et conservateur au nœud papillon, le mouvement d'absorption des Noirs américains par l'islam militant s'enfle démesurément. L'islam apparaît soudain comme une menace aux dimensions de la planète.

La pire erreur à commettre serait de se laisser aller à un rejet en bloc de tout ce qui est islamique, et du même coup arabe, et du même coup de couleur. Dans la situation actuelle, l'impé-ratif capital, tant du point de vue éthique que du point de vue politique, est de rejeter tout racisme et toute intolérance dans le camp de l'ennemi. Les Noirs ne sont pas des ennemis. Les Arabes ne sont pas des ennemis. Et l'islam n'est pas l'ennemi. Il faut le dire haut et fort : l'islam n'est pas l'ennemi.

L'ennemi, le seul ennemi, est la violence, l'intolérance, le racisme. Au sein même du mouvement noir en Amérique, au sein même du monde arabe, au sein même de la religion musul-mane, si belle et si grande, les choses sont très compliquées et les tensions sont très fortes. Il est impossible de mettre dans le même sac un Malcolm X et un Farrakhan, qui se sont haïs à mort, des dirigeants arabes tels que Moubarak ou Yasser Arafat, qui mène une lutte héroïque pour la paix à la fois contre Rabin et Peres et à leurs côtés, et les extrémistes du Hamas ou du Hezbollah, les musulmans modérés qui se battent pour l'intégration et les intégristes criminels du GIA. Il y a une frontière à tracer entre ce qui est souhaitable et ce qui est intolérable. Cette frontière n'est ni raciale ni religieuse. Elle doit séparer ceux qui, quelle que soit leur couleur et quelle que soit leur foi, se réclament de la tolérance et ceux qui la refusent.

Suicidaire et honteux

Il serait à la fois suicidaire et honteux de rejeter les Noirs, les Arabes, les musulmans. Il faut s'appuyer sur eux, leur rendre un peu de confiance, améliorer leur sort quand il dépend de nous, leur redire avec force que la fraternité et l'amitié valent pour eux comme pour tous.

Ce ne sont pas de vains mots. L'opinion publique n'était-elle pas pour les Afghans contre les Soviétiques ? N'est-elle pas, avec ardeur, pour les Bosniaques musulmans contre les Serbes partisans d'une purification ethnique ? La tâche essentielle aujourd'hui est d'unir la fermeté contre les assassins au rejet de toute forme de racisme, d'intégrisme et d'intolérance.

Il y faut plus de courage, et aussi plus d'intelligence, que dans l'exclusion brutale et inepte de ceux qui n'ont pas notre couleur de peau ou qui ne partagent pas nos croyances. La lutte n'est plus, bien sûr, entre la misérable gauche et la misérable droite. Elle n'est même plus entre conservateurs et révolutionnaires : l'imam Farrakhan ou Malcolm X, ou n'importe quel ayatollah sont de fieffés réactionnaires qui ne valent pas mieux que les nazis ou les staliniens de sinistre mémoire. La lutte est entre ceux qui refusent la violence et le racisme et ceux qui veulent les imposer.

Pas de tolérance
pour les ennemis de la tolérance

Il faudra apprendre à être à la fois tolérants et inflexibles. Il faudra apprendre à admirer l'islam et à refuser ses excès. La tolérance doit se combiner avec le refus de l'intolérable.

Pas de tolérance pour les ennemis de la tolérance. Il semble qu'il n'y ait pas d'autre issue à la situation où nous nous trouvons qu'une extrême générosité, pour laquelle, peut-être, à l'exemple de ceux qui se sont tant battus, avant nous, contre le nazisme et contre le stalinisme, il faudra savoir mourir.

Le Figaro, 18 octobre 1995

Crise de civilisation

De temps en temps, à intervalles presque réguliers, tous les vingt-cinq ou trente ans, trois ou quatre fois par siècle, la colère jette des Français sur le pavé de leurs villes. L'automne de 1995 n'a rien à voir avec le printemps de 1968. 1968, c'était l'ennui, l'explosion de gaieté, le refus d'une société de consommation, 1995, c'est la peur, la tristesse, le refus d'une société de pénurie. 1995 est une version sombre de 1968. Mais c'est la même fureur, mêlée de désespoir.

Il est trop tôt pour analyser l'écheveau des motifs de la révolte. On peut soutenir qu'il s'agit du troisième tour, dans la rue, des élections législatives ou de l'élection présidentielle. Ou encore du second tour du référendum sur Maastricht. On peut soutenir que des décennies de démagogie et de laisser-aller ont abouti inévitablement à l'affrontement entre la nécessité des réformes et la crispation sur les avantages acquis. On peut discerner chez des acteurs majeurs, comme M. Marc Blondel[1], le vif regret de se voir écarté du contrôle directeur d'une administration où il régnait en maître. On peut soutenir aussi, et surtout, que des

---

1. Secrétaire général de la CGT-Force ouvrière.

secteurs entiers de la population française ont peur de l'avenir, peur pour leur vieillesse, peur pour leurs enfants.

On ne défendra pas ici l'idée que les fonctionnaires grévistes sont des privilégiés. On peut imaginer les sentiments de cheminots ou de postiers qui se voient accusés d'être des privilégiés par des gens qui le sont plus qu'eux. Ce que confirment, en revanche, les événements que nous vivons, c'est une sombre réalité : des millions de Français, 5 millions sûrement, peut-être davantage, peut-être près de 10 millions sur 56 millions, vivent dans un état de précarité extrême. Et quelques dizaines de milliers oscillent entre la vie et la mort. C'est une situation difficilement tolérable. Ces millions de déshérités ne manifestent guère dans les rues. Et les troubles d'aujourd'hui rendent leur situation plus dure encore. C'est une image terrible d'elle-même que donne une civilisation hautement perfectionnée qui est obligée de rouvrir des stations de métro fermées par la grève pour y accueillir des SDF qui risquent de mourir de froid.

Qu'est-ce qui fait que la France est paralysée, que les Français se lèvent à 4 heures du matin pour aller travailler, qu'ils mettent six heures par jour pour se rendre à leur travail et pour en revenir ? Pour les uns, c'est le plan Juppé ; pour les autres, c'est la résistance corporative à toute espèce de réforme. Jamais, en tout cas, esprit révolutionnaire n'aura été mis avec tant d'ardeur au service du maintien d'un état de chose existant.

Tout le monde sait pourtant que la réforme est nécessaire. Dans la Sécurité sociale, dans la santé, dans l'enseignement, partout. Ce n'est pas assez dire que la réforme était inévitable : elle était appelée par tous les vœux, elle était réclamée, elle était exigée.

On nous cassait depuis des années les oreilles avec la réforme. Ce qu'on reprochait à M. Juppé, c'était de ne pas l'avoir faite assez vite. Voilà qu'il la fait. Et qu'il est seul à la faire. Et on le lui reproche encore plus.

C'est que, pour beaucoup, ce n'était pas cette réforme-là qu'il fallait faire. Mais alors, laquelle ? Les socialistes, qui devraient, en principe, s'y connaître en réforme, ont occupé le pouvoir pendant plus de dix ans, où est la réforme ? Ils en ont parlé. Ils ne l'ont pas faite. Non contents de ne pas l'avoir faite, ils ont creusé des déficits qui ne l'ont rendue que plus nécessaire.

Et ils n'ont même plus aujourd'hui de projet de réforme. Il est très possible que la réforme de M. Juppé ne soit pas parfaite. Elle a pourtant un grand avantage : elle existe. Et elle est seule à exister et a tenté, pour la première fois, de sortir d'une situation que tout le monde dénonçait sans que personne ait le courage d'y toucher.

La barque de M. Juppé

M. Juppé est dans le rôle difficile, mais classique, du porteur de mauvaise nouvelle. Il faut dire qu'il fait bonne mesure et qu'il engage le fer sur tous les fronts. Et qu'il ajoute encore des prélèvements aux prélèvements existants. Il a chargé la barque de fardeaux de toutes sortes et, profitant peut-être d'une impopularité record qui a succédé sans transition aux tonnes de lauriers qui lui avaient été tressés, il joue le tout pour le tout. Sans doute faut-il aussi ajouter que sa tâche est rendue plus difficile par la campagne présidentielle : le candidat président avait accumulé les promesses et le Premier ministre accumule les échéances.

La réforme est nécessaire. Ses modalités sont sujettes à discussion. Mais la réforme elle-même s'impose sans discussion. De la droite à la gauche, personne ne l'ignore. On peut faire semblant de l'ignorer. On ne peut pas l'ignorer : Les grévistes se battent pour le maintien d'une situation qui mène inéluctablement à la catastrophe. S'ils l'emportaient, si M. Juppé se retirait ou retirait son plan – et les deux formules sont probablement synonymes : pas de plan de réforme sans Juppé, pas de Juppé sans plan de réforme –, le pays s'enfoncerait irrémédiablement dans une spirale de déficits et d'appauvrissement dont tous, pauvres et moins pauvres, souffriraient également. Ou plutôt inégalement : « Quand les gros maigrissent, dit un proverbe chinois, les maigres meurent. »

La première victime de ce qui se passe sous nos yeux est évidemment l'Europe. Au point que la perspective d'une monnaie unique prend la forme d'un mirage qui se perd dans l'avenir. Peut-être les socialistes eux-mêmes devinent-ils obscurément que le retrait du plan Juppé signifierait la fin de cette espérance européenne à laquelle ils sont si attachés.

La vérité – M. Giscard d'Estaing l'avait vu il y a longtemps – est que les Français sont malheureux. Pourquoi sont-ils malheureux ? Ils n'ont plus devant eux de grande espérance pour porter leurs efforts, et trop souvent leurs souffrances. La situation d'aujourd'hui est évidemment moins tragique que celle qui était née de l'occupation étrangère. Mais, dans ces jours sinistres, tous – ou au moins beaucoup – étaient portés par l'espoir de la Libération. Ce qui manque aujourd'hui, c'est la confiance en l'avenir. Quel avenir pour un chemin de fer durement concurrencé par la route ? Quel avenir pour les retraités de plus en plus nombreux en face de jeunes travailleurs de moins en moins nombreux ? Quel avenir pour les étudiants qui, non seulement ont du mal à poursuivre des études dans des conditions parfois difficiles, mais qui se demandent en outre ce qu'ils pourront bien faire de leurs diplômes inutiles ?

Quelle espérance ? L'Europe en est une. Une belle, une grande espérance. Beaucoup commencent à en douter. Et un des effets des événements actuels est de la rendre moins crédible. Dans un monde ravagé par l'intolérance, la liberté reste aussi une grande espérance. Mais que signifie la liberté pour ceux qui ne savent pas comment boucler leurs fins de mois, ni quel sera l'avenir de leurs enfants ? La crise sociale que nous vivons est sévère. Mais il y a une crise plus rude encore qui se profile derrière elle : c'est une crise de civilisation.

L'affronter dans l'union est déjà difficile. L'affronter dans la désunion est un désastre. Des journées comme celles que nous venons de vivre enfoncent dans le désarroi et dans les difficultés des millions de Français. Ils sont malheureux. Ils le seront un peu plus. Nos voisins ont rencontré des problèmes comparables aux nôtres. Ils les ont réglés avec plus de sagesse. Je suis de ceux qui souhaitent le succès de M. Juppé. Ce succès n'aura de sens que s'il entraîne, sinon l'adhésion enthousiaste de tous, du moins un consentement plus ou moins résigné que l'avenir changera peut-être en acceptation et en adhésion. Il n'y a pas d'autre issue à la crise que nous vivons qu'une large concertation autour des réformes nécessaires.

Le Figaro, 8 décembre 1995

Le déficit d'espérance

Le bilan de fin d'année constitue une de ces figures imposées qui risquent d'entraîner la lassitude. À la fin de cette année, pourtant, plus sans doute que de toute autre, pour des raisons diverses et souvent opposées, un sentiment *nouveau* se fait jour chez les Français, qui justifie peut-être ce type d'exercice : c'est un sentiment presque de découragement et presque de désespoir. Le sentiment que les choses tournent en rond et que l'avenir est bouché. Le sentiment que l'histoire a cessé d'avoir un sens. Plus encore que dans le reste d'un monde où la paix semble revenir à petits pas, ce qui manque le plus en France, en cette fin d'année grise et douce, c'est l'espérance.

L'homme de l'année, c'est évidemment Jacques Chirac. Le 7 mai, après Charles de Gaulle, Georges Pompidou, Valéry Giscard d'Estaing et François Mitterrand (qui a été le seul président à accomplir deux mandats de sept ans et qui ne se représentait pas), Jacques Chirac devient le cinquième président de la Vᵉ République. Deux autres personnages jouent au cours de l'année un rôle considérable – et tous deux sont RPR comme M. Jacques Chirac lui-même : Édouard Balladur et Alain Juppé.

Au début de l'année, auréolé du prestige nouveau que lui vaut le dénouement spectaculaire de l'affaire de l'avion détourné par un commando islamiste, débarrassé de Jacques Delors qui a annoncé à la télévision son forfait dans la course à l'Élysée. Édouard Balladur est au sommet de sa carrière politique. Tous les observateurs le donnent gagnant à l'élection présidentielle. Charles Pasqua le soutient. Robert Vigouroux, à Marseille, également. L'UDF et une bonne partie du RPR sont derrière lui. Nicolas Sarkozy abandonne ses fonctions de porte-parole du gouvernement pour diriger sa campagne avec l'autre Nicolas, Nicolas Bazire, directeur du cabinet du Premier ministre. On discerne déjà les grandes lignes de la nouvelle équipe, qui semble assurée de la victoire.

Le parti socialiste étale au grand jour ses divisions : pendant que Jack Lang et Henri Emmanuelli pèsent leurs chances et s'affrontent, Lionel Jospin se déclare et rejoint dans le camp des candidats sans chances réelles M. Le Pen et M. Hue, qui sont dans la bataille depuis septembre, Mme Arlette Laguiller, vétéran toujours jeune des luttes ouvrières, M. Lalonde et M. Waechter qui s'y sont jetés tour à tour sous la bannière de l'écologie avant de s'effacer devant Mme Voynet.

M. Balladur domine le lot de la tête et des épaules. Au début de l'année, l'élection de mai est déjà jouée et, aux yeux de tous ou de presque tous – dès janvier, M. Juppé, à l'instar de M. Séguin, déclare qu'il soutient Jacques Chirac « sans ambiguïté » –, M. Balladur est élu.

Le mécanisme du qui-perd-gagne

Les mois qui précèdent l'élection présidentielle de 1995 semblent l'illustration d'un qui-perd-gagne politique. Après le raz-de-marée législatif de 1993, et après l'effondrement des socialistes, dû principalement à la conjonction des « affaires » et de la montée du chômage, on a pu se demander si une sorte de malédiction ne pesait pas sur la droite, qui est capable de gagner les législatives, mais qui semble incapable de gagner les présidentielles. On a cru au destin de M. Rocard – mais il a été écarté ; on a cru encore bien plus au destin de M. Delors – mais, par sa déclaration fracassante de la fin de l'année 1994, qui retentit sur tout le début de 1995, il s'est écarté lui-même du pouvoir suprême. Il ne reste plus que M. Balladur pour redonner sa chance à la droite, et c'est peu de dire que tout le monde, en France et à l'étranger, croit à son succès.

La montée de M. Chirac dans les premiers mois de l'année est lente, progressive, et irrésistible. Son succès contre M. Balladur, au premier tour, le 23 avril, n'est même plus une surprise . le mécanisme du qui-perd-gagne poursuit sa marche et, après M. Rocard et M. Delors, il frappe M. Balladur. Ce qui est une surprise, c'est le score de M. Jospin, qui arrive en tête avec 23 % des suffrages contre 21 % à M. Chirac et 18 % à M. Balladur.

Contre M. Balladur, dont la sobriété raisonnable n'a pas suffi à assurer le succès, M. Chirac a réussi, en multipliant les promesses, à se forger une image plus sociale, qui donne une sorte de coup de jeune au gaullisme traditionnel. Il est élu au second tour par 52,64 % des suffrages contre 47,36 % à M. Jospin.

Pour résumer les choses un peu trop rapidement, les premiers mois de l'année sont ainsi dominés par M. Balladur à qui tout semble réussir. Puis c'est le tour de M. Chirac qui s'installe à l'Élysée et constitue le pivot de l'année du paradoxe et des renversements. Les derniers mois, tout naturellement, seront marqués par l'omniprésence de M. Juppé, successivement Premier ministre de Chirac – après avoir été le brillant ministre des Affaires étrangères de Balladur –, maire de Bordeaux en remplacement de M. Chaban-Delmas et enfin, président du RPR.

Destin d'un surdoué

L'ascension d'Alain Juppé marque l'année 1995 autant que la revanche éclatante de Jacques Chirac élu à la magistrature suprême – comme M. François Mitterrand – à son troisième essai, après deux échecs en 1981 et en 1988. Le succès de Jacques Chirac, c'est le triomphe de la volonté. Le succès d'Alain Juppé, c'est le triomphe du talent. Rien d'impossible à ce surdoué qui s'attaque à une tâche herculéenne, sans cesse remise à plus tard par ses prédécesseurs : non seulement la remise en état des finances publiques, mises à mal par des années de laisser-aller démagogique où le socialisme à la française, avec ses compromissions et ses contradictions, a une lourde responsabilité, mais la réforme, nécessaire et réclamée par tous, des structures d'un État endetté et affaibli malgré sa toute-puissance, et peut-être à cause d'elle.

Les réformes tardent un peu. On le reproche au Premier ministre. Dès l'été, les Français s'impatientent : où sont les réformes ? Elles arrivent dès l'automne. Et dans l'enthousiasme général. Non seulement d'un Parlement, largement dominé par la majorité, mais des médias qui saluent le courage du chef du gouvernement et un effort sans précédent, raisonnable et équilibré. M. François Bayrou, ministre de l'Éducation nationale, définit le rythme de la réforme de l'enseignement supérieur et souhaite qu'elle aboutisse avant juin 1996. Aussitôt, des troubles surgissent à Rouen, où les étudiants réclament une rallonge de 12 millions de francs. M. Bayrou envoie un médiateur et annonce un engagement de 9 millions.

Tous contre un

La réforme de l'université n'est qu'un volet d'une réforme plus vaste, promise par M. Chirac au cours de sa campagne, précisée à l'occasion des cinquante ans de la Sécurité sociale, puis dans un entretien télévisé où le président reconnaît avoir peut-être sous-estimé la gravité de la situation financière. Au Chirac réformiste, qui s'était donné une image plus orientée à gauche, succède un Chirac toujours réformiste mais qui constate qu'il n'y a pas d'autre politique que celle qui consiste à réduire les déficits et à préparer l'entrée de la France dans l'Union européenne. Non seulement les marchés financiers réagissent favorablement, mais les huit organisations syndicales acceptent le principe d'une réforme de la Sécurité sociale, initiative sans précédent depuis 1967. Le plan Juppé, qui reprend tous les éléments de la réforme, est appelé à dominer tout le paysage économique et social de la fin de l'année.

À la fin de l'automne 95, six mois après l'élection, sinon triomphale, du moins incontestable et incontestée, de M. Jacques Chirac, un formidable mouvement social, le plus fort depuis Mai 68, secoue tout le pays. Le mot d'ordre ? « Retrait du plan Juppé ! » À la stupeur des observateurs étrangers, le pays est paralysé par la grève des transports, les gens se lèvent à 4 heures du matin pour se rendre à leur travail, à pied ou dans des voitures bloquées par les embouteillages, la poste ne fonctionne plus, une atmosphère étrange de fatalisme mêlé de résignation et de révolte se met à régner sur les Français. Que se passe-t-il ? Mai 68, c'était la dérision, la gaieté, le refus d'une société de consommation. L'automne 95, c'est la peur, le désespoir, le refus d'une société de pénurie. Le chômage plane sur le tout.

Alain Juppé essaye de le combattre en remettant en ordre les finances et l'économie. Les grévistes, qui veulent que les choses changent, ne veulent pas qu'elles changent au détriment de leurs avantages, acquis au fil des années. Chaque camp rejette sur l'autre la responsabilité d'événements qui creusent encore un peu plus les déficits et mettent en danger une croissance déjà plus faible que prévu et sans laquelle les chances de l'emporter sur le chômage diminuent à vue d'œil.

Ce qui a mis le feu aux poudres, c'est le sentiment que les retraites sont en danger. Comment ne le seraient-elles pas, puisque le nombre des retraités s'accroît pendant que le nombre des actifs chargés de les entretenir se réduit ? Les cheminots ne le supportent pas. Ils voient bien que des dangers pèsent sur eux, du fait de l'évolution de la société et des techniques, comme ils pesaient au siècle dernier sur les canuts de Lyon. On veut bien les réformes, on les réclame, on les exige, à condition qu'elles ne touchent à aucune des situations et des habitudes des différents groupes sociaux.

Parfois, en sens inverse, les mécontentements s'agrègent et se renforcent mutuellement. On voit défiler cheminots, postiers, enseignants, infirmières, fonctionnaires en général, et même médecins, au coude à coude avec les étudiants qui ne protestent pas seulement contre les conditions dans lesquelles, trop souvent, ils travaillent, mais contre l'absence de perspectives d'avenir qui les attend après leurs études. Le tout coagule en une seule formule qui recouvre toutes les angoisses et tous les désespoirs : « Retrait du plan Juppé ! »

Une crise plus profonde

Juppé fait face. Le surdoué fait l'apprentissage de la contestation sociale. On lui reproche un manque de souffle et de cœur. Il répond que les émotions n'exigent pas d'être portées en sautoir et que le champ qu'il laboure n'est pas celui du lyrisme, mais de la réalité. En face de lui, se dresse un homme qui ne cache pas qu'il défend d'abord des intérêts particuliers – et peut-être surtout les siens propres : Marc Blondel. À la fin de 1995, deux mois de la longue histoire de la France semblent se résumer à un duel entre deux hommes : Marc Blondel et Alain Juppé.

Les choses, naturellement, vont beaucoup plus loin que ces apparences superficielles. Les vieilles structures s'effondrent. De nouvelles perspectives ont du mal à se faire jour. L'ombre de l'entrée dans l'Europe et de la monnaie unique plane sur une grève qui s'étend et qui apparaît aux uns comme la revanche dans la rue du choix politique de 1993 et aux autres comme l'expression d'un ras-le-bol longtemps contenu et d'une impatience générale. Impossible de réduire la signification des événements de la fin de 95 à une affaire strictement française.

La France est liée au monde

Au moment même où les grèves battent leur plein dans le pays, les gouvernements européens se réunissent à Madrid, poursuivent leur travail d'intégration et choisissent le nom de la nouvelle monnaie à venir : l'euro. Mais la France sera-t-elle en état dans quelques dizaines de mois à peine, d'affronter ce passage historique ? À la fin de l'année, ce problème crucial se pose en termes dramatiques. Les partisans d'une autre politique, du repliement sur soi-même, du décrochement à l'égard du mark, de la dévaluation et du franc faible sont loin d'avoir désarmé. Au désespoir de beaucoup s'ajoute une incertitude politiquement et économiquement désastreuse.

Ce ne sont pas seulement les entreprises, les commerçants, les artisans, tous ceux qui travaillent ou veulent travailler qui ont souffert en 95. Ce ne sont pas seulement les grévistes, pour qui la grève n'est jamais gaie. Ce ne sont pas seulement les chômeurs, les sans-abris, les victimes de la dureté des temps, c'est un peu tout le monde. La peur a été très présente tout au long de l'année – et surtout depuis l'été. Les banlieues s'agitent. Lié à la situation algérienne, le terrorisme frappe en aveugle. Une série d'attentats ensanglante le pays. Un sentiment d'insécurité s'installe un peu partout – et d'abord à Paris où des bombes plus ou moins artisanales explosent l'une après l'autre. À la fin de septembre, la mort de Khaled Kelkal, à l'origine de plusieurs attentats, et peut-être de tous, déclenche une polémique, vite étouffée par l'apparition des grèves.

La France est liée au monde. La reprise des essais nucléaires suscite une autre série de controverses, sur le plan international, cette fois. Non seulement l'Australie ou la Nouvelle-Zélande, mais un certain nombre de pays européens marquent leur opposition. Pour les uns, chez nous, la France a le devoir d'assurer sa défense dans un monde incertain ; pour les autres, elle compromet son image dans le monde moderne. La série de huit essais annoncés se réduira sans doute à une demi-douzaine.

Un climat délétère

Tout au long de l'année, l'atmosphère reste empoisonnée par une série de scandales politiquement financiers. Les « affaires » contribuent à la dévalorisation des milieux politiques et à la démoralisation de tous. Elles frappent à gauche comme a droite. On ne les énumérera pas ici. Deux noms suffisent à les résumer : celui de Carignon[1] et celui de Tapie, flanqué de Mellick. Les interrogations se multiplient. Pourquoi un tel est-il frappé plutôt qu'un tel ? Tous les dirigeants sont-ils coupables ? Verra-t-on enfin le terme d'une série consternante ? Avec les grèves et les attentats, les affaires contribuent à faire régner en France, d'un bout à l'autre de l'année, un climat détestable.

De grands noms se sont effacés en 1995. Dans le domaine de la littérature : Jean Tardieu, André Frossard, Pierre-Jakez Hélias, Cioran, Jean-Louis Curtis. Dans celui de la philosophie : Deleuze et Lévinas. Dans celui du cinéma : Louis Malle. Surtout vers la fin de l'année, à cause sans doute de la situation économique et sociale et de la crise dont le pays ne parvient pas à sortir, une sorte de voile de tristesse et de découragement s'étend sur les Français. Les attentats ont cessé. Mais tout danger est-il écarté ? Il ne semble pas qu'on puisse jamais en finir avec les affaires qui s'engendrent les unes les autres. Le travail a repris, mais a-t-il repris de bon cœur ? À Marseille, à Caen, un certain nombre de travailleurs ont encore passé les fêtes sur les lieux de la grève.

Que se passera-t-il demain ? Beaucoup d'entreprises, de commerçants, d'artisans sont au bord de la ruine et du dépôt de bilan. Le chômage ne décroît guère. Mais ce qui manque le plus, c'est l'espérance et la foi en l'avenir.

La seule perspective un peu forte qui s'offrait aux Français, à ceux de droite, à ceux de gauche, c'était l'Europe. Où en

---

1. Ministre de la Communication depuis mars 1993, Alain Carignon doit démissionner en juillet 1994. Mis en examen, il sera condamné en juillet 1996 à cinq ans de prison (dont un an avec sursis), cinq ans d'inéligibilité et 400 000 francs d'amende pour corruption, abus de biens sociaux, et subornation de témoins.

sont, en cette fin d'année 95 qui s'achève dans les troubles, les espérances européennes de la France ? Plus encore que les Français, c'est la question que se posent les étrangers qui nous observent. Nous tâcherons d'examiner dans un prochain article cette question décisive.

Chez nous, en tout cas, ce n'est pas assez dire que l'année s'achève en demi-teinte. Peu de fêtes de fin d'année auront été marquées par autant d'incertitudes et de craintes que cette fin de 95. Ce qui fait le plus défaut, aujourd'hui, aux Français, plus encore que l'argent, que la joie de vivre, que la concorde entre les citoyens, que l'amour des uns pour les autres, c'est de croire en quelque chose. Ce n'est pas seulement que ce qu'on espère n'est pas encore réalisé : c'est qu'on ne sait même plus quoi espérer. Une année d'affaires, d'attentats, de grèves se termine dans l'inquiétude. La première tâche – et elle est rude – du président de la République et du Premier ministre, qui éprouvent les rigueurs de la roche Tarpéienne après avoir connu les ivresses du Capitole, est de rendre dans ces circonstances difficiles un peu d'espérance aux Français.

Le Figaro, **28 décembre 1995**

1996

Un diable d'homme

Que dire encore de François Mitterrand, qui a été, successivement et simultanément, adulé plus que personne et plus haï encore qu'il n'a été adoré ? Une seule chose, peut-être : c'est un diable d'homme.

Quand il a quitté, après quatorze années – record absolu pour un président de la République –, le palais de l'Élysée, beaucoup de ses ennemis, et plus encore de ses amis, n'ont pas dissimulé un soupir de soulagement : on était enfin débarrassé de cet homme à qui pouvait s'appliquer mieux qu'à personne le vers que Vigny adressait à la femme : « Toujours ce compagnon dont le cœur n'est pas sûr. »

Débarrassé ? Pas vraiment. Malraux disait du Général terré à Colombey : « Le Commandeur est dans le placard. » François Mitterrand n'est pas un Commandeur, et il n'est pas dans le placard. À défaut de s'installer dans ce Panthéon dont il rêvait peut-être, il s'est installé, pour le meilleur et pour le pire, dans la mémoire des Français.

De Gaulle et Mitterrand

François Mitterrand a été placé par l'histoire dans le sillage et dans l'ombre du général de Gaulle. C'est son destin. C'est sa croix. Il a été, implacable et constant, l'ennemi du Général. Il a participé, un peu tard peut-être, après avoir reçu cette francisque

227

dont, pendant des années, il a été inconvenant de parler, à la Résistance nationale. Il n'a jamais aimé le Général. Et le Général ne l'a jamais aimé. Ceux qui ont eu pour le Libérateur un attachement quasi mystique auront eu toujours du mal à nourrir pour Mitterrand autre chose que de l'hostilité. Ils n'auront jamais pu se défaire du sentiment que Mitterrand, dans une période au moins de son itinéraire si divers et si riche en épisodes contrastés, avait été plus proche du Maréchal qu'il ne l'a jamais été du Général. François Mitterrand éprouvait à l'égard du Général une répulsion instinctive. Les gaullistes n'ont jamais cessé d'éprouver à l'égard de Mitterrand une répulsion instinctive.

De Gaulle, c'est un appel, une vocation, une mystique. Mitterrand, c'est une carrière. Il est peut-être permis de dire que Mitterrand a représenté la totalité des Français. Mais il les a représentés successivement. Il a été de droite, catholique, nationaliste, socialiste, marxiste, européen et laïc. Il a été un partisan acharné des nationalisations et un défenseur de la libre entreprise. Il a été l'allié des communistes et il les a pris au piège pour les détruire comme personne ne les avait détruits depuis de Gaulle et Guy Mollet, à qui il s'opposait. Dans le malheur de la patrie et contre ses alliés même, de Gaulle n'a jamais cessé d'incarner l'intransigeance. Mitterrand a illustré mieux que personne depuis Louis XI les pouvoirs de l'ambiguïté.

En mai 1981, nul n'était capable de deviner si Mitterrand, oui ou non, ferait entrer au gouvernement des ministres communistes – à l'époque des staliniens. Quand a été connu le choix de quatre ministres communistes, ce fut, dans le monde comme en France, une sorte de coup de tonnerre : le chemin s'ouvrait aux communistes. En vérité, il se fermait. Mais ni la droite ni la gauche n'étaient capables de le voir. Seul Mitterrand combinait ses coups à la façon d'un joueur d'échecs qui voit plus loin que les autres. Et à la façon du général de Gaulle, qu'il ne faisait qu'imiter après l'avoir tant attaqué : de Gaulle, avant Mitterrand, avait fait entrer des communistes au gouvernement pour ne pas leur laisser le seul privilège exorbitant dans une démocratie aux prises avec de grandes difficultés : l'opposition.

À sa façon, Mitterrand avait le même partenaire que de Gaulle : c'était l'histoire. De Gaulle s'imposait à elle et Mitterrand rusait avec elle. Ce qui fait que de Gaulle méprisait la politique de dehors et que Mitterrand la dominait du dedans. De Gaulle ou la grandeur. Mitterrand ou l'habileté.

Mitterrand et l'histoire

Je ne sais pas si Mitterrand a souffert de sa réputation d'habileté et de ce surnom de « Florentin » dont l'avait affublé François Mauriac – alors que s'il y a une ville d'Italie qui est chère à son cœur, ce n'est pas Florence, mais Venise, aux prises avec le monde et l'histoire et fascinée par la mort. Au point qu'en s'attaquant à la reine des mers dans son injuste mais brillant *Contre Venise*[1], on a l'impression que Régis Debray a attaqué d'abord et avant tout Mitterrand lui-même. Habile, en tout cas, François Mitterrand l'aura été de bout en bout. Comme ministre de la IVe – onze fois –, comme premier secrétaire d'un parti socialiste qu'il avait ramassé en loques et ressuscité de la tombe, comme président d'une République qu'il avait prise en charge pour l'éloigner de la fidélité à de Gaulle, et qu'il a dirigée, au moins en ce qui concerne la forme, dans le droit fil de l'héritage gaulliste.

La différence, terrible, entre de Gaulle et Mitterrand, c'est que de Gaulle s'oppose à l'histoire et lui commande ; et que Mitterrand s'y adapte et lui obéit. On peut dire les choses autrement. De Gaulle, c'est un caractère, une volonté implacable, l'orgueil de la patrie. Mitterrand, c'est un charme. De ce charme, il a usé toute sa vie. S'il atteint à une espèce de charisme, très éloigné de celui de De Gaulle, tout fait de raideur et d'illumination grandiose, c'est à un charisme de charmeur. Il n'a pas charmé le Général, pour qui ne comptaient que la hauteur et le service d'une nation au-delà de toute politique. Mais il a charmé les socialistes, auxquels il n'appartenait pas par son origine et par ses goûts. Et il a charmé les Français.

---

1. Paris, Gallimard, 1995.

Mitterrand et la littérature

Ce sont les Français, après tout, qui l'ont choisi par deux fois. Contre Giscard d'abord. Contre Chirac ensuite. Ce qu'on peut reprocher à Mitterrand, il faut d'abord le reprocher aux Français. Ils ne lui ont pas seulement pardonné ses défauts – l'aisance à prendre des tournants, des relations souvent difficiles avec la vérité, un côté byzantin et parfois presque de type mafieux dans la fidélité aux amis –, ils ont été enchantés par son lyrisme, inspiré de Lamartine, et souvent un peu désuet, qui faisait contraste avec son modernisme progressiste et par son amour réel pour la littérature et les mots. De tous nos présidents de la IIIe, de la IVe et de la Ve République, il n'y en a que deux – on me pardonnera cette insistance apparemment un peu maniaque, mais elle est imposée par les faits – qui aient vraiment eu le sens de la littérature : Charles de Gaulle et François Mitterrand. C'est peut-être ce qui les unit, alors que tout les oppose.

De Gaulle, c'était Bossuet, Chateaubriand, Michelet : la philosophie de l'histoire, les grands desseins, le peuple. Mitterrand, c'était un mélange de Lamartine et de Chardonne. Chez l'un et chez l'autre, il y a de la droite et de la gauche. Ce n'est pas selon ces critères-là que se fait le partage. On dirait plutôt que de Gaulle, c'est le tonnerre sur le mont Nebo. Et Mitterrand, l'effusion psychologique. Mitterrand manie les foules et de Gaulle les entraîne. Si l'on voulait pousser dans le sens de la polémique, on dirait que de Gaulle appelle le peuple à la hauteur et que Mitterrand canalise les courants d'émotion. L'un fait la guerre et l'autre de la politique. L'un vit au milieu des mythes, des légendes, des héros, et l'autre au milieu des comités Théodule. L'un précède l'histoire à la façon d'un visionnaire. L'autre la suit avec un talent prodigieux.

Un exemple de courage

Au milieu de préoccupations qui relèvent le plus souvent d'un plan de carrière mené de main de maître, il y a une vertu dont Mitterrand a donné un exemple que beaucoup n'attendaient pas ou plus. C'est le courage. Dans la vie privée, d'abord ; et les Français, n'en doutons pas, y ont été sensibles. Lorsque la maladie la plus cruelle, le cancer, s'est attaquée à lui, il a fait face avec une sorte d'héroïsme détaché et calme, où il était permis de lire des traces de stoïcisme. Dans la vie politique aussi. Le discours prononcé à Bonn en plein débat brûlant sur la guerre froide – « Les missiles sont à l'Est ; les pacifistes sont à l'Ouest... » – est un des grands moments de l'histoire de l'Europe en train de naître. À Berlin, plus récemment, un autre discours sur les soldats allemands dans la Seconde Guerre mondiale – « Leur cause était mauvaise, mais ils étaient courageux et ils aimaient leur patrie... » – a fait couler des flots d'encre et soulevé des tempêtes. Dans ses attitudes les plus contestables, François Mitterrand peut être accusé de double jeu, d'ambiguïté coupable, de dissimulation. Il ne peut pas être accusé de lâcheté.

De quoi François Mitterrand peut-il être accusé ? Il ne peut pas être accusé d'avoir été socialiste, sur le tard, sans doute, mais avec conviction. Après tout, si les Français n'avaient pas envie de faire une longue expérience socialiste qui n'a peut-être pas été enchanteresse, ils n'avaient qu'à ne pas l'élire. Il n'avait pas mis son drapeau dans la poche – et ils l'ont élu deux fois. Ce qu'on peut reprocher sans doute de plus grave à François Mitterrand, c'est d'avoir démoralisé les Français.

Comment a-t-il démoralisé les Français ? En se présentant comme le candidat de la moralité contre le cynisme de la droite, et en couvrant quelques-uns des scandales les plus éclatants de notre histoire, qui n'en manque pas. En dénonçant l'argent à tout-va et en protégeant chez les siens ses modes d'acquisition les plus douteux. En se drapant dans l'armure du chevalier qui lutte contre les inégalités sociales et en laissant croître et se développer sous son règne une nouvelle pauvreté qui constitue aujourd'hui le plus grave de nos problèmes. Chez les jeunes, chez les déshérités, chez ceux qui croyaient au socialisme, il a suscité beaucoup d'espérances auxquelles il n'a pas répondu. Ceux qui n'aimaient pas de Gaulle le haïssaient ; ceux qui n'aimaient pas ou plus Mitterrand le méprisaient. Depuis l'affaire de l'Observatoire, effacée comme par magie de la mémoire collective, il a largement contribué au discrédit qui a frappé en France les dirigeants politiques.

Une place dans son temps

Personne ne reprochera à Mitterrand de n'avoir pas pu empêcher la montée d'un chômage qui frappe le monde entier. Mais comment ne pas se souvenir qu'il s'est fait élire en un temps où la France comptait 2 millions de chômeurs et en assurant que l'élection de son adversaire en entraînerait 3 millions ? C'est sous sa présidence à lui que le cap des 3 millions de chômeurs a été atteint et dépassé. Entre la promesse et la réalité s'est glissé quelque chose qui ressemble à une imposture.

Le changement de cap radical de 1983, qui le reprochera à Mitterrand ? La politique suivie par le gouvernement Mauroy-Delors menait à la catastrophe avec une sûreté si criante qu'il a bien fallu la modifier du tout au tout. Mais cette rupture n'a jamais été reconnue par Mitterrand, qui n'a cessé de soutenir, contre toute évidence, que sa politique était marquée par la continuité. Là encore, une forme d'imposture se fait jour. Elle lui a d'ailleurs été reprochée autant et peut-être plus par ses amis que par ses adversaires. Beaucoup de ses amis ont fini, au fil des ans, par s'éloigner de lui. Partisans de Savary, d'Hernu, d'Édith Cresson, de Rocard surtout, ont quitté peu à peu le navire amiral, lui en voulant de ses manœuvres pour la conservation d'un pouvoir de plus en plus jaloux, de moins en moins transparent, de plus en plus solitaire.

La vraie revanche de ceux qui ont été depuis toujours les adversaires de Mitterrand, ce n'a pas été de le voir quitter un pouvoir qu'il n'a abandonné qu'à son terme et avec tous les honneurs. C'est plutôt de le voir attaqué avec une violence de moins en moins dissimulée par ses anciens partisans. À la fin de son règne, même les plus fidèles des fidèles ne savaient plus s'il fallait ou s'il ne fallait plus se réclamer encore de lui. Il faut ajouter, à l'éloge du président, que ces hésitations semblaient le laisser de glace : il les accueillait avec la plus parfaite indifférence.

La vie privée

C'est qu'il avait le sentiment d'avoir rempli la mission qu'il s'était fixée : rendre plausible et facile – et peut-être dans les deux sens, même s'il préférait le sens qui menait jusqu'à lui – l'alternance démocratique.

C'était lui, après tout, qui, pour la première fois, avait installé pendant quatorze ans – presque la durée du pouvoir personnel de Napoléon Bonaparte, presque la durée de la Restauration, beaucoup plus que la durée de toute la Révolution française – le socialisme à la tête de l'État. En ce sens, autant et plus que Jaurès ou Léon Blum, il aura marqué son temps.

Dans la vie privée, François Mitterrand savait être irrésistible. Avec les femmes d'abord : il les aimait. Avec ses amis, bien sûr, qui lui vouaient une sorte de culte et qu'il n'abandonnait pas volontiers – on le lui a assez reproché – dans les difficultés et les épreuves. Avec ses adversaires aussi. Je lui envoyais mes livres, comme il se doit. Comme de Gaulle, comme Pompidou, comme Chirac, il répondait toujours aux écrivains avec la plus grande courtoisie. Il avait exprimé le vœu de parler de mon dernier livre avec moi. Les affaires publiques et la maladie l'en avaient empêché. À la veille même de son départ de l'Élysée, il m'avait téléphoné. C'est ainsi que, de 9 heures à 10 heures et demie, le jour de la passation des pouvoirs à Chirac, j'ai pris, seul avec lui, d'excellents œufs brouillés et un peu de café.

Il m'a parlé de son enfance, de sa jeunesse, de ses lectures, de son arrivée à Paris, de ses amis aussi, et de ses adversaires, avec la plus complète liberté. Peu d'hommes répandent autour d'eux une aura aussi romanesque que François Mitterrand. C'est pour cette raison, je pense, plus encore que pour son rôle d'homme d'État, que tant de livres ont été publiés sur lui, et le plus souvent contre lui, avec tant de succès. Je ne raconterai pas ce qu'il m'a confié. Il me semble – illusion ? – qu'il ne m'a pas parlé comme à un journaliste. Sans doute pas non plus comme à un ami. Mais peut-être comme à un écrivain, un peu au-delà des dissentiments politiques qui, à des niveaux bien différents, pouvaient nous séparer.

Amis et ennemis

De Gaulle – encore lui ! – se confondait entièrement avec ses fonctions et, quand il n'était pas au pouvoir, avec son image historique. L'homme privé chemine, chez Mitterrand, aux côtés de l'homme public. C'est ce qui fait, j'imagine, que ses amis l'accompagnent religieusement dans les rues de Paris, le long des canaux de Venise ou sur le rocher de Solutré. Et que ses adversaires eux-mêmes, ceux qui n'ont jamais cessé de combattre sa politique, prennent un vrai plaisir à parler avec lui des arbres, de la communion des saints, du romantisme français ou de nos fins dernières.

Un diable d'homme, en vérité. Qu'il est difficile de porter un jugement qui ne soit pas trop partisan sur un militant devenu chef d'État et qui, pendant quatorze ans, a mené une politique dont, d'un bout à l'autre, on a été l'adversaire ! Il me semble – est-ce que je me trompe ? – qu'à la fin de sa vie ceux qui le détestaient le détestaient moins qu'au début. Et que ceux qui l'aimaient l'aimaient moins qu'au début. Je ne me rangeais pas, pour ma part, parmi ceux qui l'aimaient.

Le Figaro, 9 janvier 1996

Le Vénitien

L'épithète homérique et italienne accolée le plus souvent – depuis François Mauriac – au nom de François Mitterrand est celle de « florentin ». Il y a, dans l'opération, une connotation péjorative, et presque une intention de nuire : on voit des dagues, du poison, des conspirations en pagaille et de la trahison dans l'air. Rappelons, pour tenter de garder un peu d'objectivité et serrer en même temps la réalité de plus près, qu'il y a une autre ville d'art en Italie à laquelle Mitterrand n'a jamais cessé de témoigner son admiration et son attachement. Ce n'est pas Florence ; c'est Venise.

François Mitterrand se rendait régulièrement à Venise. On le voit, sur des photos, accompagné de quelques amis, à bord d'un *motoscafo* ou en train de se promener sur la Riva degli Schiavoni ou sur les Zattere. Des rumeurs ont longtemps assuré que le président avait acheté une maison à Venise. On allait jusqu'à la montrer aux passants, ébaubis. Je ne sais pas du tout, pour ma part, ce qu'il y a de vrai dans ces bruits. On raconte que, lassée sans doute par les rumeurs, la propriétaire actuelle de cette maison aurait fait imprimer une carte de vœux de Noël. Avec trois volets : sur le premier, Mitterrand contemple la maison ; sur le deuxième, Mitterrand et la propriétaire sont ensemble devant la maison ; sur le troisième, Mitterrand s'éloigne et la propriétaire rentre seule chez elle.

Ce qui est sûr, en revanche, c'est qu'il a longtemps habité, entre le campiello San Vio et le pont de l'Accademia, un palais du XVIIᵉ siècle qui donne à la fois sur un jardin et sur le Grand Canal : le palais Balbi-Valier. Et que plusieurs trattorias ont eu l'honneur de recevoir à déjeuner ou à dîner le premier des Français. J'ai souvent pris des repas dans une trattoria de la Giudecca qui s'appelle Altanella et dont la terrasse s'ouvre sur un de ces canaux qui débouchent à deux pas de la belle église du Redentore, édifiée par Palladio, en 1577-1580, juste après San Giorgio Maggiore, juste avant le théâtre olympique de Vicence : François Mitterrand était un habitué de cet endroit très simple, très calme et très délicieux.

Pour Noël 1994, dans la plus grande discrétion, entouré d'êtres qu'il aimait – et aussi de trois gardes du corps qui l'aidaient parfois à franchir quelques marches ou à enjamber un obstacle –, le président est revenu une fois encore à Venise. La presse a évoqué une retraite tenue secrète. C'était à la Sérénissime qu'il avait tenu à rendre une dernière visite. Hanté par la mort, tenté par un mysticisme qui perçait jusqu'à travers ses discours officiels, il a retrouvé la ville du plaisir et du déclin.

Il s'était installé, une fois de plus, dans ce palais qui jouxte San Vio, entre le pont de l'Accademia et la pointe de la Salute et de la Douane de mer. De temps à autre, il poussait jusqu'aux Zattere et prenait un repas au restaurant Riviera, en face de la Giudecca, un des meilleurs de Venise. Mais, moins disposé à de longues marches, il s'installait surtout plus près, à deux pas de San Vio, à côté de la boutique d'un encadreur, le long d'un canal qui mène jusqu'aux Zattere, dans une trattoria populaire et très simple, le Cantinone storico.

On voit bien ce qui pouvait attirer François Mitterrand à Venise. Il aimait la beauté, la littérature, les femmes. Plus que Rome, reine majestueuse et altière, plus encore que Florence, princesse écrasée sous les ors et la prospérité, Venise est une ville-femme. On pourrait dire : une ville-femme-femme. Le Grand Canal est son écharpe. Les ponts sans nombre sont ses bracelets. Et les églises, les palais, les puits sur les petites places, les maisons ocre ou rouges sont les bijoux dont elle se pare.

Aucune ville au monde n'est plus littéraire que Venise. Pour un admirateur du romantisme, de Chateaubriand, qui mêle Venise à ses amours passionnées pour Nathalie de Noailles et pour Juliette Récamier, dont il écrit le nom sur le sable du Lido, de Musset,

> *Dans Venise la rouge,*
> *Pas un bateau qui bouge,*
> *Pas un pêcheur dans l'eau,*
> *Pas un falot...*
> *Mais qui, dans l'Italie,*
> *N'a son grain de folie ?*
> *Qui ne garde aux amours*
> *Ses plus beaux jours ?...*
> *Comptons plutôt, ma belle,*
> *Sur ta bouche rebelle*
> *Tant de baisers donnés*
> *— ou pardonnés !*
> *Comptons, comptons tes charmes,*
> *Comptons les douces larmes*
> *Qu'à nos yeux a coûtées*
> *La volupté !*

et de Barrès : « Avec ses palais d'Orient, ses vastes décors lumineux, ses ruelles, ses places, ses traghets qui surprennent, avec ses poteaux d'amarre, ses dômes, ses mâts tendus vers les cieux, avec ses navires aux quais, Venise chante à l'Adriatique, qui la baigne d'un flot débile, son éternel opéra », Venise est incomparable.

Grand amateur d'histoire, connaisseur averti de la littérature, François Mitterrand, quand il passait de la statue de Goldoni, au pied du Rialto, à la statue du Colleoni, devant San Giovanni e San Paolo, ou de la Madonna dell'Orto et de la maison du Tintoret à l'Arsenal, gardé par ses quatre lions de pierre, pouvait s'imaginer qu'il n'était plus entouré de Jack Lang, de Michel Charasse ni de Patrice Pelat, mais de Casanova, de Byron de Thomas Mann et de Visconti. J'imagine assez bien Mitterrand en train de rêver devant la plaque de marbre apposée sur le beau palais Dario (dont on raconte qu'il porte malheur, mais Woody Allen envisage de l'habiter) pour célébrer la mémoire d'Henri de Régnier, qui y vécut et y écrivit à la vénitienne : « *In questa casa antica dei Dario visse et scrisse venezianamente Henri de Régnier, poeta di Francia.* »

J'imagine surtout – je n'imagine pas, je le sais – que le président se promenait longuement et de jour et de nuit le long des canaux de Venise. Venise est une ville qui entraîne. Mitterrand se laisse entraîner. Florence est une ville immobile. On s'arrête longuement devant les portes du baptistère ciselées dans le bronze par Ghiberti ou devant Or San Michele ou devant la *Bataille de San Romano*, où Uccello a peint quelques-unes des plus belles croupes de cheval de l'histoire de la peinture. À Venise, chacun court le long du Grand Canal. On se précipite du Ghetto Vecchio à l'isola di San Pietro et des Gesuiti aux Gesuati. Ce n'est pas François Mitterrand qui aurait confondu, comme tant d'autres, les Gesuati, sur les Zattere, avec les incroyables draperies en marbre vert et blanc de l'église baroque des Gesuiti.

Il ne rêvait pas seulement à toutes ces splendeurs de l'art entassées à Venise. Venise est une leçon de beauté. C'est aussi une leçon de politique. De la grandeur, des triomphes, des échecs, et de la cruauté. Quels talents, quelle énergie, quelle patience avaient dû déployer ces gens venus se réfugier dans des marais hostiles – et sur des bords un peu plus élevés, dits Riva alta, d'où Rialto – avant de régner sans partage, plutôt par l'intelligence que par la force brutale, sur une bonne partie de la Méditerranée ! Tous les matins, surtout vers la fin, n'étaient pas triomphants : Bragadin, le défenseur héroïque et malheureux de Famagouste, avait été écorché vif par les Turcs, qui avaient promené par la ville sa peau bourrée de paille. Et Othello, et Casanova, et Marco Polo, et l'autre président, le bon vieux président de Brosses, qui détestait Saint-Marc ! Seul le pavement de mosaïque trouvait grâce à ses yeux : il était si bien jointé qu'on pouvait y jouer à la toupie. Venise est une machine à susciter des rêves de beauté, de pouvoir et de mort

Je suis prêt à parier que ce qui amusait Mitterrand et l'attristait en même temps – mais à quoi bon lutter contre une histoire qu'il vaut mieux accompagner qu'essayer en vain de contrer ? –, ce qui l'intéressait, en tout cas, c'est qu'il savait l'année, le mois, le jour où le déclin de Venise était devenu inéluctable : le 12 octobre 1492, Christophe Colomb découvrait l'Amérique. Lentement, mais fermement, l'océan Atlantique poussait la Méditerranée hors de la scène de l'Histoire. Le monde basculait. Ce n'était pas la première fois. Ce ne serait pas la dernière. Le tour viendrait du Pacifique. L'Histoire ne reste jamais immobile.

J'aurais aimé me promener à Venise avec François Mitterrand. Nous aurions parlé de cette république aristocratique, de cette démocratie élitiste, si pleine de contradictions, qui a inventé l'impôt sur le revenu, qui a élevé le masque à la hauteur d'une institution, où les lions ont des ailes et où les pigeons marchent à pied. Nous aurions évoqué tant de beauté, tant de crimes, tant de pouvoir, tant de génie. Nous aurions parlé de la politique, de l'argent, de *La Tempête*, de Giorgione, et du petit chien blanc aux pieds de saint Augustin dans le tableau de Carpaccio à San Giorgio degli Schiavoni. Je lui aurais posé des questions. Sur Venise. Sur la vie, qui lui avait tant donné. Sur les arbres, qu'il aimait tant et qui font défaut à Venise. Sur la mort, qui ne fait défaut à personne. Et sur Dieu, dont les peintres de Venise se sont tant occupés Mais, quoi ! je ne me suis jamais promené avec Mitterrand à Paris, où nous habitions tous les deux. Pourquoi diable lui serait-il venu à l'esprit de se promener avec moi à Venise ?

L'Express, 11 janvier 1996

1997

Tolérance et vérité

De Henri IV à Herriot et à Blum, de Montaigne à Gide, ce qu'il y a de meilleur en France, c'est la tolérance.

D'où partir ? De la position la plus française. Quelle est l'attitude française, en tout temps, sous tous les régimes, à l'égard des étrangers ? La tolérance et le respect. Il y a eu, en France, des périodes d'intolérance. La révocation de l'édit de Nantes n'est pas une page brillante de notre histoire. Mais, toujours, l'étranger, du plus proche au plus lointain, le Chinois, le Perse, le Turc, le Brésilien, a été le bienvenu chez nous. Même au temps où l'Espagnol ou l'Anglais étaient nos ennemis, nous admirions l'Espagne voir Le Cid et nous admirions l'Angleterre voir Montesquieu et Voltaire. Même au temps où l'Allemand était l'ennemi héréditaire, la philosophie allemande fascinait les universitaires français. Nous nous disputions entre nous. Le meilleur de nous-mêmes était réservé à l'autre qui ne cessait jamais d'ailleurs de chanter nos louanges : c'est hors de France, surtout, que la France était vraiment la France. Un consensus contre l'extrémisme Quoi d'étonnant à cette attitude envers l'étranger ? De Henri IV à Herriot et à Blum, de Montaigne à Gide, ce qu'il y a de meilleur en France, c'est la tolérance. Une France qui cesserait d'être tolérante cesserait d'être la France. Une France fermée sur elle-même serait détruite plus sûrement qu'une France fondue dans l'Europe et ouverte sur le monde. On me dira que les circonstances ont changé et que, selon la formule de Michel Rocard, la France ne peut plus accueillir toute la misère du monde. C'est vrai. Mais il est vrai aussi que rien n'est moins français qu'une attitude de mépris à l'égard d'un Arabe ou d'un Noir. Un des problèmes qui se posent à nous aujourd'hui est de concilier le respect des droits de l'homme en chacun avec la nécessité de lutter avec énergie contre une immigration clandestine qui constitue un péril mortel et qu'aucun pays ne peut tolérer. La pire des attitudes à prendre serait d'encourager, par idéologie ou par calcul politique, une immigration massive : le vrai service à rendre au Front national, c'est celui-là. Volontairement ou involontairement, les extrémistes de gauche, comme souvent, font à cet égard le lit de l'extrémisme de droite. Un accord n'est pas loin de se dessiner sur ce point entre une gauche et une droite qui rejettent également l'extrémisme. Il suffit de lire des esprits aussi différents que Jean Daniel dans *L'Observateur*, Max Clos dans *Le Figaro*, Denis Jeambar dans *L'Express* ou Claude Imbert dans *Le Point* pour s'en persuader. Les racines de la loi Debré sur l'immigration, si vigoureusement attaquée, on les trouverait déjà dans les dispositions prises dès 1982 par le gouvernement socialiste de l'époque. L'immigration à tout-va est pain bénit pour le Front national. Lutter contre l'immigration clandestine, c'est lutter contre le Front national.

Fautes et faiblesses des adversaires de Le Pen

Lutter contre le Front national consiste moins à refuser de parler avec ses dirigeants, à partir quand ils arrivent, à se couvrir la tête de cendres dès qu'on les évoque et à leur tourner le dos qu'à trouver aux problèmes qui les servent de meilleures solutions que celles qu'ils proposent eux-mêmes. Personne ne peut oser penser que la déportation en masse des immigrés sera la solution à tous nos maux. Mais personne ne peut penser non plus qu'il est inutile de mettre un frein à l'immigration de masse. Il n'y a pas d'autre solution qu'un contrôle accru de l'immigration clandestine et une intégration des immigrés assimilés. Un des risques du front commun qui est en train de se constituer sur ces bases contre le Front national est qu'il permet à Le Pen de se poser en seul adversaire d'un système interchangeable et corrompu qui regroupe tous les autres, des communistes à la droite parlementaire. En temps de grandes difficultés économiques et de scandales financiers, c'est une position idéale. Des fautes énormes ont été commises. Accepter que les porte-parole de la lutte contre Le Pen aient été des politiciens suspects et souvent plus que suspects, c'était une aubaine pour le Front national. Lancer Tapie contre Le Pen, c'était faire le jeu de Le Pen. Que, pendant des années, Bernard Tapie pour ne parler que de lui, qui est devenu un symbole, ait été une des vedettes du paysage politique français, qu'il ait été utilisé par Mitterrand pour affaiblir Michel Rocard, qu'il ait pu se poser comme un des adversaires privilégiés de Le Pen, il n'y a pas de quoi se vanter. Le Front national s'est nourri des fautes et des faiblesses de ceux qui le combattaient.

Confusion et médiocrité

Le Front national doit être combattu, mais, si possible, avec un minimum de cohérence, d'intelligence et de chances de succès. Ce n'est pas le cas jusqu'à présent et beaucoup de discours et d'imprécations contre le Front national laissent à peu près autant d'amertume et d'insatisfaction que les discours et les imprécations du Front national lui-même. Le Front national doit être combattu parce qu'il cultive l'exclusion, la violence, l'intolérance, et en fin de compte la haine. Mais comment ne pas être consterné devant le spectacle que fournissent, notamment à la radio et à la télévision, trop de débats où la confusion et la médiocrité des arguments aboutissent le plus souvent à un résultat opposé à celui qu'il était permis d'espérer ? S'il pleut et que le Front national déclare qu'il pleut, c'est une mauvaise idée d'affirmer qu'il ne pleut pas. Il ne suffit pas de dire le contraire du Front national pour être assuré d'avoir raison. Il ne suffit pas de soutenir les adversaires du Front national pour être assuré d'avoir misé sur le bon cheval. C'est avec des facilités et des abandons de cet ordre qu'on renforce le Front national sous couleur de le contrer.

L'essence de la démocratie

Le premier souci de l'intellectuel, c'est la vérité. Il n'a un devoir de tolérance et d'indépendance que parce qu'il a un devoir de vérité et que la vérité n'est jamais donnée toute faite. Il sait bien qu'il n'atteindra jamais à la vérité absolue, mais il s'efforce toujours de l'approcher et il ne peut pas ruser avec elle pour des motifs tactiques ou idéologiques. Le Front national ne dit pas la vérité. Il n'incarne pas la justice. Il assène des slogans. C'est en servant la justice et la vérité qu'on le combattra le plus utilement. La justice et la vérité, il est difficile pour tout le monde de les définir et de s'y tenir. Évitons en tout cas de les piétiner comme les piétine le Front national. Je suis tenté de croire que, pour des motifs obscurs et compliqués, les médias ont fait trop de place au Front national et ont fini par le servir dans des combats douteux. Je ne suis pas sûr que la diabolisation n'ait pas été un atout majeur dans la manche de Le Pen. Maintenant, le mal est fait. Le Front national a pris des dimensions alarmantes et une importance nationale. De tous les pays européens, c'est la France qui compte l'extrême droite la plus chauvine et la plus intolérante. C'est un résultat consternant. Il faut changer de méthode, faire notre autocritique, défendre des valeurs plus sûres, redonner toute leur force au pluralisme et à la tolérance qui constituent l'essence même de la démocratie

Des relents de guerre civile

Encouragé de toute évidence par le Front national, un climat d'intolérance et de haine est en train de monter en France. Il faut nous y opposer de toutes nos forces, ou tout est perdu. Le mépris et la haine pour un Arabe ou un Noir sont des sentiments répugnants. On a vu à quoi ont mené le mépris et la haine des juifs. Ne laissons pas ces sentiments-là envahir le pays, ni nous-mêmes. Rejeter qui que ce soit dans un ghetto, et même les électeurs du Front national, nier les droits des autres à l'existence et à l'expression, c'est adopter déjà l'idéologie que nous dénonçons et que nous voulons combattre. Ne laissons pas flotter, même au loin, des relents de guerre civile. Tous les hommes sont égaux en dignité et en droits. Le crime du Front national est de substituer des rapports de violence aux rapports de fraternité et à la recherche inlassable d'une justice et d'une vérité qui ne seront jamais atteintes mais qu'il faut se fixer comme buts. Ne laissons pas, même contre lui, le Front national nous imposer ses armes. Ce n'est pas par des injures et des cris dignes du Front national que sera réglé le problème du Front national. C'est par des réformes capables d'améliorer les conditions d'existence de tous et de convaincre les esprits. Si nous ne sommes pas capables de les mener à bien, si nous ne sommes pas capables de nous refuser au mépris et à la haine de l'autre, alors le pire n'est pas impossible. Ce n'est pas de paroles que nous avons besoin ni d'une vaine agitation qui excite les passions au lieu de les apaiser, mais de réformes et d'action.

Le Figaro, 20 février 1997

Départ d'un gêneur

On peut parler d'échec. Peut-être justement parce qu'il s'agit d'un échec, Alain Juppé était quelque chose d'assez proche d'un grand homme.

Le destin d'Alain Juppé était inscrit dans les résultats du premier tour. Dimanche soir à 8 heures, nous savions tous qu'il partait. Ce n'est pas une image médiocre que Juppé laisse derrière lui. Il a été le Premier ministre le plus impopulaire de la Ve République. C'est lui qui a été, auprès du président de la République dont dépendait la décision, le principal artisan de la dissolution. La dissolution s'est retournée contre lui. Si, comme le promettaient plusieurs sondages, il y a une quinzaine de jours à peine, la majorité l'avait emporté par 100 ou 150 sièges, il aurait été reconduit dans ses fonctions pour une durée indéterminée. Quel vacarme ç'aurait fait ! L'ampleur du recul de la majorité au premier tour constitue pour Alain Juppé un revers personnel sérieux. Il a échoué dans son action. Mêlées sans doute d'inquiétudes en sens opposé, des clameurs de joie vont s'élever à gauche, ce qui est normal ; et à droite, ce qui l'est beaucoup moins et qui est peut-être consternant. Il va être cloué nu au poteau de couleur. On parlera de sa froideur, de son obstination, de son incapacité à communiquer. Pour un peu, on pavoisera et d'un côté et de l'autre. Il y aura des cris de victoire et des soupirs de soulagement. En France et à l'étranger, des torrents d'encre vont couler sur son échec. Car il s'agit bien d'un échec et pourtant, peut-être justement parce qu'il s'agit d'un échec, Alain Juppé était quelque chose d'assez proche d'un grand homme.

Pour les autres, pas pour soi

Qui a réussi ? M. Queuille a bien réussi. M. Poher a bien réussi. Paix à leurs âmes qui n'étaient pas méchantes et qui n'auraient pas fait de mal à une mouche. Qui a réussi ? M. François Mitterrand a réussi au-delà de toute espérance. Il n'a jamais cessé de mentir. Il n'a jamais cessé de dire aux Français, avec une intelligence d'une souplesse merveilleuse, ce qu'ils avaient envie d'entendre. Il a sculpté sa statue. Jour après jour, M. Juppé a détruit d'avance la sienne en disant aux Français ce qu'ils ne voulaient pas entendre et en prenant des mesures qu'ils réclamaient en bloc pour les autres mais qu'ils rejetaient pour eux-mêmes. Ah ! comme ils voulaient que ça change, les Français ! Ils n'avaient que le mot de changement à la bouche, et c'est ce changement qui a tué Juppé. Le changement !… Le changement… ! Des réformes ! Des réformes ! Mais pour les autres, bien sûr, et jamais pour soi-même. Les médecins en train de partir en week-end auraient bien voulu que les pilotes ne fassent pas grève et les pilotes s'indignaient de la grève des médecins. Chacun voulait des réformes et défendait ses privilèges. C'est à ce système où chacun ne pense qu'à préserver ses avantages et à dénoncer ceux des autres qu'avec une audace et une légèreté incroyable s'est attaqué Juppé. Quelle maladresse ! Quelle folie ! Il a trop chargé la barque du mécontentement des Français. Il a voulu tout changer en même temps : la Sécurité sociale, les retraites, l'armée, l'Éducation nationale, la courbe des déficits

et le train-train quotidien de ces braves pétitionnaires qui manifestaient en même temps pour que les actifs travaillent moins
et pour que les retraités touchent plus. Ah ! Juppé... Juppé... :
à force de vouloir tout changer, c'est lui qu'on a changé. C'était
bien plus commode. Il était droit dans ses bottes. Il part, droit
dans ses bottes. C'était une malédiction : comme pour Jules
Ferry, ses roses poussaient en dedans. Il n'était pas fameux le
dimanche soir, là où brillent de mille feux M. Untel et Mme
Unetelle. Puisque les Français les réclamaient si fort, il voulait
faire des réformes. Un homme si intelligent !... Quel imbécile !
Il n'avait pas compris qu'en France il faut parler des réformes
et il ne faut pas les faire. Les Français sont conservateurs et
révolutionnaires. Ils adorent les révolutions et ils adorent leurs
droits acquis. Les réformes, ils les vomissent. Et c'est pourquoi
ils en ont plein la bouche. Froid, réformateur, énarque, peu
porté à la gaudriole et à la drôlerie d'après banquet, plutôt
hautain et sûr de lui, Alain Juppé allait de l'avant. On n'allait
pas le laisser faire. Sur les marchés de province et dans les salons
parisiens, sa cote n'était pas fameuse. On rigolait : « Jusqu'où
descendra-t-il ? » Il ne fait pas bon, en France, de faire ce qu'on
croit bon pour les Français. Mieux vaut contribuer au mal qu'ils
se font à eux-mêmes avec tant de délices.

Le dernier service

Le dernier service qu'il pouvait rendre à la cause de la majorité dont il était le chef mal-aimé et de ce pays qu'il avait servi
avec une vigueur impardonnable, c'était de s'en aller. C'est ce
qu'il fait. Il s'en va. La majorité pleurait beaucoup sur elle-
même : « Ah ! Nous n'avons pas de chef ! » Entendez par là :
pas de chef populaire qui caresse les gens dans le sens du poil
du déclin. « Ah ! Il nous faudrait un homme dont la présence
enflamme les foules ! » Voilà peut-être que son absence va
enflammer les foules. Peut-être son départ sera-t-il un choc. Peut-
être les gens se diront-ils qu'ils ont été injustes avec lui. C'est
le dernier service qu'avec sa froideur habituelle il peut rendre
au pays. Tant qu'il était au pouvoir, puissant et sûr de lui à tort,
sans doute, nous n'avons pas beaucoup parlé d'Alain Juppé,

sauf pour signaler, il y a longtemps déjà, qu'un inconnu de ce nom qui commençait à percer pourrait bien faire quelque bruit. Maintenant qu'il se retire, on voudrait le saluer : il a montré aux Français un chemin qu'ils ne veulent pas suivre et qu'un jour ou l'autre personne ne sait au bout de quelle souffrance, et dans quelle condition, ils seront bien forcés de suivre. M. Barre qui, lui aussi, a été impopulaire a dit là-dessus des choses assez fortes : il ne s'agit pas de plaire au plus de gens possible, mais de faire ce qui doit être fait. Le maréchal Pétain, M. Mitterrand, M. Tapie, Coluche ont été, et sont peut-être encore, merveilleusement populaires. M. Juppé s'en va, chassé par l'impopularité qu'il a suscitée chez ses adversaires, ce qui n'est rien, et chez ses partisans, ce qui est plus grave. Il s'en va. On respire. On va pouvoir faire autre chose. Il n'est pas exclu que, débarrassée de ce fardeau insupportable, la majorité relève la tête. Quel raseur ! Il ne pouvait pas partir plus tôt ? On n'en serait pas où nous en sommes. Nous éprouvons tous une sorte de lâche soulagement. Et les réformes, allez ! on les fera bien tout de même. Plus lentement. À notre rythme. Ou peut-être pas du tout. Ou peut-être que la pilule passera mieux avec un autre ? Bon Venise, M. Juppé ! Ça n'a pas été un succès, mais au moins, à la différence de tant d'autres, vous ne vous êtes pas déshonoré. Il y a même quelque chose d'assez digne dans ce départ de l'homme-qui-empêchait-de-gagner-une-majorité-qui-le-méritait-tant. Je crois que j'ai déjà employé à votre propos – vous êtes normalien, je crois ? pas assez, à mon goût : l'ENA a trop déteint – deux vers d'un sonnet que Sainte-Beuve consacrait à Ronsard. Je les reprends encore une fois, tant il me semble qu'ils vous vont bien : « Qu'on dise : il osa trop, mais l'audace était belle / Et de moins grands que lui eurent plus de bonheur. »

Le Figaro, 27 mai 1997

Voilà

Le pays aime tellement l'alternance que, grâce à la Constitution, il est en train de mettre en place l'alternance… simultanée. Voilà. Le verdict est tombé. À la stupeur générale, du vaincu bien entendu, et peut-être même du vainqueur, les Français ont choisi. Nous avions tout faux. Ce que nous prenions, au premier tour, pour un accès de mauvaise humeur et pour un tir de semonce contre un gouvernement peu populaire, n'était que les prémisses de la confirmation du second tour et l'annonce de ce renversement. Les Français aiment l'alternance. Ils l'aiment tellement que leur rêve est une espèce de chimère, rendue possible par la Constitution : l'alternance simultanée. Ils n'étaient pas mécontents, dans des jours autrement plus sombres qu'aujourd'hui, du couple Pétain-de Gaulle. Et ils adorent la cohabitation. Ils ont le sentiment, si français, de mettre deux fers au feu et de ne pas jeter dans le même panier leurs bulletins de vote en forme d'œuf. Nous nous inclinons évidemment devant le suffrage universel. Nous sommes en démocratie et la volonté populaire n'a pas à être discutée. Nous nous inclinons d'autant plus volontiers qu'il serait difficile de faire passer M. Jospin, Mme Aubry, M. Delors, M. Fabius pour de sinistres individus et pour des monstres animés des plus sombres intentions. Ce sont des hommes de bonne volonté. Ce sont des femmes remarquables. La politique du pire est toujours la pire des politiques : je leur souhaite de réussir, de donner à la France dans le monde la place qui est la sienne et de rendre les Français heureux. En même temps, comme disait l'autre, je leur souhaite bien du plaisir.

Un échec prévisible

Ils échoueront, bien entendu. Si nous n'avions pas pensé qu'ils échoueraient, nous aurions voté pour eux. Avec Mitterrand, c'était un drame moral, rattrapé sans cesse par une intelligence politique à peu près sans égale. Sans Mitterrand, ce sera un flop que les bonnes intentions ne suffiront pas à conjurer. « Et vous ? nous diront-ils. Auriez-vous mieux réussi ? » Ce n'est pas certain, en effet, et il n'est pas sûr que nous ne ressentions pas, dans notre chagrin, comme un lâche soulagement de n'être plus responsables des désastres qui s'annoncent. Il y a une grande différence entre les socialistes et nous : c'est que nous étions impopulaires et qu'ils sont populaires ; c'est que nous ne promettions que des efforts, et qu'ils ont promis la lune. Nous soulevions la méfiance : ils soulèvent l'espérance. Quand les espérances seront déçues, les Français, floués une nouvelle fois, ne le leur pardonneront pas. Combien de temps faudra-t-il attendre pour que l'échec soit patent ? Quelques mois, peut-être. Ou peut-être deux ans. Les Français ont essayé la droite. Et puis la gauche. Et puis la droite encore. Et de nouveau la gauche. Ils sont comme de pauvres oiseaux qui se tapent la tête contre la vitre, comme des moutons décervelés qui cherchent en vain l'issue. Je doute, cette fois encore, qu'ils aient frappé à la bonne porte.

Le rôle du président

Je pense au président de la République. Il est dans une position affreusement difficile. Il a décidé la dissolution. Elle s'est retournée contre lui, sautant, si j'ose dire, par-dessus Alain Juppé, qui ne pouvait pas rêver, dans une situation quasi désespérée, d'une sortie plus honorable. Faut-il partir ? Faut-il rester ? Parions qu'il restera, parce qu'il est courageux et parce qu'il a le sens du devoir et du goût pour la bagarre. Il lui faudra une énergie, un cran, des nerfs exceptionnels. Les premiers mois seront dramatiques. À mesure que les illusions s'estomperont, que les écailles tomberont des yeux, que l'échec de la gauche deviendra plus évident, il reprendra des forces. Mais le mal sera fait. L'équilibre financier, si désespérément recherché par Juppé, sera largement rompu. Et s'il ne l'est pas, la déception des électeurs se révélera si vive que la situation sera vite explosive. Car le gouvernement Jospin a le choix entre deux politiques. La première, raisonnable, serait de faire sans Juppé ce que faisait Juppé. La seconde, suicidaire, est de faire après Juppé le contraire de Juppé.

L'autre vainqueur

Dans le premier cas, les gens, assez vite, descendront dans la rue. Dans le second cas, on se retrouvera dans une situation très classique : Juppé aura travaillé pour les socialistes comme Barre, jadis, avait travaillé pour eux. Ils ont, l'un et l'autre, rétabli les grands équilibres, remis, comme on dit, les clignotants au vert et rempli les caisses. Les socialistes les guideront. Le plus probable est qu'ils commenceront par les vider et qu'ils reviendront nécessairement, peu à peu, à une rigueur qui retournera contre eux les Français si changeants. Il y a deux vainqueurs dans le scrutin d'hier. Le premier, évidemment, c'est la gauche socialiste et communiste. Socialiste surtout : elle a la majorité. Mais les communistes ont atteint leur objectif, dépasser le nombre des élus de l'Assemblée précédente. Il y a un second vainqueur : c'est Le Pen et le Front national. Lui a joué la politique du pire et il a gagné. Il a même gagné sur tous les tableaux : le Front national est le troisième parti en France, demain, peut-être, le deuxième si le RPR ne se reprend pas ; après-demain, peut-être, le premier si les socialistes font les bêtises qu'il est permis de craindre. La gauche est au pouvoir : comme prévu par son chef, les perspectives les plus brillantes s'ouvrent au Front national. Dès aujourd'hui, le Front national est le troisième parti de France et il n'est pas représenté à l'Assemblée nationale. Il dépasse de très loin le parti communiste, il dépasse l'UDF. Et il n'a quasiment pas d'élus. Quel champ d'action lui offre ce redoutable déséquilibre, non pas à l'Assemblée mais dans le pays et dans les esprits ! On avait longtemps réussi à réduire en France les extrémismes de tout bord. Le Général, puis surtout Mitterrand, avaient réussi à contenir et à faire reculer les communistes. C'est sous Mitterrand, et grâce à lui, que le Front national est monté en flèche. Que la droite et la gauche s'épuisent encore un peu plus dans leur combat imbécile, qu'elles commettent encore quelques-unes des fautes dont elles sont coutumières et les deux extrêmes grandiront comme deux dragons crachant le feu l'un sur l'autre.

Des Français sans mémoire

La leçon de cette dissolution et de ces élections est que les Français en avaient assez hier des visages de la droite et de ses discours. Ils en avaient eu assez avant-hier des visages de la gauche, et de ses discours. Quelques années de droite ont suffi à effacer le souvenir de quatorze années de gauche. Ne désespérons pas : quelques années de gauche suffiront à effacer le souvenir de quelques années de droite. Les Français sont comme ça. Ils n'ont pas de mémoire politique. C'est comme ça aussi, de droite en gauche, et de gauche en droite, qu'on descend lentement les degrés du déclin. Les socialistes vont faire des dégâts parce que, s'ils n'en faisaient pas, le rejet viendrait trop vite. Ils feront des dégâts, et le rejet viendra tout de même. Plus tard. Mais il viendra. Évidemment.

Le Figaro, 2 juin 1997

Pour une autre politique

Puisque la droite a fait la politique de la gauche, la gauche, tout naturellement, fera la même politique que la droite.

Comme le sommet d'Amsterdam, le sommet de Denver[1] laisse, chez les Français, un goût un peu amer. À propos du premier, M. Delors parle de « flop », de « fiasco » et s'en prend à « l'arrogance allemande ». À propos du second, on dénonce un peu partout et jusque dans *Le Figaro* la « domination » de l'Amérique et son « hégémonie ». L'Allemagne, qui s'est, dit-on, si mal conduite à Amsterdam, redevient à Denver, face au « libéralisme à tout crin » de ces brutes d'Américains, le fidèle partenaire de « l'économie sociale de marché ». Il n'était pas très difficile de prévoir, au soir même de nos élections législatives, un replie-

1. Le sommet du G8 à Denver du 20 au 22 juin 1997 réunissait les dirigeants des huit pays démocratiques les plus industrialisés, et pour la première fois la Russie.

ment de la France sur soi-même et une dénonciation de ses partenaires : une dénonciation de l'Allemagne en Europe, une dénonciation des États-Unis dans le monde. Les faibles rejettent volontiers sur les autres l'ombre de leurs propres fautes. Nous sommes plus faibles que les Allemands ; et les Allemands en train de s'affaiblir à leur tour et nous, nous sommes ensemble plus faibles que les Américains. Entendons-nous. Il ne s'agit pas de se déguiser en cow-boy et le président de la République a bien fait de se refuser à ce carnaval ridicule. Nous sommes une vieille nation et nous avons des choses à défendre qui nous appartiennent en propre et d'abord notre langue et s'il y a une leçon à conserver du gaullisme, c'est que nous n'avons à nous mettre à la remorque de personne : nous entendons rester ce que nous sommes. Nous sommes des Bourguignons, des Bretons, des Alsaciens, des Provençaux, des Picards et des Corses et nous ne sommes pas des Texans ni des Californiens. Ces principes une fois établis, il faut tout de même s'interroger sur l'exception française. Nous pourrions nous en féliciter si tout allait au mieux chez nous et même si tout n'allait pas trop mal.

Force est de constater que tout va assez mal

Tout le monde a dit et répété que les Français, dans leurs élans successifs d'alternance, n'avaient voté ni pour la droite ni pour la gauche, mais contre un socialisme qui les avait déçus et contre quelque chose qui n'a de nom dans aucune langue, qui se prétend l'adversaire du socialisme mais qui prolonge en fait le socialisme et qui les a déçus tout autant Nous n'allons pas bien. En face, l'économie américaine éclate de santé. Dans un numéro récent de *Libération,* l'opposition entre le libéralisme américain triomphant et les interrogations angoissées sur le socialisme français prend des allures de caricature. Page de droite, un gros titre : « Côté emploi, Jospin est inquiétant ». Page de gauche : « L'insolente santé américaine ». L'Amérique est hégémonique, dominatrice, insolente mais elle est en bonne santé. Et nous, nous nous débattons dans ce que Jean-François Revel appelle ironiquement dans *Le Point :* le « modèle » français, qui ne cesse de moraliser et de donner des leçons et qui est un échec. Le plus remarquable est que, de droite ou de gauche, nous nous obstinons dans cet échec. Nous voyons, comment ne pas le voir ? que le chômage ne cesse de baisser et la croissance de monter aux États-Unis, et nous nous détournons pudiquement et la mine scandalisée de leurs recettes de succès. La réponse classique est que le plein emploi américain est payé d'un développement de la pauvreté. Sommes-nous si sûrs que la pauvreté en France ne fait pas, comme le chômage, des progrès spectaculaires ? Nous avons le chômage, et la pauvreté en plus. Les Américains ont de la pauvreté, mais ils n'ont plus de chômage. Où est la bonne méthode, et où est la mauvaise ?

Hésitation

La gauche française, sans doute, est très responsable de cet état de chose. La nouvelle pauvreté s'est développée en France sous le règne glorieux de Mitterrand et les recettes du socialisme ont enfoncé le pays dans le chômage. Mais ne nous dissimulons pas que la droite, au lieu de se distinguer avec vigueur du socialisme, a marché dans ses traces. Des tonnes d'encre se sont déversées sur les causes de la défaite de la droite. La cause la plus simple de la défaite est peut-être que la droite, au lieu de faire l'inverse de la politique de la gauche, a poursuivi la même politique. À ce compte-là, autant choisir la gauche. Il n'y avait plus de raison de voter pour la droite. Pas plus que la venue au pouvoir de Chirac, la venue au pouvoir de Jospin n'a suscité aucun enthousiasme exagéré. Jospin est populaire, sans doute, mais Chirac l'était aussi. Les gens sentent obscurément que la même politique va être poursuivie et qu'elle aboutira aux mêmes résultats. Puisque la droite a fait la politique de la gauche, la gauche, tout naturellement, fera la même politique que la droite. Et avec le même succès. Ce ne sont pas les hommes qui sont en cause. C'est la politique qu'ils mènent. On sent bien chez Jospin qui, comme l'ensemble de son équipe, est intelligent et sympathique, qu'il hésite encore sur ce qu'il va faire. Le pire, pour la droite, serait qu'il voie enfin l'évidence et qu'il se détourne du socialisme : la droite, qui n'a rien fait de tel, ne s'en relèverait pas et disparaîtrait à jamais. Par bonheur pour la droite, par malheur pour le pays, il est probable que Jospin ne trouvera pas, en lui et autour de lui, les ressources nécessaires pour faire une révolution et pour entraîner les Français sur la voie que montre avec tant de clarté « l'insolente santé américaine ».

La croissance

Le fond de l'affaire est que les Français s'imaginent que le socialisme est social et que le libéralisme ne l'est pas. Il est permis de soutenir que tout système qui ne fournit pas de travail aux gens a cessé d'être social et que tout système qui en fournit est plus social que ceux qui n'en fournissent pas. La croissance est la clé de l'emploi. Pendant que, sous le masque des fameux « critères de Maastricht », nous nous épuisons à atteindre « en tendance »…, nos fatidiques 3 % en déficit du PNB, les Américains en sont à moins de 1 %. On dirait des travaux pratiques dont nous nous détournons avec soin, des expériences scientifiques dont nous ne voulons rien savoir. Le libéralisme n'est pas l'ennemi de l'État, de la grandeur nationale, de la fonction publique. Il ne cherche qu'à les servir. Créateur de richesses, le libéralisme n'exclut en rien la solidarité. Son ambition la plus haute est d'enrichir tout le monde alors que le socialisme, faute d'enrichir tout le monde, risque de céder à la tentation suicidaire d'appauvrir tout le monde. Ce n'est pas avec trente-cinq heures payées trente-neuf, ce n'est pas avec l'embauche artificielle de contractuels que nous sortirons de l'ornière ; toutes ces improvisations ne feront que nous y enfoncer. J'imagine les réactions de quelques-uns de ceux qui liront ces lignes et qui, pour des motifs qui vont de l'idéologie à l'intérêt personnel, les rejetteront avec horreur. L'avenir tranchera. Il faut bien que quelques-uns aient soutenu que l'horizon n'était pas bouché et que le désespoir n'était pas inscrit dans les faits. Le nationalisme a été une grande cause : on sait ce qu'il est devenu. Le communisme a été une grande espérance : on sait où elle a mené. La politique suivie et par les uns et par les autres depuis près de vingt ans ne mène qu'à des impasses. Il faut trouver autre chose et qui soit capable enfin de réussir. Ou accepter le déclin, l'amertume, la haine des autres et le désespoir.

Le Figaro, 25 juin 1997

1 – Le triomphe de Jospin qui gère le mal sans le guérir

Sur trois problèmes essentiels des Français, le chômage, l'immigration, la sécurité, il n'est pas interdit de soutenir, qu'en dépit des apparences, le gouvernement Jospin mène, avec beaucoup d'habileté politique, une politique désastreuse pour l'avenir.

En France au moins, l'année qui s'achève tourne tout entière autour du 21 avril. Jusqu'au 21 avril, règnent l'incertitude et la morosité. Un homme seul concentre sur lui toutes les attaques et, à tort ou à raison, connaît une impopularité grandissante et jusqu'alors inédite : Alain Juppé. Il est maire de Bordeaux, patron du parti dominant, Premier ministre. Il cumule tous les pouvoirs. Attaqué avec violence par une opposition de gauche impuissante et par le Front national, il est contesté jusque dans les rangs de sa propre majorité, qui s'inquiète des sondages et des rumeurs venus du tréfonds du pays. Les séquelles de la déchirure de 1995 entre Chirac et Balladur sont très loin d'être effacées. Et les relations entre Juppé et Séguin ne sont pas empreintes de la plus franche cordialité. Droit dans ses bottes, Juppé encaisse les coups qui pleuvent et poursuit imperturbablement la voie qu'il s'est tracée. L'hostilité qui, de toute part, au-dehors et au-dedans, entoure Alain Juppé est telle qu'elle finit par entraîner le président dans une spirale descendante. Trois possibilités s'offrent au président de la République : ne rien changer et attendre patiemment la catastrophe en 1998 ; changer de gouvernement et remplacer Juppé par Balladur, ce qui est exclu, ou par Séguin qui ronge son frein ; ou changer d'Assemblée. Le 21 avril 1997, il choisit de dissoudre l'Assemblée nationale élue en 1993 et dominée par une formidable majorité RPR et UDF. C'est un pari audacieux. Un quitte ou double. Le monde entier s'interroge sur ce coup de tête et d'audace.

Les tours de Notre-Dame

La dissolution de l'Assemblée n'était pas une hypothèse invraisemblable. Édouard Balladur l'a recommandée en 1995, au lendemain de l'élection présidentielle, qui avait vu monter un nouveau venu surgi des décombres du mitterrandisme et qui s'était intercalé, à la surprise générale, entre Chirac et Balladur, si longtemps favori de l'opinion publique : Lionel Jospin. Deux ans plus tard, en 1997, la situation a évolué : l'impopularité grandissante de Juppé rend le pari plus risqué. Considérant que, de toute façon, la partie serait perdue en 1998 et que seule l'audace était capable de payer, l'entourage de Chirac, et notamment Dominique de Villepin, fait pression sur le président. Chirac aime la bagarre et l'aventure et il n'est jamais meilleur que dans les tribunes électorales. Il joue le tout pour le tout. Et, au terme d'une campagne qui ne décolle jamais, il perd. Comme dans une pièce de théâtre bien construite, Chirac crée la stupeur avec ce qu'on attendait. Il a beau jeter du lest à mesure que la campagne devient plus difficile et sacrifier au dernier moment et trop tard son Premier ministre courageux et follement impopulaire, le défi est trop grand : tout le monde comprend peu à peu qu'il est impossible de gagner en misant tout sur une continuité qui est rejetée depuis des mois par une majorité toujours accrue d'électeurs. Les étrangers contemplent, avec une sorte d'étonnement ironique et incrédule, ce gouvernement qui se jette de propos délibérés, pour reprendre une formule de Chateaubriand, du haut des tours de Notre-Dame. Le plus grave, pour l'ancienne majorité qui se retrouve soudain minoritaire, ce n'est pas la défaite : c'est sa réaction à la défaite. La défaite est honorable. Ses conséquences sont dramatiques. Au lieu de serrer les rangs, la majorité, changée en opposition par un coup de baguette prématuré, se divise de plus belle. Aux tensions entre UDF et RPR s'ajoutent les déchirements au sein même du RPR. D'un côté, Chirac et les siens, de l'autre, Balladur et

Sarkozy, d'un autre encore, Séguin qui voit son heure arriver dans les pires conditions et qui prend, dans le désastre, les rênes du RPR qui va devenir, par une sorte de défi et de conjuration magique, le Rassemblement. Pour l'ex-majorité précipitée par elle-même des sommets du pouvoir aux abîmes de l'opposition, tout n'est que larmes et ruines. Et pourtant… à voir les choses avec un peu de recul, le désastre de la droite en 1997 est bien loin d'égaler le désastre de la gauche en 1993. On parle de raz de marée. C'était vrai en 1993. Ce n'est pas vrai en 1997. La gauche a gagné très nettement, mais elle n'a pas détruit radicalement la droite. La droite parlementaire a été prise en tenaille entre la gauche et le Front national, qui a trouvé dans la dissolution l'occasion de se venger enfin des avanies subies de la part de la gauche bien sûr, mais surtout de la droite. Ce qui a coûté le pouvoir à la majorité sortante, c'est le nombre élevé de triangulaires. Il aurait fallu à la droite pour résister à la fois à l'impopularité de Juppé et à la vindicte du Front national une majorité écrasante. Après des mois et des mois de rigueur et de grogne, elle ne dispose plus d'une telle majorité. Ce qui abat l'ancienne majorité, ce qui la mine et la réduit presque à néant, ce n'est pas d'avoir été battue, ce sont les conditions dans lesquelles elle a été battue et qui semblent lui enlever toute perspective de revanche. Un grand sommeil noir tombe sur la droite hébétée. Dormez, tout espoir ; dormez, toute envie.

Une victoire par défaut

Ce qui n'apparaît pas sur-le-champ, mais ce qu'on discerne avec le recul, c'est que la gauche l'a emporté par défaut. Ce n'est pas la gauche qui a gagné. C'est la droite qui a perdu. Une habitude, peut-être ? Déjà en 1981, les électeurs n'en pouvaient plus de Giscard, dont l'intelligence et le talent leur étaient devenus insupportables. Cette fois-ci, les Français ne voulaient pas le retour du socialisme : ils voulaient le départ de Juppé. Ce qui a été vainqueur au printemps dernier, ce n'est pas une exigence idéologique, c'est un sentiment de ras-le-bol. On a offert sur un plateau aux électeurs ce qu'ils réclamaient depuis des mois : la tête de ce Jean-Baptiste qui porte le nom de Juppé. Ils ont sauté sur l'occasion. Ils ne disaient pas oui au socialisme, aux nationalisations, à la participation communiste : ils disaient non à une équipe. Lionel Jospin a incarné mieux que personne et avec un talent surprenant cette ambition très mesurée. Il l'a incarnée dans le combat. Et mieux encore dans la victoire. La composition du gouvernement Jospin a été un chef-d'œuvre. Tous les mitterrandistes écartés, tous les éléphants au rancart, des femmes remarquables au gouvernement, des hommes sympathiques et brillants. Avec Martine Aubry et Élisabeth Guigou, avec Dominique Strauss-Kahn, avec Jean-Pierre Chevènement, avec Claude Allègre, l'équipe qui entrait dans le stade sous les applaudissements faisait oublier, sans trop de mal, l'équipe qui le quittait sous les huées. Les Français avaient trouvé une idole nouvelle. À qui personne quelques mois plus tôt, n'aurait prédit pareille fortune et surtout pas François Mitterrand et qui traînait tout à coup, dans l'ébahissement général, tous les cœurs derrière soi : Lionel Jospin.

Avec Mitterrand et contre lui

Les socialistes ont de la chance, et peut-être du talent et ils montrent le chemin à tous les vaincus encore à venir : du fond de leurs décombres, plus sinistre encore que ceux de la droite quatre ans plus tard, ils ont trouvé un chef inspiré et, en apparence au moins, ils se sont tous ralliés à lui. Le nouveau Premier ministre est simple, sympathique, évidemment intelligent, et à coup sûr honnête. Après tant d'affaires qui avaient frappé et la droite et la gauche et qui vont rendre inévitable une République des juges, c'est plus qu'il n'en fallait. Les talents ne manquent pas à gauche et, il y a un an à peine, tous les regards étaient loin de se tourner vers Jospin. Par une sorte de miracle où le hasard a sa place mais les dons politiques aussi, Jospin l'emporte sur Mauroy, sur Rocard, sur Fabius, sur tous les autres. Jospin est bien placé pour accéder un jour à la présidence. Il semble au pouvoir pour une durée indéfinie. Contre Chirac et Balladur, les frères ennemis, contre Juppé, contre la droite, Lionel Jospin est la revanche de Mitterrand. Mais aussi, et surtout, contre Mitterrand lui-même. Si la majorité d'aujourd'hui est plurielle, c'est d'abord parce qu'elle constitue à la fois la continuité avec Mitterrand et la rupture avec lui. Mêlée à la fidélité, cette hostilité, dissimulée mais évidente, du socialisme de Jospin à l'égard du socialisme de Mitterrand est une des forces du gouvernement. À peu près au moment où, sorti de la pochette-surprise distribuée par Chirac, Jospin arrive au pouvoir en France, Tony Blair arrive au pouvoir en Angleterre. La similitude Blair-Jospin est frappante : tous les deux sont de gauche et tous les deux jouissent d'une popularité qui s'étend largement au-delà de la gauche classique. Ils sont simples, propres, neufs, faussement naïfs et modernes. Loin des ancêtres poussiéreux de l'idéologie partisane, ils sont les bébés Cadum du socialisme branché. Ils étendent le socialisme jusqu'aux abords du conservatisme. Peut-être pourrait-on soutenir qu'une des questions majeures du socialisme français d'aujourd'hui est de savoir si Jospin sera notre Tony Blair. Pour un certain nombre de raisons qui ne tiennent pas seulement aux personnes mais à l'environnement, à l'héritage, au contexte national, il semble que la réponse soit non. Tâchons de voir pourquoi. Le fort de Jospin et de son gouvernement, c'est la gestion politique des problèmes, l'art de désamorcer les crises, le talent de la communication poussé jusqu'à l'excellence. Tout ce que Juppé et les siens ignoraient superbement. Impossible de traiter plus habilement que Jospin le chagrin chronique des Français et ce mal à l'âme, et au corps, qui les fait tant souffrir. Il sait les prendre, les écouter, et parfois même leur parler. Pendant de longs mois, par opposition au volontarisme insupportable de Juppé, il a su ne rien faire, ou très peu. Et sa popularité en a été renforcée. Sans vouloir donner dans le paradoxe, la popularité est un problème en France. Et peut-être un danger. Chez nous plus encore qu'à Rome, la roche Tarpéienne est proche du Capitole. Un seul exemple : Balladur. Édouard Balladur a été pendant quelques mois – qui s'en souvient encore ? – aussi populaire que Jospin. Jusqu'en mai 1997, l'année est dominée par l'impopularité de Juppé. Par une rencontre touchante, cette impopularité atteint son paroxysme juste au moment des élections. Depuis le joli mois de mai, l'année est dominée par la popularité de Jospin. Il n'est pas impossible qu'elle soit déjà en train de s'effriter. Pourquoi ? Parce qu'il a bien fallu passer de l'ivresse de la victoire et des paroles aux réalités quotidiennes.

Air France : un intersigne

Un signe minuscule mais peut-être annonciateur a été perceptible il y a quelques mois avec la démission de Christian Blanc, qui présidait avec succès aux destinées d'Air France. Il n'a pas fallu attendre très longtemps pour voir Air France, otage d'une idéologie dépassée, subitement isolé, et sans perspectives d'avenir très claires au milieu d'une Europe où jouent les règles de la concurrence et des alliances liées au développement inévitable de la privatisation. Il ne s'agit que d'un symptôme parmi d'autres, mais qui éveille soudain un soupçon : sous l'habileté de la gestion quotidienne des problèmes, les fondements de la politique suivie par le gouvernement Jospin sont-ils les meilleurs possibles dans les conditions actuelles ? Il n'y a peut-être pas de bonne ou de mauvaise politique. Il n'y a que des politiques qui sont possibles dans un contexte donné, et d'autres qui ne le sont pas. Quel est le contexte actuel de toute politique imaginable ? C'est l'ouverture économique. Ouverture à l'Europe, acceptée et voulue, il faut lui en donner acte, par le gouvernement socialiste. Ouverture aussi au monde, imposée par l'attachement socialiste à l'universalisme. Des politiques qui seraient possibles et acceptables hors du contexte de l'ouverture à l'Europe et au monde n'est-ce pas, Jean-Pierre Chevènement ? cessent de l'être dans les conditions d'aujourd'hui et surtout de demain. Ce qui peut être reproché, et gravement, au gouvernement Jospin, c'est d'être pris dans les remous de ses choix contradictoires et de mener une politique qui ne prépare pas au mieux la France et les Français à affronter les risques d'une ouverture dont les socialistes sont eux-mêmes, et à juste titre, les partisans et les artisans. Freiner la privatisation d'Air France serait sans doute défendable si notre ciel n'était pas largement ouvert à la concurrence européenne. De la même façon, et plus largement, qui ne souhaiterait voir la durée du travail réduite à 35 heures, voire à 32 dans un pays qui ne serait pas soumis à la pression des entreprises étrangères ? On ne peut pas à la fois vouloir l'Europe et refuser les lois de la concurrence qui y règnent à tort ou à raison. On ne peut pas à la fois vouloir le beurre des réglementations spécifiques à l'exception française et l'argent du beurre de l'Europe et de la mondialisation. Depuis sa formation en juin dernier, le gouvernement Jospin n'a pas commis beaucoup de fautes. Impossible pourtant de ne pas finir par se demander si derrière l'habileté apparente à communiquer et à désamorcer les crises ne se dissimule pas une politique dont les dégâts se révéleraient vite irréversibles. Les 35 heures, qui peuvent être si dangereuses pour des entreprises françaises fragilisées au moment même où la concurrence va jouer à plein dans un contexte d'ouverture, étaient délibérément présentées comme le moyen le plus efficace pour lutter contre un chômage qui frappe le monde entier, mais qui atteint en France un niveau insupportable. C'était d'ailleurs sur le chômage, élément essentiel de la fameuse fracture sociale, que se sont faites les élections législatives. Et c'est sur le chômage que sera jugé Jospin. Il est très douteux, et de plus en plus douteux, que les mesures adoptées par son gouvernement améliorent la situation. Elles risquent plutôt de l'aggraver. Le gouvernement socialiste apparaîtra alors, et ce sera très conforme à son image et peut-être à ses ambitions, comme plus capable de gérer le chômage que de le combattre. Voilà le danger qui menace Jospin le triomphateur : être celui qui gère le mal au lieu de le guérir. Ou peut-être pire : celui qui gère au mieux un mal qu'il a lui-même contribué à répandre. C'est vrai pour le chômage.

C'est vrai aussi pour l'immigration

Accueillir l'étranger, le voyageur, l'étudiant, l'exilé est une tradition française qu'il n'est pas question de renier. Accepter l'invasion d'une masse toujours croissante d'éléments inassimilables qui viennent détruire des équilibres déjà au bord de la rupture est, chacun le sait, une forme délibérée de suicide et l'assurance d'une baisse inévitable du niveau de vie. Résumons : dans la première moitié de l'année, l'immigration clandestine est contenue par des mesures qui tendent à la rendre plus difficile ; dans la deuxième moitié de l'année, avec une accélération sensible dans ces dernières semaines où elle tend à n'être même plus considérée comme un délit, un véritable appel d'air est établi à son bénéfice. On la condamne du bout des lèvres, et on l'organise. On voudrait l'encourager qu'on n'agirait pas autrement. On va ainsi, délibérément à contre-courant de la volonté populaire dont la simple expression est considérée avec soupçon : à la seule évocation d'un référendum populaire, l'indignation se met à gronder. Le peuple peut bien s'amuser à des babioles inoffensives. Sur des sujets aussi décisifs que l'immigration, il n'a le droit que de se taire. L'immigration est loin d'être la source unique du chômage. Mais elle lui est liée. Elle est loin d'être le seul élément de l'insécurité. Mais elle lui est liée. Au moment même où leur sécurité recommence à angoisser plus que jamais les Français, l'affaire des polices municipales[1] est traitée en dépit du bon sens et à contre-courant d'une évidence qui crève les yeux. Jusqu'aux municipalités socialistes, qui sont bien obligées de prendre le contre-pied du gouvernement socialiste. Sur les trois problèmes essentiels des Français, le chômage, l'immigration, la sécurité, il n'est pas interdit de soutenir qu'en dépit des apparences, le gouvernement Jospin mène avec beaucoup d'habileté politique une politique désastreuse pour l'avenir. Chômage : là où les États-Unis ont réussi nous échouons et nous ne cesserons d'échouer si nous ne changeons pas de politique. Immigration : nous voudrions inciter le monde entier à l'immigration clandestine que nous ne nous y prendrions pas autrement. Sécurité des personnes et des biens garantie par la loi : les quartiers entiers hors la loi où la police, les pompiers, les ambulances, les postiers, et bientôt les transports publics ne peuvent plus pénétrer sans risque, sont en train de préparer une quasi-libanisation de toute une partie du territoire national. Il ne s'agit pas de polémiquer. Il s'agit de notre avenir et de celui de nos enfants. Si les conséquences prévisibles sont telles qu'il est permis de le craindre, il faut tout de même que quelques-uns aient le courage de la lucidité et de la mise en

---

1. Une révision constitutionnelle adoptée en septembre 1997 a consacré l'existence de polices municipales en leur conférant le soin de coopérer au maintien de la tranquillité publique et à la protection des communautés locales.

garde. Le gouvernement Jospin, si habile à gérer le présent, est peut-être en train de mener une politique qui hypothèque notre avenir.

Voter avec son cerveau

C'est la conclusion en tout cas qu'ont tirée des dizaines de milliers de jeunes gens. Non pas des héritiers, mais des diplômés. On assure que 40 000 jeunes Français sont d'ores et déjà installés dans le Silicon Valley, aux États-Unis, et que quelque 100 000 autres sont en train de s'établir en Angleterre. Au point que les autorités anglaises commencent à s'inquiéter de cet afflux d'intelligences françaises. On disait naguère que les populations de l'Europe de l'Est votaient avec leurs pieds. Il semble que quelques-uns des plus brillants de nos jeunes compatriotes aient choisi de voter avec leur cerveau. C'est un signe grave et qui devrait poser des questions à la sensibilité aiguë des membres de notre gouvernement. Est-ce à dire que le gouvernement Jospin est à jeter aux chiens ? Bien sûr que non. Il n'est dépourvu ni de bonne volonté, ni de talent, ni d'intelligence, ni d'honnêteté. Ce qu'il est permis de dire, c'est qu'il ne libère pas toutes les forces qui seraient nécessaires pour gagner les batailles d'aujourd'hui et pour répondre aux défis si durs lancés par l'Europe et par le monde. Une idéologie rétrograde pèse encore sur lui. Les contradictions le menacent. Un socialiste s'est illustré jadis en parlant, à propos de la victoire de son camp, d'un passage de l'ombre à la lumière. Ce n'est pas notre langage et nous doutons fort que la lumière luise franchement d'un côté et que l'ombre s'étende radicalement de l'autre. Tout ce que nous disons, c'est qu'il faut préparer l'avenir et que dans trois domaines décisifs pour les Français, emploi, immigration, sécurité, l'avenir est plutôt sombre. Nous ne demandons pas à être crus sur parole. Dans l'état où, malgré quelques récents frémissements, est encore l'opposition, la majorité plurielle des roses, des rouges et des verts a tout son temps pour faire ses preuves. Tout son temps et pourtant pas trop longtemps : les Français sont des gens impatients et changeants. Combien de temps ? On verra bien. On verra dans un an, par exemple, où en sera le chômage sur lequel a été élu le gouvernement Jospin et sur lequel il ne tardera pas à être jugé ; on verra où en sera l'immigration qui est un souci légitime et étouffé des Français ; on verra où en sera la sécurité qui est en train de devenir chez nous, à une vitesse hallucinante le problème numéro un. On verra où en seront les entreprises. On verra où en sera le pays et où en seront non pas tant les plus riches et les nantis que les plus pauvres et les déshérités. On verra, après tant de succès et d'espérances, où en sera l'opinion, aujourd'hui si favorable au gouvernement socialiste et à son chef sympathique et honorable pour qui l'année 1997 aura constitué une sorte de montée triomphale vers un Capitole imprévu et fragile.

Le Figaro, 30 décembre 1997

1998

Épargnez-nous vos larmes

On raconte que François Mitterrand se serait écrié à propos du chômage : « On a tout essayé. Et tout a échoué. » Sous une forme ou sous une autre, beaucoup d'hommes politiques, et de droite et de gauche, d'économistes, de commentateurs de l'actualité, se sont servis de la même formule. Elle est devenue, en vérité, une sorte de dogme accablé, l'article d'une foi qui désespère : on ne peut rien contre le chômage. Le stade suprême de cette constatation désabusée, nous venons de le vivre : ce que signifient l'action à la fois compréhensible et évidemment récupérée des chômeurs et la réaction nécessairement insuffisante et inadéquate de Jospin, c'est la reconnaissance implicite du statut permanent du chômeur et la création d'une nouvelle catégorie de citoyens, non plus accidentelle et temporaire, mais structurelle et durable : ceux qui n'ont plus d'emploi et qui n'en trouveront plus, parce qu'ils n'en chercheront pas.

Le chômage frappe partout. Mais il frappe la France avec une violence particulière. Il commence à menacer sérieusement l'Allemagne. Il accable l'Espagne. Il y a deux pays, on l'a dit et répété, mais personne ne veut l'entendre, qui ont réussi à lutter victorieusement contre le chômage : l'Angleterre et les États-Unis. Bête noire du politiquement correct, Mme Thatcher laissera un nom dans l'histoire de ce temps parce qu'elle a pris le problème du chômage à bras-le-corps et qu'elle a remporté des succès qui ne sont pas négligeables, et M. Tony Blair, travailliste réformateur, socialiste pragmatique, marche sur les traces de

Mme Thatcher. Les États-Unis ont connu, tout comme nous, le spectre du chômage. Mais alors qu'en France il n'a fait que croître depuis vingt ans, aux États-Unis, le chômage n'a fait que reculer. Les courbes du chômage outre-Atlantique et chez nous sont symétriques et opposées. Ce ne sont pas des théories. Ce sont des faits. La réponse classique du politiquement correct est que le chômage aux États-Unis se paie par la pauvreté. L'argument serait recevable et digne de discussion s'il y avait, aux États-Unis, le plein-emploi et la pauvreté, et, chez nous, en revanche, la prospérité et le sous-emploi. Mais le problème ne se pose pas en ces termes. Les États-Unis ont en effet des pauvres. Mais ils ont le plein-emploi et la puissance économique. Et nous, nous n'avons ni le plein emploi ni la prospérité. Ouvrez les yeux : nous avons à la fois des chômeurs et des pauvres.

Si le chômage est vraiment le problème numéro un, alors il faut prendre le taureau par les cornes. Mais le nécessaire n'a pas été fait, en France, depuis vingt ans, ni par la droite ni par la gauche. Parce que la gauche est socialiste. Et que la droite est colbertiste. Colbert était un grand homme en son temps. Mais l'application aujourd'hui de principes vieux de trois siècles est tout à fait désastreuse. Cessons de regarder en arrière. Nous avons lutté contre le chômage par la réglementation. Et c'est la réglementation qui a déchaîné le chômage. La réglementation, la fiscalité, la complexité décourageante, les obstacles accumulés devant les entrepreneurs. Il faut tout de même finir par dire la vérité : ce qui fait vivre et progresser les nations d'aujourd'hui, ce qui les enrichit, ce ne sont pas les ministres, ce sont les chefs d'entreprise. Ce ne sont pas les règlements. Ce sont les initiatives. Les ministres passent leur temps à mettre des freins aux entreprises, et à se lamenter ensuite sur les progrès du chômage. Socialisme ou colbertisme, cohabitation, fiscalité, protectionnisme larvé, subventions, exception française, hypocrisie et mensonges, consternation satisfaite devant les désastres, voilà vingt ans que notre pays marche sur la tête. Et il s'étonne de se sentir mal.

Fiscalité et paperasserie

La preuve la plus simple des ravages de la réglementation et de la fiscalité est donnée, avec naïveté, par les responsables eux-mêmes de la réglementation et de la fiscalité. Que se passe-t-il dans les zones sinistrées, dans les régions difficiles, dans les secteurs qu'on veut aider ? On allège la fiscalité et la réglementation. Mais ce qu'on fait dans les cas d'urgence, pourquoi ne pas le faire partout ? C'est la France entière, aujourd'hui, qui est un cas d'urgence. C'est la France entière qui est un secteur sinistré. Il n'est pas sûr qu'il soit encore temps de renverser la vapeur. Et il n'est pas sûr surtout que les gens au pouvoir, et même que bon nombre de Français, aient envie de prendre les mesures nécessaires au salut. Il n'est pire sourd que celui qui ne veut entendre. Et beaucoup, pour une raison ou pour une autre, se refusent à l'évidence. Pourquoi les communistes, les trotskistes, feraient-ils le moindre effort pour sauver l'économie de marché ? Ils n'y croient pas, ils la vomissent : ils s'efforcent plutôt de lui mettre la tête sous l'eau. Et ils y réussissent. Et beaucoup, dans le pays, s'attachant à des avantages immédiats et fallacieux, sans voir qu'ils creusent, ce faisant, leur propre tombe, les servent avec naïveté. On dit toujours : l'avenir jugera. Eh bien ! Il est en train de juger sous nos yeux. Ce qui est insupportable, en tout cas, ce sont les lamentations hypocrites sur le malheur des pauvres et des chômeurs de la part de ceux qui sont responsables de ces malheurs. Le chômage est un drame. L'extrême pauvreté est intolérable. Ils naissent l'un et l'autre de la politique suivie obstinément depuis vingt ans.

La France ne voit pas le bout du tunnel

Elle s'enfonce dans le cauchemar. On répète qu'elle n'a plus d'espérance. Bien sûr que non ! Jour après jour, elle descend quelques marches vers la pauvreté, à coups de fiscalité écrasante et de paperasserie étouffante. Tout cela finira par un assistanat général sous un régime autoritaire. Comment voulez-vous qu'il en aille autrement ? Tout le monde, je crois, s'en rend compte.

Mais personne, au pouvoir, ne fait ce qu'il faut pour essayer d'en sortir. Qu'est-ce qu'il faut faire pour essayer d'en sortir ? Mais le contraire de ce qui est fait depuis vingt ans. Qu'est-ce qu'on a fait ? On a accru sans limites les prélèvements obligatoires. On a multiplié les réglementations au point que l'Assemblée nationale est devenue une machine à produire les textes que personne ne peut plus connaître, et qu'elle s'en félicite. On a compliqué la vie de ceux qui travaillent et qui font travailler les autres. On a fait de la vie quotidienne une variété du parcours du combattant. Et qu'est-ce qu'on a au bout du compte ? Et le chômage et la pauvreté. On ferait mieux, à l'évidence, d'essayer autre chose. Responsables de tout poil, surtout ne pleurez pas. Épargnez-nous vos larmes devant le malheur des gens. Ce malheur est votre faute. Crocodiles du chômage et de la pauvreté, faites le contraire de ce que vous avez fait et que vous faites encore.

Le Figaro, 13 janvier 1998

Un joli feu d'artifice

La majorité plurielle a inventé un monstre nouveau : la participation avec contestation. En attendant le bouquet final.

La cohabitation a fait couler des flots d'encre. Liée à la Constitution de la Ve République, cette particularité bien française, qui semble satisfaire l'opinion, peut susciter à bon droit de sérieuses inquiétudes sur l'efficacité à la longue d'un régime qui risque de tirer à hue et à dia. Le souci, selon la formule rituelle, de « parler d'une seule voix », semble l'avoir heureusement emporté : malgré passes d'armes et escarmouches, le président de la République et le Premier ministre ne se contredisent pas avec trop de violence. Par un étonnant paradoxe, c'est au sein, non seulement de la majorité parlementaire, mais du gouvernement lui-même que les couacs les plus retentissants commencent à se faire entendre. La majorité du Premier ministre, selon une autre formule qui a fait florès, est « plurielle ». Il semble que, de plurielle, elle soit en train de devenir franchement conflictuelle.

« *Feu sur le quartier général* »

Tout le monde savait que Mme Guigou et M. Chevènement étaient assez loin d'avoir les mêmes vues sur l'Europe. Tout le monde savait que M. Strauss-Kahn et M. Gayssot n'avaient pas la même conception de l'économie. Mais, enfin, en l'absence au moins temporaire de choix décisifs, à force de silences et de compromis, les choses marchaient cahin-caha. Sur des problèmes graves et aux conséquences économiques lourdes, les contradictions ne peuvent pas ne pas éclater : par exemple, la poursuite ou l'arrêt du surgénérateur Phénix. Mais là où les antagonismes internes deviennent insurmontables, c'est quand des membres de la majorité gouvernementale prennent ouvertement position contre les décisions du gouvernement. C'est ce qui s'est passé ces jours-ci avec les manifestations de chômeurs. On connaît la formule célèbre de Mao : « Feu sur le quartier général ! » Au petit pied, c'est à quoi nous avons assisté à l'occasion de l'occupation des Assedic et des mesures proposées en réponse par le Premier ministre. Il ne s'agissait plus seulement, pour tel ou tel ministre Vert ou communiste, impatient de réconforter et d'accroître sa clientèle électorale, d'aller marquer sur place sa solidarité avec des manifestants franchement hostiles au gouvernement. Il s'agissait de critiquer ouvertement, avec à peine ce que les Anglais appellent « lup service », c'est-à-dire quelques bonnes paroles en guise de camouflage, les décisions du gouvernement et de son Premier ministre. Les IIIe et IVe Républiques faisaient un usage fréquent de la combinaison appelée : « Soutien sans participation ». La majorité plurielle a inventé un monstre nouveau : « Participation sans soutien ». « Sans soutien » est peu dire. Plutôt : « Participation avec contestation ». Chacun a pu entendre des Verts ou les communistes, M. Robert Hue en tête, attaquer avec une vigueur singulière la majorité plurielle. Et, comme s'ils n'y appartenaient pas, le gouvernement auquel ils appartiennent. Ah ! La cohabitation est plus facile entre la majorité et l'opposition qu'au sein de la majorité. Plus facile entre le président de la République et le Premier ministre qu'entre le Premier ministre et ses propres ministres.

La fameuse majorité plurielle n'est pas
une majorité d'idées : c'est une majorité d'intérêts

Au sein du gouvernement, qui n'est tenu ensemble que par
le talent politique de M. Jospin, il y a des partisans et des adversaires de l'économie de marché, des partisans et des adversaires
de l'Europe, des libéraux et des communistes, des trotskistes et
des jacobins. C'est déjà, presque chaque jour, un joli feu d'artifice. Quand arriveront les problèmes décisifs de l'Europe et de
l'euro, ce sera le bouquet final.

Le Figaro, 14 janvier 1998

Jacques, Tony, Lionel et les autres

On aurait pu espérer que Jospin serait une espèce de Blair,
mais ce n'est pas le cas.

Après *L'Année des dupes*, excellent Journal de 1995, et, il y a
quelques mois, *La Faute aux élites*, Jacques Julliard, dont je me
sens souvent très proche – je ne sais pas, je n'en suis pas sûr,
s'il prendra la formule comme un éloge –, nous donne sous le
titre *L'Année des fantômes* son Journal de l'année 1997[1]. Jacques
Julliard, encore un éloge, à mes yeux ! est un naïf. C'est un
intellectuel naïf. C'est un pur. Il y a chez lui un côté Candide
dans la fosse aux serpents. Ce n'est pas un truqueur, un rou-
blard, un faux jeton. C'est un historien honnête dont l'intelligence se combine avec la simplicité et les convictions. Dans son
Journal passent l'opéra, la politique, les faits divers, la vie quotidienne et la littérature. Comme Gide, je le crains, il n'aime
pas le *Journal* de Jules Renard. Il a tort, à mon sens, et c'est un
symptôme assez grave. Mais enfin, ça peut se soigner. Il évoque
la mort, en 1997, de trois hommes suprêmement intelligents, à
l'itinéraire bien intéressant, qui ont joué un grand rôle dans la
vie intellectuelle de notre temps, dont j'ai admiré l'œuvre et

---

1. Paris, Grasset, 1998.

269

que j'ai eu la chance de connaître : Jean-Marie Domenach, l'humaniste, François Furet, l'historien, Cornelius Castoriadis, le philosophe, le psychanalyste, l'ancien trotskiste, l'ami d'Edgar Morin, l'animateur, avec Claude Lefort, de Socialisme ou Barbarie. Il parle d'eux avec force et émotion. Et il cite en même temps, au jour le jour, une foule d'anecdotes et de mots enchanteurs tel celui du prince de Ligne, qu'on choisirait volontiers pour devise : « Il se fait dans la société un brigandage de succès qui dégoûte d'en avoir. » Julliard est un homme de gauche. Je le soupçonne d'être de gauche comme je suis de droite. Le développement de cet aphorisme, qui ne concerne que nous deux, nous entraînerait un peu loin.

Le réalisme de Blair

Ce qui m'a paru plus intéressant, parmi tant de réflexions et de thèmes qui appelleraient de longs commentaires, c'est son portrait de Tony Blair après la victoire travailliste en forme de raz de marée. « La droite, écrit-il, salue son réalisme libéral, la gauche son inspiration sociale-démocrate. » « En vérité, conclut-il, les programmes ne fournissent que des intentions vagues sur la politique qui sera effectivement suivie car l'art du gouvernement démocratique repose aujourd'hui principalement sur la capacité de réagir vite et bien à des situations concrètes, tout en s'assurant le soutien de l'opinion. C'est dans six mois que l'on saura qui est Tony Blair, et quelles sont ses convictions. » Le hasard fait que, ces jours-ci, dans son bulletin outre-Manche, l'ambassade de Grande-Bretagne – qui dit que les ambassades ne servent plus à rien ? – cite un article écrit récemment dans le *Times* par le Premier ministre travailliste. « Il est temps de lancer le débat sur l'État providence, affirme M. Blair. Quel est ce système qui laisse vivre 4 millions d'enfants dans la pauvreté ? La providence ne marche plus. Il y a de plus en plus de pauvreté, de fracture sociale et d'impôts. [...] Le système a cessé de faire ce pourquoi il a été conçu, qui s'en étonnerait ? [...] La vie a changé. L'État providence doit changer aussi. » « Je commence à comprendre, poursuit Tony Blair, pourquoi la plupart des politiques évitent de se frotter à la protection sociale. Pour l'essentiel, les réformes à faire sont de longue haleine. [...] En politique, on préfère souvent ce qui a du succès tout de suite, et de préférence ce qui permet de gagner des voix. »

« *En avant vers le passé !* »

Dans un discours à La Haye, il y a quelques semaines, M. Blair **avait** précisé ses vues : « Permettez-moi d'abord de dire clairement ce qu'est la vision du gouvernement : trouver une nouvelle voie, une troisième voie entre l'individualisme débridé et le laisser-faire, d'une part, l'interventionnisme ancienne manière et le corporatisme de la démocratie sociale, genre années 60, d'autre part. Trouver aussi le chemin de la justice sociale des temps modernes. À objectifs traditionnels, outils d'aujourd'hui. Nous savons que l'augmentation exponentielle des impôts et des dépenses publiques n'est pas une solution ; pas plus que l'État patron ou les subventions ; et que le protectionnisme et l'isolement ne peuvent déboucher sur une prospérité durable à l'ère de l'économie globale. Mais nous ne voulons pas vivre dans une société sans règles, compassion et justice, qui aurait perdu le sens de ses obligations envers ses citoyens [...]. Je sais que le monde a changé et qu'il faut changer notre façon d'atteindre nos buts. » Mon cher Jacques, j'avais pensé à Tony Blair en vous lisant et je pense à vous en lisant Tony Blair. Tony Blair est socialiste, mais il n'est pas socialiste à la façon de nos socialistes. On avait pu espérer que Jospin serait une espèce de Blair, mais c'est le contraire qui est en train de se passer. Il semble même que Blair soit en train de s'éloigner de Jospin pour se rapprocher de Clinton. Il y a beaucoup de demeures dans la maison de votre père. Vous vous souvenez peut-être de ce titre de la presse britannique saluant les aspects les plus négatifs de la fameuse exception française après nos législatives de l'année dernière : « En avant vers le passé ! »

Inventer l'avenir

Longtemps, la gauche est apparue comme tournée vers l'avenir, et la droite vers le passé. Les choses ne sont plus si simples. Il y a des arriérés à gauche comme il y en a à droite. Et, vous le savez bien, il y a de l'inacceptable à gauche comme il y en a à droite. Si Staline était à gauche, je ne suis pas à gauche et vous non plus. Si Mitterrand était à gauche, je ne suis pas à gauche et vous non plus, je crois bien. Si de Gaulle était à droite (mais était-il à droite ?), je suis à droite, vous, je ne sais pas. Ce que je sais, c'est que, si la droite renonce à la justice sociale, elle est non seulement perdue, mais elle est à rejeter. Et que si la gauche veut parvenir à cette justice sociale en suivant les chemins d'hier, elle s'expose aux pires désillusions et à des réveils très cruels. La position de Tony Blair est encore renforcée par les derniers chiffres du chômage en Grande-Bretagne qui doivent évidemment beaucoup à l'action de Mme Thatcher, dont M. Blair est le successeur, et peut-être le continuateur socialiste : le nombre des chômeurs a baissé de près de 30 000 personnes en décembre et de plus de 470 000 sur l'ensemble de 1997. Le taux de chômage en Angleterre s'établit aujourd'hui à 5 %. Quel rêve, pour des Français si prompts à critiquer les autres et si contents d'eux-mêmes ! Il paraît que, fruit peut-être des efforts passés ?, notre économie va mieux. C'est une chance à ne pas gâcher. Atteindrons-nous, en France, avec la politique que nous menons, des résultats comparables à ceux de l'Angleterre de Mme Thatcher et de M. Blair ? La leçon de Tony Blair, c'est peut-être que l'opposition entre la droite et la gauche est en train d'être dépassée par l'opposition entre ceux à gauche et à droite qui restent attachés à des formules dépassées et ceux qui à droite comme à gauche regardent plutôt vers l'avenir. Ce qu'il y a de commode, et de dangereux, dans le passé, c'est qu'il est là, tout fait, pesant, insistant, agressif et inerte. L'avenir, évidemment, est plus riche de promesses, plus allègre, plus vivant. Mais il faut savoir le deviner. Et, mieux encore, l'inventer.

Le Figaro, 26 février 1998

Triomphe de la fête

Pour un succès, c'est un succès : personne n'a plus pensé à rien. Le monde est malheureux, mais il a tout oublié. Les dernières défenses ont cédé devant les tirs au but. Les chagrins, les révoltes, les indignations, les amours ont pris la forme d'un ballon rond. Mlle Lewinsky peut bien risquer de faire tomber le président des États-Unis, tout le monde s'en fiche : elle ne pèse pas lourd en face de Thuram qui n'en croit pas ses yeux quand il voit son ballon entrer dans les buts adverses ou de Ronaldo, roi de la fête. Le sort du Nigeria, de Tapie, du yen, de l'opposition, n'intéressent plus que quelques maniaques. Les plus riches en viendraient à se moquer de l'ISF et les plus pauvres du RMI. Il n'y a plus de partis politiques. Il n'y a plus de classes sociales : la France, pour la première fois, a gagné la Coupe du monde. Ça va mieux. M. Jospin le proclame, et il a raison : c'est sous son gouvernement que le pays s'est hissé à une pareille hauteur. En vérité, M. Jospin a de la chance. Son influence sur le Mondial est à peu près aussi nulle que sur la reprise économique : comme la chute du mur de Berlin, comme la révolution sexuelle, ce sont de ces choses qui se passent en dehors des gouvernements, qu'ils soient de droite ou de gauche, mais que les gouvernements récupèrent, qu'ils soient de droite ou de gauche. La cote de M. Chirac et de M. Jospin s'est mise à grimper en flèche : le Mondial, personne n'en doute, y est pour quelque chose. Des coups de pied dans un ballon profitent bizarrement à la cohabitation. On aurait tort de se moquer ou de lever les yeux au ciel : le football est désormais plus important que la politique. Il est devenu un élément constitutif et le seul peut-être d'un pacte social en charpie. Il fait mieux qu'une guerre et il tue moins de monde. Il ressuscite le patriotisme, il incarne l'intégration, il chasse la morosité qu'intellectuels et bureaucrates ont été incapables de combattre, il rend au peuple désabusé par les politiciens l'enthousiasme et l'espérance. Il a fallu le Mondial pour retrouver l'atmosphère de la Libération.

La télévision crée l'événement

Pour différents qu'ils soient, l'un dans la tristesse, l'autre dans la joie, le phénomène du Mondial est du même ordre que le culte rendu à la mémoire de Diana. Dans un cas comme dans l'autre, les médias se sont emparés d'un événement qui aurait pu passer quasi inaperçu pour l'élever tout à coup à la hauteur d'un mythe. Sans télévision, la mort de la princesse Diana relève d'une mention dans l'almanach de Gotha et le football est un jeu qui consiste à envoyer un ballon entre deux poteaux sans le toucher de la main. Avec la télévision, lady Di devient une légende à la façon d'Antigone ou d'Iseult et la Coupe du monde se transforme en saint Graal. À la fin d'un siècle ravagé par deux guerres, marqué successivement par le communisme et le national-socialisme, dominé dans sa première moitié par la physique théorique et dans la seconde par la biologie, une explosion de foi irrationnelle a secoué la planète : autour de la mort d'une princesse, autour d'un jeu de ballon.

Pain bénit pour les sociologues
et pour les mythologues

Le plus remarquable est évidemment l'entraînement irrésistible de toutes les classes de la population et de tous les secteurs de l'activité. Avec le soutien des médias et il est difficile de savoir s'ils ont créé le mouvement ou s'ils l'ont suivi, la politique, la vie quotidienne, les loisirs, l'économie et l'Église elle-même ont marché du même pas. La publicité s'en est donné à cœur joie : « Vivez football, vibrez football, buvez Coca-Cola ! » ou pour une marque de matelas : « Plus que deux nuits avant le grand jour ! » et le clergé a prié pour le succès des équipes nationales. Des joueurs se sont plaints d'un public engoncé et trop tiède. Qu'importe ! Un peuple entier a dansé, dans son cœur et dans sa tête, autour du ballon rond. Le président de la République a révélé que son rêve était d'être gardien de but et le Premier ministre a situé son rôle au confluent du poste d'entraîneur de l'équipe nationale et de joueur vedette. Aimé

274

Jacquet, qui avait été attaqué par une partie de la presse sportive, et notamment par *L'Équipe*, a pris une revanche bien méritée : il a été hissé sur le pavois des héros nationaux. Il y avait Jeanne d'Arc, il y avait les soldats de l'An II, il y avait Clemenceau. Toujours plus haut, voici Jacquet. Jacquet président ! Et Zidane Premier ministre !

De 68 à 98

Si le parallèle s'impose entre le Mondial et la mort de lady Di, il y a aussi un anniversaire auquel il est impossible d'échapper : exactement trente ans après le printemps 68, voilà l'été 98. On voit bien ce qu'il y a de commun : l'espérance d'autre chose, d'un autre monde, d'une autre vie, le besoin de s'éclater et de sortir de soi. On voit surtout les différences : le drapeau rouge rangé, le drapeau noir oublié, c'est le retour en fanfare du drapeau tricolore. Mai 68, en gros, était plutôt contre ; juillet 98 est franchement pour. C'est une adhésion après une rupture. Quelle aubaine pour les pouvoirs, toutes tendances confondues, y compris l'opposition ! C'est à qui, dans les hautes sphères, arborera le maillot bleu, c'est à qui en rajoutera dans l'enthousiasme et la passion. On a échappé d'un poil à un président et à un Premier ministre qui se seraient teints le visage aux couleurs bleu, blanc, rouge. On nous a assez répété, hip, hip, hip, que c'était la première fois, hourra ! que la France était en finale. La première fois aussi que la finale s'est jouée entre le pays hôte et le champion du monde. Ce n'est pas une raison pour croire que la folie du foot s'est limitée à la France. Comme la révolution de 68, la Coupe du monde 98 est internationale. En Angleterre, en Allemagne, aux Pays-Bas, en Italie, en tout cas jusqu'à la défaite, au Brésil, évidemment, qui a connu un second carnaval, le délire populaire était au moins égal à celui des Français. Un Pakistanais s'est pendu parce que l'Argentine avait été battue. Le Mondial est un symbole, un produit, un ressort de la mondialisation.

L'intéressant, et voilà encore une leçon pour les politiques, c'est que la mondialisation du phénomène fait un excellent ménage avec le chauvinisme. Nous avons déjà vu, dans notre époque stupéfiante, les Chinois proclamer que le communisme constitue un cadre idéal pour l'économie de marché. Le football, qui ne veut pas être en reste, et qui n'en est pas à un miracle près, fait accéder le nationalisme au stade de l'international. Supporters, hooligans, tapez-vous donc dessus ! Mais fanatiques de tous les pays, unissez-vous ! Héritier d'Aristote, de Hegel, de Nietzsche et de Marx, dernier avatar de la philosophie, le football fait la synthèse du nationalisme intégral et de la mondialisation. La leçon du Mondial comme la mort de lady Di, c'est que n'importe quoi peut devenir historique. N'importe quoi ? C'est vite dit : la mayonnaise médias-événement-explosion ne prend pas à chaque coup. Mieux vaut s'exprimer autrement : il est devenu impossible de savoir d'avance ce qui va embraser la planète. Le monde n'est pas seulement d'une complexité inédite : il est aussi devenu rigoureusement imprévisible. On a le sentiment, inquiétant et grisant, que l'Histoire, désormais, s'écrit en marge de l'Histoire et qu'elle se fait toute seule, à l'écart des pouvoirs. Plus importantes que le Mondial, la chute du mur de Berlin et l'implosion du communisme avaient déjà donné l'impression d'une sorte de marche biologique et souterraine d'une Histoire qui échappait à toute prévision et à toute analyse rationnelle. La Coupe du monde de football confirme, dans l'accessoire et dans l'anecdotique, dans le triomphe de la fête et du jeu, ce sentiment de prolifération marginale et irrésistible.

Y a-t-il une vie après le foot ?

Un événement comme le Mondial n'est pas perdu pour tout le monde. La planète entière s'est monté le bourrichon et on n'ose pas penser aux sommes d'argent formidables qui auront été prises dans le tourbillon. Les places pour la finale d'hier se vendaient au noir jusqu'à 30 000 francs. Du jour au lendemain, des trafiquants clandestins se sont réveillés millionnaires. Comme les chanteurs, les actrices, les top-models, les joueurs de tennis ou de golf, ces héros du monde moderne que sont les vedettes du ballon rond représentent des fortunes. Mais, à la différence des magnats des affaires, de la finance ou de l'industrie, des fortunes acclamées par les masses populaires.

276

Demain, les lampions éteints, elles repartiront vers les clubs qu'elles font vivre et qui les font vivre. Aussi loin que possible des exigences du fisc et des inquisitions. La dernière question qui se pose après la finale de la Coupe du monde est évidemment celle-ci : y a-t-il une vie après le foot ? Comment redescendre dans la grisaille quotidienne après cette griserie de bonheur expressément destinée à la faire oublier ? Bien sûr, il y aura le Tour de France.

On pourrait imaginer tout un enchaînement de fêtes, musique et sport mêlés, qui entretiendrait avec l'aide de la télévision la flamme de l'enthousiasme salvateur et destructeur de mémoire : une sorte de civilisation du jeu et des paradis artificiels chargés de détourner et de canaliser les passions. Mais quoi de plus difficile pour l'exception festive que de se changer en règle ? D'autant plus que la télévision porte en elle les germes de sa propre négation : aussi capable de plonger dans l'oubli que de projeter en pleine lumière, la télévision est une machine à saturer et à banaliser. Elle ne peut pas indéfiniment faire tourner les têtes avec le même manège. On demandait à Woody Allen : « Croyez-vous à une vie après la mort ? » Il répondait : « Parce qu'il y en a une avant ? » La prodigieuse aventure du Mondial aura presque tout détruit sur son passage : la vie publique et privée, tout un pan du commerce, la lecture et les livres, et même, en partie au moins, les trois ténors du Champ-de-Mars. La vie s'est comme figée. On a mis les problèmes de côté. Fascinés par le ballon rond qui était l'image même de la planète, nous avons tout arrêté y compris de penser. Il faudra bien se souvenir qu'il y avait une vie avant le foot et revenir à la réalité.

Quelle réalité ?

Qu'est-ce que la réalité ? Réponse : la réalité est ce qui se passe derrière un ballon que vingt-deux paires de jambes se disputent avec talent devant deux milliards de spectateurs. Il y a un secret qui plane au-dessus du spectacle irrésistible que nous a offert le Mondial. Et ce secret, c'est qu'il y a quelque chose qui se cache, volontairement ou involontairement, derrière ce spectacle. Qu'est-ce qui se cache ? Notre avenir. Le ballon rond le camoufle, et s'efforce, en magicien, en enchanteur, de le faire disparaître. Mais il n'y réussit pas tout à fait et l'avenir reparaît entre corners et penalties, entre cartons rouges et tirs au but. Et peut-être, un jour, les flonflons de la fête se perdant dans le passé, faudra-t-il en reparler ?

Le Figaro, 13 juillet 1998

Faut-il devenir socialiste ?

Il faut le dire avec regret mais avec sérieux : si l'opposition poursuit encore longtemps sa marche vers un suicide collectif, il n'y aura bientôt plus d'autre solution. Ce sera une solution de désespoir.

Un an après son accession peu prévisible au pouvoir, M. Lionel Jospin bénéficie d'une popularité qui ne semble pas se démentir. Il a dans son jeu quatre atouts qui font sa force et qu'il est possible de passer rapidement en revue : son équipe, la situation du monde, la reprise économique et l'état de l'opposition. Le gouvernement Jospin, nous l'avons dit, comme tout le monde, dès le premier jour, est composé de façon remarquable. L'émotion ressentie par ses adversaires comme par ses partisans à l'annonce de l'accident qui a frappé M. Chevènement est révélatrice[1]. On peut ne pas partager les opinions du ministre de l'Intérieur, il est impossible, non seulement de ne pas lui souhaiter un complet rétablissement qui lui permette de reprendre ses fonctions, mais encore de lui refuser l'estime que méritent son intelligence et son caractère. On dirait la même chose de Mme Aubry ou de Mme Guigou, de M. Strauss-Kahn ou de M. Allègre. Tous et toutes dépassent le niveau moyen du politicien du dimanche. Ils ont le sens de l'État. Ils ont une vision de ce qu'ils veulent faire.

Le mérite du choix de ses collaborateurs revient au chef du gouvernement. M. Jospin a fait la preuve de son habileté poli-

---

1. Victime d'un accident d'anesthésie, il est plongé dans le coma pendant huit jours.

tique en constituant un gouvernement de continuité socialiste qui tourne pourtant le dos à tout ce qu'il y avait d'insupportable dans le régime Mitterrand et dans cette constellation autour de lui qui s'écaille et s'effondre chaque jour un peu plus sous nos yeux, de sa garde politique rapprochée à Mme Marguerite Duras dont les exploits et le caractère, révélés par Mme Laure Adler, laissent une sensation qui ressemble à la nausée[1]. Il y avait un charme Mitterrand. Il semble qu'il fût trompeur. Il y a une rigueur Jospin. Et les Français y sont sensibles. Ils y sont d'autant plus sensibles que la situation du monde, l'a-t-on assez souligné ?, a quelque chose de stupéfiant.

Pendant près d'un demi-siècle, et il y a encore une dizaine d'années, la Russie soviétique était un immense pays aux ambitions planétaires. Un grand esprit comme Raymond Aron avait le sentiment de mener un combat d'arrière-garde en s'opposant à un communisme stalinien auquel l'immense majorité des intellectuels adhérait sans réserve. Il y a quelques années à peine, le maître à penser de notre drôle d'époque, Jean-Paul Sartre, déclarait avec sérieux et sous les acclamations que l'Union soviétique était en train de rattraper et de dépasser les États-Unis. L'Union soviétique s'est écroulée. La Russie connaît une crise qui rappelle les pires jours de la République de Weimar – j'imagine que tout le monde n'a pas oublié comment la République de Weimar a fini ? – et son chef, Boris Eltsine, semble lui-même au bord de l'effondrement politique et physique. Il y avait un autre pays dont l'ascension menaçait, paraît-il, les États-Unis. C'était le Japon. Il montait à l'horizon et sa puissance économique allait tout emporter. C'est son économie qui est emportée dans une débâcle qui menace de proche en proche tout le système économique de la planète. Plus que jamais, les États-Unis sont seuls à dominer le monde et c'est à ce moment précis qu'éclate autour de leur président le scandale qu'on sait et où le ridicule s'unit au pathétique.

Voilà que Bill Clinton, à qui tout réussit dans le domaine politique, économique et social, est lâché par ses propres partisans démocrates pour une pantalonnade de collégien. Par un

---

1. Laure Adler, *Marguerite Duras*, Paris, Gallimard, 1998.

mélange de légèreté personnelle et de conspiration, son autorité morale est compromise et se fissure. En Europe, le géant continental dont l'histoire au cours de ce siècle constitue le plus prodigieux des romans collectifs, l'Allemagne, passée des abîmes aux sommets, puis des sommets aux abîmes, puis, de nouveau, des abîmes aux sommets, connaît une période de flottement. Le chancelier Kohl, qui est évidemment, après Konrad Adenauer, un des grands hommes de notre temps, mène un combat à l'issue incertaine. En Angleterre, Tony Blair, après avoir triomphé, se heurte à des obstacles qui n'étaient pas imprévisibles. Ne parlons pas de l'Afrique, qui s'enfonce, ni du Proche-Orient où les tensions ne se relâchent pas et où la politique de M. Netanyahu ne laisse pas grand espoir. Au milieu de ce paysage de ruines ou au moins de rages, la France de M. Jospin apparaît comme un îlot de calme, de sécurité, de relative prospérité. C'est que M. Jospin n'a pas seulement du talent et des vertus de rigueur et d'habileté. Il a aussi de la chance. Il aurait plu à Napoléon qui voulait des hommes qui fussent « heureux » au sens d'heureux en amour ou d'heureux au jeu. Il est servi par son étoile et par les circonstances. Il y a une vérité qui se fait jour, depuis quelques dizaines d'années, avec de plus en plus de force : c'est que les gouvernements font ce qu'ils peuvent et qu'ils ne peuvent pas grand-chose.

Une croissance qui nous dépasse

Il y a des hommes d'État qui ont joué des rôles décisifs. Charles Quint. Louis XIV. Frédéric II. Napoléon. Bismarck. Lénine et Staline. Hitler. Il est au moins douteux qu'il faille s'en féliciter. Dans le monde moderne, les choses se passent différemment. Il y a des mouvements collectifs qui ressemblent plus à des poussées biologiques qu'à des décisions politiques. Exemples : l'explosion de Mai 68, la chute du mur de Berlin, l'onde de choc du Mondial. Le gouvernement Jospin surfe sur une reprise économique dont il n'est en rien la cause et qui le dépasse complètement. Si M. Juppé était resté au pouvoir, mais le pouvait-il ?, il aurait bénéficié lui aussi de la reprise économique. C'est M. Jospin qui en profite. Tant mieux pour lui. Mais il y est franchement pour pas grand-chose. Tout ce qu'il a le droit de faire, c'est de reprendre à son compte la formule de Cocteau : « Puisque ces mystères nous dépassent, feignons de les avoir organisés. » Une équipe qui est solide, le monde extérieur en charpie, la reprise économique, en même temps, qui, au moins temporairement, le sert au-delà de toute espérance : ce sont des atouts sérieux.

Mais il y en a un qui l'emporte sur tous les autres et qui fait la fortune de M. Jospin et de ses camarades socialistes : c'est la décomposition sans précédent de l'opposition. C'est un triste sujet pour quiconque appartient à cette opposition. Voilà un an qu'une dissolution malheureuse a offert le pouvoir à une gauche socialiste discréditée par quatorze années d'un socialisme à la française dont on découvre peu à peu le passé inquiétant, les ressorts secrets et la médiocrité historique. En un an, la défaite n'a pas été surmontée par ceux qui l'ont subie. En politique, être battu n'est rien. Mais ne pas retrouver les forces nécessaires pour rebondir et repartir unis à la bataille est mortel. On hésite à examiner le blessé et à sonder sa plaie, tant les chairs sont à vif. On dirait que toutes les interventions successives, y compris celles qui visent à rétablir l'unité, ne servent qu'à aggraver les fractures.

Le mal de l'opposition

D'où vient le mal dont souffre l'opposition et qui constitue la force principale du gouvernement socialiste ? De querelles de personnes, d'abord, chacun pensant surtout à son intérêt personnel. Et puis, bien sûr, de ce second front, de cette plaie mortelle offerte au flanc de l'opposition par le machiavélisme cynique de Mitterrand : le Front national. En vingt ans, l'extrême droite, partie de rien, a gagné un point par année. La droite libérale française meurt de l'extrême droite. Le socialisme en vit. On le sait, on le répète et plus on le répète, plus le phénomène prend de l'ampleur. La bonne méthode était évidemment d'ignorer l'extrême droite, de la passer sous silence et de l'étouffer. Mais les médias ne l'ont pas permis et leur toute-puissance a beaucoup contribué au développement d'un Front national qui a dépassé le parti communiste en lui prenant une part non négligeable de son électorat ouvrier et que la division et la décomposition de la droite ont hissé au rang de deuxième parti de France après le parti socialiste. La seule consolation est que le parti socialiste qui règne aujourd'hui en maître a été, à plusieurs reprises, plus bas encore que l'opposition d'aujourd'hui. Le pire n'est pas toujours sûr. Rien ne sert aujourd'hui de pleurer sur le lait versé, le lait de la dissolution ratée, le lait de la division de la droite, le lait du Front national, ferment d'impuissance pour toute l'opposition. On a pourtant le droit de s'étonner que François Mitterrand ait eu toute licence, aux yeux de nos moralistes, de nouer une alliance étroite avec un parti communiste à l'époque ouvertement stalinien et que le seul fait de ne pas repousser avec horreur les électeurs du Front national dans un ghetto politique entraîne, de la part de ceux qui acceptaient le front serein non seulement les voix mais la politique staliniennes, une condamnation d'ordre moral.

Gérer les contradictions

Entre quinze et vingt pour cent des Français penchent du côté du Front national. Y a-t-il quinze ou vingt pour cent de fascistes en France ? Bien sûr que non. Il n'y a pas plus de partisans du fascisme aujourd'hui en France qu'il n'y avait hier de partisans d'un régime stalinien. Si un Français sur cinq était fasciste ou stalinien, il n'y aurait plus qu'à tirer l'échelle, à abandonner toute activité politique et sans doute le pays à son triste destin. La France n'est ni stalinienne ni fasciste. Elle crie simplement qu'elle aspire à autre chose. Elle se débat comme elle peut dans les contradictions de l'époque. Quelles contradictions ? L'espérance en l'Europe et la fidélité à la nation. Le goût de la liberté et les exigences de la justice sociale. Le refus de tout racisme, de toute xénophobie et l'impossibilité de servir de refuge, selon le mot d'un dirigeant socialiste, à toute la misère du monde. Ces contradictions déchirent la gauche comme elles déchirent la droite. L'affaire des sans-papiers le montre avec éclat. Et il est tout aussi paradoxal d'aller vers l'Europe avec un gouvernement où figurent des partisans de

M. Chevènement et des communistes ouvertement hostiles à l'Europe que de compter dans les rangs de l'opposition des partisans et des adversaires d'une Europe fédérale. Ce qui est vrai, c'est que la gauche socialiste gère mieux ses contradictions qu'une droite divisée, sans chef incontesté, sans doctrine claire, sans espérance et sans foi dans ses propres valeurs.

Alors, que faire ?

Jeter le manche après la cognée et le bébé avec l'eau du bain ? Se rallier par chagrin et par déception à un socialisme moderne qui est sans doute l'héritier de Mitterrand, mais qui tourne aussi d'une certaine façon le dos aux impostures du socialisme à la française de si triste mémoire ? Il faut le dire avec regret mais avec sérieux : si l'opposition poursuit encore longtemps sa marche vers un suicide collectif, il n'y aura bientôt plus d'autre solution. Ce sera, en vérité, une solution de désespoir. Elle sera due plus aux fautes de l'opposition qu'aux succès du socialisme. Car enfin, dans aucun domaine, le socialisme n'a fait la preuve de sa supériorité sur le libéralisme. M. Blair vit sur les acquis de Mme Thatcher. Au cours de son voyage aux États-Unis, M. Jospin a déclaré avec courage qu'il s'était trompé sur l'image qu'il se faisait du libéralisme américain. Sur le point décisif du chômage, le libéralisme l'emporte haut la main. Pendant que le chômage en France passait de quatre ou cinq pour cent à douze pour cent, le chômage en Amérique suivait la courbe exactement inverse. Aucun problème n'est réglé chez nous par les méthodes qui, en quelque vingt ans, ont mené le pays sur le chemin du déclin et du découragement. Si M. Jospin et son équipe sont si populaires aujourd'hui, c'est que les Français sentent en eux, sous le drapeau d'une gauche à laquelle restent attachées des notions de justice et de générosité, une volonté de réformes. Tout le monde sait, au-delà des intérêts personnels et des réflexes corporatistes, qu'on ne peut pas continuer longtemps sur les chemins de la facilité meurtrière suivis depuis vingt ans. Si la droite n'est pas capable de retrouver son unité pour accomplir ces réformes, ce sera la gauche qui les fera ou qui, empêtrée dans ses lourdeurs idéologiques, tentera au moins de les faire.

Une droite majoritaire

Ce sera un paradoxe dans un pays qui est très majoritairement à droite dans des proportions de l'ordre de cinquante-cinq à soixante pour cent. Ce n'est que politiquement que la gauche l'emporte, parce qu'elle a compris les vertus d'une unité plurielle qu'elle s'efforce de refuser à la droite. La majorité politique de la gauche plurielle est assise sur les divisions de la droite. La droite ne peut sortir du piège où elle accepte de se laisser enfermer qu'en restant fidèle à ses valeurs. Quelles valeurs ? La liberté, la démocratie, le refus de tout sectarisme, le culte de la nation associé à l'espoir en l'Europe, le respect de la tradition associé à la confiance dans le progrès. Ce sont des valeurs que partage l'immense majorité des Français. La droite est aussi capable et plus capable de les incarner qu'une gauche qui est souvent plus libérale en paroles qu'en action et qui se doit de donner des gages à des alliés encombrants. Il faut que l'opposition affiche ouvertement sa foi dans les vertus de la justice, de la générosité, de l'unité confisquées par la gauche, détournées et défigurées par l'extrême droite. Ou bien elle réussira, par un effort qui semble aujourd'hui surhumain, à retrouver à la fois le chemin de la dignité et de l'efficacité qui mène à la victoire, ou bien elle disparaîtra, malgré son caractère majoritaire, du paysage de l'histoire.

Il y a eu un mot meurtrier : « Mieux vaut perdre les élections que son âme. » En démocratie, il faut savoir gagner les élections sans perdre son âme pour autant. Difficile ? Débrouillez-vous. Ce qui gagnera de toute façon, ce sont les idées de justice et de liberté. Le libéralisme est mieux placé pour les appliquer que la dictature ou le désordre qui mène en fin de compte à la dictature. Si l'opposition ne réussit pas à faire triompher l'efficacité du libéralisme par les voies qui sont légitimement les siennes, quelle autre solution que d'essayer de passer par le détour d'un socialisme qu'on essaierait d'incliner, mais est-ce possible ?, vers le réalisme et le pragmatisme. Ce chemin-là sera plus long, plus difficile, plus risqué. Les chances pour la France et les Français de jouer un rôle de premier plan dans le monde moderne en pleine mutation en seront diminuées. On voit bien que les jeunes talents de chez nous ont tendance à s'expatrier pour échapper aux pesanteurs d'un régime étouffant et désuet. Les chiffres de la fuite des jeunes cerveaux français sont éloquents. Tout le monde sait que la gauche est plus portée que la droite aux impôts, à la bureaucratie, aux contrôles tatillons qui coûtent du temps et de l'argent et qui freinent toute initiative. Mais ce qui bouillonne dans la jeunesse a besoin d'un cadre pour s'exprimer. Si les valeurs conjointes de la tradition et du renouveau s'effondrent, si l'opposition se délite, vers quoi et vers qui se tourner ? L'opposition divisée sert la soupe au socialisme.

Rien n'est encore définitivement joué. Rien n'a pris en France son visage d'avenir. Le socialisme ne l'emporte que par défaut. Ce qui fait sa force, outre une reprise économique fragile et temporaire, c'est d'abord et surtout la faiblesse insigne de l'opposition. Qu'elle se reprenne. Qu'elle s'unisse. Qu'elle définisse ses convergences et sa différence d'avec le socialisme. Qu'elle exprime clairement ses priorités. De Chirac, son chef légitime, mais dont les troupes sont en train de fondre, de Giscard d'Estaing, de Barre à Balladur et à Sarkozy, de Séguin et Pasqua à Bayrou et à Madelin, qu'elle constitue un front uni ou qu'elle renonce à toute espérance. Si l'opposition n'est pas capable de se rassembler elle-même, comment rassemblerait-elle les Français ? Il y a une rumeur qui monte du pays et dont les échos se feront entendre durement dans les années à venir : « Faites l'union ou laissez faire les socialistes. »

Le Figaro, 7 septembre 1998

1999

Vers de nouveaux clivages

Armature depuis deux siècles de la vie politique, la distinction entre droite et gauche éclate de partout.

Il serait absurde de nier, en France, aujourd'hui, l'existence d'une droite et d'une gauche. Nous sommes établis dans un système de partis politiques qui assurent la vie démocratique du pays et qui se répartissent entre droite et gauche. Le général de Gaulle était hostile au régime des partis : nous les encourageons et nous les subventionnons, comme nous subventionnons les médias. Il y a une droite et une gauche. Mais il n'est pas très sûr que cette opposition soit encore historiquement très féconde. Quelle est la grande affaire de la seconde moitié du siècle ? C'est l'Europe. Le désastre des deux guerres mondiales invite les meilleurs esprits à entreprendre une construction qui mette un terme aux rivalités aveugles des nationalismes et qui rassemble dans la paix les énergies qui se détruisaient dans la guerre. Le général de Gaulle et le chancelier Adenauer ouvrent la voie en jetant les bases de la réconciliation franco-allemande. Tous les gouvernements, ensuite, qu'ils soient de droite ou de gauche, font avancer l'Europe. Tantôt la droite, tantôt la gauche est au pouvoir en France ; tantôt la droite, tantôt la gauche est au pouvoir en Allemagne. Aucune importance. Valéry Giscard d'Estaing, de droite, s'entend à merveille avec Helmut Schmidt, de gauche. François Mitterrand, de gauche, s'entend tout aussi bien avec Helmut Kohl, de droite. Comme pour la chute du mur de Berlin, on dirait que l'histoire avance toute seule, indépendamment des hommes qui sont censés l'incarner. Indépendamment surtout de la couleur de leurs opinions.

Une gauche belliciste

La démonstration est même faite *a contrario*. Quand Kohl est battu par Schröder et que la social-démocratie règne sur l'Europe entière, on se réjouit à gauche, et on se dit avec naïveté que les relations vont être plus étroites que jamais entre la France de Jospin et l'Allemagne de Schröder. C'est le contraire qui se produit : s'il y a jamais eu une légère détérioration des excellentes relations entre l'Allemagne et la France, elle se situe au moment où les deux États sont socialistes l'un et l'autre. La couleur politique des gouvernements n'a pas la moindre influence sur la marche vers l'Europe. On ne s'étonnera pas de constater que, dans chaque pays, la division entre partisans et adversaires de l'Europe ne recoupe pas la répartition entre droite et gauche. Il y a des partisans de l'Europe à droite et à gauche. Il y a des adversaires de l'Europe à gauche et à droite. M. Chevènement n'est pas si loin de M. Pasqua. M. Cohn-Bendit, ex-Dany le Rouge, n'est pas à l'extrême opposé de M. François Bayrou, libéral, centriste, démocrate-chrétien. Tout sépare, en revanche, M. Chevènement et M. Cohn-Bendit, qui appartiennent en principe au même camp politique, ou M. Pasqua et M. Bayrou.

L'Europe a fait exploser les clivages traditionnels

Rendue inévitable par l'attitude de Milosevic, la guerre du Kosovo marque le début d'une ère nouvelle : l'intervention de la communauté internationale, pour des motifs éthiques, dans les affaires internes des nations. Du coup, la gauche, réputée pacifiste, est plutôt favorable à la guerre et parfois franchement belliciste ; et la droite, traditionnellement militariste, est pour le moins réservée. Chacun perd ses marques, les repères s'évanouissent, le combat bien tranché entre les idéologies opposées le cède à un climat de confusion très révélateur de notre temps. À la division entre droite et gauche tend à se substituer, pour tout ce qui touche à ce qu'on appelait naguère la politique étrangère et qui devient la politique mondiale, une division nouvelle entre partisans de la souveraineté nationale et partisans de l'intervention internationale. De Max Gallo à Régis Debray, on assiste à des regroupements nouveaux et à des trajectoires inattendues. Une des caractéristiques de notre temps est l'allure surprenante et rapide des retournements les plus imprévisibles. Les pacifistes chantent la guerre, les gens de droite ont du mal à se distinguer de la gauche, les militants de gauche mènent une politique de droite.

Un exemple instructif de cette confusion permanente est fourni par l'épisode subalterne des langues régionales. Longtemps, la défense des régions et de leurs langues a été l'affaire de la droite. Voilà que la gauche prend feu et flamme pour leur résurrection et pour leur promotion. C'est que, si la droite est déchirée entre autorité et liberté, la gauche l'est tout autant entre la tradition jacobine et la lignée des girondins. Armature depuis deux siècles de la vie politique en France, la distinction entre droite et gauche, encore si forte dans les polémiques quotidiennes, éclate de partout. Menée contre un dictateur communiste, la guerre de Serbie est-elle de droite ou de gauche ? La marche vers l'Europe est-elle de droite ou de gauche ? La mondialisation de l'économie va-t-elle servir les intérêts de la droite ou de la gauche ? L'américanisation des mœurs est-elle de droite ou de gauche ? L'humanitaire est-il de droite ou de gauche ? Et qui privatise, en fin de compte, le plus efficacement : est-ce la droite ou la gauche ?

Nous nous accrochons en vain à des cadres périmés

La gauche peut-être plus que la droite, pour la simple raison que la droite a pratiquement disparu de la scène politique. La gauche sait bien que le marxisme, qui est un système puissant, qui a dominé toute la fin du XIXᵉ et la majeure partie du XXᵉ siècle, qui a transporté plusieurs générations d'intellectuels, de travailleurs, de jeunes gens, est une idéologie périmée dont le moins qu'on puisse dire est que la carrière récente n'a rien de reluisant. Tous les pays avancés s'en sont détournés. Les partis socialistes d'Allemagne ou d'Angleterre l'ont rejeté ouvertement . Tony Blair avec sa « troisième voie », Gerhard Schröder avec son « nouveau centre ». Trois jours avant les élections européennes du 13 juin dernier, les deux dirigeants britannique et allemand ont signé ensemble un manifeste reçu avec fraîcheur par les socialistes français où le socialisme se colorait de libéralisme. Il n'y a plus que les Français pour continuer à chérir et plus en paroles que dans les faits une version du marxisme souvent teintée de trotskisme.

Les ruses de l'histoire

Par une de ces ruses dont l'histoire est friande, la gauche est en train d'être rattrapée par la machine de guerre qu'elle utilisait contre la droite. La droite française était nationaliste, chauvine, plutôt xénophobe, refermée sur elle-même. C'était la gauche qui, se réclamant de l'internationalisme, poussait à l'ouverture et à la mondialisation. Voilà que la mondialisation impose ses règles avec de plus en plus de vigueur : après avoir détruit le mode de vie, l'enracinement et les traditions de la droite, elle se retourne contre la gauche et s'attaque à sa volonté de domination et de contrôle dans le cadre restreint de la nation. La droite, au fond de l'abîme, périt de ses contradictions. Plus puissante que jamais, apparemment triomphante, la gauche ne vaut guère mieux. L'Europe, la globalisation, le contexte politique et économique ne laissent plus aucun espace ni à l'une ni à l'autre pour se déployer à leur gré. Juppé est bien obligé de mener une politique qui ne rompe pas radicalement avec le socialisme, et Jospin est contraint de mener une politique qui se rapproche de celle de Juppé. La gauche n'a cessé, à juste titre, de répéter à la droite que le monde était en train de changer à une vitesse croissante. C'est vrai : il a changé.

Il change encore sous nos yeux

Les gaullistes eux-mêmes en viennent à reconnaître aujourd'hui que personne n'a plus le droit de se réclamer de l'ombre géante du général de Gaulle Il est tout aussi vain de vouloir s'inspirer d'un socialisme, d'un marxisme, d'un trotskisme qui datent du siècle dernier ou du début de ce siècle et que l'histoire a rangés au magasin souvent brillant, parfois sinistre, des accessoires hors d'usage. Victime de ses divisions et de ses contradictions, la droite française est sous respiration artificielle. La gauche française porte beau, mais sa santé florissante est un état précaire et qui n'annonce rien de bon. Elle n'en peut plus d'être obligée par l'histoire de se renier jour après jour et de se livrer sans cesse à un double et périlleux exercice qui ne peut que l'épuiser : d'abord de faire le contraire de ce qu'elle a dit qu'elle ferait ; et ensuite de tâcher de faire ce que la droite n'a pas été en mesure de faire. Mitterrand, il y a près de vingt ans, voulait « changer la vie ». Que reste-t-il de cette promesse ? Moins que rien, évidemment. Un afflux de pauvreté, et vingt années de perdues. Sur le chômage, sur la Sécurité sociale, sur la santé publique, sur les retraites, sur l'urbanisme, sur l'immigration, sur la sécurité des personnes et sur tout le reste, la gauche, désormais, ne peut que reprendre, avec un autre vocabulaire, avec à peine d'autres méthodes, les vieilles recettes de la droite. Pour une bonne raison : c'est qu'il n'y en a pas d'autres. Il y aurait, bien entendu, la possibilité théorique d'une autre politique : on pourrait sortir de l'Europe, fermer les frontières, rétablir le contrôle des changes, augmenter encore les impôts, mener une politique d'autarcie. Ce serait un désastre sans nom dans les délais les plus brefs. Grâce à Dieu, il est trop tard. Il est trop tard pour faire de ce pays un laboratoire de vieilleries. L'Europe est là. Et le monde aussi. Ils marchent et ils contraignent.

Une opposition vidée de sens

L'opposition, encore réelle dans les mots, entre droite et gauche, n'a plus de sens historique. Ou elle en a à peu près autant que l'opposition, qui nous a longtemps paru si obscure, à nous autres Européens gavés d'idéologies, entre démocrates et républicains aux États-Unis. Et, sous les vieilles étiquettes, affleurent des distinctions nouvelles qui prennent en écharpe les partis traditionnels : partisans de la souveraineté nationale ou de l'organisation européenne ; dirigistes ou libéraux ; centralisateurs ou régionalistes ; partisans ou adversaires d'un gouvernement des juges qui risque de modifier l'équilibre des pouvoirs... Aucun de ces choix importants, et parfois décisifs, ne recoupe la division entre droite et gauche. Raymond Aron dénonçait une France « hémiplégique » qui se limite tantôt à la droite et tantôt à la gauche. Le général de Gaulle, dont l'enfance avait été bercée par des doctrines proches de l'Action française, a mené son combat de libération nationale en compagnie, parmi d'autres, de communistes et de gens de gauche. Peut-être y aurait-il avantage à s'inspirer de leur exemple ? Quelle est la tâche la plus urgente aujourd'hui ? C'est de lutter contre la nouvelle pauvreté. Elle frappe chez nous des millions d'hommes et de femmes qui ne croient plus aux promesses et qui ont perdu toute espérance. Il faut créer de la richesse pour la redistribuer. Distribuer ce qui n'existe pas n'est pas seulement inutile, mais mensonger et criminel. Le péril soviétique écarté, l'Europe n'est pas faite pour forger un nouvel instrument de puissance ni pour menacer qui que ce soit. Elle est faite pour établir un pôle de prospérité qui permette, mieux que les systèmes écroulés, de lutter contre le chômage et la pauvreté et d'aller vers plus de justice. C'est une ambition qui déborde d'assez loin les programmes usés d'une droite et d'une gauche qui relèvent également d'un folklore historique et dont l'opposition stérile ne peut nourrir que des déceptions.

Le Figaro, 27 août 1999

2000

Mode réelle, monde virtuel

Peut-on encore débattre en France ? La question, à première vue, sonne comme une provocation. Où est-on plus libre qu'en France ? Où les idées circulent-elles avec plus de facilité, avec plus d'allégresse ? Politiquement, économiquement, militairement, nous avons perdu le premier rang auquel nous étions accoutumés. Et, plus grave encore, la langue française, qui dominait le monde, ne cesse de battre en retraite. Mais pour le libre-échange des théories et des arguments, nous ne craignons personne. L'époque n'est pas si loin où, en Allemagne ou en Russie, tout débat était interdit. De nos jours encore, en Iran, en Corée du Nord, en Chine ou ailleurs, il est interdit de penser ce qu'on veut et surtout de l'exprimer. Nous vivons, grâce à Dieu, dans la plus libre des sociétés et, depuis plus de cinquante ans, de droite ou de gauche, nos gouvernements successifs ont assuré cette liberté. Il faut le dire clairement : nous avons eu de la chance. Faut-il s'arrêter là ? L'affaire est-elle réglée ?

Regardons-y d'un peu plus près. Tout le monde sait et répète que le pouvoir politique traditionnel a perdu de sa force et de son éclat. Qu'est-ce qui l'a remplacé ? De toute évidence, le pouvoir économique et les moyens de communication de masse. Nous vivons, presque sans nous en rendre compte, dans un milieu conditionné et sous la pression de forces qui vont de la publicité à la chanson et de l'école à l'air du temps. Une sorte d'équilibre s'établit qui vaut certainement mieux que toutes les dictatures mais qui bride, lui aussi, la liberté individuelle. Jamais la mode n'a pesé aussi lourd. La mode, jadis, concernait une petite frange de la population qui faisait ce qu'il fallait faire et qui pensait ce qu'il fallait penser : c'était les gens « comme il faut ». Grâce surtout à la télévision, qui a été le principal instrument de contrôle social de la seconde moitié du siècle qui s'achève, la mode et les convenances se sont démocratisées. Il est permis de dire que nous vivons dans une bulle de mode intellectuelle façonnée par des forces universelles auxquelles il est pratiquement impossible d'échapper : l'école, la presse, la radio, la télévision. Ne tombons pas dans le piège du complot orchestré. Il n'y a pas de chef d'orchestre unique derrière ces forces de coercition. Elles s'organisent d'elles-mêmes. On pourrait presque dire que ce qui pèse sur nous, c'est nous-mêmes. C'est un grand progrès sur les dictatures idéologiques. La liberté individuelle peut frayer son chemin sans trop de peine à travers le réseau. Mais le réseau existe, et il pèse lourd.

Des milliers d'ouvrages ont été écrits sur le rôle des images et de la télévision. Le règne d'Internet ne fera qu'accentuer l'évidence : le monde réel s'efface au profit d'un monde virtuel qui se développe inexorablement. C'est une pieuvre multiforme qui s'incarne dans une lessive, dans une boisson, dans l'élection du président des États-Unis, dans le dernier livre de Houellebecq, dans la Coupe du monde de football. Arrêtons-nous un instant sur le football. Comme les combats de gladiateurs à Rome ou les courses de chars à Byzance, entre les Verts et les Bleus, le football est un beau sport et un spectacle merveilleux. Comme les combats de gladiateurs et les courses de chars, mais sur une autre échelle et dans des proportions gigantesques, le football est devenu un phénomène politique, économique et social à caractère universel et obligatoire grâce à la télévision. Ce que les plus grands esprits de ce temps ont pu dire d'un jeu de ballon magnifié et élevé à des dimensions mythiques pourrait faire l'objet d'un florilège qui étonnera dans les siècles à venir. Aucun président de la République, aucun Premier ministre, aucun homme politique aspirant à des fonctions électives n'aurait osé déclarer, en public : « Je me fiche éperdument de ce qu'une dizaine de gaillards sympathiques peuvent bien faire d'un ballon rond qu'il s'agit de pousser à l'intérieur d'un filet. » Le football n'est qu'un exemple parmi beaucoup d'autres.

Il y a plus sérieux. Il y a, dans tous les domaines, des comportements imposés. Parfois imposés par la pression sociale et médiatique, parfois imposés par la loi. Il faut faire preuve ici d'une extrême modération. Non par prudence, mais pour éviter de heurter des sensibilités légitimes. La loi Gayssot interdit des expressions ou des manifestations qui ne me sont pas seulement et totalement étrangères mais qui me répugnent et que je condamne. Je n'en regrette pas moins qu'elles soient interdites par la loi. Je m'en tiens à la formule de Voltaire qui se serait fait tuer pour permettre à ses ennemis de s'exprimer. Parlons clair : l'antisémitisme et le racisme me sont odieux et je peux comprendre que ceux qui en ont souffert jusqu'à la mort et qui en souffrent encore veuillent s'en protéger par tous les moyens possibles. Il n'en est pas moins permis de déplorer une limitation de la liberté de pensée et de parole. Ou bien la liberté s'étend, non pas sans doute à des actes criminels, mais à la totalité des pensées et des paroles, quelque inacceptables qu'elles puissent apparaître, ou bien elle n'existe plus dans son intégrité. On me dira que racisme et antisémitisme relèvent d'une ignominie criminelle et je serai d'accord avec ce jugement. Sade aussi, pour prendre un exemple parmi des milliers d'autres, relève de l'inacceptable. S'il y a une entreprise d'avilissement de l'être humain et surtout de la femme, c'est bien l'œuvre de Sade, tant vantée par nos penseurs et par nos moralistes, qui en fournit l'exemple. À chaque page, une incitation à la violence et au mépris de l'homme. Est-ce une raison pour interdire Sade et son œuvre ? J'ajouterai que, pour ceux qui croient à la nécessité de lutter efficacement contre les plaies du racisme et de l'antisémitisme, la plus mauvaise méthode est la coercition. On serait plus à l'aise pour mépriser, combattre, clouer au pilori de la société et de l'esprit racistes et antisémites si une étiquette de victime, qui leur est plus profitable que nuisible, ne leur collait pas à la peau. On a répété à satiété qu'il était impossible d'élever des murs contre les idées. C'est vrai aussi pour les idées les plus fausses et les plus exécrables. À une époque de prolifération des moyens de communication, les interdire par la loi, c'est leur assurer une violence souterraine. Comment ne pas voir d'ailleurs qu'on en arrive à des contradictions éclatantes ?

N'importe qui peut attaquer sans grand risque, même avec violence, le catholicisme, religion largement répandue en Europe, et ses représentants. Lorsque le Pape prend des positions contestables sur l'usage des préservatifs ou sur l'avortement des femmes du Kosovo violées par des Serbes, nul ne se prive de le traiter de pernicieux vieillard. Et, dans les livres ou à l'écran, le christianisme ne cesse d'être houspillé et vilipendé. Personne n'oserait faire subir le même sort à la religion musulmane et à ses dignitaires. Et si un autre qu'un rabbin éminent avait prononcé à propos de la Shoah et de la responsabilité métaphysique des victimes juives des nazis les paroles qui ont fait, il y a quelque temps, la une de tous les journaux, il aurait à coup sûr été traîné devant les tribunaux. On se demande d'ailleurs quel sort serait réservé aujourd'hui à des écrits tels que ceux de Céline, génie littéraire et antisémite répugnant. Relèverait-il lui aussi de la justice ? On pourrait même aller plus loin. Des textes tels que ceux des surréalistes, qui recommandent de descendre dans la rue et de tirer au hasard sur les passants, échapperaient-ils à l'accusation d'incitation à la haine ? Et quand Aragon invite à faire feu sur Léon Blum et sur les ours savants de la social-démocratie, dira-t-on que ce ne sont que jeux d'enfants littéraires à traiter avec le sourire ? Permettra-t-on, au contraire, au génie ce qui est interdit au commun des mortels ? Il est plus probable que la justice, appuyée sur la loi, réprimerait aujourd'hui ce qu'elle autorisait hier.

Loin de se développer, la liberté de débattre est donc en train de se restreindre. Elle est désormais contenue, même chez nous, dans les limites étroites qui relèvent de ce qu'on a appelé le politiquement, le socialement, le religieusement, le judiciairement correct. Il n'y a plus de liberté de l'esprit s'il n'est pas permis aux uns de soutenir des choses qui semblent aux autres honteuses, scandaleuses, mensongères et radicalement fausses. On me dira que toute liberté est assurée à ce qui est vrai et juste : c'est la définition même de l'intolérance. Il est trop facile de ne tolérer que les idées et les mots sur lesquels on est tous d'accord. Ce qui est intéressant, c'est de débattre avec des esprits en radical désaccord avec ce que vous croyez. Il n'est pas exclu qu'il s'agisse là, dans notre société de liberté, d'une inacceptable exigence. Une sorte de consensus mou, mortel pour la vie de l'esprit, s'est installé autour d'un certain nombre de vérités qu'il est interdit de mettre en doute. Les exemples viennent en foule à l'esprit. Même quand on est, comme moi, un partisan de l'action internationale et un ardent adversaire de cette crapule de Milosevic, on a le droit d'être étonné de la violence avec laquelle a été accueillie une prise de position comme celle de Régis Debray, mis au ban de la société intellectuelle par Bernard-Henri Lévy et beaucoup d'autres pour avoir émis des réserves politiquement peu correctes sur la politique officielle à l'égard du peuple serbe. Claude Lanzmann et Alain Finkielkraut ont, sur un certain nombre de points, des positions opposées : ce n'est pas assez dire qu'ils s'insultent, ils s'excommunient l'un l'autre, ils se retranchent l'un l'autre de la communauté intellectuelle et humaine. Les débats deviennent ainsi difficiles entre esprits qui ne peuvent discuter que s'ils se sont préalablement mis d'accord. On discute d'ailleurs très peu, dans notre société de dialogue, entre points de vue opposés. Le résultat ne se fait pas attendre : ce sont les conflits violents tels que ceux auxquels nous venons d'assister dans les villes et sur les routes.

Ne vaudrait-il pas mieux discuter préalablement entre partenaires qui ont des conceptions différentes ? Mais le pli est pris : oublieux de la formule, pourtant assez célèbre, sur la nécessité de prévoir, le gouvernement ne discute pas avant, il ne discute qu'après la descente dans la rue, les cortèges tonitruants, les blocages de voies publiques, les risques d'affrontement physique. C'est une invitation permanente à la démonstration de force. On vit sur une apparence de consensus qui dissimule des débats qui n'ont pas lieu et qui éclatent tout à coup à la limite de la violence. Nous sommes très libres, oui. Mais il faudra encore faire des progrès dans le refus d'excommunication, de diabolisation et d'occultation des adversaires. Nous vivons dans une société de tolérance et de débats, et il faudra pourtant accepter plus volontiers la contradiction si nous voulons éviter dans l'avenir des explosions de fureur qui laisseront pantois ceux qui s'imaginent toujours qu'ils détiennent la justice et la vérité et que tout le monde pense et doit penser comme eux.

Le Figaro, 23 septembre 2000

Que peut-il se passer ?

Si calme, si légère à la veille des vacances, l'atmosphère, d'un seul coup, est devenue irrespirable. Les uns parlent de Stavisky, les autres évoquent le climat qui précédait la fin de Juppé et la dissolution. Les choses se sont enchaînées et déchaînées très vite : écroulement de Jospin, chute de Chirac, échec du référendum, apparition quasi magique d'une cassette que beaucoup connaissaient et qu'un membre du gouvernement aurait pu et dû connaître[1]. Au moment où les Français récoltent pas mal de médailles à Sydney[2], au moment même où la France, paraît-il, devait jouer un grand rôle à la tête de l'Europe, le régime tombe dans la boue. Nous sommes descendus au niveau d'une république bananière au moment où la France, dans l'Europe, avait le plus grand besoin de faire preuve de cohérence. Et peut-être d'unité. On répète que les Français sont favorables à la cohabitation. Les Français ont plein de défauts : ils sont râleurs, changeants, attachés à leurs privilèges, jaloux les uns des autres et ils portent à leur voiture un amour insensé. Mais ils ne manquent pas de sens politique : peut-être ne sont-ils partisans de la cohabitation que parce qu'ils aspirent à la paix civile. On pouvait espérer que l'hémiplégie française, dénoncée par de Gaulle et par Raymond Aron, était en voie de guérison et que la dichotomie entre droite et gauche était plutôt en train de s'effacer. Voilà que l'affaire de la cassette la déchire à nouveau.

Que nous apprend la cassette ? D'abord que nous ne sortons pas des affaires. Elles surgissent de partout, elles plombent l'existence nationale. Tout le monde savait pourtant comment fonctionnaient les partis politiques avant que la loi n'intervienne.

1. Dominique Stauss-Kahn, alors ministre de l'Économie, est accusé d'avoir octroyé une remise fiscale en échange d'une cassette vidéo contenant les aveux de Jean-Claude Méry – membre du comité central du RPR et proche du maire de Paris Jacques Chirac –, poursuivi pour « trafic d'influence, complicité d'abus de biens sociaux et infraction à la législation sur la facturation ». Il a affirmé ne pas l'avoir visionnée et l'avoir égarée.

2. Les Jeux olympiques d'été se déroulent à Sydney, du 15 septembre au 1er octobre 2000.

N'importe. On se jette sur l'affaire Chirac comme on s'était jeté sur l'affaire Emmanuelli[1]. Les opinions, les convictions, les choix politiques ne comptent plus ; ne comptent plus que l'argent, le moyen de s'en procurer, la façon de l'utiliser et les mises en examen sur dénonciation publique. La cassette nous apprend ensuite, et peut-être, hélas, surtout, que la guerre est déclarée entre Chirac et Jospin. Avec tout le respect que l'on porte au président de la République et à son Premier ministre, il est impossible de ne pas penser aux méthodes de la Mafia. Longtemps, on se supporte, on se salue, on vit ensemble Et puis, l'un des adversaires dégaine et la fusillade éclate. Et on venge ses victimes. La Corse a déteint sur les palais nationaux. Allons-nous vivre ainsi pendant les deux années qui nous séparent des élections législatives et de l'élection présidentielle ? Il est très possible que leur intérêt et peut-être même l'intérêt national inspirent un désir de trêve aux protagonistes devenus ennemis. Ce ne sera jamais, dans le meilleur des cas, qu'un remake national et un peu étriqué de la guerre froide et de la paix armée. On imagine le poids que va peser la France à une époque décisive de l'intégration européenne. La cassette sonne le glas des ambitions françaises. Chacun s'en rendra compte dans le pays : au dégoût pour les affaires s'ajoutera le sentiment d'une frustration nationale.

L'indifférence à l'égard du référendum sur le quinquennat a été un des éléments déclenchants, ou au moins révélateurs, de la crise. Il est sans doute exagéré de parler, comme le font déjà certains, de climat prérévolutionnaire. Mais il n'est plus suffisant d'évoquer, comme on l'a fait souvent, une affaire d'État. Il s'agit d'une crise de régime. Au moment où, pour améliorer la Constitution, des considérations juridiques entraînaient un référendum boudé par les électeurs, ce sont les mœurs publiques qui font vaciller le régime. Il y a un cocktail argent-média-baisse de l'esprit public qui vaut, pour la santé et l'équilibre du régime, tous les cocktails Molotov. Que va-t-il se passer ? Tiendra-t-on deux ans dans ce climat pourri ? Quand finira

---

1. Mis en examen en 1998 dans le cadre d'une affaire politico-financière, en tant que trésorier du PS, Henri Emmanuelli sera finalement relaxé.

quelque chose qui ressemble, et qui ressemblera de plus en plus, à une agonie ? La décision, et elle est lourde, est entre les mains du président de la République. Lui seul peut se prononcer sur sa propre démission. C'est à lui qu'il appartient aussi, mais il y regardera à deux fois, de dissoudre l'Assemblée.

Tout est possible : on pourrait même imaginer, mais on avouera que c'est assez improbable, une démission collective de tous les députés. Plus que jamais, l'avenir appartient à deux hommes, condamnés à s'entendre ou à s'exterminer : Chirac et Jospin. Leur responsabilité est aujourd'hui effrayante et, au milieu des tempêtes qui risquent de les engloutir tous les deux et nous avec, on voudrait leur souhaiter bonne chance. Qu'ils n'écoutent pas trop ceux qui voudraient, pour le spectacle, ou pour étancher une soif de vengeance, tout mettre à feu et à sang. Les difficultés extérieures sont déjà assez vives. Inutile d'y ajouter la guérilla intérieure. Il est possible qu'il soit trop tard pour remonter la pente de l'indifférence méprisante dont le référendum a fourni un exemple. Que ceux qui nous dirigent fassent pourtant ce qu'ils peuvent pour éviter à la France un destin qu'elle ne mérite pas : celui d'être méprisée par les autres nations auxquelles elle n'avait que trop tendance à vouloir faire la leçon.

Le Figaro, 29 septembre 2000

L'Univers, une symphonie cosmique ?

Il faut bien, de temps en temps, avec un peu d'audace, pour ne pas tourner en rond et ne pas mourir idiot, s'occuper de ce qu'on ne connaît pas. Et même de ce qu'on ne comprend pas. Voici un livre difficile, souvent très difficile, mais toujours passionnant, sur l'Univers qui nous entoure, sur l'infiniment grand des étoiles et des galaxies, sur l'infiniment petit des atomes et des particules. Il s'appelle *L'Univers élégant*[1], et il est

---

1. Brian Greene, *L'Univers élégant,* traduit de l'américain par Céline Laroche, préface de Trinh Xuan Thuan, Paris, Robert Laffont, 2000.

l'œuvre d'un Américain de trente-cinq ans qui enseigne la physique théorique à l'université Columbia, à New York : Brian Greene. Les trois quarts de ce qu'il raconte ou peut-être un peu plus me sont restés obscurs. Mais je n'ai pas pu lâcher le livre. Le plus étonnant est que cet ouvrage pour spécialistes dont les médias n'ont guère parlé rencontre déjà un certain succès. Entre dix mille et vingt mille exemplaires auraient été vendus. C'est un chiffre énorme. On assurait naguère qu'une douzaine d'esprits au plus étaient capables de comprendre quelque chose aux théories d'Einstein. On disait d'ailleurs la même chose des poèmes de Valéry ou de Saint-John Perse. La foule de ceux qui s'intéressent à l'Univers et à ses lois s'est en tout cas considérablement accrue. Grâce sans doute à un certain nombre de livres qui, avant celui de Brian Greene, ont retenu l'attention des lecteurs. Citons-en deux seulement, parmi beaucoup d'autres. Il y a une douzaine d'années, *Une brève histoire du temps*[1], de Stephen Hawking, ce physicien de génie, entièrement paralysé, qui ne peut communiquer qu'au moyen d'instruments sophistiqués sur lesquels il agit par la pression de ses doigts. Puis *La Mélodie secrète*[2], ouvrage passionnant de Trinh Xuan Thuan, qui nous a donné tout récemment, sous le titre *L'Infini dans la paume de la main*[3], de remarquables entretiens avec Matthieu Ricard. C'est Trinh Xuan Thuan qui préface le livre de Brian Greene, très bien traduit, et la tâche n'était pas facile, par Céline Laroche.

Un lecteur qui s'attacherait successivement aux trois ouvrages de Stephen Hawking, de Trinh Xuan Thuan et de Brian Greene, en sautant, comme l'y invitent d'ailleurs les auteurs, les passages les plus ardus, réservés aux spécialistes, commencerait à en savoir un peu plus sur les théories modernes de l'Univers. Après les Mésopotamiens, les Égyptiens, les Grecs, après les Copernic, les Kepler, les Galilée, le grand génie est Newton. Tout le monde connaît

---

1. Stephen Hawking, *Une brève histoire du temps, du Big Bang aux trous noirs*, traduit de l'américain par Isabelle Naddeo-Souriau, Paris, Flammarion, 1988.
2. Trinh Xuan Thuan, *La Mélodie secrète, et l'homme créa l'univers*, Paris, Fayard, 1988.
3. Matthieu Ricard et Xuan Thuan Trinh, *L'Infini dans la paume de la main, Du Big Bang a l'Éveil*, Paris, Nil-Fayard, 2000.

l'histoire vraie ou fausse de la pomme. Newton découvre la gravitation universelle. C'est elle qui nous maintient à la surface de la Terre, c'est grâce à elle que la Lune tourne autour de la Terre et la Terre autour du Soleil. À travers masse et distance, absolument tout exerce une influence gravitationnelle attractive sur absolument tout le reste. Il faudra près de trois siècles pour voir apparaître de nouveau un génie scientifique comparable à Newton : ce sera Einstein.

Quelle est la situation de nos jours ? Deux grandes théories, nées presque en même temps, au début du XXᵉ siècle, constituent les piliers de la physique moderne : la mécanique quantique et la relativité. Œuvre de géants tels que Planck, Bohr, Heisenberg, Louis de Broglie, la mécanique quantique est la théorie de l'infiniment petit. Elle s'intéresse aux atomes, héritage du génie grec. Les philosophes grecs, notamment Démocrite et les épicuriens, jusqu'à Lucrèce, dans son *De natura rerum*, concevaient l'Univers comme composé d'éléments minuscules qu'ils baptisèrent atomes, c'est-à-dire « indivisibles ». Ils avaient raison et ils avaient tort. Ils avaient raison, parce que toute matière est bien composée d'éléments minuscules. Ils avaient tort parce que l'atome s'est révélé parfaitement divisible. On est descendu à des particules de plus en plus infimes : électrons, gluons, photons, bosons, neutrinos ou quarks. La généalogie des quarks est particulièrement amusante : leur nom est tiré de l'œuvre du romancier irlandais James Joyce, *Finnegan's Wake*. Le jeu de toutes ces particules élémentaires qui constituent la matière et la lumière, combinaison d'ondes et de particules, a des conséquences très concrètes : le téléphone, le fax, la radio, la télévision, les ordinateurs et Internet.

Théorie de l'infiniment grand, la relativité est l'œuvre d'un génie isolé, obscur expert technique de troisième classe au Bureau fédéral des brevets à Berne, qui se présentera plus tard comme un « vieux bonhomme solitaire, connu essentiellement pour ne pas porter de chaussettes » : Albert Einstein. Il reprend et bouleverse radicalement l'œuvre de Newton, unifie le temps et l'espace, remet en question leur universalité, établit, à très grande vitesse, contre l'intuition commune, la dilatation du temps et la contraction des longueurs, découvre l'équivalence de la matière et de l'énergie $E = mc^2$, donne une description de l'Univers plus fidèle à la réalité que la théorie de Newton. On peut se demander si les théories d'Einstein ont été confirmées par l'expérience. La réponse est oui. Ses équations prédisaient, dans certaines conditions, une courbure de l'espace et de la trajectoire des rayons lumineux passant dans le voisinage du Soleil. En 1919, l'observatoire de Greenwich organisa une double expédition sur une île au large de l'Afrique occidentale et au Brésil. Mesurant un angle minuscule qui équivalait à l'angle sous lequel on verrait une pièce de 1 franc à 3 kilomètres de distance, les astronomes vérifièrent en tout point les prédictions théoriques d'Einstein, qui entrait d'un coup dans la gloire. Faut-il, hélas, une autre confirmation ? La bombe atomique de Hiroshima n'aurait pas pu exister sans l'équivalence de la matière et de l'énergie établie par Einstein. Voilà donc nos deux théories de la relativité et de la mécanique quantique fermement installées et vérifiées par l'expérience. Elles règnent chacune dans son domaine respectif, l'une décrivant la nature à l'échelle astronomique, l'autre la matière à l'échelle microscopique.

Tout aurait été parfait si n'était pas intervenue une considération nouvelle d'une importance considérable : celle des débuts de l'Univers. La majorité des astronomes et des cosmologues, pas tous, mais la plupart, pensent aujourd'hui que l'Univers est né, il y a quelque quinze milliards d'années, dans une explosion fulgurante appelée le big bang. L'intéressant, dans le big bang, qui marque peut-être aussi le début de l'espace et du temps, c'est qu'en un point minuscule, d'une densité et à une température prodigieusement élevées, se tisse, en quelques milliardièmes de seconde, ce qui deviendra plus tard l'immense tapisserie cosmique composée de centaines de milliards de galaxies constituées chacune de centaines de milliards d'étoiles. Le phénomène singulier de l'origine de l'Univers comme d'ailleurs ceux qui sont liés à ces objets célestes terrifiants qu'on appelle des trous noirs parce qu'aucun rayon lumineux ne peut s'en échapper et qu'il est, en conséquence, impossible de les voir, est donc à la fois miniaturisé et massif, minuscule et immense : du coup, relativité générale et mécanique quantique ont toutes deux leur mot à dire pour les décrire. Le malheur est que les deux théories, qui fonctionnent si bien chacune dans son domaine, se révèlent rigoureusement incompatibles. Leur amalgame produit des aberrations. La physique théorique s'essouffle et perd pied dans les conditions extrêmes créées par la considération des trous noirs ou de l'origine de l'Univers. Pour les aborder et les comprendre, il faut une théorie capable de réconcilier les sœurs ennemies de la relativité et de la mécanique quantique. Ce rêve d'unification est devenu, selon la formule de Greene, le Saint-Graal de la physique moderne. Einstein lui-même a passé trente ans à chercher ce qu'il appelait une théorie de champs unifiés, le champ électromagnétique de la mécanique quantique et le champ gravitationnel de la relativité.

C'est cette ambition d'une « théorie du tout » que reprend la jeune théorie des cordes et des supercordes, qui était déjà apparue à la fin d'*Une brève histoire du temps*, de Stephen Hawking, et qui fait l'objet de *L'Univers élégant*. C'est ici que commencent pour le profane de sérieuses difficultés. Les différentes particules qui avaient surgi de la division des atomes jadis réputés indivisibles les électrons, les neutrinos, les quarks, les photons, les bosons, les gravitons... ne seraient plus en elles-mêmes les éléments fondamentaux de l'Univers. Elles résulteraient de la vibration de bouts de corde minuscules, bien inférieurs au milliardième de millimètre, et tous de la même étoffe. Ce qui varierait, c'est la vibration. Les particules qui transmettent la force de gravité se trouveraient ainsi mêlées aux particules qui transmettent la force électromagnétique : elles naîtraient simplement de différents modes de vibration. Les deux champs d'Einstein seraient enfin unifiés. Comme pour répondre au beau titre du livre de Trinh Xuan Thuan, *La Mélodie secrète*, les cordes chantent et oscillent autour de nous. Leurs vibrations produisent des sons et des harmoniques qui se manifestent dans la nature et pour nous sous forme de particules renouant avec la musique des sphères des Anciens. L'Univers n'est qu'une vaste symphonie cosmique.

Tout cela déjà ardu serait encore relativement simple si une autre et énorme difficulté ne nous attendait pas. Les cordes ne vibreraient pas dans le monde qui est le nôtre. Notre monde est à trois dimensions : longueur, largeur, profondeur. Les lignes n'ont qu'une dimension, les surfaces en ont deux, les volumes en ont trois. À la lumière des travaux d'Einstein, une quatrième dimension peut être ajoutée aux trois premières : le temps. Les cordes vibrent dans des espaces de Kaluza-Klein ou de Calabi-

Yau (je vous les recommande) à six, à onze, à vingt-cinq dimensions cachées, enroulées sur elles-mêmes et entortillées jusqu'à devenir imperceptibles. Brian Greene s'aide souvent de comparaisons concrètes pour présenter la théorie des cordes avec vivacité et avec autant de clarté que possible. Inutile de dissimuler qu'elle reste très obscure. Ce n'est pas quand le lecteur a tant de mal à essayer de comprendre qu'il se risquera à des critiques ni à des objections. La physique théorique s'exprime dans un langage mathématique très difficile qui est seul capable de rendre compte de la réalité d'un Univers qui semble de bout en bout lui-même mathématique. On se demandera seulement si l'extrême complication des cordes constitue la dernière réalité élémentaire et fondamentale et cette fois vraiment indivisible de l'Univers ou si, à son tour, elle n'est qu'une couche supplémentaire, et qui ne serait pas la dernière, de l'oignon cosmique.

Une autre question évidente qui se pose est celle de la vérification expérimentale. Pour étrangères qu'elles fussent elles aussi au bon sens quotidien et aux intuitions communes, les théories d'Einstein ont été vérifiées par l'expérience. Comment vérifier une théorie qui porte sur des éléments qui se situent si loin au-delà de nos capacités d'examen et de celles de nos instruments ? Est-il d'ailleurs possible à des créatures qui vivent dans un monde à trois ou à quatre dimensions de se prononcer sur des mondes à six, à onze, à n dimensions ? Quelles que soient les réponses que l'avenir fournira à ces questions et à beaucoup d'autres plus pertinentes et plus autorisées, il est clair que les problèmes soulevés par l'ouvrage si difficile et si enthousiasmant de Brian Greene valent la peine qu'on leur consacre quelques semaines, quelques mois, toute une vie. Si vous ne disposez que de quelques jours, ou, pis encore, de quelques heures, franchement je ne suis pas sûr que le jeu en vaille la chandelle. Mais quel dommage pour vous et pour moi de ne pas en savoir plus sur les formidables secrets du monde qui nous entoure ! Car, minuscules jusqu'à l'insignifiance, nous sommes pourtant capables, par un mystère insondable, de nous interroger sur l'Univers qui nous a engendrés et qui, dans l'infiniment petit comme dans l'infiniment grand, nous dépasse de partout.

Le Figaro, 9 novembre 2000

La détérioration

Rien, nulle part, ne va jamais tout à fait bien. Ne parlons même pas de la Russie qui a fait trembler le monde pendant un demi-siècle. Ni de l'Afrique tout entière. Ni du Japon qui devait être la grande puissance du début du IIIe millénaire. Le pays le plus puissant de notre temps, vainqueur de trois conflits planétaires successifs, les deux guerres mondiales et la guerre froide, vient de donner l'exemple d'un assez long cafouillage. Dans le concert des nations, la France tient une place honorable. Elle ne règne plus sur l'Europe comme elle a régné entre les traités de Westphalie et le traité de Versailles. Et l'Europe ne règne plus sur le monde. Par un paradoxe affligeant, c'est surtout dans le domaine culturel, où la France brillait de mille feux, que son recul est le plus manifeste. En dépit de ce déclin difficile à contester, la France reste pourtant dans le peloton de tête des nations modernes. Et il n'est pas nécessaire de se couvrir la tête de cendres. Il n'en est que plus attristant de voir à quel point elle gâche beaucoup de ses chances.

L'exemple le plus éclatant de cette détérioration est évidemment donné par l'opposition. La droite a été battue en 1997, il y a plus de trois ans. C'était un échec sérieux ; ce n'était pas un désastre. Les résultats de la gauche aux législatives de 93 étaient un désastre : elle s'en est fort bien relevée. Le vrai désastre de la droite, ce n'est pas son échec électoral, c'est son incapacité à dominer son échec et à préparer l'avenir. Trois années ont été perdues, sans une ébauche de programme commun, sans une réflexion collective digne de ce nom, sans une espérance capable d'entraîner le pays. Quel gâchis ! Il y a eu, çà ou là, des tentatives individuelles estimables. Il n'y a eu aucun progrès dans l'organisation d'une opposition qui irait au-delà des ambitions personnelles. Le plus étonnant est que le pays semble partagé à peu près également entre droite et gauche : les élections partielles indiquent un rapport de forces qui varie peu. Ce qui manque à l'opposition, ce ne sont pas des troupes. Ce sont des chefs unis, un programme, un peu de courage et d'intelligence. Les électeurs réclament l'union à cor et à cri. La base est là. Elle a bien du mérite. C'est la direction qui fait défaut.

Cette carence de l'opposition est un atout formidable pour le gouvernement de la gauche plurielle. Et les débuts du gouvernement Jospin ont paru marquer un véritable renouveau. Les présences de Dominique Strauss-Kahn, de Martine Aubry, de Jean-Pierre Chevènement, de Claude Allègre apparaissaient comme autant de gages de succès. Il était permis d'espérer qu'au-delà des clivages et des subtilités, un élan national pourrait être déclenché et encouragé. Le départ des quatre ministres a été un coup pour le gouvernement. Qui croit encore que la moindre réforme puisse être envisagée ? Tous les efforts du gouvernement portent désormais sur des mesures à court terme. La majorité actuelle est sans doute très supérieure à l'opposition en matière de tactique politique. La question qui se pose est de savoir si elle offre au pays les meilleures chances de succès. On ne discutera pas ici des mérites ni des défauts du programme socialiste français en lui-même. On soulignera seulement qu'au moment où tout tourne autour de l'Union européenne, l'essentiel est de renforcer les structures du pays pour lui permettre d'aborder dans le meilleur état possible les négociations en cours.

Il est permis, à cet égard, de douter de l'efficacité de plusieurs mesures spectaculaires de la gauche. La retraite à soixante ans est déjà largement oubliée. Il n'est pas certain que les 35 heures nous mettent dans les conditions idéales pour discuter avec une Allemagne sûre de sa puissance et plutôt réservée, malgré son propre socialisme, à l'égard de cette réforme. Beaucoup de ce qui était envisageable et souhaitable dans une France entièrement maîtresse de ses propres destins se change en handicap dans une Europe unifiée. Ce qui était possible avant l'Europe n'est plus possible après l'Europe. Car même dans les pays européens qui sont passés à gauche, le socialisme n'est pas le socialisme à la française. Au moment où se construit l'Europe, comment ne pas s'interroger sur une politique nationale qui invite les citoyens à travailler moins quand les autres travaillent plus ? On se met à rêver d'une politique qui permettrait, à force de travail, un enrichissement qui mènerait à son tour à des hausses de salaire. Mais le gouvernement de gauche a choisi la voie opposée : une baisse du temps de travail qui ne peut que nous affaiblir en face de nos partenaires. Détérioration à droite, détérioration à gauche.

À l'incapacité de l'opposition répond la politique à courte vue, sans souffle, sans ambition, de la gauche. On dirait d'ailleurs que la gauche, à qui personne ne peut reprocher un manque d'intelligence et de talent, se rend compte assez vite de l'imprudence de certaines de ses positions. Après la retraite à soixante ans, le non-cumul des mandats pose des questions à la gauche qui l'a brandi naguère comme une oriflamme. Et la parité a contraint le gouvernement à revenir sur le travail de nuit des femmes. L'Europe ne fait sans doute qu'accélérer la prise de conscience par la gauche elle-même du risque que représente un bon nombre de ses choix. On se gardera bien ici de donner un tour partisan à ces réflexions. Le moindre coup d'œil à l'actualité suffirait à rappeler à l'ordre l'imprudent qui se laisserait aller à la partialité. Prenons l'exemple de la fameuse inversion des échéances électorales[1]. Il est inouï que la gauche socialiste, qui s'est toujours battue pour la prééminence du pouvoir législatif sur le pouvoir exécutif et du Parlement sur le président, adopte soudain, à des fins de convenance accidentelle et politique, une position radicalement opposée. Il est tout aussi inouï de voir, pour les mêmes raisons, des gaullistes hésiter à souligner l'importance majeure de l'élection présidentielle dans la Constitution de la Ve République. La détérioration n'est pas le fait des uns ou des autres. Sa responsabilité est largement partagée entre l'opposition et la majorité, entre la droite et la gauche.

L'illustration de cet équilibre de la déliquescence n'est pas à chercher très loin. Le poids cruel des « affaires » est très équitablement réparti entre la gauche et la droite. C'est le président de la République qui est aujourd'hui dans l'œil du cyclone. C'étaient hier le président du Conseil constitutionnel et le ministre de l'Économie et des Finances. Les plus hauts person-

1. Voulue par le gouvernement Jospin, il s'agit de l'inversion du calendrier électoral qui prévoyait que les élections législatives se dérouleraient avant l'élection présidentielle.

nages de l'État sont pris, l'un après l'autre, dans le tourbillon des affaires. Chaque camp aurait tort de se réjouir des malheurs de l'autre camp. L'opinion ne fait pas le détail. À chaque coup porté contre l'un ou contre l'autre, un cri s'élève : « Tous pourris ! » Et ce cri lui-même est encore un effet de la détérioration générale dont les affaires sont les symptômes. Les affaires sont les symptômes d'une détérioration générale tout à fait condamnable. Il n'est pas tout à fait sûr que l'état de « suspicion ravageuse » dont parlait M. Robert Hue dans un article récent ne soit pas lui-même un symptôme de détérioration. Nous sommes dans une situation, qui peut devenir dramatique, où les maux et les remèdes sont également redoutables. Des abus éclatants ont été commis et des pratiques courantes sont poursuivies comme des crimes. La confusion entre la paille et la poutre ajoute au désordre au lieu de le combattre. Les Italiens, qui ont été les premiers à agiter le thème des « mani pulite[1] », ont compris assez vite qu'il risquait de tout emporter. Chez nous, qui ignore que des ministres pouvaient se servir de leur voiture de fonction pour aller à la chasse ? Et alors ? Il n'y avait que le général de Gaulle pour payer l'essence de ses week-ends. Et les emplois fictifs dans les cabinets du gouvernement ? Je soutiendrais volontiers qu'un grand pays s'honore en offrant, selon la vieille tradition républicaine, des emplois fictifs à des poètes, à des musiciens, à des artistes. Tous les excès, bien sûr, n'ont pas cette allure bucolique. Mais l'exagération dans la recherche de l'abus est un second abus.

Le résultat risque d'être que, relayée souvent au-delà de toute mesure par les médias, la justice à son tour tombe dans le discrédit où est tombée la politique. On en voit déjà des symptômes annonciateurs dans le jugement de l'affaire Lubin[2], fondé exclusivement sur l'intime conviction, ou dans l'indemnité versée à un handicapé, sur requête de ses parents, pour le dédommager d'être né. Les politiques de tout bord ont perdu

---

1. En italien, « mains propres » : nom d'une opération anti-corruption menée par le parquet de Milan à partir de 1992 au sein des milieux politique et économique italiens.

2. À cette date, la mère de Lubin, le bébé mort de maltraitance, avait été condamnée à quinze ans de réclusion.

l'estime et la confiance des Français. Par un effet paradoxal du deuxième ou du troisième degré, à trop s'acharner sur les politiques, à vouloir redresser leurs torts avec trop de vigueur et trop peu de discernement, la justice pourrait finir par connaître le même sort. On voit bien déjà la détérioration menacer ses fondements. Il faut dire que beaucoup des abus justement dénoncés paraissent tout à fait dérisoires à côté des sommes énormes souvent jetées par les fenêtres. Les juges poursuivent et ils ont raison les emplois fictifs, les dons dissimulés aux partis, les aides arbitraires, le financement clandestin. Voilà que nous apprenons, coup sur coup, dans deux domaines très différents, que le gouvernement – on se demande avec quelles intentions ? – a fait don à *L'Humanité* d'une dette de 13 millions de francs et que la bagatelle de 140 milliards de francs a été consacrée par l'État au sauvetage sans doute très nécessaire, mais dans des conditions discutables, d'un certain nombre de banques. On n'établira pas de relation directe entre ces versements et les affaires. Mais personne n'empêchera l'opinion de se poser des questions sur le licite et l'illicite, le légal et l'illégal, le juste et l'injuste.

Nous sommes dans l'époque du soupçon et dans l'époque d'une baisse évidente de la moralité publique. Les deux thèmes s'attirent et se renforcent l'un l'autre. Et, par un cruel paradoxe, ils contribuent l'un et l'autre à la détérioration nationale. Cette spirale de la détérioration, il est extrêmement difficile d'y mettre fin. Chaque effort pour s'y arracher constitue un élément de plus du débat, un aliment de plus pour la fournaise des discussions inutiles. Le résultat le plus clair est, sur le plan international, l'affaiblissement du pays. Quel crédit peuvent avoir des hommes politiques suspectés dans leur honneur, empêtrés dans des procédures ou des menaces judiciaires ? Et, sur le plan intérieur, la conséquence de la détérioration est l'indifférence croissante des citoyens, le mépris pour l'action publique, la désaffection pour la démocratie. Il est heureux pour le pays que les extrémismes de tous bords ne soient pas aujourd'hui en position de force : ils seraient les seuls à pouvoir profiter de l'affaiblissement général. En l'absence de dangers de cet ordre un autre péril majeur, dont l'abstention massive nous a déjà donné une idée, menace gravement le pays ; il n'est pas impossible qu'abreuvés de mensonges, dégoûtés du spectacle, désespérant de l'avenir, les gens finissent par se moquer éperdument de ce qui peut bien arriver. Ce sont des sentiments de cet ordre qui amènent les grands bouleversements.

Le Figaro, 9 décembre 2000

2001

Un si doux déclin…

L'opposition provisoirement ? hors jeu, les alliés du pouvoir vassalisés, le parti communiste dans la seringue, les Verts traités presque ouvertement, et souvent par leur faute, comme quantité négligeable, le parti socialiste domine de façon écrasante la scène politique d'aujourd'hui. Sinon sur le fond, du moins par la forme, il tient assez exactement le rôle joué jadis, dans ses jours de puissance et de gloire, par le rassemblement gaulliste. C'est la même attitude apparente, les mêmes rites, les mêmes habitudes, le même pouvoir presque sans limites. Le sentiment si vite acquis ! d'être comme chez soi dans les palais officiels. Le goût assez vif de commander et de dire le bien et le mal. Une colonisation du domaine politique et, au-delà, de la fonction publique et des grands postes de l'État. Mieux vaut aujourd'hui, pour faire carrière dans l'un ou l'autre des secteurs de l'administration, avoir la carte du parti socialiste ou être au moins dans ses petits papiers.

La preuve *a contrario* de cette constatation a été fournie par le curieux épisode de la nomination du président du CSA. Le président du CSA est statutairement désigné par le président de la République qui choisit évidemment qui lui semble bon. Quand le nom de Dominique Baudis s'est mis à circuler, un branle-bas de combat s'est déclenché dans le camp socialiste. Pourquoi ? Pour la raison la plus simple : M. Baudis n'est pas socialiste. Il n'est même pas de nulle part, ce qui serait encore acceptable : il appartient à l'opposition. Ancien journaliste à la télévision, puis maire excellent de Toulouse, il a même, circonstance aggravante, et probablement exténuante, des liens avec *Le Figaro*. A-t-on idée, je vous le demande, de nommer à la tête du CSA un homme, si honorable, si sympathique, si compétent soit-il, qui a des liens avec *Le Figaro* ? Peut-on être équitable, peut-on être objectif quand on n'est pas socialiste et qu'on a des liens avec *Le Figaro* ? L'intéressant est que le président sortant, M. Hervé Bourges, qui a lancé le premier l'offensive contre M. Baudis, reprise ensuite par M. Hollande et par les hiérarques socialistes, n'a jamais caché ses opinions de gauche. Elles sont tout à fait légitimes, elles lui font honneur, on l'en féliciterait plutôt et, autant que je sache, il n'est venu à l'esprit de personne, de l'autre côté, de les lui reprocher ni de contester le bien-fondé de sa nomination. Ce n'est pas le cas dans l'autre sens.

Faut-il en conclure que la droite est pluraliste et ouverte, la gauche monolithique et fermée ? Peut-être pourrait-on proposer la règle suivante : aux postes importants, les socialistes nomment des socialistes, les non-socialistes sont tenus de nommer, sinon des socialistes car on n'est pas des bœufs, mais à coup sûr des personnages qui flottent dans le néant entre le socialisme bien-pensant et la sulfureuse opposition. Cette même tendance si remarquable à une domination rampante a été encore à l'œuvre récemment quand le Conseil constitutionnel a retoqué des mesures fiscales adoptées par le gouvernement. Non seulement le Conseil constitutionnel a été montré du doigt, mais les socialistes y compris le Premier ministre n'ont jamais manqué de souligner que le Conseil constitutionnel avait été « saisi par la droite parlementaire ». Comme si une faute, une erreur, un vice de forme, étaient d'avance justifiés quand c'est la droite qui les dénonce. Je ne prétends pas que la droite au pouvoir se soit conduite beaucoup mieux en son temps que la gauche. Je prétends que la gauche au pouvoir se conduit comme une droite qu'elle accable de ses sarcasmes et de son indignation.

Plus ça change, plus c'est la même chose. Nous sommes toujours dans cette France hémiplégique que dénonçait Raymond Aron. Nous sommes encore loin décidément de la rêveuse ambition d'une démocratie apaisée. Dominateur et sûr de lui, le parti socialiste est devenu quelque chose comme un parti révolutionnaire institutionnel. Rien d'étonnant à son succès. Il répond assez exactement aux deux aspirations majeures des Français qui sont d'abord et simultanément progressistes et conservateurs. Progressiste et conservateur : voilà la clé du socialisme à la française. Il est intéressant de noter que le gaullisme aussi était conservateur et progressiste. Sous l'apparente alternance, la politique française – c'est une des formes de son génie – reste étonnamment stable. La seule vraie différence entre le gaullisme et le socialisme à la française, c'est que, d'un côté, il y avait un de Gaulle et que, de l'autre, il n'y en a pas. Les conséquences de cette absence ne sont pas négligeables pour l'ambition française. Parce qu'il est progressiste, le gouvernement socialiste n'en finit pas d'appeler au changement et de multiplier les lois, les décrets, les règlements, les mesures de toute sorte. C'est un échafaudage de plus en plus compliqué. Un des titres de gloire de l'Assemblée nationale est de produire autant de textes que possible. L'inflation qui ne règne plus sur l'économie a gagné la politique. Jamais autant de règles n'auront été édictées. Personne n'est plus capable de connaître la loi que personne pourtant n'est censé ignorer. Et personne d'ailleurs ne la respecte plus. Dans le seul domaine judiciaire, les exemples seraient trop aisés à énumérer, du secret de l'instruction à l'interdiction de commenter les décisions de justice. Jamais la loi, si pleine de bonnes intentions, n'a été plus complexe ; et jamais elle n'a été à tel point bafouée. Cette hyper-réglementation interdit tout élan créateur. Le socialisme ne s'en plaint pas. Car s'il est progressiste, il est aussi conservateur. Et l'accumulation des règlements et des lois lui permet en vérité de ne toucher surtout à rien et de ne pas entreprendre la moindre réforme. Tout le monde est content puisque les fonctionnaires, de plus en plus nombreux, peut-être surtout ceux de l'Éducation nationale si attachés au progressisme, sont aussi et d'abord attachés à des privilèges et à un corporatisme auxquels, pour des raisons de clientèle, il n'est pas question de toucher.

Formidablement actif sur le plan politique – toutes les décisions du gouvernement Jospin sont politiques au sens étroit du terme –, le socialisme français est une machine à bloquer toute réforme et à interdire toute ambition un peu haute et à long terme. Peut-être ces assertions doivent-elles être brièvement justifiées. Un seul exemple parmi beaucoup d'autres : à propos de cette décision politique majeure qu'est l'inversion du calendrier électoral[1], M. Cohn-Bendit, qui n'est pas suspect de rouler pour la droite, a mangé le morceau avec une belle fraîcheur en balayant d'un revers de la main toutes les explications d'une noblesse ampoulée et en assurant que le seul but et la seule justification de l'opération était de faciliter l'élection de M. Jospin à la présidence de la République. Exactement la même démarche dans l'autre sens, bien sûr, que dans le camp opposé. Voilà qui change agréablement du charabia moralisateur dont nous sommes abreuvés depuis de si longues années. Les attaques de la gauche contre la Constitution, vous vous en souvenez ? Et l'argent qui corrompt, vous vous en souvenez ? On avait les larmes aux yeux. Et l'interdiction, hautement moralisatrice, du cumul entre le poste de maire et le poste de ministre, vous vous en souvenez ? On n'en finirait pas d'égrener des souvenirs qui tendent tous à montrer que la gauche généreuse et la droite si minable, c'est kif-kif bourricot et que les grands principes sont subordonnés aux petits intérêts.

Tout est politique. Mais tout est politique au sens le plus minuscule. La vérité est que nous sommes engagés, sous couvert de progressisme, dans un blocage de toute réforme, dans un refus de toute ambition nationale et dans un processus de déclin, non pas à grand spectacle, mais à la petite semaine. Qui voit ce blocage et ce déclin mieux que personne ? Qui en fournit la preuve éclatante ? Les plus jeunes d'entre nous, non pas nécessairement les plus favorisés, mais en tout cas les plus doués, qui finissent par se détourner de la fonction publique, de la sacro-sainte ENA – vous souvenez-vous aussi de ce que disait des énarques le socialisme français avant de les utiliser à pleines pelletées ? – et, pis encore, de leur pays. Les plus prometteurs de nos jeunes gens, ce n'est un secret pour personne, et même pas pour les socialistes qui commencent, à juste titre mais en vain à s'en inquiéter, bravent toutes les difficultés et s'installent en masse en Angleterre et aux États-Unis. Quant aux autres, à tous les autres, ils se désintéressent de la politique parce qu'elle

---

1. Voir note 1, p. 307.

ne leur propose plus rien d'exaltant : ni but, ni grand dessein, ni espérance digne de ce nom.

Qui parle encore d'ambition collective dans les jours que nous vivons ? D'ambition pour la gauche au pouvoir, pour le parti socialiste, oui, bien sûr. Mais pour la France ? Et même pour les Français ? À force de leur promettre des satisfactions sectorielles, immédiates et toujours à la fois arrachées et profitables au pouvoir, on efface presque radicalement tout projet de longue haleine. Une entreprise technologique telle que l'avion gros-porteur de Toulouse fait figure d'exception. On est heureux de la souligner et de féliciter ses promoteurs. À vrai dire, de tous les grands desseins qui pourraient s'offrir aujourd'hui aux Français, il n'en reste plus qu'un, et un seul : c'est l'Europe. Toute ambition nationale sur ce point, le contraste est frappant entre gaullisme et socialisme, a été si durement moquée, contrariée, combattue qu'il ne subsiste plus d'autre horizon, au loin, que l'Union européenne. Tous les grands projets à l'œuvre ou à l'étude, le tunnel alpin par exemple, sont européens. De l'ambition nationale, il ne demeure que le sport, et notamment le football, les vacances où, grâce à Dieu, on oublie tout de cet univers gris et sans relief, et les affaires où un besoin de hauteur et de propreté le cède peu à peu à un sentiment encore accru et encore plus amer de bassesse au deuxième degré, de malversations à la vitesse supérieure et de magouille dans les magouilles. En matière de corruption, la France d'aujourd'hui est montrée du doigt.

On se jette dans l'Europe moins parce qu'on y croit vraiment que parce qu'il n'y a plus rien d'autre à espérer. Encore faudrait-il que cette Europe tant attendue soit au moins marquée au sceau de ces vertus françaises en voie de disparition : le goût du travail, le sens d'un effort qui ne soit pas continuellement bridé par les exigences de l'administration, l'imagination créatrice, une capacité de renouvellement qui ne se limite pas aux incantations rituelles. Le gouvernement est populaire parce qu'il caresse dans le sens du poil quelques-uns des penchants les plus constants des Français : le goût de la corporation et des avantages qui y sont attachés, la méfiance de l'avenir, la préférence donnée au verbalisme sur la réalité. De temps en temps, au sein de la gauche plurielle, des voix s'élèvent pour tâcher de hausser un peu le débat au-dessus des contingences politiciennes. Elles sont vite étouffées par les préoccupations partisanes. Les Français ne sont pas mécontents. Personne n'aime les Cassandre, les médecins porteurs de mauvaises nouvelles, ceux qui mettent le doigt sur les plaies au lieu de chanter les ritournelles convenues.

Nous en sommes arrivés à un point où la France seule n'a plus le moindre sens et où l'Europe risque, par notre faute, d'être aussi peu française que possible. C'est qu'il y faudrait des efforts auxquels personne n'appelle, un enthousiasme hors de saison, de grandes espérances évanouies. C'est vrai : les gens vivent plutôt mieux, le chômage recule pas plus, et peut-être moins vite, qu'ailleurs, la liberté est assurée, la catastrophe n'est pas pour demain, les choses ne vont pas très mal. Ce qu'il y a, c'est que les chances qu'elles aillent vraiment beaucoup mieux s'amenuisent un peu chaque jour. On bricole à vue, à court terme, le plus souvent à des fins électorales, à coups de règlements innombrables, d'un foisonnement de textes souvent inutiles ou absurdes, que personne ne respecte plus et que l'État lui-même n'est pas le dernier à contourner. La cohabitation, évidemment, n'arrange rien. Elle pousse au consensus mou. Au plus petit commun dénominateur. Surtout, pas de vagues. C'est un déclin très doux. Il est toujours plus facile pour un malade de se laisser mourir à petit feu que d'affronter l'opération. Il y a une sorte de bonheur, inconscient et angoissé, dans les déclins annoncés dont on se détourne pudiquement et qu'on accepte en secret et en se méprisant un peu parce qu'ils font moins mal que les remèdes.

Le Figaro, 10 février 2001

Je me suis trompé sur cet ambigu Mitterrand

Le soir du dimanche 10 mai 1981, le visage de François Mitterrand apparaissait sur tous les écrans de télévision. Après près d'un quart de siècle de pouvoir gaulliste ou postgaulliste, la présidence de la République passait à l'Union de la gauche et au socialisme à la française : c'était un tremblement de terre. Dans une scène restée célèbre et à l'allure théâtrale, Valéry Giscard d'Estaing faisait, à la télévision, ses adieux réticents aux Français. Plus encore que le socialisme, auquel il était venu avec conviction mais sur le tard, François Mitterrand incarnait à cette époque l'opposition radicale au général de Gaulle. Il y a des adversaires résolus qui ont l'un pour l'autre de la considération ou de l'estime. Le moins qu'on puisse dire est que les deux hommes n'avaient jamais éprouvé l'un pour l'autre que des sentiments d'hostilité. Le Général était mort depuis plus de dix ans quand François Mitterrand accéda à la présidence. L'élection de l'homme de Jarnac et de Château-Chinon constituait une formidable revanche sur feu le chef de la France Libre.

Sous la IVe République, François Mitterrand avait joué un rôle considérable. Il avait été onze fois ministre, à des postes souvent importants. Quand le Général avait pris le pouvoir en 1958, sous la pression des événements d'Algérie, Mitterrand s'était rangé dans une opposition farouche. Il avait écrit, contre de Gaulle, un livre au titre éloquent : *Le Coup d'État permanent*. Le Général, qui se souvenait de son côté non seulement de la rocambolesque histoire de l'Observatoire qui avait fait croire que la carrière du héros de cette affaire était terminée à jamais, mais aussi de ses relations difficiles, au lendemain de la guerre, avec un Mitterrand qu'il soupçonnait d'organiser en sous-main des manifestations contre le gouvernement, le tenait en piètre estime. Il semble, d'après des sources sérieuses, que le Général, en privé, affublait volontiers l'ancien garde des Sceaux des sobriquets peu flatteurs de « Rastignac de la Nièvre », de « politichien » et de « l'arsouille ». Leurs relations ne s'étaient pas améliorées quand, à l'occasion des événements de Mai 68, François Mitterrand s'était déclaré prêt à assumer un poste qui n'était pas vacant.

Ce qui caractérisait la vie politique française pendant les longues années de la domination gaulliste, c'était l'affaiblissement dramatique de la mouvance socialiste qui, déchirée entre des courants opposés, tiraillée entre Rocard, Defferre, Mitterrand, d'autres encore, affrontant jusqu'à Épinay des congrès souvent désastreux, avait du mal à survivre à la disparition de la SFIO. Malraux avait eu une formule célèbre : « Il y a les communistes et nous. » Elle exprimait cette évidence qu'au milieu il n'y avait rien. À plusieurs élections importantes, les représentants de la tendance socialiste avaient obtenu des résultats consternants. À l'élection présidentielle de 1969, après la démission du Général, l'affaire s'était jouée entre Pompidou et Poher. En 1974, à la mort de Pompidou, les noms qui revenaient sans cesse étaient ceux de Chaban, de Giscard, de Chirac. La formule de Malraux n'était pas seulement une constatation objective et neutre : elle cachait une satisfaction devant une situation avantageuse pour le pouvoir gaulliste ou postgaulliste.

Soutenir qu'il y avait une espèce d'alliance objective entre les communistes et le pouvoir gaulliste ou postgaulliste serait à peine plus exagéré que soutenir qu'il y a eu, plus tard, une collusion objective entre le pouvoir socialiste et le Front national. Le parti communiste, en ce temps-là, jouait à gauche, en beaucoup plus important, le rôle qu'a joué plus tard, à droite, le Front national : il réunissait sur son nom un nombre de voix considérable et il les stérilisait. Il faisait les délices de la droite comme le Front national allait faire, plus tard, les délices de la gauche. Contre le général de Gaulle et contre son héritage, Mitterrand reconstruisit de toutes pièces une gauche puissante autour d'un parti socialiste rénové. Le 10 mai 1981, dont nous célébrons aujourd'hui l'anniversaire, marque le triomphe de la stratégie mitterrandienne de réintroduction des communistes dans le jeu de la gauche. Un homme de gauche comme Mendès France était encore disposé à décompter les voix communistes de sa majorité. François Mitterrand a été l'artisan d'une union de la gauche qui redonnait toute sa place au parti communiste. Son élection à la présidence de la République le 10 mai 1981 est la victoire d'une vision politique.

En 1981, le parti communiste n'était pas ce qu'il est aujourd'hui. Le mur de Berlin n'était pas tombé. L'URSS était encore puissante et redoutable. Le prestige posthume de Staline était sans doute écorné par les révélations de Khrouchtchev au XXᵉ Congrès du parti communiste de l'URSS, mais les risques représentés par l'Armée rouge demeuraient très réels. Avant le 10 mai, et tout de suite après le 10 mai, le grand problème était celui de la participation des communistes au gouvernement. François Mitterrand ne s'était pas prononcé de façon catégorique sur cette question cruciale. L'annonce de la nomination de quatre ministres communistes dans le gouvernement de Pierre Mauroy a été un choc pour toute la droite et peut-être pour une partie de la gauche. L'argument le plus fort des partisans de Mitterrand était que le général de Gaulle avait, lui aussi, fait entrer des communistes dans son gouvernement en 1945. La réponse de ses adversaires était que les lendemains d'une guerre où les communistes avaient fini, après l'été 1941, par participer très activement à la Résistance, créaient une situation particulière. La réponse était surtout qu'il s'agissait du général de Gaulle. Et que François Mitterrand n'était pas le général de Gaulle. C'est là que Mitterrand a donné toute sa mesure et qu'il l'a emporté sur ceux, j'en étais, qui l'attaquaient avec violence.

Pour dire les choses très vite, il n'y a eu que deux hommes politiques qui aient fait reculer le communisme en France dans la seconde moitié du siècle : l'un est le général de Gaulle en s'opposant à eux, l'autre est François Mitterrand en s'alliant avec eux. Grâce à l'action du premier président socialiste de la Vᵉ République, qui allait dénoncer à Berlin les missiles de l'Est, le 10 mai 1981 a constitué indissolublement pour le parti communiste une victoire formidable et le début du déclin. Le 10 mai 1981 marque le triomphe de la gauche avec François Mitterrand. Peut-être est-il permis de soutenir que cette date est pourtant plus importante pour la droite française que pour la gauche. La date vraiment cruciale pour la gauche, ce n'est pas, en dépit des apparences, 1981 : c'est 1983, dont le caractère historique apparaît chaque jour plus clairement. Dans les journées décisives de 1983, après des résultats que, sans excès d'esprit partisan, on a le droit de qualifier de désastreux, Mitterrand est acculé à un choix très difficile : poursuivre l'expérience commencée, rétablir le contrôle des changes, fermer les frontières, abandonner l'Europe, faire de la France une espèce de Cuba occidental ou se ranger, en une révision déchirante, du côté de l'Europe et de l'économie de marché.

Avant le 10 mai, Mitterrand avait parlé ouvertement de rupture avec le capitalisme et beaucoup d'influences s'exerçaient sur lui en ce sens parmi lesquelles, par exemple, parmi beaucoup d'autres, celle de Jean Riboud, figure de proue d'un progressisme radical et d'un socialisme avancé. Jean Riboud, tant l'histoire est étrange, était l'oncle de Franck Riboud, patron actuel de Danone. En une décision historique plus lourde de conséquences sans doute que son élection le 10 mai 1981, Mitterrand fit le choix inverse de celui que beaucoup lui recommandaient : il se prononça pour l'Europe, pour un socialisme aux limites du libéralisme et fit appel à Laurent Fabius. Le 10 mai 1981 marque, en revanche, une date capitale pour la droite française. C'est le début d'une longue descente aux enfers que, pendant de longues années, aucun sursaut nouveau ne sera capable de freiner. Plus qu'une défaite – une défaite n'est jamais grave tant qu'elle est dominée –, le 10 mai est le début de ces grands malheurs de la droite dont elle ressent encore aujourd'hui les cruels contrecoups et auxquels, peut-être, elle est en train d'échapper, grâce à un mouvement venu de la base, après les dernières élections municipales.

Moins peut-être que dans le succès évident et éclatant d'une gauche qui va rencontrer très vite des problèmes majeurs, le vrai sens du 10 mai est à chercher dans l'effondrement d'une droite qui mettra un quart de siècle à se remettre, en face du talent politique d'un Mitterrand souverain jusqu'au-delà de la tombe, de son absence d'inspiration et des divisions meurtrières de ses chefs. Les choses remontent à l'élection de Giscard en 1974. Pour l'emporter sur Chaban, Chirac avait apporté au futur président l'appui décisif de 43 personnalités importantes du gaullisme. Du coup, Chirac était devenu le Premier ministre de Giscard. Le ciel était bleu au-dessus de la droite au pouvoir. Mais le ver était dans le fruit. Les relations s'étaient vite détériorées entre les deux hommes. Lors du second tour de l'élection présidentielle de 1981, Jacques Chirac s'était refusé à se désister clairement en faveur de Valéry Giscard d'Estaing. Les grands déchirements s'ouvraient, auxquels ont été mêlés successivement les noms de tous les dirigeants d'une droite vouée à un sort fatal. Tout récemment encore, après tant d'épisodes consternants qui traduisaient l'incapacité de la droite à s'unir, Valéry Giscard d'Estaing a montré que son hostilité contre le président actuel de la République n'avait rien perdu de sa vivacité : il lui a rendu la monnaie de sa pièce. Après plus de vingt ans de gaullisme et de postgaullisme, coupés de poussées de la gauche dont la plus forte a été évidemment celle de Mai 68, le

10 mai 1981 ouvre la voie à une période de gauche de même longueur, coupée de poussées de la droite, dont la plus importante a été constituée par les années 93-97, dominées à droite par Jacques Chirac.

Le 10 mai 1981 constitue le triomphe d'un homme d'une grande culture et d'une grande intelligence politique qui a refondé le socialisme français pour s'en servir comme d'un tremplin vers le pouvoir et qui s'affirme résolument hostile à une Constitution qu'il n'a cessé de dénoncer. À peine est-il élu président qu'il se glisse avec souplesse dans les habits qu'il rejetait quand ils étaient portés par un autre. Renonçant à changer la vie, il se contente de changer d'avis. Il endosse les vêtements de la Ve République pour une durée exceptionnellement longue dans l'histoire des institutions françaises. Le fondateur de la Ve République est au pouvoir pendant onze ans : 1958-1969. Radicalement opposé à cette Ve République, François Mitterrand en sera le président pendant quatorze années. La représentant avec dignité auprès de l'étranger, se refusant à raccourcir le mandat présidentiel, se gardant bien de modifier si peu que ce soit l'équilibre des pouvoirs, exerçant à plein toutes ses prérogatives, très loin de rompre avec une Amérique symbole du capitalisme, aussi lié en Europe avec Kohl, de droite, que Giscard l'avait été avec Schmidt, de gauche, il la marquera de son sceau.

Le 10 mai 1981 était apparu aux yeux de beaucoup, et aux miens, comme un coup de tonnerre, comme le désaveu de toute l'action du général de Gaulle et de ses successeurs, comme un basculement de la France dans le camp des adversaires de la liberté. Je persiste à croire et plusieurs voix de la gauche, et non des moindres, l'ont reconnu également, que les risques de dérapage en ce sens étaient réels. L'habileté politique, la sagesse, la ténacité de François Mitterrand en ont décidé autrement. La stabilité profonde du peuple français l'a emporté sur les périls : comme beaucoup d'autres, je m'étais trompé, et je m'en réjouis. Au lendemain du 10 mai, j'avais écrit dans les colonnes de ce journal un article tonitruant et un peu ridicule, où je convoquais François Mitterrand au tribunal de l'histoire. Ce qui manquait le moins à François Mitterrand, c'était le sens politique. À cet égard, il écrasait tout le monde de son bord et de l'autre. S'il a été rattrapé par l'histoire, c'est dans un sens bien différent de ce que j'imaginais en ce temps-là.

À la fin de son second septennat, François Mitterrand avait autant d'adversaires à gauche qu'à droite. Il se méfiait autant de ceux de son bord que de ceux de l'autre bord. Et les siens lui rendaient sa méfiance. Ses successeurs de gauche hésiteront à se réclamer de lui. Ils ne prendront sa suite que sous bénéfice d'inventaire. C'est que, triomphant sur le plan politique, François Mitterrand n'avait pas mené à bien la révolution morale qu'il avait promise. Nous redoutions les excès de l'illusion lyrique : nous nous sommes retrouvés en face du plus brillant et du plus traditionnel des réalismes politiques, et peut-être des cynismes. La morale allait s'effacer devant l'habileté. Robin des bois allait se changer en Louis XI. Le nombre des pauvres s'est accru après le 10 mai. Le rôle de l'argent si vivement dénoncé en paroles n'a pas été réduit. Une étrange atmosphère où ne manquaient ni les amitiés douteuses ni les suicides de proches s'établissait autour de celui qui, jadis, une rose à la main, avait voulu changer la vie. Avant lui, la morale était le fort du socialisme. Après lui, les moralistes de sa propre formation le tiendront à distance. Ils chercheront, bien entendu, à profiter de son prestige. Ils marqueront leur différence. Ses adversaires du 10 mai, qui rêvaient volontiers de l'usure de son pouvoir dans un avenir lointain, étaient loin d'imaginer comment les choses allaient se passer.

Partisans et adversaires, nous avons tous été les dindons d'une farce moralisatrice et lyrique. La célébration du 10 mai 1981 est ainsi, pour moi, une rude leçon de modestie dont j'ai d'ailleurs tiré quelques leçons. Plus sérieusement, pour le successeur de Giscard, de Pompidou, du général de Gaulle à la tête de l'État et de la Vᵉ République, la commémoration du 10 mai 1981 ne peut prendre la forme que d'un hommage ambigu à un personnage ambigu. François Mitterrand avait un charme immense, une intelligence merveilleuse. À la surprise peut-être de quelques-uns, il avait aussi un grand courage dont il a donné beaucoup de preuves, politiques et privées. La politique et les institutions qu'il n'avait cessé de dénoncer avant le 10 mai, il les a poursuivies et renforcées après le 10 mai. Il a raté la réunification allemande, mais il a résisté aux missiles soviétiques. Il a relancé

l'Europe et la décentralisation, mais il est à l'origine d'une certaine démoralisation des Français. À l'image de ce 10 mai qui
était d'abord son œuvre, il était ambigu.

Le Figaro, 5 mai 2001

Il était une fois la Révolution...

Décidément, les socialistes ont un problème avec leur passe.
Mitterrand cachait sa francisque et Jospin cachait son trotskisme.
Chacun son truc. Le plus irritant, la seule chose, peut-être, qui
soit vraiment irritante, c'est l'insistance mise par les dissimula-
teurs à réclamer la transparence et à jouer les moralistes. Vous
souvenez-vous de Mitterrand exigeant une transparence que personne ne lui demandait et s'obstinant à faire publier par le
malheureux docteur Gubler des bulletins de santé mensongers ?
Quand Mitterrand a été élu le 10 mai 1981, Jacques Fauvet,
directeur du *Monde*, écrivait : « Cette victoire, c'est celle [...] de
la franchise sur l'artifice, bref, celle d'une certaine morale. »
Pierre Viansson-Ponté, dans le même journal, avait vu plus juste
en soulignant, très tôt, les rapports difficiles de Mitterrand avec
la vérité. À la fin de son règne, il était clair pour tout le monde
et surtout pour les socialistes que le point faible de Mitterrand
était précisément cette morale qui passait pour son point fort.

Jospin, après Mitterrand, c'était, cette fois, à coup sûr, le
triomphe de la morale après le triomphe de l'habileté. Jospin
était honnête, protestant, rigoureux. Presque puritain. Il prenait
ses distances avec un mitterrandisme sulfureux. Il y a quelques
jours à peine, il émettait encore le vœu de voir les Français
voter pour la vérité. Et cette vérité, à son tour, il a cru nécessaire
et utile de la dissimuler et de la nier formellement. La France,
après avoir été gouvernée par un socialiste qui avait prêté serment à Pétain, est donc gouvernée par un socialiste qui a été
partisan de la révolution communiste. *The New Yorker* avait
publié, il y a quelques années, un merveilleux dessin. Dans une
grande fête mondaine, une dame couverte de bijoux présentait
à ses amies empanachées un jeune homme hirsute à grosses

lunettes : « *I want to introduce to you Mr. So-and-so who wants a bloody revolution* » – « Je voudrais vous présenter M. Untel qui est partisan d'une révolution sanglante. »

Si élégant, si bien porté, le trotskisme n'est pas un dîner de gala. Ce n'est pas une version soft du stalinisme. Ce n'est pas la face libérale du marxisme. C'est un radicalisme extrémiste. C'est un totalitarisme que les événements ont opposé au stalinisme, mais qui ne lui cède en rien en matière de dictature. Si les mots ont un sens, les trotskistes sont partisans, contre les staliniens, mais au-delà des staliniens, d'une révolution permanente. Toute ma jeunesse a été bercée, et parfois fascinée, par le trotskisme et par le marxisme tendance Lambert auquel appartenaient les éléments les plus brillants de ma génération. Tous sont entrés dans la grande fête de la vie d'aujourd'hui. Les uns sont devenus des universitaires distingués ou des chefs d'entreprise, les autres ont fait fortune dans la banque ou dans l'électronique, d'autres encore sont sénateurs ou inspecteurs généraux de l'Éducation nationale. Certains, plus jeunes, sont ministres ou Premier ministre. Quelques-uns sont même restés des révolutionnaires.

Il y a deux lectures possibles de l'outing jospinien imposé, évidemment, par des fuites qui allaient finir par rendre intenables la position officielle, les silences et la dénégation du Premier ministre. La première, hostile, se résume en trois mots : « Hou ! le menteur ! » Et la seconde, plus sceptique ou cynique, en un seul : « Bof ! » Les pessimistes diront que nous vivons dans une société de liberté, fondée sur l'économie de marché et que nous sommes dirigés par un adversaire farouche de l'économie de marché et de la liberté. Les optimistes se réjouiront de constater que même les révolutionnaires les plus convaincus se sont ralliés à un capitalisme tempéré et au libéralisme. Il y a quelques années à peine, Lionel Jospin était partisan de la destruction du système. Aujourd'hui, il va inaugurer les nouvelles usines Toyota implantées dans notre pays. Il semble peu probable que ce soit pour les saboter.

Au-delà de la constatation récurrente et tout de même un peu décourageante que les plus estimables de nos hommes politiques – et le mot hommes, en ce sens, n'exclut nullement les femmes attachées à la parité – sont des menteurs comme les autres, il est intéressant de constater que la révolution est l'antichambre de la réforme. Avant Jospin, Michel Rocard était passé du PSU qui se situait franchement à la gauche du socialisme à un réformisme modéré. Voilà que Jospin passe de la révolution bolchévique à la gestion du capitalisme. On a le droit, à grands cris, de se désoler moralement. On peut, au moins à mi-voix, se réjouir économiquement. Les réactions de l'opposition de droite, dans cette affaire, ont été plutôt modérées. Il serait plus intéressant de regarder du côté de la gauche. Voilà le parti communiste allié, au sein de la gauche plurielle, à une vipère lubrique de ce trotskisme si inlassablement dénoncé par les communistes orthodoxes. Par comble de misère, ce trotskiste repenti a glissé d'une horreur à une autre horreur : le socialisme libéral. Et voilà que les trotskistes bon teint qui n'ont pas rétréci au lavage, les gauchistes, les lambertistes, les partisans de la révolution permanente voient un traître sorti de leurs rangs se poser en gérant et en honnête courtier du capitalisme exécré et de son système d'exploitation.

Derrière les gémissements de la droite – nous sommes dirigés par un ex-partisan de la révolution permanente – se cachent les gémissements d'une partie de la gauche : la Révolution n'a plus d'avenir puisque ses meilleurs artisans sont passés de l'autre côté et se sont ralliés à la gestion sociale d'une économie de marché. Il était une fois la Révolution... Oui, bien sûr. Mais ces temps-là sont révolus. Les bobos, les bourgeois bohèmes, ont beau apporter leurs suffrages au progressisme le plus échevelé, les lilis, les libertaires libéraux, sont là pour tempérer les enthousiasmes et les délires des attardés de la Révolution. Il n'est pas tout à fait exclu que la modernité ait changé de sens. La morale de l'histoire est que l'histoire n'a pas de morale. La droite conservatrice n'en finit pas d'être jetée dans les poubelles de l'histoire par la gauche triomphante. Et la gauche révolutionnaire n'en finit pas d'être flouée par une histoire qui se sert des gens de gauche pour faire triompher des idées de droite.

Le Figaro, 9 juin 2001

Et les finalistes sont...

Alors, il a été comment ? Eh bien, il a été très bon. Tout le monde le dit. Combatif, émouvant, sérieux, décontracté. On le savait bien : c'est une bête de combat. Jamais meilleur que le dos au mur. Convaincant ? C'est là que les commentaires m'ont paru un peu flous. Il a été convaincant pour tous ceux de son bord et il ne l'a pas été pour ceux de l'autre bord. Pourquoi ? Parce qu'il n'a pas recherché le consensus et qu'il a choisi d'attaquer. Après des piques, de part et d'autre, de plus en plus nombreuses, l'intervention présidentielle siffle le terme de la cohabitation douce à laquelle nous nous étions habitués. Elle est en train de voler en éclats sous les coups réciproques. Fini de ronronner. Neuf mois avant l'échéance, le 14 juillet 2001 marque le début de la campagne électorale. Le premier résultat de l'interview télévisée est de souder derrière le président l'ensemble de l'opposition. Vous vous rappelez le drame de l'opposition ? Elle n'avait pas de chef, elle était affreusement divisée. Ces temps-là sont peut-être révolus. Oubliée, la dissolution. Réparées, les fissures. Quel miracle ! L'opposition aurait-elle, par l'opération du Saint-Esprit, sécrété un programme ? Pas vraiment. Aurait-elle, selon le sage conseil de M. Balladur, décidé de s'unir ? Pas vraiment. Simplement, la victimisation du président, tant redoutée dans sa sagesse par le Premier ministre, a porté ses fruits. La victime s'est rebiffée. Elle a montré les dents. Elle a attaqué bille en tête. M. Chirac n'est plus seulement le chef de l'État tenu en lisière par le chef du gouvernement. Il est le chef de l'opposition à son propre gouvernement.

Cet intéressant résultat est la conclusion imprévue mais logique de deux séries de phénomènes évolutifs. La première : une gauche plurielle triomphante et unie, une opposition déprimée et en miettes. La deuxième : un président de la République et un Premier ministre l'un et l'autre candidats et l'un et l'autre en fonction. La gauche plurielle au pouvoir était composée de personnalités remarquables. Mme Martine Aubry, M. Claude Allègre, M. Dominique Strauss-Kahn, M. Jean-Pierre Chevènement, notamment, étaient des étoiles de première grandeur.

Pour une raison ou pour une autre, qu'il serait facile d'énumérer, elles ont quitté le gouvernement. Ce n'est pas faire injure à leurs successeurs, souvent eux-mêmes fort brillants, de dire que leurs remplaçants se sont heurtés à des difficultés considérables. D'autant plus considérables que M. Allègre ou M. Chevènement ne se sont pas privés de critiquer le gouvernement qu'ils avaient quitté. Par comble d'infortune, à l'intérieur même du gouvernement maintenu et de la gauche plurielle rafistolée, les choses n'allaient plus très bien. Chacun de leur côté, les communistes et les Verts aimaient moins M. Jospin, et ils se détestaient entre eux. Ancien rival de M. Jospin et vedette incontestée de la grande politique, M. Fabius, tout en manifestant sa fidélité, marquait sa différence. Héritiers de Mitterrand et dissidents de Mitterrand se déchiraient à belles dents. La gauche plurielle se fissurait. Du coup, l'opposition reprenait des couleurs. Moins par ses vertus propres que par les difficultés de la majorité.

Comme la politique est un art difficile ! Regardez les indices de popularité de nos hommes politiques – hommes étant, en français, un terme générique qui embrasse les femmes : en tête, un premier groupe, la gauche, en queue, un deuxième groupe, la droite. M. Chirac, en bon judoka, s'est servi de sa faiblesse pour la transformer en force. Puisqu'il n'y a plus personne pour incarner l'opposition, c'est lui tout seul qui l'incarne. Laissant M. Jospin se débrouiller avec ses vedettes innombrables qui tirent, si j'ose dire, à hue et à dia, à hue et à Chevènement, il s'impose, comme le seul maître d'une opposition en déroute, mais encore solidement soutenue par une France profondément conservatrice. Ah ! le joli travail ! Il y a encore quelques mois, les godillots percés de l'opposition, pourtant encouragés par des municipales miraculeuses venues des profondeurs et de la fameuse « génération terrain », se demandaient avec angoisse s'ils avaient misé sur le bon cheval et si leur champion tiendrait jusqu'au départ de la course. Voilà que le phénix ressuscité de ses cendres surgit en armes des décombres. On le dirait shooté aux attaques mêmes dont il est la cible. À la façon d'un personnage de légende ou de bande dessinée, chaque flèche lancée contre lui le rend un peu plus fort et un peu meilleur dans le débat. On pouvait penser à des rivaux qui se substitueraient à lui en cas d'urgence. L'urgence s'est bien produite, mais c'est le chaînon à remplacer qui s'est présenté comme remplaçant. Il n'est pas sûr que M. Chirac l'ait emporté définitivement sur ses adversaires : il est très vraisemblable qu'il l'ait emporté définitivement sur ses rivaux. M. Bayrou est digne de beaucoup d'estime. Il est très douteux qu'il parvienne à rattraper M. Chirac. Dans le cœur des Français, l'opposition n'a pas grand monde mais elle a le président.

Ce qu'il y a de remarquable, c'est que tout le monde sait depuis toujours les noms des deux finalistes : M. Chirac et M. Jospin. Il y a pourtant eu, de part et d'autre, des crises de confiance. À plusieurs reprises à droite, à plusieurs reprises à gauche, on s'est dit : « Et si Jospin n'allait pas jusqu'au bout ? » Et aussi : « Et si Chirac n'allait pas jusqu'au bout ? » Il y a quelques jours à peine, Chirac était fichu. Il était fini. Il y a quelques jours à peine, Jospin était hésitant. C'était sûr : il n'irait pas. Mon Dieu ! C'est vrai que tout ça, qui est un peu démodé, reste encore aussi amusant qu'un tournoi du Grand Chelem ou qu'un Grand Prix entre Coulthard et l'aîné des Schumacher ! Autrement excitant que Qui veut gagner des millions ? Ou cette histoire, vous vous souvenez ? c'est déjà aussi vieux que Mistinguett ou Paul Bourget, entre des garçons et des filles qu'on avait enfermés, quelle misère ! sans un livre et sans un journal, qui se battaient les flancs en se mangeant le blanc de l'œil, qui distillaient des pauvretés que les plus grands esprits commentaient, et qu'on appelait, je crois, Loft Story.

Rassurez-vous, braves gens ! On est revenu à la case départ. Les finalistes seront bien, comme prévu, Jacques Chirac et Loana… pardon, Lionel Jospin. Ils seront l'un et l'autre candidats à l'élection inversée dont personne ne sait plus si l'inversion favorise l'un ou l'autre. Et ils occupent tous les deux, à l'Élysée et à Matignon, les plus hautes fonctions de l'État. C'est une conjoncture qui n'est pas nouvelle dans notre histoire politique. Vous vous souvenez de Mitterrand s'adressant à Chirac : « Monsieur le Premier ministre… » Chirac se rebiffait : « Nous sommes candidats tous les deux. » Alors Mitterrand : « Vous avez raison, monsieur le Premier ministre. » Beaucoup avaient recommandé à M. Jospin de quitter Matignon s'il était candidat à l'Élysée. Avec courage, avec élégance, il a choisi de rester. Le voilà attaché à sa croix jusqu'au bout.

Au moment où la croissance décroît, où l'économie bat de l'aile, où se font sentir les effets pervers de plusieurs mesures phares telles que les 35 heures, la loi de modernisation sociale, la loi sur la présomption d'innocence, où le problème des retraites devient brûlant, où l'insécurité partout prend des proportions dramatiques, c'est un risque sérieux. Le risque est bien moindre pour le président de la République. Il règne et ne gouverne pas, puisque c'est le gouvernement qui gouverne. Il flotte assez haut pour pouvoir s'attribuer le bénéfice des succès sans s'embarrasser des échecs qu'il va dénoncer à tour de bras. Il y a encore quelques mois, la rafale d'élections du printemps 2002 était jouée d'avance. Voilà que la partie n'est plus gagnée pour personne. Certainement pas pour Chirac ni pour l'opposition. Mais peut-être pas non plus pour Jospin et sa majorité. Le jeu est ouvert. Ah ! J'aurais encore bien des choses à vous dire, dans ce domaine et dans d'autres. Mais, grâce à l'été, quelle chance pour moi ! je vous retrouve mercredi prochain pour de nouvelles aventures.

Le Figaro, 18 juillet 2001

La crise et l'espérance

En cette première année qui s'achève du troisième millénaire, il s'est passé un seul événement historique en Amérique : l'attaque du 11 septembre. Et un seul événement en Europe : la substitution de l'euro aux monnaies nationales. Une longue histoire prend fin : celle de l'autonomie financière des nations européennes. La France n'a plus de monnaie propre : elle est entrée dans un ensemble où règne une monnaie unique. C'est une révolution. Et un paradoxe. Pour la première fois, à une échelle immense, une monnaie va avoir cours sans un État pour la soutenir. L'évolution monétaire, financière, économique de l'Europe est largement en avance sur son évolution politique. Il y a déjà eu dans le passé des tentatives d'unification politique de l'Europe. L'Empire romain en est une. L'Empire carolingien en est une autre. Il y a eu à plusieurs reprises, avec Érasme, par exemple, des initiatives culturelles qui se sont étendues à toute l'Europe.

Une forme d'unification culturelle de l'Europe se manifeste à la fin du XVIIe siècle et surtout au XVIIIe quand la langue française est parlée à Berlin, à Saint-Pétersbourg, à Vienne, à Prague, à Venise, en Espagne, à Naples par Frédéric II de Prusse, par Catherine la Grande, par les Bourbons d'Espagne, par le prince Eugène, le maréchal de Saxe ou le prince de Ligne, par Casanova et par toute une foule de précepteurs, de dames de compagnie, de comédiens ou de danseuses.

L'Union européenne d'aujourd'hui ne repose ni sur la langue ni sur la culture

Elle n'est soutenue qu'accessoirement par des institutions politiques encore en devenir. Elle est économique et monétaire. Jamais l'avenir n'a été plus clair et obscur, bien entendu. Ce qui est clair, c'est le débat : l'euro entraînera-t-il un progrès politique de l'Europe ? Ce qui reste obscur, c'est la réponse. M. Giscard d'Estaing a du pain sur la planche. Ce qui est évident aussi, c'est l'ampleur du dessein. Longtemps, avant et après le volontarisme du Général, on a pu reprocher à nos gouvernements successifs, de droite comme de gauche, de manquer de grand dessein. La mise en place de l'euro en est un, à coup sûr. Et la poursuite de l'entreprise européenne est un chantier gigantesque. Révolutionnaire et paradoxale comme la monnaie unique elle-même : pour la première fois dans l'histoire du monde, la constitution d'un vaste ensemble de peuples s'accomplit autrement que par le fer et le feu. Pour la première fois, une volonté démocratique et pacifique est à l'œuvre. Des oppositions se manifestent : les uns regrettent le franc, d'autres craignent l'évolution vers un État fédéral. On peut craindre ces nostalgies. Si l'euro tient ses promesses, elles seront vite oubliées. Un peu d'espérance et même d'enthousiasme accompagne la naissance sur notre Vieux Continent de quelque chose de vraiment neuf et inventif, plein d'imagination et d'avenir. Y a-t-il des risques ? Oui, sûrement, il y en a. Les monnaies nationales s'appuyaient, non seulement sur un État, mais sur un long passé dans une communauté limitée et plus ou moins homogène. L'euro est comme son nom une invention arbitraire, imposée d'en haut à des peuples qui ont sans doute marqué démocratiquement leur accord, d'autres l'ont d'ailleurs refusé, mais qui ont accepté l'innovation (parfois avec réticence) plutôt qu'ils ne l'ont réclamée. L'euro et l'Europe sont les fruits d'une démocratie légèrement sollicitée par une technocratie inspirée par l'exemple des Grands Hommes que furent un Jean Monnet, un Robert Schuman, un Konrad Adenauer, un Alcide De Gasperi.

Un garde-fou

L'évolution de cette technocratie pose un réel problème. Se refermera-t-elle sur elle-même ? Sera-t-elle tatillonne et insupportable à beaucoup ? Réussira-t-elle à s'ouvrir aux grands courants de ce temps ? Continuera-t-elle à se limiter strictement au domaine économique ? Légende ou réalité, Jean Monnet aurait déclaré que, si c'était à refaire, il aurait commencé par la culture. L'approche financière semble avoir fait la preuve de son efficacité, mais, au-delà de l'euro, et du volet économique, des chantiers politiques, sociaux, culturels s'ouvrent largement à l'Europe. Il est permis de soutenir que l'euro a protégé nos pays de la crise économique qui a frappé la planète dès avant le 11 septembre. Leurs monnaies en ordre dispersé auraient sans doute été plus vulnérables. Selon la formule de Laurent Fabius, l'euro est un bouclier. Abritant des régimes différents, il leur impose une discipline commune. À commencer par une régulation des déficits budgétaires. Plusieurs pays, dont l'Italie et la France, ont dû consentir des efforts sérieux pour répondre aux critères de Maastricht. Bouclier, l'euro est aussi un garde-fou dans une période historique où sont contraints à coexister les différents États nationaux en train d'abandonner certains de leurs privilèges et l'Europe en train de se faire.

Une popularité record

Pays scandinaves, Angleterre, Allemagne, France, Italie, Espagne, Portugal : à un moment donné, il a pu sembler que l'Europe entière allait se convertir à la social-démocratie. Et, successivement, l'Espagne, le Danemark, l'Italie, le Portugal, ont basculé dans l'autre camp. En France, avec cinq années de pouvoir assuré, 1997-2002, le gouvernement socialiste de Lionel Jospin s'approche du record de stabilité établi par Georges Pompidou, Premier ministre de 1962 à 1968, et il a atteint des niveaux de popularité exceptionnels. De 1997 à 2000, de la dissolution manquée à l'extrême fin du siècle, avec une opposition tétanisée à tort par sa défaite qui n'était pas écrasante et à juste titre par sa désunion, tout a souri au Premier ministre socialiste dont l'élection à l'Élysée paraissait gagnée d'avance. C'est en 2001, surtout vers la fin de l'année, à quelques mois des élections présidentielle et législatives, que les premières fissures ont commencé à apparaître dans l'édifice socialiste. Les derniers mois de l'année qui s'achève ont été une épreuve presque constante pour le gouvernement. Ces difficultés sont venues essentiellement du retournement de la conjoncture internationale : une crise comparable aux chocs pétroliers de naguère et encore approfondie par l'attentat du 11 septembre 2001, a frappé la planète : le gouvernement n'est évidemment pas responsable de la détérioration de la situation internationale comme il n'était pour rien dans son amélioration spectaculaire, il y a quelques années. La conjoncture l'a servi hier, elle le dessert aujourd'hui. Il en assume dans les deux cas les bénéfices et les inconvénients. Le calendrier tombe mal pour lui. Mieux aurait valu pour M. Jospin et son équipe que les choses aillent moins bien il y a deux ou trois ans et qu'elles aillent mieux aujourd'hui. C'est le contraire qui se produit et c'est, à n'en pas douter, à quelques mois des échéances électorales, une source d'inquiétude pour les socialistes qui comptent tant d'hommes et de femmes de talent et à qui tout réussissait depuis la dissolution de 1997.

Les vaches maigres

Depuis la rentrée, les grèves, les manifestations, les signes d'impatience et de mauvaise humeur ne cessent de se succéder. Il est surprenant que des esprits brillants et d'excellents spécialistes de la politique n'aient pas anticipé ces mouvements et ne s'y soient pas préparés. Tout le monde se souvient de la fameuse cagnotte dont le gouvernement semblait, au temps des vaches grasses, ne pas savoir que faire. Tout à coup, voici les vaches maigres. Agriculteurs, éleveurs, transporteurs de fonds, internes, infirmières, policiers et jusqu'aux gendarmes descendent sur le pavé et les ressources nécessaires paraissent manquer cruellement. Où est passée la cagnotte ? Pourquoi les temps heureux n'ont-ils pas servi à faire face aux temps difficiles ? Gouverner, c'est prévoir. Il semble que le gouvernement de gauche se soit trouvé aussi surpris par la montée des revendications que les gouvernements de droite jadis et qu'il ait été débordé. Plusieurs considérations annexes doivent être prises en compte. Le gouvernement de M. Jospin comptait à l'origine plusieurs étoiles de première grandeur dont MM. Chevènement, Strauss-Kahn et Allègre. Pour des raisons diverses, ils ont quitté le gouvernement et ils ne se sont pas privés d'exprimer leur chagrin, leurs réserves ou leur franche opposition. Il n'est pas sûr que l'arrivée d'une vedette de grand prestige telle que M. Fabius ait suffi à compenser leurs départs. Ce n'est faire insulte à personne que de constater que Mme Guigou n'a ni l'autorité ni le prestige de Mme Aubry qui s'est éclipsée au bon moment, laissant bien des dossiers ouverts derrière elle, et que M. Vaillant ne fait pas le poids surtout dans l'esprit des policiers auprès de M. Chevènement. Il y a plus grave encore. Quand les choses commencent à se dégrader, la contagion s'étend vite de domaine en domaine.

Effets pervers

Le bilan que les socialistes présentent aux Français repose essentiellement sur trois lois et sur la lutte contre le chômage. Les trois lois sont les 35 heures, la modernisation sociale et la présomption d'innocence. Les 35 heures offrent aux salariés un supplément de temps libre. Comment ne pas s'en féliciter ? Et voilà que, par un effet pervers difficile à prévoir, elles constituent un des thèmes majeurs des innombrables manifestations contre le gouvernement. Et la loi qui avait contribué hier à la popularité exceptionnelle du Premier ministre le tire plutôt aujourd'hui vers le bas par ses difficultés d'application. Ouvertement critiquée par les socialistes anglais ou allemands, elle ne risque pas seulement de pénaliser la France dans une Europe unie où les autres travailleront plus que nous : elle met en difficulté ceux qui l'ont imposée et qui ont du mal à la financer. Le gouvernement semble consacrer aujourd'hui beaucoup d'efforts à atténuer les effets mécaniques d'une loi qu'il aurait été plus simple de rendre dès l'origine moins contraignante et plus souple.

On pourrait dire la même chose de la loi sur la modernisation sociale. Comment nier qu'il soit souhaitable d'éviter dans toute la mesure du possible le fléau des licenciements ? Mais par un retournement imprévisible, ou peut-être prévisible dans la réalité du contexte, la difficulté de licencier entraînera une hésitation croissante à embaucher. Les entreprises seront fragilisées face à leurs concurrents européens et le chômage, au lieu de décroître, se remettra à grimper. Combinée au renversement de la conjoncture internationale, la loi risque d'aller au rebours de ses intentions. Là encore, au plus mauvais moment, d'excellentes intentions sont tenues en échec par la dure réalité. La lutte contre le chômage, qui était le point fort du gouvernement, va se présenter sous un jour moins favorable précisément dans les derniers mois du mandat du Premier ministre. Les peuples ont la mémoire courte. Beaucoup oublieront les bons chiffres du passé pour ne se rappeler que les chiffres médiocres d'aujourd'hui.

Une malédiction cyclique
semble frapper les socialistes

Ils ont mangé le pain blanc qu'il aurait fallu garder pour la fin et n'ont plus que du pain noir pour la dernière ligne droite. La loi sur la présomption d'innocence pousse le tableau jusqu'à la caricature. Qui irait reprocher à un gouvernement de renforcer les droits de la défense ? La loi, hélas ! tombe à nouveau, c'est encore une malédiction, au plus mauvais moment. Au moment où, à l'intérieur, la délinquance prend les proportions que tout le monde sait et où, à l'extérieur, le terrorisme se déchaîne. Combinée aux revendications financières de policiers et de gendarmes auxquels personne n'a songé dans les temps de l'aisance, la loi donne l'impression meurtrière de se préoccuper d'abord de la défense des délinquants précisément dans les temps où se fait jour une puissante exigence de défense des victimes innombrables de l'insécurité. L'insécurité : mot clé, avec le chômage, de cette période préélectorale. Pour le chômage, les socialistes avaient fait beaucoup et, justement, ça va moins bien. Pour l'insécurité, non seulement ils n'avaient rien fait du tout, mais ils n'avaient cessé d'attaquer et de tourner en ridicule « l'idéologie sécuritaire » prêtée à leurs adversaires. Ils essaient aujourd'hui à toute force de renverser la vapeur. L'histoire est si cruelle qu'il n'est pas tout à fait exclu qu'ils perdent à la fois sur la lutte contre le chômage qui était leur fort et où ils donnent des signes d'essoufflement et sur le combat pour la sécurité qui était leur faible et qu'ils risquent bien de ne pas parvenir à gagner dans les tout derniers rounds.

La double cohabitation

Beaucoup ont estimé que la France avait souffert ces dernières années de la cohabitation. Le directeur du cabinet du Premier ministre est même sorti de l'ombre pour dénoncer cette cohabitation dans un livre[1] qui a peut-être contribué moins à affaiblir M. Chirac qu'à irriter M. Chevènement, ce qui n'était sans doute pas le but poursuivi. Voilà longtemps déjà que la cohabitation est l'objet de critiques de la part, par exemple, de M. Barre. Ce qui est frappant en cette fin de 2001, c'est qu'une seconde cohabitation se profile derrière la première : au sein même du gouvernement de la majorité plurielle. M. Chevènement et les communistes ont été de tout temps des adversaires résolus de l'Europe que le gouvernement était en train de construire. Les communistes et les Verts sont à couteaux tirés. L'affaire Corse a déterminé les ruptures que l'on sait au sein même du gouvernement. Les radicaux de gauche ne donnent pas l'image de la félicité. Et les socialistes eux-mêmes... à des réunions socialistes, on a entendu chanter : « Jospin à l'Élysée, Aubry à Matignon et Fabius en prison », ce qui est aller un peu loin. Il est

---

1. Olivier Schrameck, *Matignon rive gauche, 1997-2001*, Paris, Le Seuil, 2001.

permis de se demander si la gauche plurielle ne glisse pas vers l'état de division si caractéristique de l'opposition au plus creux de sa dépression.

Les socialistes déjà battus ?

Que fait l'opposition ? Pas grand-chose encore, mais enfin, des progrès. Avec l'Union en mouvement, elle fait mouvement vers l'union. Personne n'ira prétendre que le peuple français exprime avec enthousiasme son appui à un programme de l'opposition qui n'existe encore qu'en pointillé. Mais il n'est pas rare que les Français votent plutôt contre que pour. En 1981, ils ont moins élu Mitterrand que battu Giscard d'Estaing. À la fin du second mandat de Mitterrand, ils ont moins voté pour Chirac que contre les socialistes. À voir l'évolution des sondages et des esprits, peut-être oserait-on dire qu'aujourd'hui Jacques Chirac et l'opposition sont encore très loin d'être élus, mais que, divisés contre eux-mêmes, desservis par la crise, victimes de ce que les Anglo-Saxons appelleraient un mauvais timing, Jospin et la gauche plurielle sont déjà très près d'être battus. Au cas où Lionel Jospin, qui pendant des années a été si haut dans les sondages, aurait vraiment le désir d'entrer à l'Élysée, il est en droit de se demander s'il n'aurait pas mieux fait de quitter Matignon vers le début de l'année qui s'achève. Plusieurs occasions lui ont été offertes, par exemple au moment du bras de fer avec les communistes sur la modernisation sociale. Il a préféré sauver sa majorité plurielle. Longtemps sur les sommets de la popularité, il a fait un pari honorable : gouverner jusqu'au bout et se faire élire sur son bilan. Il commence à devenir douteux que les événements lui permettent de gagner son pari. On verra bien. Il n'y a pas longtemps à attendre pour que ces prédictions un peu risquées, trouvent leur infirmation ou leur confirmation. Bien des choses peuvent se passer dans les quatre ou cinq mois à venir. Ce qui est sûr, c'est que les Français, une fois de plus, sont de mauvaise humeur.

Économie, chômage, sécurité, éducation, santé,
la France est à nouveau en crise

Plus ou moins que les autres pays ? Chacun décidera. Comme les autres, en tout cas. Le gouvernement table sur une croissance très supérieure aux prévisions faites ailleurs et qui a peu de chance d'être atteinte. Devant la grogne des policiers et des gendarmes, devant les désaveux du Conseil constitutionnel, un mot nouveau, qui serait un peu comique s'il n'était pas consternant, vient d'entrer dans l'usage : le « redéploiement » budgétaire. Il consiste à déshabiller Pierre pour habiller Paul. Tout le monde, du coup, est habillé pour l'hiver. On a le sentiment que le pouvoir, qui a renoncé à tout projet de réforme, ne domine plus la situation. Il tente de faire face aux voies d'eau. Il n'est pas le premier dans cette situation, mais il est loin de ses ambitions et de ses certitudes de naguère.

Une lueur d'espérance

Il y a derrière toute crise un ferment d'espérance. Qu'est-il permis d'espérer ? Que l'opposition revienne au pouvoir et qu'elle règle d'un coup de baguette magique une situation de jour en jour moins favorable ? Qui peut croire cela ? Un sentiment se fait même jour au sein de l'opposition la plus radicale : il faut laisser le pouvoir aux socialistes et à leurs amis-ennemis pour qu'ils tirent jusqu'au bout les conséquences de leur gestion et qu'ils ne refilent pas l'addition en matière de retraites, par exemple, à une droite condamnée d'avance par un héritage écrasant. Par la droite et par la gauche, les Français sont difficiles à gouverner. Jules César s'en était déjà aperçu. Après s'être jetés dans les bras de Pétain, ils ont vénéré de Gaulle avant de se débarrasser de lui. Ils n'ont fait grimper Balladur dans les sondages que pour l'abattre plus sûrement. Ils ont beaucoup aimé Chirac avant de le renier. Peut-être, pourtant, peu à peu, au-delà des rivages droite-gauche niés par beaucoup aujourd'hui et maintenus par d'autres avec obstination, un certain nombre de points d'accord peuvent sembler apparaître : chacun a droit à un travail ; la sécurité de tous doit être assurée ; un équilibre doit être trouvé entre liberté et autorité ; toute faute se situe dans une tension entre sanction et pardon ; des notions telles que la tolérance et le respect de l'autre doivent être défendues à tout prix. Nous savons désormais que la société idéale n'existe pas et que tout ce que nous pouvons faire est d'essayer d'améliorer jour après jour la condition de chacun. On en revient à l'essentiel : l'Europe au loin est le lieu des espérances que nous pouvons nourrir aujourd'hui.

Le Figaro, 27 décembre 2001

2002

Une tâche historique

Le séisme[1] qui a ébranlé notre vie politique est porteur de leçons et d'interrogations. La première des leçons est, une fois de plus, le caractère inutile ou néfaste des sondages. Relayés sans relâche par les médias qui partagent leurs responsabilités, ils donnent des informations toujours exactes, mais qui ne répondent jamais à la réalité. En 1995, ils s'étaient trompés sur la place de Jospin en le plaçant derrière Balladur. En 2002, ils se sont trompés à nouveau en le plaçant sans la moindre hésitation avant Le Pen. La deuxième leçon est que les Français ne veulent plus du socialisme. Les ministres socialistes étaient des gens remarquables dont tous les sondages sans exception louaient les qualités. Jospin, dans les enquêtes, devançait Chirac sur presque tous les points. Et la popularité des dirigeants socialistes dépassait de très loin celle des leaders de la droite. Le socialisme a été balayé non à cause des hommes et des femmes qui l'incarnent, et dont la qualité n'est pas contestée, mais à cause de sa doctrine, pesante et archaïque, à laquelle fait défaut le soutien populaire. La troisième leçon est que le parti communiste appartient au passé. La France était un des rares pays où les communistes étaient encore au pouvoir. Le parti communiste disparaît de la scène politique.

---

1. Le 21 avril 2002, Jean-Marie Le Pen bat Lionel Jospin au premier tour de l'élection présidentielle et accède au second tour où il affrontera Jacques Chirac.

L'extrême gauche lui succède. Une époque se clôt où, pendant un demi-siècle, le gaullisme et le communisme, adversaire historique et allié de circonstance du socialisme, s'étaient disputé le pouvoir.

Par un paradoxe éclatant, Jacques Chirac, attaqué par la gauche avec violence, soutenu mollement par la droite, sera le 5 mai le président le mieux élu de la Ve République. Qui aurait annoncé ce résultat il y a encore quelques jours ? La fameuse inversion du calendrier politique s'est retournée contre Jospin, qui l'avait voulue. Ceux qui huaient Chirac hier voteront pour lui demain. Car il est le seul capable de barrer la route à Le Pen. Une voie triomphale s'ouvre devant Chirac. Elle est semée de périls. Le second tour est déjà joué. Mais les législatives sont loin de l'être. Si la présidentielle, il y a quelques semaines, paraissait douteuse, les législatives semblaient gagnées par la droite en raison de l'affaiblissement prétendu du Front national. Son éclatant succès fait renaître pour la droite le cauchemar des triangulaires. Une victoire à la présidentielle pouvait laisser espérer à Chirac un effet d'entraînement aux législatives. Les triangulaires risquent d'entraîner une nouvelle cohabitation. Ou une Assemblée morcelée et ingouvernable.

Pendant quinze jours, Chirac et Le Pen vont bénéficier sur tous les médias d'un temps de campagne égal. La diabolisation de Le Pen l'avait écarté du jeu politique. Il va y faire une rentrée tonitruante. Autant il était absurde de ne pas accorder à Le Pen la place à laquelle il avait droit dans un cadre démocratique, autant il va falloir combattre les idées qu'il va maintenant exposer : le rejet de Maastricht, le refus de l'euro, la sortie de l'Europe. Jacques Chirac, qui pensait lutter sur sa gauche contre le socialisme, va devoir lutter sur sa droite contre l'ultranationalisme xénophobe. Qui disait que l'histoire était terminée ? La gauche vote pour Chirac en se bouchant le nez. Chirac a deux adversaires : Le Pen et les socialistes. Le jeu a entièrement changé de nature. Dimanche soir, Jospin a longuement hésité avant de se décider avec dignité à se retirer de la vie politique. Chirac aussi a longuement hésité. Il y avait de quoi. Il lui fallait radicalement changer de stratégie.

La vocation de Chirac, aujourd'hui, est de rassembler sans se laisser enfermer. Le Pen attaque avec violence : Chirac, qui ne l'a jamais ménagé, est le seul rempart contre lui. La droite, hier, n'avait que lui. Les socialistes aussi n'ont plus que lui aujourd'hui. La gauche vote pour Chirac en le traînant dans la boue : elle reste son adversaire. À la veille de son deuxième mandat, Chirac a une tâche historique : s'opposer à Le Pen sans assurer le triomphe d'un socialisme archaïque, s'opposer au socialisme en barrant la route à une extrême droite destructrice.

Le Figaro, 24 avril 2002

Séchez vos larmes : votez !

On l'a chanté sur tous les tons, difficile de l'ignorer : nous avons eu un choc. Et nos maîtres sondeurs aussi. Le Pen devant Jospin, Le Pen au second tour, c'était une sacrée surprise. Pour ses adversaires dont nous sommes comme pour ses partisans. Nous n'avions pas arrêté de donner des leçons à Haider et à Berlusconi. Voilà que prospérait dans notre sein plus radical qu'Haider et que Berlusconi. Et personne n'avait rien prévu. Nous étions aveugles et sourds. Nous guettions Chirac et Jospin. Pendant plusieurs semaines, on oublie si vite : consultez vos vieux journaux, le troisième homme a été Jean-Pierre Chevènement. Et puis est arrivée la troisième femme : Arlette Laguiller. On leur a promis des 10 et des 15 %. Ils ont fait l'une et l'autre moins de 6 %. Jospin est passé à la trappe. Et Le Pen, dont on annonçait, il y a quelques mois, la chute et la déconfiture, est au second tour. Nous avons bonne mine. Oui, il y a de quoi se tordre les mains. Et le nez. Dans les journaux, à la radio, à la télévision, dans les conversations au bistro ou dans les dîners comme il faut, voilà douze jours que Cassandre sanglote et prédit des désastres. C'est une drôle de Cassandre : elle n'avait rien vu venir. C'est une pleureuse rétrospective. Elle se livre à une activité extrêmement française : la repentance. S'en voulant de ne pas avoir voté pour Jospin au premier tour, elle descend dans la rue pour verser des larmes amères sur des urnes qu'elle aurait mieux fait de remplir avec des bulletins de vote. Fille de Mai 68, elle en était à crier . « Élections, piège à cons ! » Voilà qu'elle change de trompette et qu'elle se met à crier : « Abstention, piège à cons ! »

Le Figaro, 3 mai 2002

La droite au pouvoir : une évaluation

Le 10 mai 1981, l'élection de François Mitterrand à la présidence de la République avait mis fin à vingt-trois ans de pouvoir gaulliste et postgaulliste. Tout au long de la vingtaine d'années de domination socialiste ou de cohabitation, la droite a été malheureuse. Après la dissolution ratée de 1997, qui a mis fin à un intermède de deux ans où elle était revenue brièvement aux affaires, elle a été désespérée. Pendant près de cinq ans, divisée, désorganisée, aux abois, elle n'a plus vu aucune issue. Près de huit mois après le coup de tonnerre du 21 avril, où en est-elle ? Elle est éberluée. Tout autant que la gauche, mais en sens inverse, elle est encore sous le choc. L'élimination dès le premier tour de Lionel Jospin, peut-être en mesure de remporter le second tour, a été pour tout le monde, y compris pour Chirac, non seulement une surprise totale, mais les socialistes ont raison, un coup de chance inouï. Comme dans un kaléidoscope brusquement renversé, tout a été bouleversé. La victoire changeait de camp, le désarroi aussi. La gauche plurielle explosait. Malheur aux vaincus ! Le chagrin qui accablait la droite basculait à gauche. L'espoir refleurissait à droite.

Rappelez-vous. Longtemps, Jacques Chirac était apparu comme l'obstacle majeur au retour de la droite. On le chargeait de tous les maux. La discorde Chirac-Giscard avait fait élire Mitterrand en 1981. La discorde Chirac-Balladur avait compromis durablement toute union de la droite. Chirac occupait le terrain et il le minait. Pour un peu, à droite comme à gauche, on aurait fini par voir en lui un atout dans le jeu socialiste. Aux yeux de beaucoup de commentateurs, Chirac d'un côté et Jospin de l'autre étaient tous les deux si faibles que l'émergence d'un troisième homme était inéluctable. L'ironie de l'histoire a semblé donner raison aux oiseaux de mauvais augure en accordant au président

19 % des voix au premier tour : elle les a ridiculisés en le faisant élire au second par 82 % et en lui permettant de fermer la parenthèse ouverte jadis par Mitterrand. Personne ne l'ignore plus : le président a été élu par autant d'adversaires que d'amis. Paradoxe bien français et miracle de l'extrême droite : le champion de la droite a été soutenu largement par une gauche qui le vouait aux gémonies. Jospin a peut-être été le seul à comprendre assez vite la portée de ce vertige et combien il allait profiter au président si mal reçu au premier tour et élu au second par ses ennemis. De gré ou de force, Chirac, longtemps boudé par les siens, devenait le président de l'immense majorité des Français. Et d'abord le chef incontesté de son camp. Au point que se met, depuis quelques jours, à courir une étrange rumeur : Chirac serait le meilleur candidat de la droite à la prochaine élection présidentielle, et il se représenterait en 2007. Il ne s'agit bien entendu que d'une rumeur sans fondement. Mais qu'elle puisse seulement circuler est déjà un signe des jours que nous vivons. Il y a deux ou trois ans, beaucoup au sein de la droite ne voulaient plus de Chirac en 2002. Voilà que son nom est prononcé, fût-ce avec le sourire, pour 2007 !

Quelque chose a bougé. En un mot comme en mille : le Chirac nouveau est arrivé. Le deuxième mandat du président ne répète pas le premier : il est même fait pour l'effacer. Son premier acte, dès son élection, a été un coup de maître : il a choisi Raffarin. On pourrait expliquer longuement pourquoi Raffarin, modeste, provincial, centriste, ami de Giscard, nom inconnu à beaucoup qui sonnait un peu, sur un registre très différent, comme celui de Pompidou, avec ce qu'il fallait de bonhomie peut-être feinte et presque comique, était le meilleur choix possible. Relevons seulement que c'était un homme nouveau dans le paysage d'une droite usée, et que son gouvernement ne donnait pas l'impression de reprendre éternellement les mêmes figures. À la veille du 21 avril, le seul atout d'une droite assez largement discréditée et même à ses propres yeux était le refus d'un socialisme lui-même à bout de souffle. En quelques mois, la droite n'a pas conquis, comme par un coup de baguette magique, le cœur de tous les Français, non, mais elle a réussi un tour de force hier encore inespéré : elle s'est imposée à elle-même. La question est : pour quoi faire ? Dès avant son élection, beaucoup, à gauche bien sûr, mais aussi à droite, avaient prédit qu'en cas de victoire de Chirac un troisième tour, très vite, allait se jouer dans la rue. Devant l'importance des problèmes à résoudre, ce risque-là est loin d'être écarté. Mais il est au moins repoussé dans le temps. Les manifestations qui se sont succédé à Paris et en France n'ont pas eu l'ampleur annoncée. Disons les choses très en gros et avec ce qu'il faut d'ironie en face d'une situation où la farce finit parfois par l'emporter sur le tragique : le président est sans doute moins impopulaire que pouvaient le faire croire les réticences de ses partisans et les cris de ceux qui votaient pour lui afin de faire pièce à Le Pen ; et les socialistes sont peut-être moins populaires qu'ils ne l'imaginaient eux-mêmes et que ne le craignait une droite en proie à sa longue dépression. Témoin Cohn-Bendit, contraint à se faire protéger de la foule par des CRS qui ont dû savourer leur revanche ; témoins trois anciens ministres de gauche, et non des moindres, hués par des manifestants venus protester contre la droite. M. Emmanuelli chante un refrain sur tous les tons : la gauche n'est plus aussi à gauche qu'il était permis de l'espérer. Peut-être, en contrepoint, la droite n'est-elle plus aussi à droite qu'il était permis de le craindre ?

Qui est à la source de ce miracle ? C'est le Front national de M. Le Pen. Il a nui à la droite pendant un quart de siècle. Voilà qu'il lui rend service en le repoussant vers la gauche. L'histoire est imprévisible et elle est implacable. Longtemps dénoncé par une gauche en proie à ses fantasmes, Facho-Chirac a disparu dans la lutte contre Le Pen. A surgi à sa place, plébiscité, parfois à contre-cœur, par quatre Français sur cinq beaucoup plus que les deux sur trois souhaités par Giscard d'Estaing, un Chirac très proche de la vieille tradition républicaine. En enterrant le gaullisme dans le linceul de pourpre de l'union de la majorité, Chirac se présente comme un gaulliste historique toujours hanté par le rassemblement et qui s'établirait à l'extrême centre. Le gaullisme a toujours été un pragmatisme. En enterrant le gaullisme dans le linceul de pourpre de l'union de la majorité, Chirac en a gardé un pragmatisme qui rejette vers les extrêmes ses adversaires de tout bord. Très loin d'être aussi à droite que le prétendaient ses ennemis, Chirac se présente plutôt comme un radical-socialiste teinté de démocratie chrétienne : une sorte de gaulliste historique toujours hanté par le rassemblement et qui s'établit à l'extrême centre musclé de l'échiquier politique.

Un nom illustre assez bien cette révolution dans la continuité, c'est celui du compagnon et du rival de Juppé et de Raffarin : Nicolas Sarkozy. Il était à l'origine un des favoris au poste de Premier ministre. Peut-être, dans une deuxième combinaison, aurait-on pu imaginer Villepin place Beauvau et Sarkozy à Bercy ? Le Quai d'Orsay est allé à Villepin, qui y réussit assez bien. Et Sarkozy a reçu l'Intérieur. Il l'a pris sans état d'âme, et la sécurité, problème n° 1 des Français de toutes les couleurs, les Verts, les roses, les bleus, les rouges, est devenue son affaire. Il est partout à la fois mais pas pour ne rien dire. Et pas pour ne rien faire. Il était la cible rêvée de toutes les attaques possibles. Il s'est fait respecter même de ses adversaires. Ceux qui veulent le contester sont contraints d'osciller, de façon souvent caricaturale, entre deux tactiques opposées : tantôt soutenir que la politique menée par Sarkozy était déjà largement engagée par le gouvernement précédent, tantôt soutenir que cette même politique est radicalement condamnable. Sur les problèmes de sécurité surtout, l'opposition de gauche finit par faire penser à l'histoire de la petite fille qui a cassé un vase et qui accumule les excuses contradictoires : « Ce n'est pas vrai, ce n'est pas moi, je ne l'ai pas fait exprès. »

La conjoncture internationale, le développement du terrorisme, les menaces de guerre servent paradoxalement, non seulement le ministre de l'Intérieur, mais le gouvernement en place. L'environnement économique, longtemps si favorable au gouvernement Jospin, qui n'en a pas fait grand-chose, le dessert avec évidence. La reprise n'est pas là. La croissance patine. Même si la politique de la France ne se fait pas à la Corbeille, le krach boursier finit par déteindre sur la situation générale. À droite comme à gauche, personne ne doute des difficultés qui attendent le gouvernement Raffarin. Il a deux atouts pour affronter les tempêtes : l'union, miraculeusement retrouvée dans la victoire, de la majorité ; la désunion, fille de la défaite, dans l'opposition de la gauche. La situation aujourd'hui de la gauche et de la droite est symétrique de celle qui avait succédé, en 1997, à l'échec de la dissolution. La droite aurait tort de dauber sur la gauche : elle est passée elle-même par là. Et elle aurait tort de se reposer sur ses lauriers : les choses s'inversent très vite. Elle devrait veiller à son union comme sur la prunelle de ses yeux. Quels que soient leurs motifs généreux ou intéressés, les marginaux et les dissidents, les Bayrou, les Blanc, les Philippe de Villiers, n'ont pour le moment que des chances limitées.

Le risque viendrait plutôt, à l'intérieur même de l'union, des rivalités de personnes. Le séisme de 2002 à peine passé, c'est l'élection de 2007 qui commence déjà, un peu tôt, à jeter ses brandons de discorde entre Juppé et Sarkozy. La récente victoire camoufle encore les failles, mais elles sont déjà là. Les vieux démons ne sont qu'endormis. Le meilleur ciment, c'est le succès provisoire et fragile. Divisée en factions, chaque faction divisée à son tour par les ambitions personnelles, la gauche l'apprend à ses dépens dans la défaite qui l'a fait exploser et qui fait exploser, dans un feu d'artifice mouillé, jusqu'à ses intellectuels comme elle a, naguère, fait exploser la droite. L'opposition de gauche n'est pas seule à guetter la droite au pouvoir. Après les grandes frayeurs du 21 avril, on oublie un peu vite l'opposition d'extrême droite. Peut-être est-elle en baisse grâce à Chirac, à Raffarin, à Sarkozy. Cheminant en silence, elle peut revenir en force à la première occasion. Elle est passée, pour le président, du statut de nuisance au statut de repoussoir – l'attentat d'extrême droite a été, il y a quelques mois, pain bénit pour Chirac –, mais elle demeure, qui en doute ?, une menace récurrente.

Mme Marine Le Pen apporte à son mouvement des atouts inédits : elle est calme, elle sait sourire, elle est une femme, et comme le noterait M. de La Palice, portant le nom de son père, elle est plus jeune que lui. Si, par malheur, la droite échouait à son tour avant que la gauche ait réussi à reconquérir les masses perdues et à se réorganiser, une chance nouvelle, superbement ignorée de tous les commentateurs à la courte mémoire, s'offrirait à l'extrême droite. Chirac se bat sur deux fronts : contre le socialisme « à la française », « le plus à gauche » du monde d'après Jospin, et que certains, imprégnés de trotskisme, voudraient pousser plus à gauche encore, qui a fait reculer la place de la France dans le monde et baisser le niveau de vie, et contre un Front national, encore loin d'avoir disparu.

Quel est le programme de Chirac ? Avec des moyens très différents et parfois opposés, c'est le même que celui de Jospin :

préserver la liberté et la démocratie, assurer la sécurité, faire face au casse-tête des retraites, de la santé, de l'éducation, redonner de l'espoir à ceux qui n'en ont plus, lutter contre le chômage et la pauvreté. La conviction de ceux qui ne sont pas socialistes est qu'il est possible de faire mieux que les socialistes pour assurer le bien public. Le seul chemin possible passe par les réformes que les socialistes, en cinq ans, dans un environnement économique très favorable, n'ont pas su mener à bien. Le chemin est escarpé. Réclamées par tout le monde en théorie et en général, les réformes, nul ne l'ignore, sont refusées par chacun en pratique et en particulier. Les réformes sont toujours bonnes pour les autres, jamais pour soi-même. Attachés aux privilèges de leurs corporations, les Français sont conservateurs et révolutionnaires : c'est ce qui rend si difficile, chez nous, le rôle des réformateurs.

Chirac, en fin de compte, sera jugé sur la tâche impossible et pourtant nécessaire de réformer un État dont les citoyens exigent et rejettent la réforme. Quelques-uns murmurent déjà qu'il aurait fallu aller plus vite. C'est oublier les centaines de milliers de manifestants précipités régulièrement sur le pavé par la seule annonce de réformes. Le souvenir de l'expérience Juppé pèse lourd sur le gouvernement. Sous la conduite de Raffarin, il a choisi la route plus longue des négociations, mais il n'en est pas moins condamné à avancer sur la voie d'un renouveau réformateur, sous peine d'impasses meurtrières et de déclin inéluctable. Réussira-t-il ? Chacun répondra à la question selon ses convictions et selon ses espérances. Quelles que soient les circonstances, pendant ce qu'il lui reste de ses cinq ans, loin de rester inerte comme l'accusaient naguère ses adversaires, le président, qui a donné tant de preuves de son activité dans ses campagnes victorieuses, doit se jeter dans l'action avec l'audace allègre des septuagénaires qui n'ont plus rien à perdre.

Le Figaro, 6 décembre 2002

2003

D'un mai à l'autre

Chanté par les poètes qui descendaient dans les jardins pour se réjouir de sa beauté, mai est devenu le mois des troubles dans la rue. En Mai 68, une agitation historique s'emparait du pays et de longs cortèges occupaient le pavé. Trente-cinq ans plus tard, est-ce le même esprit de Mai qui anime nos manifestants d'aujourd'hui[1] ? Ce qui frappe surtout, on ne l'a guère remarqué, c'est que mai 2003 se présente à beaucoup d'égards comme l'inverse de Mai 68. En Mai 68, les étudiants manifestaient devant des enseignants débordés ; en mai 2003, les enseignants manifestent devant des étudiants éberlués. On pourrait forcer le trait et soutenir que Mai 68, c'était les élèves contre le gouvernement, bien sûr, mais aussi contre les maîtres et que mai 2003, c'est les maîtres contre le gouvernement, bien sûr, mais aussi contre les élèves. Ce qui a volé en éclats, c'est le ressort même de l'affaire. Il y a un tiers de siècle, les jeunes gens voulaient changer le monde et la vie ; aujourd'hui, des adultes, angoissés par leur retraite et hostiles à toute nouveauté, voudraient surtout que rien ne change. Les enfants de 68, ivres d'imagination, attendaient tout de l'avenir ; nos contemporains vieillissants le redoutent comme la peste. À une jeunesse triomphante jusqu'à la témérité a succédé un âge mûr que le passé séduit parce qu'il leur semble moins à craindre qu'un futur plein de menaces.

---

1. Manifestations contre le projet Raffarin sur la réforme des retraites

Qu'est-ce qui s'est écroulé ? Ce n'est pas une surprise : l'espérance. Hier encore, on attendait tout de l'avenir. Aujourd'hui, on le redoute. En Mai 68, le mur de Berlin avait encore devant lui vingt années d'existence. Comme depuis plus d'un siècle, le mot clé était : révolution. En mai 2003, le mécontentement est toujours là, mais la révolte a été remplacée par l'amertume et la révolution par les revendications : on regarde plutôt vers les avantages acquis dans le passé que vers des lendemains dont personne ne croit plus qu'ils pourraient chanter dans l'avenir. Qu'est-ce qui était vivant il y a un tiers de siècle et qui est mort aujourd'hui ? Le marxisme. Tous les débats tournaient autour de lui. Demain était encore une promesse. Que les temps sont changés ! Les espérances étaient mensongères, les promesses se sont écroulées. Dans quoi vivons-nous aujourd'hui ? Dans la crainte d'un effondrement économique et d'un lendemain marqué par le terrorisme intégriste. L'avenir nous fait peur et nous nous accrochons au passé. Dans une société de prospérité, les manifestants d'hier étaient jeunes et croyaient à demain ; dans une société menacée par la crise économique, les manifestants d'aujourd'hui sont déjà presque vieux et aspirent à un avenir qui ressemblerait le plus possible au passé.

Qu'est-ce que nous avons fait ? Comme la Zazie de Queneau, nous avons vieilli. Il y a un débat récurrent et cruel : sommes-nous entrés en décadence ? Ce qui est sûr c'est que, liée par Péguy à la jeune Espérance, la France sent désormais l'âge peser sur ses épaules. Nous sommes un pays riche qui s'appauvrit et vieillit. Notre prospérité, notre gloire, notre jeunesse sont derrière nous. Nos cris ne sont plus ceux de jeunes barbares impatients de se jeter dans la vie, mais ceux de victimes potentielles qui voient s'achever leur carrière : « Encore un instant, monsieur le bourreau ! » Les jeunes gens de 68 étaient, selon les points de vue, des visionnaires enthousiastes ou des trublions qui faisaient peur. Les adultes de 2003 sont des préretraités qui ne défendent plus des idées, mais ce qu'ils ont obtenu : ils font pitié et d'abord à eux-mêmes. Ils sont pris dans un tissu de contradictions dont ni le pays ni eux-mêmes ne sortiront indemnes.

Contradiction, la décentralisation réclamée par tous sur tous les tons et rejetée dès qu'elle est mise en œuvre ; contradiction, l'exigence des réformes attendues avec impatience et refusées avec violence ; contradiction, l'urgence reconnue et dénoncée d'un nouveau système des retraites ; contradiction surtout, l'image donnée aux étudiants par des enseignants pris d'une folie suicidaire. Les élèves, égarés, contemplent avec stupeur des maîtres qu'il leur sera difficile de regarder demain avec les yeux d'hier et qu'il leur sera aisé de mépriser et de traîner dans la boue. Le professeur d'histoire enseignera l'héroïsme de Regulus, le désintéressement de Cincinnatus, Bonaparte sur le pont d'Arcole, de Gaulle le 18 juin, le professeur de philosophie enseignera le stoïcisme et l'impératif catégorique de Kant à des filles et des garçons médusés qui les auront vus cadenasser les portes des écoles publiques pour empêcher les examens que leur devoir, leur devoir !… était de faire passer le mieux possible. Vous souvenez-vous encore du tapage fait pendant un demi-siècle autour des livres qu'on brûlait ? L'image de la barbarie, c'était le bûcher où le tyran jetait les livres qu'il n'aimait pas. La littérature, le théâtre, le cinéma, la chanson ont tourné autour de cette abjection dénoncée par les grandes âmes et les hautes consciences.

Voilà qu'un ministre écrit un livre[1] qui vaut ce qu'il vaut, mais qui n'appelle ni au meurtre ni à l'obscénité et qui ne flatte pas les passions les plus basses. Tout le monde a pu voir ce livre piétiné, traîné dans le caniveau et couvert de crachats. Il était permis de l'ignorer, il n'est pas tolérable de le voir traité comme il l'a été par des intellectuels inconscients et indignes de leur vocation. Ce n'est pas un dictateur sanguinaire ni une brute militaire ni des religieux intégristes qui expriment leur haine d'un livre qui ne leur convient pas : ce sont des enseignants laïcs chargés d'enseigner aux enfants qui leur sont confiés le culte de la tolérance. Je me demande si les enfants apprennent encore de la bouche de leurs maîtres qui les ignorent peut-être, ou qui les ont oubliées, les indignations de Voltaire et les vieilles formules éculées de jadis : « *Quos vult perdere Jupiter prius dementat* » ou : « La fin ne justifie

---

1. Luc Ferry, *Lettre à tous ceux qui aiment l'école : pour expliquer les réformes en cours*, Paris, Odile Jacob, 2003.

pas les moyens » ou : « Élève toujours ton action à la hauteur d'une maxime universelle » ou, d'une simplicité biblique : « Ne fais pas aux autres ce que tu ne voudrais pas qu'ils te fassent. »

Le Figaro, 22 mai 2003

Comment va la France, Môssieur ?

Longtemps, les Français ont passé pour le sel de la terre. Ils étaient gais, charmants, plutôt plus vifs que les autres, souvent au bord du libertinage, d'une indépendance d'esprit saluée par le monde entier, l'image même de la culture, plutôt bien vus en Prusse à cause de Voltaire, en Russie grâce aux précepteurs, aux actrices et aux dames de compagnie, en Autriche malgré Napoléon, en Chine, au Brésil dans le souvenir d'Auguste Comte, au Canada évidemment, en Louisiane, au Liban ou en Roumanie où tout le monde parlait français et en Perse. Tendres avec Fragonard, insolents avec Beaumarchais, catholiques avec Bossuet, avec Chateaubriand, avec Péguy et Claudel, audacieux avec Sade et Choderlos de Laclos, universels avec Hugo, ils étaient les fils aînés de l'Église, la providence des victimes, le refuge des anarchistes et des grands-ducs, les héritiers des Grecs anciens. Le Collège de France et les petites femmes de Paris essaimaient dans le monde entier. D'une façon ou d'une autre, nos académies régnaient sur les cinq continents. Quand un Français se pointait à l'étranger, une même émotion s'emparait des beaux esprits réunis pour l'entendre et des jeunes filles trop sensibles renvoyées dans leur chambre. Et les Allemands disaient : « Heureux comme Dieu en France. »

Une des choses innombrables que les Français réussissaient le mieux, avec l'amour peut-être, avec les tapisseries, les consoles, les parfums, les robes du soir et avec le foie gras, c'était le rire. De Rabelais à Feydeau, à Labiche, à Courteline, de Molière, le plus grand comique de tous les temps en même temps qu'un maître de la langue, à Alfred Capus et à Robert de Flers qui dirigèrent *Le Figaro*, les Français ont aimé la gaieté jusqu'à la caricature. Ils ont hissé le rire à la dignité d'un des beaux-arts. Un Parisien, Offenbach, a fait entrer le rire dans la musique. Un de leurs plus grands philosophes, Bergson, a consacré un livre au rire. Les critiques les plus violents des régimes en place et de l'ordre établi, un Voltaire, un Diderot, un Paul-Louis Courier, un Rochefort, un Léon Daudet se servaient du rire et de la gaieté comme des armes les plus sûres dans la plus intelligente des nations. On dirait qu'une des missions de la France a longtemps été de s'enchanter elle-même et d'enchanter les autres. « Comment va le monde, Môssieur ? – Il tourne, Môssieur. » De Gargantua à Gavroche, de Candide au titi parisien d'avant la Deuxième Guerre, la France jouait avec génie le rôle quasi métaphysique et en tout cas emblématique du clown blanc de l'histoire. Voilà que notre gaieté proverbiale prend le deuil avec une espèce d'affectation et que le clown blanc se déguise en clown noir.

Que s'est-il donc passé ? Ce qui s'est passé, c'est que le monde s'est désenchanté. Et pourquoi, je vous prie ? Comment, pourquoi ! Mais à cause de deux guerres mondiales, de la Shoah, des camps de concentration, de la grippe espagnole qui tue entre deux et trois fois plus que la guerre de 14, de l'explosion du cancer, de l'apparition du sida, de la dépression de 29 – qui n'est peut-être que le symptôme économique de la grande dépression d'un Occident trop riche soigné par le Dr Freud –, du chômage, de la bombe nucléaire, de l'ombre du clonage et des manipulations génétiques. Entre cent et cent cinquante millions de morts par violence, la possibilité – pour la première fois dans l'histoire du monde – d'une fin de l'humanité, la menace d'un règne du virtuel et de l'artificiel aux dépens de l'image que nous nous faisons des hommes.

Il n'est pas question de nier ni de déprécier les progrès foudroyants d'une science qui constitue la marque propre du siècle qui vient de s'écouler. Mais, par un retournement diabolique, la marche même du progrès scientifique suscite désormais autant de craintes que d'espoirs. L'origine du désenchantement peut être fixée avec précision. L'histoire est coutumière de ce genre de révolution. La suprématie de Venise en Méditerranée, par exemple, est frappée à mort en ce petit matin du vendredi 12 octobre 1492 où, du haut de son mât, après tant d'épreuves et de découragement, un marin de Christophe Colomb peut enfin crier : « Terre ! » Dès cet instant, Venise décline. Oh ! il y aura encore de beaux jours, des carnavals, des régates et des fêtes somptueuses. Mais déjà l'Atlantique l'emporte sur la Méditerranée. Le 28 juin 1914, au fin fond de la Bosnie-Herzégovine, le pistolet de Prinzip siffle la fin de la Belle Époque à Vienne, à Londres, à Paris, à Berlin, à Saint-Pétersbourg. La guerre va tout emporter et détruire une Europe où sont déjà nés et Staline et Hitler. Ce jour-là, à Sarajevo, le rire s'étrangle dans la gorge.

Un quart de siècle plus tard, ce désenchantement du monde frappera la France de plein fouet et prendra pour elle le goût amer de la défaite. Encore une date précise : le fatidique mois de mai. Nous sommes tous des enfants de mai – non pas de Mai 68, péripétie psychologique et morale, à la signification ambiguë, un peu gonflée par les médias, mais de mai 40, où s'écroulent en quelques heures une nation millénaire et son bonheur de vivre. La France naît en 843 avec le traité de Verdun. Elle règne presque sans partage, par la démographie – elle est de loin, au XVIIᵉ, la nation la plus peuplée d'Europe –, par les armes, par la langue, par la littérature, par les arts, par le charme et l'esprit, pendant près de trois cents ans – des traités de Westphalie aux chars de Guderian. Grâce au général de Gaulle, nous avons fini par gagner la guerre en 1945. Mais nous avons gagné une guerre que nous avions d'abord perdue. C'est à ce drame que remonte – avec la trahison, le chagrin, la honte, les déchirements affreux entre Français et au sein même des familles – le désenchantement de la France.

« Comment va la France, Môssieur ? – Elle broie du noir, Môssieur. » Voilà plus de soixante ans qu'elle souffre du mal de vivre. Elle ne s'amuse plus beaucoup. Elle grimace. Elle ricane. Fille du chagrin, de l'amertume, d'un malaise, la dérision règne partout : elle a remplacé la gaieté. Il y a eu le Vietnam, l'Algérie, Mai 68, il y a eu la télévision, la pilule, le TGV, Airbus. Après tant de succès et de crises, dans la grogne et dans le progrès, voici enfin, sous nos yeux, la France qui tombe et la France qui s'en va, la France moisie, la France cassée, la France du ras-le-bol et du par-dessus le dos, la France de l'abstention et de la fuite des cerveaux. En face de deux milliards et demi de Chinois et d'Indiens, la France, avec ses soixante millions d'habitants, représente 1 % de la population du globe. Le français recule dans le monde. Nos livres, nos films, nos chansons ne se vendent plus en Amérique. Le porc ou le lait rapportent moins qu'ils ne coûtent. Nos impôts sont trop lourds, nos écoles battent de l'aile, nos hôpitaux étouffent, nos dettes deviennent écrasantes, notre avenir est une menace suspendue sur nos têtes. Au moment même où les Chinois, les Indiens, tous les déshérités de la Terre se disent que leurs enfants vont enfin vivre mieux qu'eux, nous commençons à nous demander si nos enfants pourront vivre aussi bien que nous avons vécu. Mon Dieu !...

Nous sommes devenus grognons. Au milieu de tant de décombres, virtuels ou réels, annoncés ou déjà présents, un fantôme hante l'Europe. Ce n'est plus l'armée allemande. Ce n'est plus l'armée Rouge. Ce n'est plus le communisme. Ce n'est plus la dictature. Ce n'est plus l'inflation. C'est le chômage. Il mine la nation, ses valeurs, son moral. Il répand la misère. On peut rire devant le danger. On ne peut pas rire devant la misère ni devant l'absence de travail. Le chômage est le premier motif, et le plus sérieux, de la mélancolie française. Il y en a d'autres. On dirait que, comme tous ceux qui ont été trop gâtés par la nature et par la chance, nous nous détournons peu à peu de nous-mêmes. Fatigués d'avoir tant plu et d'avoir fait régner à travers le monde la littérature et l'art français, nous chantons en anglais, nous nous nourrissons à la chinoise, nous philosophons en bouddhistes. Beaucoup ont longtemps bêlé le bonheur d'être russes, les autres nous cassent les oreilles avec le rêve américain. On finit par raser les murs à l'idée d'être français. De furtifs sondages, des rumeurs convergentes semblent indiquer que d'autres, qui le croirait ? font mieux l'amour que nous. Qu'est-ce que vous dites de ça ? Du coup – on le serait à moins –, nous sommes devenus grognons. Nous nous acharnons à donner raison au mot cruel de Cocteau : « Un Français, c'est un Italien de mauvaise humeur. » Notre belle confiance et notre gaieté proverbiale se sont évaporées.

Nous avons renoncé au bonheur d'être français. Ce qui manque, chacun le sait, c'est l'espérance. Ce qui règne, c'est la peur. La peur de ne plus être les meilleurs, de ne plus être les premiers, de descendre la pente et de tomber dans le déclin. La peur de manquer de travail et d'appartenir a une nation qui a sa gloire derrière elle, et peut-être son avenir. La peur de voir demain être infidèle à hier. Du coup, nous nous réfugions derrière l'équivalent moral (en miniature bien sûr) d'une ligne Maginot, d'un mur de Berlin, de cette barrière de sécurité tant reprochée à Sharon : l'exception française. L'exception française, qui a tant agité, il y a quelques années, les intellectuels et les médias, n'est que l'expression de notre peur et de notre désespoir. Cette peur est-elle justifiée ? Disons les choses en gros : après les Trente Glorieuses, chantées par Jean Fourastié, où le théâtre, le cinéma, l'art en général, la littérature plantaient déjà, au sein d'une prospérité exceptionnelle, un décor de misère, les années de la crise, du premier choc pétrolier à l'après-11 Septembre, nous ont plongés plus bas encore dans la morosité. Toutes les études récentes, dont celle de Jacques Marseille[1], montrent pourtant que, même au cours de ces trente dernières années si difficiles, le PIB par habitant a presque doublé, le patrimoine moyen a triplé, le taux de mortalité infantile a été divisé par quatre, la durée hebdomadaire du travail a baissé et le nombre de bacheliers par âge a triplé. Nous sommes, qui en doute ? parmi les privilégiés de la planète. Ces constatations ne s'opposent pas aux sombres diagnostics d'un Alain Peyrefitte, d'un Jacques Lesourne, d'un Nicolas Baverez, de tant d'autres. Des chemins désastreux et qui mènent à l'abîme ont été longtemps suivis et tentent encore de nous séduire – mais les ressources des Français sont presque inépuisables et l'espérance n'est pas morte. Touchons du bois. Peut-être l'année 2004 marquera-t-elle la sortie d'une période presque aussi dure que la crise de 29 ? Peut-être le chômage a-t-il atteint son point culminant ? Il n'y a pas de tâche plus importante que d'accompagner cette sortie de crise, de redonner aux Français une confiance en l'avenir si longtemps bafouée et de leur rendre l'espérance. Les choses changent, le monde change, l'Europe change, la

---

1. Jacques Marseille, *La Guerre des deux France, celle qui avance et celle qui freine*, Paris, Plon, 2004.

356

France change. Changer est toujours difficile. Surtout pour nous. Au point que la double tentation contradictoire du renoncement et de la révolution n'en finit jamais de menacer nos réformes. Conservateurs dans l'âme et rebelles par vocation, les Français, qui passaient jadis pour si insouciants et si légers, et qui sont maintenant si sombres, ont beaucoup de mal à entrer dans un monde nouveau qu'ils ne cessent de réclamer. Des sentiments opposés se combattent en eux et en chacun de nous. « Quand on vit, comme je le fais, une partie de l'année à l'étranger, écrit Marc Fumaroli, revenir chaque fois en France est à la fois une promesse de bonheur qui me remplit d'impatience et, une fois rapatrié, un recommencement d'angoisse [...]. On a bientôt la respiration oppressée par la nuée d'irritation, de frustration ou de découragement qui émane des cafouillages de la vie publique, de la vie morale et de la vie économique françaises. On me dira qu'un mécontentement aussi âcre est répandu ailleurs, en Europe et en Amérique. Mon expérience me fait répondre : non, pas à ce degré. Les Français me semblent les seuls à avoir mal à leur société tout entière, ils souffrent d'un rhumatisme du lien social d'autant plus pénible qu'il affecte l'ensemble d'un organisme sain et qui ne demande qu'à se lever et marcher. » C'est vrai : nous avons commis beaucoup d'erreurs et notre situation n'est pas brillante. Il suffit d'allumer sa télévision, sa radio, son journal, d'écouter son voisin, de regarder autour de soi pour souffrir et pour enrager. Mais il suffit aussi de mettre le nez hors de chez nous pour nous convaincre que la France, ce n'est pas plus mal qu'ailleurs et que nous avons bien de la chance de vivre quelque part entre la Bretagne et l'Alsace, entre les Flandres et la Provence, avec la Corse pour appendice. Et de pouvoir lire dans le texte la mélancolie bourgeoise de Mme Bovary, les fureurs populaires de Rousseau, de Hugo, de Zola, de Céline et les chagrins d'Andromaque, de Bérénice ou de Phèdre. La France est atteinte d'une maladie de langueur, et, quand nous l'avons quittée, nous ne rêvons que d'y revenir. S'il y a un endroit sur cette planète où il est encore possible de vivre, non pas sans doute comme coqs en pâte ni comme anges au paradis, mais enfin sans trop de honte ni de ridicule, c'est peut-être bien chez nous. Nous ne nous aimons plus beaucoup, mais le monde nous envie toujours.

Nous ne sommes plus fiers d'être français, mais beaucoup d'autres seraient heureux d'être à notre place. Depuis un peu plus de mille ans, à travers guerres civiles et guerres de religion, parmi les guillotines et les tribunaux d'exception, malgré les querelles de famille sur les avantages acquis ou les accents circonflexes – vous souvenez-vous encore de l'inénarrable bataille de l'orthographe ? –, dans les délires et les mystifications, nous avons fini par mettre au point quelque chose d'assez rare dans le monde d'aujourd'hui : une sorte d'art de vivre fondé sur la tolérance et où les legs d'un passé qui en remontre à tout le monde ne se mêlent pas trop mal aux espérances de l'avenir. « Comment va la France, Môssieur ? – Pas très fort, Môssieur. Mais, vous savez. ., c'est la France. » C'est-à-dire qu'elle a de l'imagination, du talent, du courage à revendre et qu'il lui reste encore, malgré tout, en dépit de tant d'épreuves, un peu de son ancienne gaieté et de son goût du bonheur.

Le Figaro, 28 février 2004

Fidèles au passé, confiants dans l'avenir

Longtemps, être français a consisté à être fidèle. À une famille, à une terre, à un paysage, à un passé, à un homme. Aux Capétiens, à l'Île-de-France, à nos morts et à nos héros, à saint Louis, à Jeanne d'Arc, à la Déclaration des droits de l'homme, à la Nation, à l'Empereur. Les traîtres étaient ceux qui n'étaient pas fidèles et qui, oublieux de ce qu'ils étaient et de leurs obligations, se mettaient au service des princes étrangers, comme ce connétable de Bourbon passé à Charles Quint et à qui Bayard faisait honte en mourant. Les portes de leurs palais étaient peintes en jaune et leurs noms étaient voués à la malédiction des générations successives. Être français était un devoir, un bonheur, une gloire. Cette gloire dure jusqu'à Austerlitz, jusqu'à Verdun et au Chemin des Dames, jusqu'à Bir Hakeim. On se faisait tuer pour elle avec beaucoup d'allégresse, comme à Azincourt, à Fontenoy, à Waterloo, à Malakoff ou à Reichshoffen, ce qui était une catastrophe. On était français pour le meilleur et pour le pire, et on admirait les Anglais, qui étaient d'ailleurs perfides et incompréhensibles, pour leur devise merveilleuse : « *Right or wrong, my country.* » Rien n'était plus étranger aux Français du Grand Siècle, du siècle des Lumières, de l'An II, du Grand Empire, de la Belle Époque, que la mauvaise conscience.

Au fil des ans et des régimes, la notion de Français avait évolué. Elle s'était épurée et élargie. Avec les Lumières, les philosophes, la Révolution, elle était devenue plus abstraite. La fidélité à une famille et à une terre s'était changée en fidélité à une idée et à des valeurs. Les citoyens succédaient aux sujets. La Nation remplaçait le Roi. L'Empire, avec Napoléon, faisait la synthèse de la Révolution et du Roi. C'était la Révolution bottée qui s'incarnait en un homme plus autoritaire et plus isolé que ne l'avait jamais été le système monarchique. Pendant des siècles de monarchie, être français avait été une ambition dynastique, provinciale, centripète et rassembleuse. À travers beaucoup de détours et de contradictions, être français devenait une mission républicaine, centrifuge et universelle. Être français était un honneur et un amour qui reposaient sur une valeur qui a disparu presque totalement : le sacrifice. C'était une affaire entendue et qui allait sans dire : on se sacrifiait pour la France. Au-delà de leurs querelles et de leurs oppositions, tous les secteurs de la société communiaient dans cette conviction. Les poilus acceptaient de mourir parce qu'ils étaient français et les classes dites « dirigeantes » ou « possédantes », les vieilles familles entichées de leurs privilèges, les rentiers, les bourgeois enrichis ou avides de s'enrichir acceptaient aussi de mourir parce qu'ils étaient français. Les derniers, sans doute, à répondre à ce portrait étaient ceux qui avaient suivi de Gaulle, sans être sûrs de l'emporter mais parce qu'il fallait sauver ce qui pouvait être sauvé, ceux de la France Libre, les aviateurs de Normandie-Niemen, les résistants de l'intérieur. Au début des années soixante, une formule de J. F. Kennedy traduisait assez bien cette vieille tradition française : « Ne vous demandez pas ce que la nation peut faire pour vous ; demandez-vous ce que vous pouvez faire pour la nation. »

Être français était une dignité qui s'appuyait sur une réalité et sur une espérance : la réalité était dans le passé ; l'espérance dans l'avenir. Nous étions fiers de notre passé, de tout notre passé. « Je suis solidaire de tout, disait Napoléon, de Clovis au Comité de Salut public. » Être français consistait à connaître le passé, à s'en souvenir, à le revendiquer et à s'inscrire dans une histoire. L'école républicaine a joué à cet égard un rôle décisif dans la formation et la préservation d'une conscience nationale. Elle a pris le relais de la soumission religieuse, de l'honneur féodal, de l'enthousiasme révolutionnaire Elle a appris aux enfants qu'elle accueillait sous ses préaux à se connaître comme Français. Être français, c'était être passé entre les mains de ceux qu'on a très bien appelés les hussards noirs de la République et qui se faisaient de leur vocation quasi religieuse au sens originel du terme : « qui relie », l'idée la plus haute et la plus exigeante. Le passé n'était pas seul à soutenir l'édifice de la nation française : il y avait aussi l'avenir. Être français, ce n'était pas seulement être l'héritier d'une tradition : c'était aussi être porteur d'une espérance. Être français n'était pas une rente : c'était un processus, un devoir, une force, un mouvement. Il s'agissait d'abord, à partir d'un territoire minuscule qui se limitait à l'Île-de-France, de regrouper toutes les régions où se querellaient les tribus gauloises et où l'influence de Rome s'était fait largement sentir ; il s'agissait ensuite de faire rayonner, de Descartes à Diderot, de Montesquieu à Hugo, de Lazare Carnot à Zola, les idées des Français. Comment ne pas voir qu'être français était une diversité ? C'était aussi une unité.

Diversité et unité se sont incarnées dans la monarchie, dans la Révolution, dans l'Empire, dans la République. Être français, c'était avoir un peu de l'esprit d'Henri IV, des Mortemart, de Voltaire et des philosophes, de Jean-Jacques Rousseau et de Chateaubriand, de Gavroche qui se fait tuer sur les barricades et du titi parisien qui faisait rire les badauds, du chauffeur de taxi qui épatait les touristes et du mineur polonais qui était devenu plus français que les Français. Il y avait de tout, chez les Français : de l'ironie et du sentiment, du panache à la Cyrano et de la lucidité à la Gide, de la drôlerie et de l'émotion, de la folie et de la raison. La diversité des paysages, diversité des tempéraments, des opinions et des idées est le propre des Français. Mais de cette diversité naissait une unité. On disait : « C'est très français ! » d'une Parisienne élégante. On disait : « C'est très français ! » d'une charge héroïque. On disait : « C'est très français ! »

d'une conversation un peu brillante ou d'un mot réussi. On disait : « C'est très français ! » de Jeanne d'Arc et de Feydeau. Ce qui était français, c'était la mémoire et le souvenir dont s'occupait un Bergson ou un Proust et ce qui était français, c'était l'espérance dont nous parlait Péguy.

Les Français avaient le sentiment d'être des héritiers qui préparaient l'avenir. Avec une histoire qui remontait à nos ancêtres les Gaulois et à Jules César, ils s'y connaissaient en tradition. Et, mieux que personne, avec leur 14 juillet et leur 4 août, avec leurs rois guillotinés ou chassés (et pourtant vénérés), avec leur Comité de Salut public et avec leurs Trois Glorieuses, ils s'y connaissaient en révolution. Les Français savent à merveille concilier les contraires. Vers la fin de leur grande histoire, la tradition et la révolution ont fini par se confondre : la tradition française, c'était la révolution. La révolution pour eux, bien sûr. Et aussi pour les autres. La guerre libératrice et révolutionnaire était chargée de répandre dans l'Europe et dans le monde les idées très françaises de liberté, d'égalité, de vertu républicaine. Alejo Carpentier raconte dans *Le Siècle des Lumières* comment les droits de l'homme arrivaient dans la Caraïbe avec la guillotine. Voilà l'explication des guerres républicaines et des guerres de l'Empire : nous exportions la liberté à la pointe des baïonnettes.

Tout cela aboutit à la formule de Malraux : la France n'est jamais plus grande, la France n'est jamais plus la France que quand elle est la France pour le monde entier. Être français a fini par se confondre avec être universel. Les choses deviennent difficiles. Impossible de parler de la France sans parler de cette vocation à l'universel et sans parler de son Empire. Longtemps, la France s'est confondue avec ses fameuses frontières naturelles. L'empire colonial français, est-ce le couronnement de l'édifice ou le début de la fin ? Comme tout processus, le processus français contient en lui-même les germes de son déclin. Les étapes s'appellent Diên Biên Phu, les Aurès, Évian. La politique est une fidélité et c'est l'art du possible. Qui refuserait de reconnaître aujourd'hui que, dans la douleur, Mendès France a été un grand Français ? Et qui refuserait de reconnaître que le second de Gaulle, celui de la révision déchirante, est aussi grand que le premier, celui de la tradition et de la fidélité ? Être français aujourd'hui est une tâche infinie : il s'agit à la fois d'être fidèle au passé, à sa grandeur, à sa gloire et de préparer un avenir radicalement différent du passé – le siècle écoulé a vu les ruptures les plus fortes de toute l'histoire des hommes – et plus imprévisible que jamais. C'est un sacré défi.

Le Figaro, **10 juillet 2004**

2006

Un culte posthume de la personnalité

Les politiques, les artistes, les écrivains, connaissent souvent après leur mort une période d'obscurité et d'oubli qu'il est convenu d'appeler le purgatoire. François Mitterrand a connu le purgatoire avant sa mort. Comme toutes les fins de règne, la sienne a été difficile, et même cruelle. Dix ans après sa mort, à titre posthume, fleurit autour de lui un véritable culte de la personnalité. Des journaux – *Le Monde*, par exemple – qui l'avaient attaqué assez vivement sur des dérives qui allaient des écoutes téléphoniques aux affaires politico-financières, de son attitude envers la Serbie à la réunification allemande ou à ses hésitations en face des tentatives de démocratisation en URSS, se mettent soudain à lui tresser des couronnes sans épines. Ses liens avec Vichy, ses relations tardives et ambiguës avec la Résistance, ne sont même plus passés sous silence : ils sont considérés avec une indulgente bienveillance. Pas un mot, naturellement, sur l'obscure affaire de l'Observatoire qui l'avait fait considérer comme politiquement éliminé. Sa responsabilité dans la montée du Front national est un motif d'amusement. La croissance du chômage au cours de ses deux mandats est traitée avec pudeur. Les résultats de sa politique économique sont portés sans suite au compte pertes et profits.

Dans un sondage pour *Libération* – bientôt contredit par un autre sondage –, 35 % des Français estiment que François Mitterrand a été le meilleur président de la Ve République contre 30 % pour de Gaulle. Le général de Gaulle a été au pouvoir pendant une douzaine d'années. Avec quatorze ans – coupés, il est vrai, de deux cohabitations –, François Mitterrand bat tous les records de nos cinq Républiques. Sa présidence a duré plus longtemps que le Premier Empire. C'est un atout considérable. Il a surtout été celui qui a installé durablement le socialisme à la tête de l'État. Qu'on le veuille ou non, les trois grands noms du socialisme dans le siècle écoulé auront été Jaurès, Blum et Mitterrand. François Mitterrand a commencé sa carrière politique très à droite et dans un anticommunisme virulent.

Au pouvoir, François Mitterrand restera le président qui, avec le Général, aura le plus fait reculer le parti communiste. L'un et l'autre avaient commencé par associer les communistes au gouvernement avant de les combattre par des moyens opposés. En dépit de ses variations, à travers ombres et lumières, il serait vain de nier que ce cynique qui avait reçu la francisque, ce libertin qui aimait les femmes et les choses de la vie, ce manipulateur hors pair qui avait des rapports difficiles avec la vérité, ait été l'incarnation du socialisme pendant un quart de siècle. Le plus frappant est peut-être que le culte de Mitterrand s'adresse avec évidence plus à l'homme qu'au politique qui faisait passer ses amis avant ses convictions. Un mot de Michel Bouquet, qui n'était pas de ses partisans avant de l'incarner à l'écran, va plus loin que beaucoup de jugements politiques : « Il avait le sens des choses souterraines. » François Mauriac l'avait dépeint comme un Florentin. Derrière ce mot de Florentin s'agitaient des retournements d'alliances, des coups fourrés de cour, des ambiguïtés de toutes sortes, des intrigues et des poignards. Michel Rocard rapporte, dans *Si la gauche savait,* une mise en garde que lui aurait glissée Jacques Chirac au moment de la passation de pouvoir en 1988 : « Méfie-toi de Mitterrand, c'est quand il te sourit qu'il a le poignard le plus près de ton dos. »

Peut-être parce que je l'ai présenté à Lauren Bacall dans une trattoria des Zattere, je le voyais plutôt comme un Vénitien. Avec un penchant manifeste pour la culture, pour tous les charmes de l'existence, pour ces questions métaphysiques qui l'agitèrent tant dans ses dernières années, il avait le génie de la vie. Politiquement, il est impossible de le comparer, même de loin, à de Gaulle qui a été sa référence constante et son adversaire de toujours. De Gaulle est entré vivant dans la légende. Mitterrand survit, mort, comme un héros de roman. Ce n'est pas en vain qu'il aimait les livres. Et, plus que Don Quichotte ou Homère, ces livres très français où les passions du cœur le disputent aux ambitions provinciales. Il connaissait mieux que personne et jusqu'aux détails les plus infimes sa carte électorale, et il s'en amusait. Au-delà de la politique, il triomphait surtout dans les rapports humains. Au premier Conseil des ministres de la première cohabitation, le 22 mars 1988, parmi les gaullistes vainqueurs et médusés, son autorité s'impose avec une froide évidence.

Il aimait les livres. Mais aussi les repas, l'amitié, les bandes de copains, les arbres, son domaine de Latche, les longues promenades dans Paris. Il aimait séduire ses partisans, et peut-être plus encore ses adversaires. Dans tous les témoignages attendris qui bourgeonnent d'un peu partout autour de sa personne, c'est à chaque coup ce charme inouï de l'homme qui l'emporte sur ses vues politiques. Il est permis de soutenir que ce que les Français d'aujourd'hui ont retenu de Mitterrand, c'est beaucoup plus l'individu privé, menteur, bien sûr, mais courageux et d'une habileté confondante, que l'homme d'État qui a précipité le déclin politique et économique de la nation. Il n'est pas exclu que, dans cinquante ou cent ans, Mazarine au foyer dévidant et filant, la mémoire populaire, qui est souvent injuste, ne retienne que deux noms de président de la Vᵉ République : de Gaulle et Mitterrand. Le Vénitien aura gagné, en ce sens, le pari de sa vie.

Ils ne seront pas mis sur le même plan. De Gaulle, qui n'était pas infaillible, aura lutté pour rendre à la France la place qu'elle avait perdue. Remplaçant la grandeur par la séduction, Mitterrand aura cherché à plaire d'abord aux Français. Et, dix ans après sa mort, il y aura réussi. Plaire aux Français, ce n'est pas assurer à coup sûr l'avenir de la France. François Mitterrand aura été un grand européen. C'est son meilleur titre à l'immortalité politique. Sans vouloir faire parler les morts, il aurait sans le moindre doute déploré le résultat du dernier référendum. Il a aussi rendu plus difficile le nécessaire sursaut des Français dans un monde moderne dominé encore par les États-Unis et déjà par la Chine. Il aura plu aux Français en flattant leurs intérêts immédiats aux dépens de leur survie. Dix ans après sa

365

mort, il est au plus haut de sa popularité. Il faudra attendre quelques années encore pour qu'il soit mis à sa vraie place. Elle ne sera pas négligeable. Mais elle dépendra, en fin de compte, de la lumière que, très loin des antipathies partisanes et des engouements nostalgiques, l'histoire impartiale, qui n'est écrite ni par la loi ni par les modes passagères, jettera sur son action.

Le Figaro, 9 janvier 2006

La plus importante bataille présidentielle de la Ve République ?

Monsieur François Hollande, à La Rochelle, a dramatisé avec talent la prochaine élection présidentielle. L'un de nos meilleurs commentateurs politiques, Christophe Barbier, la présente, de son côté, comme « la plus importante de l'histoire de la Ve République, devant celle de 1965, la première, et même celle de 1981 ». L'élection d'un président de la République au suffrage universel direct constitue toujours un événement décisif où se joue une bonne part du destin de la nation. Et on voit bien l'intérêt pour Hollande de mobiliser un PS en charpie. Il est pourtant permis de douter que 2007 fasse oublier 1965, qui a vu la victoire – au deuxième tour seulement – du général de Gaulle, ni 1981, qui a marqué l'accession de la gauche à la magistrature suprême pour une durée de quatorze ans et l'arrivée au pouvoir de ministres communistes qui ne savaient pas encore que leur triomphe était un piège.

Que les temps sont changés ! Le parti communiste, qui a long-temps représenté un quart du pays, se situe aujourd'hui aux environs de 3 %. L'extrême droite et l'extrême gauche, qui se traînaient naguère autour de 1 ou 2 %, rassemblent aujourd'hui près de 25 % du corps électoral. Au milieu, la droite et la gauche parlementaires regroupent trois Français sur quatre. Théoricien de la fameuse « fracture sociale » en 1995, Emmanuel Todd assure que « les deux grands partis n'intéressent plus personne » et pronostique en 2007 « un second tour entre le parti socialiste et le Front national ». Je me sens aussi en désaccord avec Emmanuel Todd qu'avec François Hollande et Christophe Barbier. Que se passe-t-il sous nos yeux ? Une mise en place de l'affrontement qui doit se produire dans huit mois. Bien des choses peuvent surgir en huit mois. Même l'inimaginable est possible. Une extrême prudence est de mise.

Mais, pour l'instant, une situation un peu paradoxale et assez inédite se dessine : la droite est – plus ou moins – unie autour de Nicolas Sarkozy et la gauche est flottante et floue autour de Ségolène Royal, attaquée par les poids lourds. Peut-être est-il permis de soutenir que, très loin de Fabius et de l'extrême gauche, Ségolène Royal droitise le socialisme autour des thèmes de l'ordre, du travail, de la famille. Et que Nicolas Sarkozy, qui chasse d'un côté avec évidence sur les terres du Front national en matière d'immigration, tire de l'autre vers une gauche de type chevènementiste, notamment avec son discours d'Agen qui a provoqué bien des remous. On oserait peut-être aller, dans les circonstances actuelles, jusqu'à prononcer le mot de chiasme : la gauche est un peu à droite, la droite est un peu à gauche. Il n'est pas impossible qu'il s'agisse avec Ségolène d'un rideau de fumée. Et il est probable que les positions socialistes se durciront dans l'avenir. Nous sommes loin, en tout cas, d'un affrontement sans merci du type 1965 ou 1981. La révolution et la lutte des classes ne sont plus à l'ordre du jour. Une réaction violente ou une radicalisation idéologique, pas davantage. Il y a naturellement un risque dans cet apaisement des esprits : celui de renforcer encore des extrêmes toujours prêts à entonner le vieux refrain « blanc bonnet, bonnet blanc ! » Mais, à droite au moins, ce risque paraît mince.

S'il y a quelqu'un qui, pour la première fois, réussit à affaiblir Le Pen et le Front national, c'est bien Nicolas Sarkozy. En dépit de tous les prophètes de malheur, la France est un pays calme dans un monde agité et l'avenir y apparaît plus serein et moins incertain qu'en 1965 ou en 1981. Il n'est pas interdit de découvrir derrière les grandes manoeuvres de la précampagne présidentielle des scènes de comédie. La droite prête souvent à rire, mais la gauche fait très fort en ces lendemains de La Rochelle où elle n'a cessé de jouer à cache-cache avec elle-même. Représentant éminent de l'aile libérale de la social-démocratie, converti à l'extrémisme pour des raisons électorales, M. Laurent Fabius, à la poursuite d'une gauche qui s'obstine à le fuir comme un pestiféré, prend les allures attristées d'un épagneul renvoyé à la niche, de Guignol rossé par le gendarme de l'Histoire. Le duo François Hollande-Ségolène Royal offre la version politique d'un vaudeville de boulevard à la française. La Pologne a ses jumeaux, l'Amérique a ses Clinton avec Hillary qui rêve de succéder à Bill. Nous faisons mieux avec notre couple de prétendants parallèles dont chacun se demande s'il est fait de méfiance ou de complicité, s'il nourrit une rivalité ravageuse ou une tendre sollicitude dissimulée avec soin. Vous souvenez-vous d'Ingrid Bergman et de Cary Grant, dans *Notorious* – en français : *Les Enchaînés*. François et Ségolène sont les Notorious et Les Enchaînés de notre Vᵉ République. Lequel des deux l'emportera sur l'autre ? Dans le rôle du revenant qui ne sait pas s'il doit revenir, la performance émouvante de Lionel Jospin se situerait plutôt dans la lignée de *Fantôme à vendre* ou de *L'Aventure de Mme Muir*, où Rex Harrison était si merveilleusement absent et présent à la fois avant de s'évanouir à jamais.

À La Rochelle, les ruminations justificatives et tournées vers le passé de notre Hamlet socialiste – être ou ne pas être candidat – ont été loin de lever les ambiguïtés, et pour certains les espérances, entretenues par son silence. Sous le chapiteau du Grand Cirque, où se succédaient les numéros des éléphants qui parlent, Ségolène Royal, une fois de plus, a choisi le parti le plus sage, celui qui lui rapporte le plus gros, celui où elle brille de mille feux : elle a souri, et elle s'est tue. L'élection du président de la République n'est pas une plaisanterie. Ce n'est pas non plus un sombre drame derrière lequel couveraient des risques de guerre civile. Il s'agit de choisir dans le calme et avec fermeté la solution la plus capable d'assurer le progrès de la nation et le bonheur des Français. Nous sommes quelques millions en France – y compris des intellectuels et des économistes de gauche – à penser que le projet du parti socialiste et les déclarations contradictoires de ses dirigeants ne constituent pas la plus sûre garantie pour l'avenir. Et ce n'est pas la parade des prétendants de La Rochelle qui risquent de renverser la vapeur. À huit mois de l'échéance, le spectacle du camp de la gauche n'inspire pas une franche confiance. En face, la force principale de ses adversaires est dans leur unité. Ils feraient bien d'y veiller comme à la prunelle de leurs yeux.

Le Figaro, 28 août 2006

Le duel Royal-Sarkozy
est avant tout une bataille
entre deux dissidents

Les Français ont une merveilleuse capacité à étonner le monde en l'irritant. Ils l'ont fasciné un quart de siècle avec de Gaulle. Ils l'ont surpris quatorze ans avec Mitterrand. Au moment où ils ont la réputation de s'éloigner de la politique, voici que la France revient au premier plan avec un duel qui occupe les esprits au-delà même de nos frontières : Ségolène Royal contre Nicolas Sarkozy. Depuis plusieurs mois déjà, l'affrontement Royal-Sarkozy s'est imposé à l'imagination collective. L'argument majeur contre cette configuration était son apparente évidence. Rocard avait été évident. Delors avait été évident. Balladur avait été évident. Surtout en France, ce qui est trop évident se réalise rarement. Et il n'est pas encore sûr que le choc Royal-Sarkozy se produise dans six mois. Tant de choses peuvent arriver dans les semaines qui viennent ! Tant d'obstacles sont encore disposés sur le chemin de nos deux hérauts !

Peu à peu, pourtant, beaucoup de recours sont écartés. Le dernier en date est Lionel Jospin. Le décor semble s'implanter. C'est le sort de Ségolène Royal qui, toutes ces dernières semaines, nous a tous presque exclusivement retenus. Elle occupe tout le terrain. Le psychodrame en six actes – trois actes télévisés, trois actes camouflés et presque clandestins – a tourné autour d'elle et il est en train de s'achever. Il nous aura tenus en haleine. Au point qu'il n'y en aura eu que pour les frères – et la sœur – ennemis du socialisme. Il est permis de se demander si les règles du CSA servent vraiment à quelque chose et si la gauche n'a pas pris, grâce à ses querelles télévisées, une avance formidable dans l'inconscient des Français. À force de silence et de sourires, Ségolène Royal s'est installée sous nos yeux.

Quel est le résultat des courses socialistes ? Les images sont plus fortes que les idées. À la surprise de beaucoup, Ségolène semble en sortir vainqueur. Elle a perdu des points, mais ses adversaires ne l'ont pas vraiment rattrapée. Brillant, intelligent, séduisant, Fabius est hors combat : personne ne croit plus à sa sincérité. Strauss-Kahn a fait des progrès remarquables. Pas assez cependant pour mettre en danger Ségolène Royal, qui reste toujours en tête. En face de Sarkozy, souverain depuis longtemps dans son camp, elle a désormais de bonnes chances de mener le combat au nom des socialistes. La droite aurait tort de s'imaginer que la gauche, du coup, va aller divisée au choc final. Bon gré, mal gré, les socialistes s'uniront derrière leur champion désigné. Il est permis de soutenir qu'à gauche, ce sera l'union après les débats. À droite, pas de débats. Mais pas d'union non plus. On peut le regretter.

Si plusieurs, à gauche, sont encore en mesure d'aspirer à la victoire finale, Nicolas Sarkozy, à droite, est seul à pouvoir y prétendre. Il est, avec une évidence éclatante, le seul, absolument le seul, capable de s'opposer avec une chance de succès au candidat socialiste – et notamment à Ségolène Royal. C'est, en apparence, un avantage considérable. Mais son propre camp ne l'entend pas de cette oreille. Ironiquement sans doute – l'ironie a bon dos –, M. Jean-Louis Debré a adressé ses vœux chaleureux à la candidate socialiste. Le moins qu'on puisse dire est que le Premier ministre et les siens ne se battent pas avec acharnement pour le succès du ministre de l'Intérieur. Et le président de la République laisse planer comme une menace l'hypothèse d'un troisième mandat et d'une cinquième candidature à la magistrature suprême. Le plus grand danger pour une droite française oublieuse de l'enjeu ne vient pas de la gauche : il vient d'elle-même.

Ce qu'il y a de plus intéressant dans le duel qui se dessine entre Ségolène Royal et Nicolas Sarkozy, c'est qu'ils sont, l'un et l'autre, des dissidents de leur propre camp. Chacun d'eux lutte et luttera contre l'autre. Mais chacun d'eux doit d'abord lutter contre les siens. Ouvertement, comme Ségolène. En catimini, comme Nicolas. L'un et l'autre représentent une espèce de rupture à l'égard de leur propre passé. L'un et l'autre sont des marginaux, champions de leur famille, et en délicatesse avec une partie non négligeable de leurs dirigeants. Telles sont les grandes lignes d'un présent en train de se construire.

Que sera l'avenir ? Le duel Ségo-Sarko, qui paraissait improbable parce que trop évident, aura probablement lieu. Les choses sont-elles réglées pour autant ? Loin de là. La bataille reste plus ouverte que jamais. Beaucoup, à gauche surtout, sont convaincus que Ségolène va s'effondrer. Beaucoup, à droite, chacun le constate, ne veulent pas voir triompher Nicolas. Après le doute sur la réalité d'un affrontement Royal-Sarkozy, la mode est à l'hypothèse d'une lutte très équilibrée et à un résultat serré de l'ordre de 50-50. Mais il est très possible que l'un ou l'autre des deux concurrents s'écroule – abattu moins par l'autre que par les siens. Les Français sont attachés à la tradition : ils auront, en 2007, un duel droite-gauche sans concession. Ils veulent, en même temps, du nouveau : ils ont une bonne chance de voir face à face deux marginaux, qui vont parfois jusqu'à s'emprunter leurs thèmes et à marcher sur les mêmes plates-bandes. Dans le contexte actuel, les programmes – et il est permis de le déplorer – semblent désormais moins compter que l'image des concurrents. Les Français ont entendu trop de promesses qui n'ont pas été tenues. Ils n'y croient plus beaucoup. Ils ont besoin de confiance, ils ont soif d'espérance. À droite autant qu'à gauche, l'union sera un élément décisif. Dans chacun des deux camps, la méfiance, la division si chère aux Français, les arrière-pensées meurtrières constituent le pire des handicaps et une prime à l'adversaire.

Le Figaro, 6 novembre 2006

2007

Jean-Marie Le Pen,
trou noir du firmament électoral

Consulté il y a quelques semaines sur la situation des princi-paux candidats au premier tour de l'élection présidentielle, Jacques Chirac aurait répondu qu'il les voyait tous les quatre autour de 20 %. Peut-être inventé, comme tant de rumeurs sou-vent délirantes qui courent Paris ces temps-ci, le pronostic, à quelques jours de l'échéance, ne semble pas si mauvais. À une exception près, et elle est de taille : contrairement aux attentes de beaucoup jusque dans son propre camp, Nicolas Sarkozy reste, depuis de longs mois, plus près de 30 % que de 20 %. Une autre histoire amusait un public de fêtards il y a quelques années. Un puissant de ce monde invite un jeune homme à dîner : « Venez. Il y aura des cigares et une surprise. » La soirée se déroule fort bien – mais sans le moindre cigare. À la fin, n'y tenant plus, le jeune homme murmure : « Vous avez parlé de cigares... » – « J'avais dit, répond l'autre, qu'il y aurait des cigares et une surprise. La surprise est qu'il n'y a pas de cigares. » On nous a tant rebattu les oreilles avec les surprises inséparables de toute campagne électorale que la surprise, cette fois-ci, sera peut-être qu'il n'y aura pas de surprise. Pas de surprise au moins pour le premier de cordée qui n'a jamais cessé d'être le premier de cordée.

On parierait volontiers que Nicolas Sarkozy sera en tête dimanche prochain. Bien autrement douteuse apparaît cette fameuse place de deuxième dont dépend le ticket d'entrée au

372

second tour. Ce qui était évident depuis des mois – trop évident, clamaient certains –, c'était un second tour Ségo-Sarko. La montée de Bayrou a, depuis quelques semaines, semé le trouble à gauche. Il a grimpé en flèche. Et puis, il a marqué le pas. Mais, attaquée sur sa gauche par les six nains de jardin qui peuvent lui arracher quelques points, Ségolène Royal elle-même n'en finit pas de nourrir les angoisses et l'hostilité larvée d'une partie de son camp. Michel Rocard a été le premier à gauche, depuis la désignation de la candidate par le PS, à crier tout haut que la reine était nue. En proposant une alliance dès le premier tour entre François Bayrou et Ségolène Royal, qui n'ont rien d'autre en commun qu'une même ambition présidentielle, il a explicitement reconnu la faiblesse et l'échec prévisible de la candidate socialiste. Son initiative a été aussitôt rejetée par le parti socialiste. Sa reprise sous une forme atténuée par Bernard Kouchner témoigne à la fois du trouble de la gauche et de l'ambiguïté de la position de Bayrou. François Bayrou s'est réjoui peut-être un peu vite du coup de tonnerre rocardien qui faisait bouger les lignes. Ségolène Royal est fragilisée par les doutes successifs de Rocard et de Kouchner. Mais Bayrou lui-même ne sort pas indemne de cet embrouillamini. Tout le monde savait déjà que le programme de Bayrou tient en une phrase unique : être élu président. Comment maintenir désormais la fiction d'un Bayrou à égale distance de la droite et de la gauche ? Chacun le devine maintenant prêt à tous les compromis. S'il n'est pas déjà tombé franchement dans le camp de la gauche, c'est pour la seule et bonne raison que la gauche n'a pas voulu de lui. François Bayrou est devenu le supplétif – et le supplétif tenu à distance – d'une gauche en difficulté. Son ambition présidentielle entraîne ses troupes dans des aventures périlleuses.

Sarkozy toujours en tête, Ségolène Royal et Bayrou freinés dans leur ascension, d'où pourrait donc venir la surprise au soir du 22 avril ? Ni de Marie-George Buffet, ni d'Arlette Laguiller, qui semblent sortir l'une et l'autre à peine vivantes d'une sorte de réserve préhistorique, ni de Gérard Schivardi, qui se présente drôlement, lui, le vieux trotskiste déguisé et honteux, comme « un candidat républicain et laïque, un point c'est tout ». Ni de Frédéric Nihous, ni de Philippe de Villiers. Ni de Dominique

Voynet, puisque tout le monde, à ses dépens, est devenu écologiste, ni de José Bové, empêtré dans ses bourdes. Ni même du jeune et fringant Besancenot, qui est bien le seul à pouvoir espérer approcher des misérables et fatidiques 5 %. L'unique source de surprise possible, c'est du côté de Le Pen qu'il faudrait la chercher. Sera-t-il plus près de 10 % ou plus près de 20 % ? Malgré les sondages en cascade, et malgré tous les fameux « redressements », bien malin qui pourrait le dire avant dimanche prochain. Jean-Marie Le Pen est le trou noir au cœur du firmament électoral. Aux interrogations posées par le couple Bayrou-Royal, séparé avant même d'être uni, répondent, depuis quelques jours, les interrogations sur le couple Le Pen-Sarkozy.

Disons-le aussitôt : tout parallèle est abusif. Les rapports Bayrou-Royal sont des rapports tactiques de compétition et d'alliance dans le style le plus pur de la IVe République. Les rapports entretenus par Sarkozy avec Le Pen sont d'une nature très différente et nous les connaissons déjà : ce sont les rapports qu'entretenait Mitterrand avec le parti communiste pour mieux le réduire, comme la suite l'a montré. Mais le président de l'UMP prend bien moins de risques que l'ancien président de la République : il n'est pas question, pour Sarkozy, d'offrir un poste de ministre à Le Pen. Nicolas Sarkozy n'a rien de commun avec le Front national. Il estime simplement, à juste titre, qu'il est inacceptable de traiter les électeurs du Front national comme des pestiférés et de les enfermer dans un ghetto moral d'où il leur serait interdit de sortir. Il s'inscrit dans la ligne de Laurent Fabius, qui assurait que Le Pen donnait de mauvaises réponses, mais posait de bonnes questions. Son but est de ramener dans la communauté nationale et républicaine les électeurs égarés du Front national. Qui oserait le lui reprocher ? En privé au moins, il n'est plus personne pour refuser l'évidence : le seul dirigeant politique capable aujourd'hui de contenir l'ascension continue du Front national, c'est Nicolas Sarkozy.

Le Figaro, 18 avril 2007

Un président pour rassembler

Ça commence comme un roman. Il vient de loin. « À ceux qui parlent du Mozart de la politique, à ceux qui parlent sans savoir de ma carrière exceptionnelle, fulgurante, facile, où tout m'a souri, écrira plus tard Nicolas Sarkozy, je rappelle que je suis en fait l'ébéniste qui a dû raboter de longues années avant de gagner sa place parmi les meilleurs ouvriers de France. » Le père de sa mère, le docteur Benedict Mallah, est un juif séfarade, débarqué de Salonique. Souvent absent – et c'est une blessure – son père Pal Sarkozy de Nagy-Bocsa est un aristocrate hongrois. Et lui n'est pas énarque. Tout ce qui compte à la tête de l'État est passé par l'ENA. Lui n'est pas du sérail. Mais dès l'âge le plus tendre, la politique s'empare de lui. Ou il s'empare de la politique. En décembre 1976, pour remplacer l'UDR, Chirac crée son parti, le RPR. Pour la première fois, une foule crie : « Chirac, président ! » Un garçon de vingt et un ans est chargé de chauffer la salle sur le thème « Les jeunes pour Chirac ! » : efflanqué, les cheveux longs, c'est Nicolas Sarkozy. Sous la direction de René Rémond, qui vient de nous quitter, le jeune Nicolas, qui a vendu des glaces pour payer ses études d'avocat, prépare une maîtrise en sciences politiques sur le référendum de 1969, le départ du Général et l'ascension de Pompidou : de quoi apprendre déjà à admirer le père et à lui être fidèle, à le tuer ensuite parce que l'histoire ne s'arrête pas.

Bonaparte au pont de Neuilly

L'élection présidentielle s'est jouée en partie sur la personnalité des candidats. Que nous apprennent sur Nicolas Sarkozy les étapes d'une carrière que nous ne retracerons pas ici parce que tout le monde la connaît ? D'abord, qu'il est ambitieux. Il a le complexe de César. Il veut le pouvoir, et il l'aime. En avril 1983 – il a vingt-sept ans – un compagnon de la Libération meurt : c'est Achille Peretti, maire de Neuilly. Au terme d'une campagne menée tambour battant, il prend la mairie dans la poche de Charles Pasqua. C'est Bonaparte au pont de Neuilly.

Dix ans plus tard, en 1993, il veut être porte-parole du gouvernement, avec un grand ministère. Balladur lui propose le ministère de l'Équipement : il refuse. Des relations avec le Parlement : il refuse. De la Culture : il refuse. Il obtient le ministère du Budget et devient porte-parole. Dix ans encore plus tard, le 20 novembre 2003, à une émission fameuse de « 100 minutes pour convaincre », il est interrogé par Alain Duhamel, devant 6,6 millions de téléspectateurs : « Pensez-vous à la présidentielle, le matin en vous rasant ? » Il répond qu'il y pense, « et pas seulement en se rasant ».

À partir de ce jour, Jacques Chirac a un successeur

Cet ambitieux est fidèle, et il est loyal. En 1995, il est pris dans les rets de la bataille entre les « deux amis de trente ans » : Balladur et Chirac. Il souffrira cruellement d'avoir choisi le premier contre le second et il restera attaché et à l'un et à l'autre, comme il était resté attaché à Pasqua après la prise de la mairie de Neuilly. Philippe Séguin, qui avait pris le parti de Chirac, dira de Sarkozy à qui il s'était opposé avec vivacité : « Si je dois résumer aujourd'hui d'un mot ce que je pense de lui, ce mot est loyal. Sarko est un adversaire loyal. » Loyal, et évidemment courageux : l'affaire de la « bombe humaine » dans une école de Neuilly est dans toutes les mémoires. Mais ce qui frappe le plus les Français, et d'abord les téléspectateurs qui ont beaucoup contribué à son ascension, ce sont ses dons d'orateur. Il est clair, brillant, convaincant, et, de ses premières interventions à la télévision jusqu'aux grandes manifestations de masse à la porte de Versailles ou à Bercy, il entraîne les foules qui l'écoutent. Il les entraîne surtout – et c'est une nouveauté – parce qu'il dit ce qu'elles pensent. Et ce qu'il pense. Il est l'adversaire de la langue de bois, il appelle un chat un chat et son activisme lui vaut le surnom de « Speedy Sarko ». Kouchner, les Français l'aiment pour ce qu'il est ; Sarkozy, ils l'aiment pour ce qu'il fait.

Un Gramsci inattendu

Que fait-il ? Il rend à la droite sa dignité perdue. Depuis Vichy, la droite est l'image même de la conscience malheureuse. Elle rase les murs, elle se camoufle, elle a honte d'elle-même et de ce qu'elle est. L'intelligence est à gauche, la bonne conscience est à gauche. Icône d'un socialisme dont il n'est pas issu mais qu'il a incarné, Mitterrand a fini par mener en toute impunité une politique de droite : il pouvait le faire parce qu'il était de gauche. Élu de la droite, Chirac mène en catimini une politique plus radicale-socialiste que gaulliste. Sarkozy s'affiche de droite avec santé, avec provocation. Il s'attire, bien entendu, l'hostilité déclarée de la gauche tout entière, et plus particulièrement de l'intelligence de gauche, déchaînée contre lui et qui n'hésite pas, contre toute évidence, à l'accuser de fascisme et de totalitarisme. M. Cohn-Bendit, tout récemment, a été plus fort encore en le traitant de « bolcheviste ». Il n'en a cure. Il se déclare, avec une ombre de forfanterie, pour les victimes contre les délinquants, pour l'ordre et la sécurité contre les fraudeurs, les casseurs, la racaille, pour de Gaulle et Pompidou contre Mai 1968. La vraie rupture est là. Un vent nouveau commence à se lever. La fameuse majorité silencieuse a trouvé son héraut. Avec son parler rude et ses mots à l'emporte-pièce, il ne fait pas seulement peur au camp adverse : il lui arrive d'inquiéter son propre camp. Il poursuit son chemin sans jamais dévier d'un pouce. Soucieux de ramener à la politique des Français découragés et parfois écœurés qui s'en éloignent de plus en plus. Sarkozy n'a pas l'ambition d'être un intellectuel. À son insu peut-être, son souci de refondation idéologique lui fera pourtant jouer le rôle inattendu d'une espèce imprévue de Gramsci de droite : il devine que ce sont les valeurs et les idées qui font bouger les choses. Et les idées, il en a deux.

Une droite réconciliée

La première est que la droite est faible parce qu'elle est divisée. Elle meurt de ses divisions. Elle a été divisée entre Pompidou et Poher. Elle a été divisée, contre Mitterrand, entre Giscard et Chaban. Elle a surtout été divisée entre Chirac et Giscard, et quatorze ans de socialisme sont sortis de ce drame. Au lendemain de Mitterrand, elle est divisée entre Chirac et Balladur. Voilà qu'elle est divisée entre Chirac et lui-même et, autour de Chirac, entre Villepin et lui-même. Le ton monte. Les mots fusent. Tout le monde se souvient de « Je décide et il exécute » et de la comparaison ébauchée par Sarkozy entre Chirac et Louis XVI. Les relations de Sarkozy sont mauvaises avec le président. Elles sont pires encore avec le Premier ministre. Que se passe-t-il ? Étoile nouvelle et brillante au firmament politique, Villepin se souvient de 1995 et de la bataille entre Chirac et Balladur. À l'époque, tous les sondages donnaient l'élection déjà jouée et Balladur élu. En politique, ce qui arrive le plus souvent, c'est l'imprévisible. Quatre ans, trois ans, deux ans avant l'échéance de 2007, Chirac et Villepin sont persuadés que Sarkozy, parti trop fort et trop tôt, sera un nouveau Balladur. Ils guettent son effondrement inévitable. Il faut donc prévoir des solutions de rechange. Le feu couve sous la cendre. La tempête se lève. Le bateau tangue assez fort. Sarkozy s'accroche, se bat, ne cède jamais et s'obstine à imposer, derrière lui, l'unité d'une droite réconciliée avec elle-même. Et il finira par gagner, après avoir fait, de bout en bout, la course présidentielle en tête. Si l'élection a comporté une surprise – la fameuse surprise tant attendue par beaucoup – c'est celle-là.

Le Front national étouffé

La seconde idée, liée à la première, est que l'unité et le succès d'une droite majoritaire dans le pays sont menacés depuis plus de vingt ans par la sécession de Le Pen et de son Front national. Tout au long des quatorze ans du double mandat socialiste, et au-delà même de ce mandat, Le Pen a été l'atout maître de François Mitterrand et de la gauche. Montée aux environs de 20 %, l'extrême droite, qui plafonnait il y a trente ans au-dessous de 1 %, assurait immanquablement à elle seule la victoire de la gauche. Le premier et le seul, Nicolas Sarkozy s'est proposé d'assécher le Front national et de ramener au bercail de la droite républicaine ses électeurs extrémistes. Il a réussi dans cette tâche et il doit à cette réussite une bonne partie de son élection. Du coup, il a été vilipendé par l'extrême droite dont il détruisait les espérances et traité de plus belle d'extrémiste et de fasciste par une partie de la gauche dont il ruinait le fonds de commerce. Qu'a-t-il fait ? Rien d'autre que ce qu'avait fait Mitterrand avec le parti communiste. Personne n'a traité Mitterrand de communiste sous prétexte qu'il s'était allié avec un PC encore fortement teinté de stalinisme et qu'il avait pris dans son gouvernement des ministres communistes. Nicolas Sarkozy est allé, à droite, beaucoup moins loin que Mitterrand à gauche. Il ne s'est pas allié au Front national. Il ne nommera pas des ministres lepénistes. Il est républicain. Si François Mitterrand a embrassé le parti communiste, c'était pour mieux l'étouffer. Nicolas Sarkozy n'a même pas embrassé Le Pen ni l'extrémisme de droite. Il s'est contenté de les étouffer.

Qu'on le veuille ou non, il restera dans l'histoire comme le président qui aura fait reculer le Front national. Il aura payé assez cher ce succès qui a mis fin à une situation d'où naissait pour la gauche un triomphe presque assuré. Peu d'hommes politiques français auront été insultés comme lui. Une des spécificités françaises était de laisser la vie privée à l'écart de la vie publique. Dans sa vie privée comme dans sa vie publique, Nicolas Sarkozy aura été harcelé et abreuvé de calomnies et d'injures qui ne grandissent pas ceux qui les ont proférées. Les voies de l'histoire sont impénétrables. Il n'est pas exclu que Sarkozy ait été, en fin de compte, plus servi que desservi par tant de coups et de blessures.

Convictions et ouverture

L'élection n'est pas une fin. Elle est plutôt un début. Être élu n'est rien. Il faut maintenant gouverner. Après l'épopée de la conquête du pouvoir, que sera son exercice ? « Trop libéral, trop atlantiste, trop communautariste », répétaient il y a encore quelques mois ses adversaires – et parfois ses amis. Il est permis de penser qu'il y aura au moins autant de surprises après l'élection qu'avant. Nicolas Sarkozy n'est pas du genre à traverser le

Rubicon pour y pêcher à la ligne. Il ne mangera pas son chapeau. Il ne trahira pas ses promesses. Nous entrons dans un temps de convictions, de fermeté, d'autorité. On parierait pourtant volontiers sur une présidence d'ouverture et de rassemblement. Après avoir incarné et unifié la droite, Nicolas Sarkozy cherchera, n'en doutons pas, tout l'indique, à incarner et à unifier la nation. Attachez vos ceintures. Il va y avoir du sport. Il n'est pas impossible qu'il soit là pour dix ans et qu'il marque ce pays d'une empreinte durable.

Le Figaro, 7 mai 2007

2008

Le pouvoir est une énergie

Edgar Morin a traité Nicolas Sarkozy de « stratège de génie ». Devant six cent cinquante journalistes représentant une quarantaine de nations, le président de la République, se démarquant avec éclat de la doctrine de la « parole rare », s'est efforcé, avanthier, pendant deux heures, de ne pas apporter de démenti à cette flatteuse appréciation. Il aime ce genre de débats où il excelle. Il ne craint pas les attaques, il ne s'y dérobe pas, il y réplique avec ardeur. La langue de bois n'est pas son affaire. Par la vivacité de ses réponses, par la cohérence de ses propos, par sa drôlerie aussi, il renoue avec les grandes heures de la République. À l'époque où l'éloquence politique subit une éclipse en France, Nicolas Sarkozy reprend, à sa façon, le fil d'une tradition oubliée. Ce qui frappe, semble-t-il, dans la démarche du président, c'est moins le sens de la manœuvre – qui est sûrement grand chez lui – que la force de la conviction.

Longtemps, le pouvoir a été une sorte de rodéo : une fois monté sur le cheval du pouvoir, il fallait y rester. Ruades, cabrioles, exercices de haute voltige dans le style du Far-West. Le souci de Nicolas Sarkozy paraît moins de se maintenir sur sa monture que de la mener où il veut. La vraie rupture est là : le pouvoir n'est plus une tactique, c'est une énergie. On a beaucoup employé, entre tel ou tel président et tel ou tel Premier ministre, la formule : « Il n'y a pas entre lui et moi l'épaisseur d'une feuille de papier à cigarette. » On dirait volontiers – c'est à la fois un éloge et une critique – qu'il n'y a pas l'épaisseur d'une feuille de papier à cigarette entre Sarkozy et Sarkozy. Il n'y a pas de faille en lui-même. Il colle à son personnage. Il est habité par lui-même. Il ne doute de rien – et de lui moins que de tout le reste. Écoute-t-il les autres ? Je ne sais pas. Il ne flotte pas, en tout cas. Il y a peut-être de l'inquiétude en lui. Il n'en laisse rien paraître. Il n'y a en lui ni hésitation ni hypocrisie. Trop peu, peut-être. Quand il parle de sa vie privée – qui brûlait de toute évidence les lèvres de ses interlocuteurs – ou du traitement du président de la République, les choses apparaissent toutes simples. Il écarte les faux-semblants. Il est comme il est. Il n'y a pas d'astuces subalternes. Il fait ce qu'il veut et on le jugera sur les résultats.

Personne ne peut savoir ce qui se passera dans quatre ans. À l'heure actuelle, il ne pense pas à sa réélection. Il avance, il fonce, il prend des risques. Oui, bien sûr, il prend des risques. Avec lui, on a sans cesse le sentiment qu'il joue, non pas à qui perd gagne, mais à quitte ou double. Il joue le tout pour le tout. Il dit ouvertement ce qu'il croit. Et il semble bien qu'il croie ce qu'il dit. Naturellement, un jour ou l'autre, on lui réclamera des comptes. Il n'a pas l'air de le craindre. Beaucoup se sont demandé où était la « rupture » tant promise. Elle est évidemment d'abord dans le ton, dans l'allure, dans la liberté de manœuvre. L'épisode Bruni et son style sentimental sont une rupture. Aucun des présidents précédents ni surtout le général de Gaulle ne se reconnaîtraient dans la désinvolture affichée de Nicolas Sarkozy. L'affaire du traitement du président est une rupture avec l'opacité passée. Le bateau et l'avion de Bolloré sont une rupture. Le président assume. Il est moderne – à la française. Il n'est ni chafouin ni par en dessous. Il serait plutôt, avec le sourire, vaguement provocateur. Il a été Napoléon au pont de Neuilly. Il est le Cyrano de la vie à grands guides. Loin de la mesquinerie des arrangements obscurs, il a le panache officiel. De Gaulle était une légende vivante. Mitterrand était un personnage de roman qui adorait le secret et une certaine forme de dissimulation. De Gaulle, c'était la France. Une France austère et un peu raide. Mitterrand, c'était le promeneur ambigu du Champ-de-Mars. Nicolas Sarkozy, c'est l'ami moderne de Bolloré, de Bouygues, de Lagardère, de Dassault et le badaud un peu lutin de Disneyland. Il est l'amoureux sérieux d'un top model qui est amoureuse du président. Et alors ? Il ne cache rien. C'est moderne.

Ce moderne est pourtant aussi traditionnel. Son attitude à l'égard de Chavez, de Kadhafi, de Poutine est assez proche du pragmatisme gaullien. Nicolas Sarkozy regarde la réalité en face. Il essaie de changer plutôt les Français que le monde. Il estime – et il n'a pas tort – que la situation dans laquelle il a trouvé la France n'est pas bonne. Il voudrait modifier la situation des Français sur laquelle il peut quelque chose plutôt que la réalité du monde. Le grand problème, aujourd'hui, c'est le pouvoir d'achat. Le président a hérité d'une situation délabrée. Il le dit. Les caisses sont vides. Il le dit. La France est menacée de faillite et les Français, d'appauvrissement. Il le constate et il s'efforce de créer les conditions nécessaires à un redressement. Comment les Français vont-ils prendre cette attitude ? Il est possible qu'ils la déplorent. Il est possible aussi qu'ils l'acceptent. Parce que, eux aussi, ils savent que c'est la réalité. Ils ont un système de santé, de Sécurité sociale, de retraites qui est un des meilleurs du monde. Il n'est pas exclu qu'ils veuillent d'abord le sauver, qu'ils se résignent à soutenir les mesures indispensables à cette fin et qu'ils soient réceptifs aux vérités que leur assène le président qu'ils ont élu. Et qu'ils ont élu pour qu'il agisse.

Le président a été élu sur un programme de droite. Son ambition est évidemment de devenir le président de tous les Français. C'est le sens de la politique d'ouverture – ouverture à gauche, ouverture aux minorités, ouverture aux différences, ouverture à l'intéressement et à la participation – qu'il est en train de mener. Est-ce de la poudre aux yeux ? Ses adversaires en sont persuadés parce que cela les dérange. Ils le crient sur tous les toits. Avec des hésitations par-ci, par-là, la rupture n'est pas un dîner de gala, ses partisans croient le contraire. Qui les départagera ? Les résultats, naturellement. On a beaucoup parlé de cent jours, des trois premiers mois, des six premiers mois. C'est dans deux ou trois ans qu'on pourra se prononcer. Il joue gros, rien de plus clair. Franchement, c'est le moment. La partie sera difficile. Il est peut-être trop tard. Le mal est peut-être trop profond.

Ce qui est sûr, c'est que le monde entier autour de nous est intéressé – amusé, critique, mais intéressé – par ce Français nouveau style qui veut changer la France. Le moins qu'on puisse souhaiter, c'est que la chance lui soit offerte de réussir. Car il est une des dernières cartes qui nous soient encore données. Il n'est pas certain qu'il réussisse. Il est à peu près certain que, s'il ne réussit pas, personne ne réussira. Le spectacle offert par le parti socialiste et la gauche n'est pas encourageant. Les ennemis du président tirent sur lui à boulets rouges, ce qui est leur droit. Contrairement à tout ce qui a été dit et redit, Sarkozy n'est pas un dictateur. Et, grâce à Dieu, il y a encore une opposition en France. Mais ce qu'elle propose est loin d'être convaincant. La routine de gauche, qui a si longtemps échoué, est moins crédible encore que la vive audace présidentielle. Si Sarkozy ne réussit pas, la France ira moins bien. Et les Français, aussi.

Le Figaro, 10 janvier 2008

La rude année de Nicolas Sarkozy

Un an déjà ! Après un été qui prolongeait la griserie d'une campagne triomphale, après un automne en demi-teinte, après un hiver décevant et un printemps de désolation où il a perdu en quelques semaines une vingtaine de points de popularité, Nicolas Sarkozy pourrait reprendre à son compte la formule d'Élisabeth d'Angleterre en 1992, quand les princes divorçaient et que le château brûlait : « *Annus horribilis* ». Après quatre années d'ascension sans une faute, trois séries d'événements ont contribué à ce retournement digne d'une tragédie grecque avec fureur des dieux contre le succès des hommes. Nicolas Sarkozy est responsable des deux premières, la troisième est à sa décharge.

La vie privée, le style, la manière d'être. Yachts, Rolex et Ray Ban. Tout ce qui a été ramassé sous l'étiquette meurtrière de « bling-bling ». Portrait paradoxal d'un président fulgurant en fashion victim. Dans le domaine privé au moins, la modernisation n'a pas marché. Chez ce réformateur plus intelligent que les autres, il n'y avait pas assez de cassoulet, d'hypocrisie, de bedaine. Pas assez de culture traditionnelle et de radical-socialisme à la

Édouard Herriot. Au sommet du pouvoir, il est risqué de vouloir être heureux et de le faire savoir.

Les ratés incompréhensibles de la machine du gouvernement. Les lunettes, les familles nombreuses, la mairie de Neuilly, le souvenir des enfants juifs, les OGM, les sectes, la Villa Médicis. Les querelles subalternes au sein de l'exécutif. Les allers et retours et le rattrapage permanent de gaffes de débutant. Une prolifération de comités et de conseillers auliques en train de se tirer dans les pattes.

Le président n'a pas de chance. La baraka – encore les dieux – s'est changée en scoumoune. La crise financière. Le prix du pétrole. La récession en Amérique. La baisse du taux de croissance. Le dollar trop bas et l'euro trop élevé. Tout ce qui échappe au pouvoir de l'État et s'impose à lui du dehors. Réformer est toujours difficile, surtout en France. Réformer dans un contexte économique défavorable est une tâche infernale. N'importe qui, dans la situation du président, se heurterait aux mêmes problèmes. Dans cette triple tempête existentielle, politique, économique, les esprits se déchaînent. On dirait qu'ils se vengent, après coup, auprès du président qu'ils ont élu de leur soutien massif au candidat triomphant. Au taux de participation record et à la majorité substantielle succèdent les abîmes de l'impopularité. Ce sont les montagnes russes de la politique militante.

Les livres sur Sarkozy envahissent les librairies – le moins qu'on puisse dire est qu'ils sont rarement élogieux. Le brûlot de François Léotard, *Ça va mal finir*[1], caracole en tête des meilleures ventes. À gauche, Laurent Joffrin, l'homme de « La Gauche » en voie de disparition et de « La Gauche » retrouvée, de « La Gauche » caviar et de « La Gauche » bécassine, n'y va pas avec le dos de la cuillère. Dans *Le Roi est nu*[2], toujours avec intelligence et avec une espèce de modération implacable, il attaque au canon. Sur l'usage des médias, sur l'argent, sur le retour de la religion, sur les réformes. Une de ses thèses, que je ne partage pas et qu'il avait déjà soutenue dans une récente

---

1. Paris, Grasset, 2008.
2. Paris, Robert Laffont, 2008.

et fameuse conférence de presse présidentielle, est que Sarkozy incarne à l'Élysée une restauration monarchique déguisée. Sur la forme, il voudrait que le président passe de la Rolex à la Swatch et qu'il se sépare de son portable. Sur le fond, il souhaite un retour aux institutions républicaines. Je me demande, mon cher Laurent, si elles sont aussi menacées que vous le dites. Élevé dans la vive lumière de l'impressionnisme, biographe brillant de Morny et de Bernis, défenseur d'Omar et des prostituées, bon connaisseur de Drieu acculé au suicide et séducteur comme lui, Jean-Marie Rouart poursuit avec *Devoir d'insolence*[1] le chemin politique où le romancier des sentiments s'était avancé avec *Mes Fauves*[2]. Les hommes et les femmes politiques, il les traite en romancier. Il retrouve en Sarkozy plus d'un trait de Giscard : le désir de plaire, l'activisme débordant, le goût de la réforme et de la modernité. Joffrin voit dans le président un monarque déguisé. Rouart lui adresserait volontiers le reproche juste inverse : la dévaluation du geste présidentiel : « Hanté par le spectre de Chirac et de son inaction, il risque, en ouvrant trop de chantiers en même temps et en s'exposant pour un oui ou pour un non, pour des causes vraiment secondaires, de banaliser une fonction qui, quoi qu'on en dise, garde un caractère magique, sacramentel, hérité de la monarchie. »

Trop monarque, Sarkozy ? Ou trop peu ? Attaqué de toutes parts et pour des motifs opposés, aussi maltraité par les uns qu'il avait été adulé par les autres – qui sont d'ailleurs peut-être les mêmes –, sommé de se réformer lui-même avant de réformer le pays, Nicolas Sarkozy, comme Juppé, comme Chirac, comme Jospin battu par Le Pen, comme Villepin, comme Royal, comme Bayrou, tous tombés dans un trou, comme de Gaulle lui-même, incomparable et incomparé, comme presque tous ceux que les Français ont élevés sur un pavois avant de leur jeter des pierres, Nicolas Sarkozy est emporté par la tempête. Il s'en serait bien passé. Et c'est pourtant une chance : c'est seulement dans la tempête que se forgent les hommes d'État. Nous sommes encore quelques-uns en France à penser que Nicolas Sarkozy a

---

1. Paris, Grasset, 2008.
2. Paris, Grasset, 2005

l'étoffe d'un homme d'État. Cette tempête-ci est violente. Tout ce que Sarkozy a réussi est compté pour presque rien. Le chômage a baissé, mais tout le monde maintenant semble s'en soucier comme d'une guigne. L'Europe est remise – modestement – sur les rails, mais personne n'en parle plus. On dirait qu'au terme de sa première année de pouvoir, après tant d'années d'ascension, le seul atout du président est la faiblesse d'une opposition dont les succès considérables camouflent l'indigence et peut-être le déclin. La fameuse réplique est toujours de saison : « Tu sais vaincre, malheureux, mais tu ne sais pas profiter de ta victoire. » Il reste quatre ans sur cinq pour renverser la vapeur La chance de Sarkozy est que la crise est arrivée assez tôt. Il aurait mieux fait de la précéder encore davantage. Il aurait dû, dès le début, promettre de la sueur et des larmes au lieu de promettre aux autres comme à lui-même du bonheur plein la vie. Ce mal-là est fait. Il faut maintenant poursuivre les réformes à la fois dans la crise mondiale et dans l'impopularité nationale. Voilà un vaste programme. C'est le prix à payer pour une place dans l'histoire.

Le Figaro, **23** avril **2008**

2009

Manger son chapeau

Un ami étranger qui revient d'un long séjour au bout du monde m'a demandé à son retour ce qui s'est passé d'important cet été. Je lui ai répondu que Michael Jackson était mort et que le Jamaïquain Usain Bolt avait pulvérisé le record du 100 mètres.

— Ces deux nouvelles-là, me dit-il, sont parvenues jusqu'à moi. Le monde entier connaît les noms de Jackson et de Bolt. Mais je ne sais rien de la France.

J'ai réfléchi quelques instants.

— En France, lui dis-je, Bayrou a choisi la gauche.

— Est-ce important ?, me demanda-t-il.

— Pas très, lui répondis-je. Mais les lignes, comme on dit, sont en train de bouger.

Il a fallu lui expliquer ce qui était en train de bouger.

La défaite du PS et le succès de Cohn-Bendit aux européennes ne lui avaient pas échappé. Je lui ai raconté à grands traits les déboires de Martine Aubry et les efforts des quadragénaires de gauche pour constituer plus ou moins en marge du parti socialiste un front commun contre Nicolas Sarkozy.

2010 est déjà là, et il ne reste que deux ans pour préparer la présidentielle. Le problème de la gauche est qu'elle n'a plus de programme et qu'elle n'a pas encore de leader. Durement concurrencé à l'extrême gauche par Olivier Besancenot, le parti communiste n'existe presque plus. Et la seule chose qui s'est organisée cet été autour du parti socialiste affaibli, c'est une espèce de panique. Valls, Montebourg, Moscovici et les autres ont poussé tour à tour des cris d'alarme. Et Daniel Cohn-Bendit, Vincent Peillon, Robert Hue ont tendu la main au MoDem.

Marielle de Sarnez l'a saisie avec empressement. La collaboratrice la plus proche de François Bayrou est venue dire à Marseille aux militants socialistes de L'Espoir à gauche, l'ancien courant de Ségolène Royal, animé par Vincent Peillon : « Ce qui nous rassemble est plus fort que ce qui nous oppose. Ensemble, pas les uns sans les autres, pas les uns contre les autres. »

— On peut imaginer un nouveau programme commun entre le PC et le PS, également en perte de vitesse, m'a répliqué mon ami. Mais qu'est-ce qui peut bien rassembler les socialistes et les communistes d'un côté et, de l'autre, François Bayrou, catholique et libéral, longtemps marqué à droite, hier encore défenseur du « ni-ni » et du juste milieu ?

— Presque rien, lui dis-je. Et pourtant l'essentiel.

— Et quel est l'essentiel, demanda-t-il.

— L'essentiel est l'hostilité à Sarkozy qui a fait face à la crise et qui remonte dans les sondages. Il n'y a rien de positif et il ne peut rien y avoir de positif dans l'amorce de coalition ébauchée à Marseille. Mais le négatif est très fort. Le seul mot d'ordre est : « Tout sauf Sarkozy. » Et peut-être : « N'importe quoi sauf Sarkozy. »

Mon ami suggéra que toute l'affaire tournait autour de Cohn-Bendit et de son succès récent et inattendu. Le fameux leader manquant, ne serait-ce pas Dany lui-même ?

— En aucun cas, lui dis-je. Cohn-Bendit a formellement exclu sa candidature à la présidentielle. Socialistes et communistes n'en voudraient d'ailleurs à aucun prix. Et le porte-parole officiel du PS, Benoît Hamon, a rejeté expressément toute alliance avec le MoDem tant que celui-ci gardait son « orientation libérale ». Ce qui compte dans la future coalition, ce n'est plus de croire à quelque chose, c'est de faire nombre. Ce n'est plus la qualité, c'est la quantité. Le rôle de Cohn-Bendit, qui a déjà plumé le parti socialiste, est de lui faire maintenant avaler François Bayrou, qui inspire tant de réserves à tant de socialistes. Et François Bayrou se laisse faire avec beaucoup de simplicité.

Mais Cohn-Bendit n'a-t-il pas traité récemment François Bayrou de « minable » ? Et François Bayrou n'a-t-il pas jugé « ignobles » des écrits de Cohn-Bendit ?

— Ah ! mon cher ami, lui dis-je, on voit bien que vous revenez de loin. Fariboles que tout cela ! Vieilles lunes ! Qui peut encore croire à ces opinions d'un autre âge ? Bayrou méprise Cohn-Bendit et Cohn-Bendit ne pense que du mal de Bayrou. Et aux prochaines élections régionales, les communistes, les socialistes, le MoDem et les Verts n'hésiteront pas à se déchirer entre eux. Mais tous n'ont déjà plus en tête que la présidentielle de 2012.

Vous me demandez ce qui a bougé en France. Ce qui a bougé, c'est que les convictions ne jouent presque plus aucun rôle dans les combinaisons électorales. Ce qu'on appelait jadis naïvement les choix politiques s'efface au profit des appétits. Que le MoDem de Bayrou soit désormais prêt à faire front commun avec Cohn-Bendit et avec la gauche communiste et socialiste signifie que les idées n'ont plus la moindre importance dans la vie politique. Pour essayer d'arriver au pouvoir, le parti socialiste et François Bayrou sont prêts, l'un comme l'autre, à manger leur chapeau.

Le Figaro, 27 août 2009

2011

Mitterrand, Sarkozy : l'icône et le réprouvé

Presque simultanément, deux anniversaires opposés sont fêtés ces jours-ci : le 10 mai 1981, avec la neutralité un peu plus qu'affichée de Jacques Chirac, François Mitterrand était élu président de la République ; trois septennats et un quinquennat plus tard, le 6 mai 2007, c'était le tour de Nicolas Sarkozy. Trente ans après son élection, un concert d'éloges célèbre la mémoire de François Mitterrand. Quatre ans après la sienne, Nicolas Sarkozy bat tous les records d'impopularité. L'un est devenu une icône. L'autre est un réprouvé.

Les Français, chacun le sait depuis Jules César, sont difficiles à gouverner. Ils adorent refuser leur confiance à ceux à qui ils l'ont accordée. Ils changent d'avis très vite. De Gaulle a été vénéré et chassé. Giscard, envié et moqué. L'exemple de Chirac touche à la caricature : élu triomphalement en 2002, il est au plus bas cinq ans plus tard, avant de remonter vers les sommets dès qu'il n'est plus dans le coup. Le cas de Sarkozy n'a rien d'exceptionnel. Mais le phénomène, avec lui, prend une allure spectaculaire. Mois après mois, il descend marche sur marche. Rien n'y fait. Il perd des voix. En ce quatrième anniversaire, tous les sondages le donnent éliminé dès le premier tour de la présidentielle. Pourquoi ce triomphe posthume pour François Mitterrand ? Pourquoi ce naufrage annoncé pour Nicolas Sarkozy ?

Première explication, un peu superficielle, inspirée par l'exemple de Chirac : Mitterrand est encensé parce qu'il n'est plus au pouvoir, Sarkozy est attaqué parce qu'il y est encore. Deuxième explication, plus sérieuse : la gauche n'a jamais cessé de faire bloc derrière Mitterrand, alors que la droite a cessé de faire bloc derrière Sarkozy. Ce point réclamerait non pas un article mais un livre entier. Il est permis de soutenir – et l'auteur de ces lignes en sait quelque chose – que Mitterrand, vers la fin, avait pris ses distances à l'égard de la gauche. Mais la gauche n'a jamais cessé de le soutenir. Alors qu'une bonne partie de la droite et du centre droit a déserté Sarkozy, qui devait son élection à l'union sans faille de la droite.

Pourquoi une partie de la droite et du centre droit a-t-elle abandonné Sarkozy, si acclamé à ses débuts ? Il faut aller vite : pour des raisons de comportement et de communication.

Le comportement. On ne fera pas ici la liste des erreurs. Du Fouquet's et du goût pour les yachts à l'exposition permanente de ses sentiments intimes, tout le monde la connaît à force de l'entendre ressasser à longueur de journée. Mitterrand grimpait sur des collines et parlait de sa mort à ceux qui l'entouraient. Sarkozy préfère ce qui brille au silence des couvents. Mitterrand était idéologue, conservateur dans l'âme, dissimulé et mystique. Sarkozy est moderne, spontané, naturel, pragmatique. Si attachés au changement, à la mode, à tout ce qui bouge, les Français préfèrent le conservateur masqué au moderne trop expansif.

La communication. Le comportement, c'est tout simple : les journaux en sont pleins. On se demande de quoi ils parleront quand Nicolas ne sera plus là. La communication, c'est plus compliqué. Et c'est assez étrange. Communiquer était le fort de Sarkozy candidat. C'est le faible de Sarkozy président. On proclame et on répète qu'à la différence de Mitterrand il n'a pas fait grand-chose et qu'il n'a pas tenu ses promesses. C'est le contraire de la vérité. C'est peu de dire que Mitterrand n'a pas tenu ses promesses : il a fait exactement le contraire de ce qu'il avait promis de faire – et tout le monde s'en est trouvé très bien. Le programme sur lequel il s'était engagé, il l'a appliqué jusqu'en 1983. Dès 1983, au bord de l'abîme, il fait machine arrière avec brutalité. Il voulait changer la vie. Il a changé d'avis. Il avait prôné la rupture d'avec le capitalisme : il l'a renforcé avec succès. Aucune réforme d'envergure, sauf deux. L'une était catastrophique : la réduction du temps de travail. L'autre était l'abolition de la peine de mort. Elle allait à rebrousse-poil de la volonté des Français. Et les Français ont été enchantés.

Sarkozy s'est attaqué, comme il l'avait annoncé, aux grands défis de ce temps : le chômage, le niveau de vie, les retraites, la sécurité, la justice, les universités. Avec des succès divers. Avec des échecs et des ratés. Nous n'avons pas la place de parler ici de la sécurité ou de l'enseignement. Il a réglé, contre vents et marées, le problème apparemment insoluble des retraites. C'était un de ces travaux d'Hercule dont aucun de ses prédécesseurs n'avait jamais osé s'occuper. Des voix s'élèvent aujourd'hui dans l'opposition pour lui reprocher de n'avoir pas été assez loin. Que n'aurait-on entendu s'il avait été plus loin ! Sur le chômage, sur le niveau de vie, sur tout le volet économique, il faut avoir le courage d'aller à contre-courant de la vulgate trop souvent récitée : frappée de plein fouet par les vagues successives d'une crise presque sans précédent, la France, sous Sarkozy, s'est plutôt bien défendue. Presque aussi bien que l'Allemagne de Mme Merkel, beaucoup mieux que l'Espagne, dirigée pourtant par un gouvernement honorable et socialiste, que notre opposition a souvent pris pour modèle et dont les résultats sont très loin de valoir les nôtres. Sur le chômage et sur le travail des Français, à propos desquels les socialistes et Mitterrand lui-même avaient reconnu avec découragement qu'ils avaient tout essayé et qu'il n'était pas possible de tout attendre de l'État, Sarkozy a fait mieux que limiter les dégâts. Les chiffres sont là. Il a fait mieux que les autres, mieux que l'Angleterre travailliste, et même mieux que l'Amérique, mais personne n'ose le dire – ou plutôt presque tout le monde s'obstine à le cacher pour des raisons diverses qu'il serait assez facile, mais trop long, d'éclairer.

La France n'est pas seulement une affaire de revenus. Elle offre aussi une image au monde qui la regarde et qui l'a si longtemps considérée comme un modèle. Cette image est très loin d'être aussi dégradée qu'on le répète avec une sombre complaisance. François Mitterrand avait été magnifique lors d'un célèbre discours prononcé en Allemagne, au temps de la guerre froide, sur les pacifistes qui étaient à l'Ouest et les missiles qui étaient à l'Est. Il avait été assez faible quand le régime d'Eltsine avait paru menacé. Non seulement sur le front de la crise économique, mais sur celui de la crise de l'Europe, Nicolas Sarkozy a été présent et actif. Il y a quelques semaines à peine, l'opposition dénonçait à grands cris une diplomatie française en déclin accéléré à cause de Sarkozy. La voici, semble-t-il, en pleine résurrection, à cause sans doute aussi du même Sarkozy. Sur le plan international, Mitterrand et Sarkozy paraissent faire jeu égal – avec peut-être un léger avantage pour Nicolas Sarkozy, flanqué de Fillon, de Juppé, de Mme Lagarde, dont la contribution n'est pas mince à l'image de la France.

Tout serait-il donc au mieux dans le meilleur des mondes pour Nicolas Sarkozy ? Bien sûr que non. Les fautes ne manquent pas. Le catalogue serait long de tout ce qui devrait encore être repris en main. Mais le tableau si noir et inlassablement reproduit, le plus souvent d'avance, d'un Sarkozy ridicule qui aurait tout raté est aussi absurde que celui d'un Mitterrand qui aurait tout réussi. Mitterrand a régné quatorze ans à la tête de ce régime qu'il avait descendu en flammes avant de s'en accommoder mieux que personne. Sarkozy est au pouvoir depuis quatre ans. L'un et l'autre sont la proie de passions violentes et opposées. Le jugement de l'histoire n'est pas encore tombé. Il a été question dans ces lignes de comportement et de communication. Dans le cas de Mitterrand, l'un et l'autre ont été des succès – parfois paradoxaux. Dans le cas de Sarkozy, l'un et l'autre laissent à désirer – en dépit d'un bilan moins sombre qu'on ne le répète. Que n'aurait-on dit si un suicide aussi retentissant que celui qui s'est produit dans l'Élysée de Mitterrand s'était produit dans l'Élysée de Sarkozy ? Que n'aurait-on dit si le corps d'un Premier ministre de Sarkozy avait été retrouvé avec une ou deux balles dans la tête comme a été retrouvé le corps d'un Premier ministre de Mitterrand ? Que n'aurait-on dit si une relation un peu gênante de Sarkozy avait été assassinée comme l'a été une relation un peu gênante de Mitterrand ? Entre Mitterrand et Sarkozy, tout est bénédiction pour le premier, tout est enfer pour le second.

Reste un point mineur, mais non dépourvu d'importance. Entre comportement et communication il y a un moyen terme : l'expression. Les Français aiment leur langue. François Mitterrand, l'icône, s'exprimait à merveille. Avec un art consommé. Il faisait honneur à la syntaxe française. La façon de s'exprimer de Sarkozy, si vif, si intelligent et souvent imprudent et relâché, est l'objet de tous les sarcasmes. Grand communicateur dans la campagne, Sarkozy est, au gouvernement, un piètre communicant. La noblesse, la dignité, l'allure sont du côté de Mitterrand. Mais une ombre de méfiance n'en finit pas de rôder. Les ennemis de Mitterrand, et quelques-uns de ses amis, s'accordent sur sa grande capacité de dissimulation. Les amis de Sarkozy, et quelques-uns de ses adversaires, seraient plutôt portés à voir dans le réprouvé quelqu'un de sympathique et de bonne volonté. Mitterrand est impénétrable, secret, toujours maître de lui. Sarkozy est gai, naturel, spontané jusqu'à l'emportement. On choisirait le premier pour la conversation, le second pour la chasse au tigre.

Le Figaro, 6 mai 2011

Triomphe et tombeau
de François Hollande

Il n'est pas sûr, il est peut-être même improbable, au vu des sondages d'aujourd'hui, que Nicolas Sarkozy soit réélu dans six mois pour un second et dernier mandat. Les mesures de rigueur annoncées par François Fillon ne sont pas accueillies – c'est le moins que l'on puisse dire – par un enthousiasme excessif. Mme Le Pen à l'extrême droite, M. Bayrou au Centre, Mme Aubry à gauche, M. Mélenchon à la gauche de la gauche se déchaînent contre elles. Les syndicats les condamnent. Une bonne partie de la droite modérée elle-même ne peut pas se résoudre à se prononcer en faveur d'un président qui, à ses yeux, a avili et compromis ses fonctions par son comportement. La victoire de François Hollande est à peu près acquise, et elle risque d'être éclatante. Le moment est idéal pour se déclarer sarkozyste.

La question n'est pas de savoir qui l'emportera en mai 2012. On a longtemps été convaincu dur comme fer que ce serait M. Strauss-Kahn. On a pu croire que ce serait Mme Aubry. On a même pu imaginer que, par un coup du sort, ce serait Mme Le Pen. Il n'est pas tout à fait exclu que M. Bayrou, M. Mélenchon,

M. Montebourg se soient monté le bourrichon jusqu'à se persuader de leur chance de l'emporter. Tout sauf Sarkozy. N'importe qui sauf Sarkozy. Ce sera M. Hollande.

François Hollande est un parfait honnête homme. Il est intelligent, charmant, cultivé, et même spirituel. Il y a chez cet homme-là un mélange de doux rêveur et de professeur Nimbus égaré dans la politique qui le rend sympathique. Il est mondialement connu en Corrèze. Ce n'est pas lui qui irait courir les établissements de luxe sur les Champs-Élysées, ni les suites des grands hôtels à New York ou à Lille, ni les yachts des milliardaires. Il ferait, je le dis sans affectation et sans crainte, un excellent président de la IVe République. Ou plutôt de la IIIe. Par temps calme et sans nuages. Il n'est jamais trop bas. Mais pas non plus trop haut. C'est une espèce d'entre-deux : un pis-aller historique. Ce n'est pas Mitterrand : ce serait plutôt Guy Mollet. Ce n'est pas Jaurès ni Léon Blum : c'est Albert Lebrun. Ce n'est pas Clemenceau : c'est Deschanel. Il parle un joli français. Et sa syntaxe est impeccable. On pourrait peut-être l'élire à l'Académie française. Ce serait très bien. Mais en aucun cas à la tête de la Ve République, par gros temps et avis de tempête. C'est vrai : Sarkozy en a trop fait. Hollande, c'est l'inverse. Car n'avoir rien fait est un immense avantage, mais il ne faut pas en abuser.

Il n'est pas exclu, il est même possible ou plus que possible, que M. Hollande soit élu en mai prochain président de la République. C'est qu'à eux deux, M. Hollande et le PS, qui sont assez loin d'être d'accord entre eux – je ne parle même pas de M. Mélenchon ni de Mme Joly dont ils ont absolument besoin pour gagner et dont les idées sont radicalement opposées à celles de M. Hollande –, ont des arguments de poids : la retraite à soixante ans (quand la durée de vie ne cesse de s'allonger), 60 000 nouveaux fonctionnaires (quand il s'agit surtout de réduire les dépenses publiques), 30 % de baisse sur les traitements du président et des ministres (même M. Jean-Marie Le Pen, de glorieuse mémoire, n'a jamais osé aller aussi loin dans le populisme et la démagogie). Avec des atouts comme ceux-là, on a de bonnes chances de gagner.

Aussi n'est-ce pas dans la perspective de l'élection de 2012 que je me situe. C'est avec le souci du jugement de l'histoire.

M. Sarkozy, autant le reconnaître, a fait pas mal d'erreurs. À voir comment se présente la campagne d'un parti socialiste qui semble n'avoir pas appris grand-chose des leçons de son temps, ce sera bien pire avec lui qu'avec M. Sarkozy.

Les déclarations d'intention ne valent rien. Il faut des exemples vivants. M. Zapatero, en Espagne, est un homme plus qu'estimable. Il est socialiste. Le chômage en Espagne est plus du double du nôtre. M. Papandréou en Grèce est socialiste. Est-ce le sort de la Grèce que nous souhaitons pour la France ? M. Sarkozy a été plus attaqué, plus vilipendé, plus traîné dans la boue qu'aucun dirigeant depuis de longues années. Il a pourtant maintenu le pays hors de l'eau au cours d'une des pires crises que nous ayons jamais connues. Il n'est même pas impossible que Mme Merkel et lui aient sauvé l'Europe et l'euro.

Pour affronter le jugement de l'histoire, je choisis le camp, à peu près cohérent, Sarkozy-Fillon-Juppé contre le camp, incohérent jusqu'à l'absurde, Hollande (Hollande président ? On croit rêver, disait Fabius) – Aubry-Joly-Mélenchon.

Bonaparte Premier consul prétendait que le seul crime en politique consistait à avoir des ambitions plus hautes que ses capacités. Je suis sûr que François Hollande lui-même a des cauchemars la nuit à l'idée d'être appelé demain à diriger le pays avec le concours des amis de toutes sortes et étrangement bariolés que lui a réservés le destin.

Je veux bien croire – je n'en suis pas si sûr – que pour 2012 les dés sont déjà jetés, que les handicaps du président sortant sont bien lourds pour être surmontés, que le retard est trop rude pour être rattrapé. J'imagine très bien l'explosion d'enthousiasme sur la place de la Bastille ce soir de mai 2012 où l'élection de M. François Hollande à la magistrature suprême sera enfin annoncée. Je me demande seulement dans quel état sera la France en 2014 ou en 2015.

Le Figaro, 12 novembre 2011

Le principe de précaution est un progrès

FAUX. Les idées reçues pullulent. Elles vont de l'illusion vaniteuse et comique – « Toutes les Anglaises sont rousses… » ou « Les Français sont les meilleurs amants… » – à la franche ignominie – l'antisémitisme ou le racisme anti-Noir ou anti-Arabe, en passant par les lieux communs indéfiniment répétés : « C'était mieux avant… »

Parmi les idées reçues d'origine récente qui empestent notre atmosphère, l'une des plus redoutables me paraît le fameux principe de précaution, cher aux médias et aux politiques.

Je ne crois pas beaucoup aux « leçons de l'Histoire » – qui appartiennent peut-être elles-mêmes au domaine des lieux communs ?… –, mais si elles nous apprennent quelque chose, c'est que le risque fait partie de la vie et qu'il est l'ingrédient des grandes choses et de toute aventure un peu ambitieuse. Ne parlons même pas des conquérants, d'Alexandre, de César, des Grands Moghols, de Napoléon. Ni Christophe Colomb, ni Marco Polo, ni Pasteur, ni Gagarine ou Franck Borman ne se sont laissé arrêter par un souci de précaution.

On s'est beaucoup demandé depuis quelques dizaines d'années si la France était en déclin. Il est permis d'hésiter sur la réponse, mais l'usage fréquent du principe de précaution est le plus sûr moyen d'entraîner ce déclin. Le moins qu'on puisse dire est que les soldats de l'an II et les résistants des années noires n'avaient pas le culte du principe de précaution. On frémit à l'idée que des enfants puissent être élevés – élevés ! c'est-à-dire poussés vers le haut – dans le respect du principe de précaution. Dans la vie privée comme dans la vie publique, j'appellerais volontiers à n'en tenir aucun compte. Roméo et Juliette, Rimbaud, les pilotes d'essai, les skieurs de l'extrême, les mères de famille qui savent ce qu'est le courage, la Légion étrangère, frénétiquement applaudie tous les 14 juillet et qui se souvient de Camerone, toutes les cohortes audacieuses des chercheurs et des artistes nous invitent à le mépriser.

La prudence est une vertu. Le principe de précaution est un frein et une tare. Il y a eu, dans le passé, une bourgeoisie conquérante qui ne s'embarrassait pas de précaution . « Il n'est pas besoin d'espérer pour entreprendre ni de réussir pour persévérer. » Le principe de précaution est la marque d'une bourgeoisie apeurée et frileuse. Ni l'Église, ni la noblesse au temps où ses services la faisaient respecter, ni le peuple dans sa sagesse n'avaient le culte de la précaution.

Poussez à bout le principe de précaution. Vous ne ferez plus aucun sport, vous n'inventerez plus rien, vous ne voyagerez plus, vous aurez du mal à vous nourrir, vous ne prendrez plus aucun risque, vous aurez cessé de vivre et vous vous retrouverez avec sur les bras des tonnes de médicaments inutiles qui auront coûté les yeux de la tête.

Le Figaro Magazine, 21 novembre 2011

2012

Trois paris sur la présidentielle

À deux mois d'un scrutin décisif, le paysage politique se simplifie et s'éclaircit. Longtemps, les électeurs ont pu croire que l'affaire allait se jouer à quatre – Hollande, Sarkozy, Le Pen, Bayrou –, avec un cinquième gaillard en embuscade : Jean-Luc Mélenchon. Les rêves les plus fous sont nés de cette configuration. Marine Le Pen et François Bayrou ont pu croire ou faire semblant de croire qu'un double 21 avril allait assurer l'élimination au premier tour et du candidat socialiste et du candidat UMP et entraîner au second un duel entre le MoDem et le Front national. Plus sérieusement, l'hypothèse d'un simple 21 avril inversé a pu être retenue : élimination de Nicolas Sarkozy au premier tour et confrontation au second entre François Hollande et Marine Le Pen. Ce n'aurait pas été seulement un joli cadeau posthume de François Mitterrand à François Hollande. C'était le schéma idéal pour le candidat socialiste qui a dû se voir, en un éclair, déjà élu d'avance, avec une majorité massive, à la tête de l'État. Toutes ces illusions sont en train de se dissiper. François Bayrou marque le pas et Marine Le Pen a du mal à recueillir ses 500 signatures. Surtout après le retrait de Christine Boutin qui libère sans doute des voix mais aussi des soutiens, on prendrait volontiers un pari, à peine un peu risqué : Mme Le Pen aura ses 500 signatures et elle figurera donc au premier tour.

Si les choses prennent cette tournure, il faudra s'en réjouir. Il serait désastreux pour la démocratie de voir une candidate représentant un électeur sur cinq ou sur six empêchée de se présenter. Mais il semble bien, en cette fin de février, que Marine Le Pen soit assez loin des 20 % des voix espérés. Ce qui mène à un deuxième pari, beaucoup moins hasardeux que le premier : Marine Le Pen, qui sera probablement au premier tour, ne sera sûrement pas au second. Tout semble indiquer que ce second tour se jouera à guichets fermés, entre M. Hollande et M. Sarkozy.

C'est une bonne nouvelle pour M. Hollande. La bipolarisation, un moment contestée, est de retour et le candidat socialiste apparaît, selon ses vœux, comme le meilleur opposant au président sortant. Et les sondages continuent à accorder une avance substantielle à Hollande sur Sarkozy. Mais à cette double bonne nouvelle s'en ajoute aussitôt une moins bonne : un troisième pari, cette fois-ci décisif, s'impose avec très peu de risque : spectaculaire jusqu'à l'entrée en campagne de Nicolas Sarkozy, l'écart entre les deux concurrents ne cessera de se réduire lentement dans les semaines qui viennent.

Qu'est-ce qui autorise l'audace de ce troisième pari ? Un ensemble de sentiments et de faits qui réclameraient des livres entiers plutôt qu'un bref article et qu'étudieront dans l'avenir historiens, sociologues, politologues. Contentons-nous de suggérer ici deux pistes rapides.

La première, du côté de Sarkozy. Pendant des mois et des mois, aucune insulte ne lui a été épargnée. Il a été accusé successivement de légèreté, de bassesse, de concussion, de trahison. Sa moralité et son équilibre mental ont été mis en doute. Largement relayée par la presse et les médias, la chasse au président des riches accusé de tous les maux, ennemi des pauvres, affameur du peuple, a été élevée à la hauteur d'un sport national. Il a été traité de malade, de vendu, de dictateur, de profiteur et parfois d'organisateur du chômage et du malheur des gens. Premier secrétaire de l'honorable parti socialiste, Mme Aubry a établi un parallèle entre l'escroc Madoff et le chef de l'État. Trop, c'est trop. Le reflux était inévitable. Il est même surprenant que l'opposition n'ait pas compris que ses excès offraient à Sarkozy un statut idéal : celui de la victime injustement accablée. Les sondages encore mauvais n'empêchent déjà plus une curiosité toujours croissante pour les faits et gestes du réprouvé.

Sarkozy, même détesté, *intéresse* plus que Hollande De l'intérêt à l'adhésion, il n'y a pas très loin. Et le courage et le talent sont là.

La seconde, du côté de Hollande. Fin. Plutôt charmant, souvent spirituel – ce n'est pas nous qui allons adopter le style ordurier de l'opposition –, François Hollande ne parvient toujours pas à se hisser aux dimensions du destin qui lui est tombé sur le dos. L'habit du président est un peu grand pour lui. Personne n'y peut rien. Il n'est pas taillé pour ça. Les temps sont durs pour lui. Il n'a pas fait grand-chose, mais le peu qu'il a fait est loin d'être encourageant.

Ne parlons même pas de son programme financier, jugé sévèrement par un observateur au-dessus de tous soupçons, Michel Rocard. François Hollande a été trop faible et trop peu déterminé en face de Mme Joly à propos du nucléaire pour prétendre renégocier sur l'Europe avec Mme Merkel. Il ne pèse pas assez lourd en face de Jean-Luc Mélenchon pour avoir la moindre chance de s'imposer en temps de crise en face des autres dirigeants de la planète. Le drame est que, pour vaincre et pour gouverner, il a besoin d'Eva Joly et de Mélenchon qui lui sont, l'une et l'autre, foncièrement hostiles, avant même d'accéder au pouvoir, la coalition des contraires autour d'un chef hésitant, d'un fédérateur incapable de fédérer est déjà condamnée. Hollande président, c'est une promesse de faiblesse.

Le troisième pari, qui risque, au premier abord, de passer pour provocateur, a toutes les chances d'être gagné. La question reste ouverte de savoir si les courbes des sondages, à force de se rapprocher, finiront par s'inverser. Ce sera pour les prochains feuilletons d'une campagne qui s'annonce intéressante et dure. La décision finale n'appartient ni aux politiques, ni aux commentateurs, ni aux sondeurs, ni aux médias. Elle appartient aux Français. Le peuple décidera. Et ce qu'il décidera sera bien.

Le Figaro, 21 février 2012

Présidentielle : la parole et l'action

À un peu plus d'un mois du premier tour de l'élection présidentielle, la bataille se poursuit, comme annoncée, entre les deux principaux concurrents qui se portent coup pour coup. L'écart entre eux s'est réduit, puis, à nouveau, élargi. Le socialiste reste en tête. La semaine qui vient de s'écouler a été rude pour Nicolas Sarkozy, houspillé à Bayonne. Houspillé par qui ? Par des indépendantistes basques auxquels s'étaient imprudemment joints des éléments de la gauche. Un tel incident aurait pu et dû profiter au président sortant. C'est Hollande qui en a profité.

François Hollande a marqué un autre point avec sa proposition impromptue de taxation à 75 % des revenus supérieurs à 1 million d'euros par an. Idéologique et contraire à tous les enseignements de l'économie politique, la mesure, c'est le moins que l'on puisse dire, a surpris les économistes, y compris dans le camp de la gauche. D'autant plus que le candidat socialiste a reconnu lui-même qu'elle ne rapporterait pas grand-chose au trésor écorné de l'État. Approuvée par une majorité de Français, c'est une mesure phare, une sorte de marqueur symbolique : elle est destinée à souligner l'opposition entre le candidat du peuple et le candidat des riches.

Sarkozy, candidat des riches ? C'est le thème central et presque unique de la campagne socialiste. Plus honteuse pour ceux qui s'en servent que pour l'intéressé, l'éternelle ritournelle d'un verre pris dans une boîte trop à la mode et de quelques heures passées sur un bateau trop luxueux, l'exploitation du bouclier fiscal, la dernière trouvaille de l'imposition à 75 %, tout cela tend à une même fin : enfermer Sarkozy dans le rôle de défenseur des riches, imprimer dans les esprits l'image d'un Hollande défenseur des pauvres contre un Sarkozy affameur du peuple. Hollande – il l'a déclaré lui-même – n'aime pas les riches. Sarkozy les aime. Et il aime tellement l'argent qu'il a augmenté de 30 % son propre traitement de président de la République.

Sur ce point de détail, la vérité est qu'avant Sarkozy le budget de l'Élysée était un mystère où les dépenses du président – moins payé que le Premier ministre – se confondaient avec le budget de l'État. Sarkozy a introduit la transparence dans l'affaire. Il a décidé que le salaire du président ne serait plus inférieur à celui du Premier ministre et que, pour la première fois, les comptes de l'Élysée seraient soumis au contrôle de la Cour des comptes. Qui dit mieux ? L'attaquer sur ce point est pure démagogie. Et, mieux encore, calomnie.

Un proverbe chinois assure que quand les riches maigrissent, les pauvres meurent. Hollande est l'ennemi de la richesse. Sarkozy est l'ennemi de la pauvreté. Son propos n'a jamais été de faire des cadeaux aux riches mais d'encourager l'investissement et de créer du travail. Le but du bouclier fiscal était d'empêcher la délocalisation de la richesse française. Hollande s'imagine qu'il enrichira les pauvres en appauvrissant les riches. Sarkozy croit possible de faire monter le niveau de vie de tous grâce aux efforts des entrepreneurs. Pendant cinq ans, malgré la crise et contrairement à ce qui est inlassablement répété, il a travaillé avec acharnement et succès à une hausse – réduite sans doute, mais réelle – du pouvoir d'achat et il a contenu mieux que partout ailleurs en Europe – sauf en Allemagne – la poussée du chômage. Hollande sera très capable de faire très vite à cet égard beaucoup plus mal que lui. Et d'appauvrir les pauvres en même temps que les riches.

Que fait Hollande ? Père Noël débutant qui ne doute pas de lui-même, il promet tout à tout le monde. Ce ne sont que monts et merveilles qui finiront en impôts. Qu'a fait Sarkozy ? Il a abattu plus de travail en cinq ans que ses prédécesseurs en sept, en quatorze ou en douze. Il a tenu le pays à bout de bras dans une crise violente. Il a lutté plus efficacement contre la pauvreté et le chômage que tous les gouvernements de gauche autour de nous – notamment en Grèce ou en Espagne. La différence entre Hollande qui n'a aucun passé sur lequel l'attaquer puisqu'il n'a jamais rien fait et Sarkozy qui a un bilan injustement déprécié, c'est la différence qu'il y a entre le rêve et la réalité, entre la parole et l'action. Hollande n'est que parole. Et Sarkozy est action.

Qu'il y ait eu des erreurs dans l'action de Sarkozy, qui le nierait ? Mais il y a eu aussi des succès. Et ce sont ces succès qui sont inlassablement occultés par la propagande socialiste.

Il n'y a ni erreurs ni succès du côté de Hollande, puisqu'il n'y a rien du tout. Il y a de la parole. Des promesses. Et du vent. Et – pour employer une litote – des contrevérités.

Une de ces contrevérités concerne le mirage d'un État socialiste d'une tolérance exquise opposée à l'État UMP arrogeant et quasi totalitaire. C'est exactement l'inverse de la vérité. On peut reprocher beaucoup de choses à Nicolas Sarkozy mais aucun de ses prédécesseurs n'a fait preuve d'un esprit d'ouverture aussi affirmé que le sien.

Quand il a choisi de faire entrer des socialistes dans ses gouvernements, il a été accusé de débauchage. Il ne s'est pas découragé pour autant. Il a poussé un socialiste dont l'avenir n'était que partiellement prévisible à la présidence du FMI. Il a surtout nommé avec une audace assez stupéfiante des opposants à des postes aussi stratégiques que la présidence de la commission des finances de l'Assemblée nationale ou la présidence de la Cour des comptes. Comment ne pas lui rendre justice ? Comment oser parler de sectarisme ou d'esprit de clan ? Si François Hollande – qui a laissé entendre que les fonctionnaires humiliés au pouvoir actuel devraient être écartés – est élu en mai prochain, la totalité des pouvoirs du pays sera aux mains des socialistes et de la gauche : les conseils généraux, les régions, l'Assemblée nationale, le Sénat, la présidence de la République, le gouvernement, bientôt le Conseil constitutionnel. Pas le moindre contre-pouvoir. Pratiquement, plus d'opposants. Alors, on pourra parler d'étouffement.

La gauche socialiste n'ayant jamais rien entrepris de décisif, notamment en matière de réformes, quand elle était au pouvoir et n'ayant aucun programme capable de résister à un examen un peu sérieux, a pour unique ressource d'attaquer Sarkozy sur sa personne, sur son physique, sur son langage, sur sa façon d'être, et sur ses prétendus échecs. François Hollande, qui n'a jamais donné aucune preuve concrète de sa supériorité, a traité de « fiasco » le bilan du président sortant. Une fois encore, c'est le contraire de la vérité.

La liste des résultats de Nicolas Sarkozy est impressionnante. On en citera ici que quelques-uns pris à peu près au hasard : autonomie des universités, déjà réclamée depuis longtemps par Mendès France, réforme de la magistrature, réunion de la liste des villes de garnison, réforme des retraites, suppression de la taxe professionnelle, tentative de mise en place d'un service minimum lors des grèves du service public, maîtrise de l'immigration, réduction nécessaire et réclamée par l'Europe du nombre des fonctionnaires, instauration du droit au logement, construction en quatre ans de beaucoup plus de logements sociaux qu'entre 1997 et 2001, lutte contre la spéculation, mise en place de la fameuse taxe Tobin sur les transactions financières, tentative d'instaurer la règle d'or de l'équilibre des comptes de la nation...

En politique intérieure, Nicolas Sarkozy a gouverné sans drame majeur, la sécurité et la paix ont été maintenues, le respect des libertés et des opinions a été assuré. En politique extérieure, il a obtenu le respect et le soutien des principaux dirigeants de la planète.

L'élection présidentielle reste plus ouverte que jamais. Il est possible que la parole l'emporte sur l'action et le vent des promesses et du rêve sur la réalité. Quand on rêve, on se réveille. On ne donne pas deux ans, dans cette hypothèse, pour que la masse des Français aujourd'hui abusés se repente demain de son choix. Ce qui est sûr, en tout cas, c'est que, vainqueur ou battu, plein de faiblesse comme tout le monde, responsable de pas mal d'erreurs, reconnu et salué par ses pairs, Nicolas Sarkozy, en dépit de tant d'attaques venues du camp opposé et trop souvent de son propre camp, aura été, dans une crise mondiale qui est loin d'être achevée, quelque chose comme un homme d'État.

Le Figaro, 7 mars 2012

L'injustice faite à Sarkozy

Admiré et adulé par les uns, traîné dans la boue par les autres, le moins qu'on puisse dire de Nicolas Sarkozy est qu'il n'a pas été indifférent aux Français de son temps. Il a été l'homme le plus détesté et le plus attaqué de France, celui que beaucoup ont adoré haïr. Fait, comme toute chose humaine, d'ombres et de lumière, d'échecs et de succès, son bilan a été à peine examiné et discuté. Il a été décrété par ses adversaires « nul » et « dramatique ». Il a été considéré par les socialistes comme un « fiasco ». Il a été condamné d'avance et en bloc, avec hâte et légèreté, par une opposition peu portée à l'objectivité. Plus encore que son action politique, c'est surtout l'homme lui-même qui a été la cible de toutes les moqueries, de tous les sarcasmes, de toutes les calomnies. Il a été traité de « menteur », de « voyou », d'« escroc ». Il a été traîné dans la boue avec plus de violence que les figures les plus exécrées de notre longue histoire. Il a été attaqué de toutes les façons possibles. Sur sa politique, sur son physique, sur sa famille, sur les femmes qu'il aimait, sur sa vie officielle et privée. L'époque est marquée par l'ironie et par la dérision. Mais lui, plus que tout autre, a été la proie des humoristes, des dessinateurs, des animateurs de radio ou de télévision, des conversations dans la rue ou dans les salons parisiens, et d'abord des journalistes et des politiques. On passait tout à François Mitterrand, ses mensonges, ses faux bulletins de santé, ses écoutes téléphoniques, ses fréquentations douteuses, son train de vie et celui de ses proches. Il était si séduisant. On passait tout à Dominique Strauss-Kahn avant la catastrophe finale. Il était si amusant. On n'a jamais rien passé à Nicolas Sarkozy. Par un tour de magie orchestré avec soin, que les historiens, les sociologues, les psychologues étudieront après nous, le travail accompli pendant cinq ans pour faire face à la série de crises qui ont frappé les États-Unis, l'Europe entière et la France a été minoré avec subtilité. Non seulement, grâce à Sarkozy, la France s'en est tirée mieux que tous ses voisins – sauf l'Allemagne - , mais toute une rafale de réformes, dont la plus importante est la réforme des retraites, ont pu être menées à bien. Tout cela a été savamment occulté sous les attaques permanentes contre la personne du président, son caractère et son comportement. Il faut avouer qu'il a donné parfois des verges pour se faire battre. Il est impulsif.

Dans le livre qu'elle lui a consacré, Catherine Nay a trouvé le mot juste : impétueux[1]. Il est terriblement naturel. Il n'est

1. Catherine Nay, *L'Impétueux : tourments, tourmentes, crises et tempêtes*, Paris, Grasset, 2012.

pas dissimulé. Pas assez peut-être. Il n'est pas faux jeton. Pas assez peut-être. Il est plutôt moins menteur que les autres qui lui reprochent tant de mentir. Il dit ce qu'il pense. Et il pense vite. Ce n'est pas un par-en-dessous qui ferait ses coups en douce. Les autres se cachent, se dissimulent, mènent leur vie à la bourgeoise, genre Nana, style 1880. Il étale tout. Il ouvre son cœur et sa vie. Il fait confiance aux autres. Et les autres en abusent. Les Français n'aiment pas l'importance, la suffisance, le pompeux. Il est le contraire de l'importance, de la suffisance, du pompeux. Il est décontracté. Il est moderne. Catastrophe ! Trop décontracté. Trop moderne. Ce n'est pas la gauche, qui lui a toujours été hostile, qui l'a fait tomber en disgrâce dans les sombres années 2008-2009. La droite l'avait pris pour héros. Il l'a choquée. Elle l'a lâché.

L'opposition n'a fait qu'appuyer là où ça faisait mal. Il a parlé aux journalistes, qui en ont fait des gorges chaudes, de Cécilia et de Carla. Cécilia était belle et froide. Elle lui a été redoutable. Elle ne l'entraînait pas toujours sur la bonne voie. S'il est battu le 6 mai, une des stupeurs de l'histoire à venir sera de constater que les racines de son échec ne sont pas à chercher dans la politique qu'il a menée, mais dans les deux heures qu'il a passées à fêter son élection dans une boîte trop élégante, avec des gens trop fortunés et dans les trente-six heures qu'il a passées sur un bateau un peu trop long. C'est assez invraisemblable. Mais les Français sont comme ça. Ils sont gais, charmants, travailleurs, courageux. Ils sont souvent jaloux les uns des autres. Les écrivains sont jaloux des écrivains. Les hommes de science se jalousent entre eux. Les voisins sont jaloux de leurs voisins. Et ils ne détestent pas les dénoncer.

De gauche ou de droite, les hommes politiques en France n'ont jamais cessé de fréquenter les bonnes tables et les grands restaurants qui font aussi partie du patrimoine français. Personne n'a jamais reproché à Mitterrand ou à Strauss-Kahn, peut-être même à Hollande, de s'y rendre régulièrement. Mais, lancée par des journalistes, l'affaire du Fouquet's a été un scandale, un symbole noir, une édition moderne de l'affaire des poisons ou du collier de la reine. La dernière version de l'affaire du Fouquet's consiste à mettre l'accent non plus sur le lieu – c'était trop absurde –, mais sur la compagnie de gens, nous dit-on, du

CAC 40. C'est oublier un peu vite les liens, par exemple, de François Mitterrand avec Pelat, une des grosses fortunes de l'époque, soupçonné en outre de malversations. François Mitterrand était venu à la télévision expliquer aux Français avec beaucoup de talent et des larmes dans la voix à quel point M. Pelat était un homme estimable. Personne ne croit plus d'ailleurs aujourd'hui que l'argent se situe plutôt à droite qu'à gauche. L'argent coule à flots à gauche autant qu'à droite et il serait trop facile d'énumérer des noms.

L'argent ! Le premier reproche qui a été adressé à Nicolas Sarkozy, le plus violent, le plus constant, se situe à la lisière de la politique et de la vie privée : Nicolas Sarkozy est « le président des riches ». Il aurait avec l'argent des liens privilégiés. Mme Joly et quelques autres ont été jusqu'à l'accuser de malhonnêteté. Je crois qu'au milieu de tant de tentations et de compromissions, il est plutôt plus honnête que beaucoup d'autres. Il a voulu redonner sa dignité au travail et il pense qu'une nation moderne a besoin d'entrepreneurs pour assurer la prospérité générale. Mais il est loin d'être de ces hommes de magouilles auxquels, depuis des années, nous avons été habitués. Il a été le premier à introduire à l'Élysée, jusqu'à lui domaine opaque et secret, une Cour des comptes à la tête de laquelle il avait nommé un socialiste. S'il a augmenté le traitement du président, c'est que ses prédécesseurs étaient moins bien traités que le Premier ministre – et compensaient du coup comme ils pouvaient un étrange manque à gagner. Jamais la transparence n'a été mieux établie au sommet de l'État. La décision de Hollande de réduire de 30 % les traitements du président et de ses ministres non seulement ne rapportera rien du tout, mais n'est que poudre aux yeux et pure démagogie. Et que se passera-t-il si l'on découvre que le président gagne moins qu'un haut fonctionnaire ou qu'un dirigeant de société nationale. Drôle de justice !

Après l'impulsivité et l'argent, voici le troisième reproche constamment adressé par ses adversaires au président sortant : il serait vulgaire. Vulgaire dans son langage. Vulgaire dans sa pensée. Vulgaire dans son comportement. Quand un imbécile et un mufle qui ignore les lois de la démocratie refuse de serrer la main du chef de l'État en lui disant quelque chose comme :

« Touche-moi pas ! Tu me salis », il ne peut pas s'empêcher d'éclater. Il lui dit : « Casse-toi, pauvre con ! » Personne ne reproche sa muflerie à un mufle qui injurie la fonction du premier magistrat de la République. Tout le monde tombe sur le président qui ne s'est pas conduit comme il fallait en employant les mots de tous les jours. Les Français sont parfois étranges. François Bayrou flanque une gifle à un jeune voyou qui lui faisait les poches. Ils l'approuvent. Un maire un peu âgé flanque une gifle à de jeunes voyous qui l'insultent. On le traîne en justice et on le condamne. Personne ne prend sa défense. La honte. Lui, parlant comme tout le monde et comme j'aimerais souvent parler à pas mal de gens, engueule un imbécile – et on lui en veut. Ou on fait semblant de lui en vouloir. La grammaire a été, après beaucoup d'autres, un terrain d'attaque privilégié contre le président.

On n'ira pas soutenir que Nicolas Sarkozy est un chevalier blanc dépourvu de défauts. C'est un caractère fort, fait de contrastes, loin de toute hypocrisie, ennemi de la médiocrité. Si ses ennemis le détestent, ses amis lui sont fidèlement attachés. Il est capable de colères. Il est surtout capable de reconnaître ses erreurs et de se corriger. Contrairement à ce que répète sans se lasser l'opposition, il n'a abaissé ni sa fonction ni le pays. Il est très loin de la caricature qu'ont donnée de lui ses adversaires. Personne, même dans l'opposition, ne doute des qualités assez rares de Nicolas Sarkozy. Personne ne doute qu'il soit courageux, actif, intelligent. Il y a déjà assez longtemps, lors d'une affaire de prise d'otages dans une école de Neuilly, il avait payé de sa personne et réglé la question sans effusion de sang. Tout au long de sa carrière, les occasions de mettre à l'épreuve son courage et sa capacité de décision ne lui auront pas manqué.

Il a toujours mené ses campagnes tambour battant. Très éloigné de l'éloquence de la IIIe ou de la IVe République, il est un orateur exceptionnel qui galvanise et entraîne ses auditeurs. Il est bon dans les débats. Il lui arrive de se tromper : il avait choisi Balladur contre Chirac en 1995. Mais il sait dominer la défaite comme il sait dominer la victoire. Il n'y a en lui rien de bas ni de tortueux. Une sorte d'élan plutôt gai.

Avec le courage, un des traits dominants de Nicolas Sarkozy est la tolérance. Emporté parfois, il est toujours extraordinaire-

410

ment tolérant. La fameuse ouverture, tant critiquée et à droite et à gauche, n'a pas été seulement une manœuvre politique. C'était l'expression d'un trait de caractère et d'un souci de compréhension des autres. La tolérance est un des thèmes classiques de la gauche. À beaucoup d'égards et très souvent, Nicolas Sarkozy s'est montré autrement tolérant que son opposition. Moins violent, moins blessant que ceux qui l'accusent de violence. Et infiniment plus tolérant. Il y a fort à parier que le jugement de l'histoire infirmera la violence des jugements négatifs portés par beaucoup contre Sarkozy.

Il a été un bon président. Et peut-être, on ne sait pas encore, on verra ça plus tard, peut-être, par contraste, un grand président. Il n'a pas été seulement le réformateur par excellence d'un système délabré qui, notamment dans le domaine des retraites, se serait écroulé sans lui. Il n'a pas seulement, dans les pires conditions, sauvé à plusieurs reprises l'Europe et l'euro. Il a joué un rôle considérable dans un monde où il a été le pair et l'égal des Obama, des Merkel, des Lula, des dirigeants chinois ou indiens, qui ont assisté avec étonnement au déluge d'insultes adressées à l'un des leurs pour qui ils avaient le plus souvent amitié et estime. Les plus âgés d'entre nous se souviennent encore du couple Adenauer-de Gaulle qui a été à l'origine de l'Europe unie. Après, il y a eu le couple Kohl-Mitterrand. On les revoit encore, ces deux-là, se tenant par la main. L'un grand, l'autre petit. Toutes ces dernières années, le couple Merkel-Sarkozy a évité le pire.

Nicolas Sarkozy a toujours préféré le courage à la popularité. Il a essayé de remettre le travail à l'honneur et de remettre la France au travail. Il a lutté avec succès contre la crise mondiale. Il a réformé ce qu'il était nécessaire de réformer pour éviter l'écroulement. Il n'était pas socialiste. À la tête de la Grèce, il y a eu un socialiste qui s'appelait Papandréou. Ça n'a pas bien tourné. À la tête de l'Espagne, il y avait un socialiste qui était une sorte de mentor et de modèle pour Hollande et les siens et qui s'appelait Zapatero. Ça n'a pas bien tourné non plus. Si Hollande est élu le 6 mai, si un hypoprésident est appelé à succéder à celui que l'opposition a appelé l'hyperprésident, le risque est grand pour la France socialiste de prendre le chemin de l'Espagne et de prendre le chemin de la Grèce. Pour éviter ce sort cruel, il n'y a pas d'autre moyen que de voter demain en masse pour Nicolas Sarkozy.

Le Figaro Magazine, 4 mai 2012

Une France désenchantée

Les Français sont sombres. Ils sont tristes. L'inquiétude les ronge. Presque une espèce d'angoisse en passe de devenir quotidienne. Aujourd'hui leur déplaît. Demain leur paraît pire. L'avenir leur fait peur. Ils n'ont plus d'espérance. Longtemps niée ou au moins sous-estimée par la gauche tant qu'elle était dans l'opposition, la crise prend sa revanche. Elle frappe à coups redoublés. Le chômage est en hausse. L'activité est en baisse. Les impôts sont en hausse. La popularité de la plupart des dirigeants, à commencer par le président, est en baisse. Hollande avait parlé dans sa campagne de réenchanter le pays. On dirait que les Français s'avancent, les yeux bandés, vers une catastrophe inéluctable.

Ils sont désenchantés. Ils sont désenchantés parce qu'en près de cinq mois le président et son équipe qui avaient tant promis n'ont presque rien accompli. Et ce qu'il est permis d'attendre d'eux dans les mois qui viennent est plutôt hypothétique et tout à fait incertain. Le pouvoir a fait le plus facile : il a créé des impôts. Les impôts sont acceptables tant que les gens ont le sentiment qu'ils servent à quelque chose. Ils deviennent insupportables dès que ce sentiment fait défaut. Le gouvernement assure qu'aux sacrifices demandés aux électeurs longtemps flattés, changés soudain en contribuables accablés, répondront des économies dans les services de l'État et des réformes profondes. Mais personne ne voit rien venir. On ne voit même rien s'esquisser. Les actes font cruellement défaut au sommet de l'État. Ils sont remplacés par des mots. Ce qui s'agite au-dessus de nous, c'est un gouvernement de la parole.

Un gouvernement de la parole

François Hollande ne cesse d'illustrer ce règne de la parole. Il est intelligent et habile. Il a été très bon dans ses campagnes électorales. Il semble n'avoir jamais cessé de poursuivre ces campagnes. Il est plutôt un candidat perpétuel, toujours en train de se justifier, qu'un président au pouvoir qui décide et qui tranche. Il donne aux Nations unies sa vision de la planète. Il explique, il rassure, il continue de promettre. Son Premier ministre, de son côté, ne fait pas autre chose à la télévision. Il jongle avec les dizaines de milliards qu'il attend des impôts et qu'il va recueillir grâce aux coupes qui seront effectuées dans les différents ministères. C'est un pouvoir commentateur. Mais, sauf bien sûr les impôts, ce ne sont jamais que promesses, que paroles et que vent.

Le gouvernement, à vrai dire, n'a guère le temps de s'attaquer aux réformes. Il est trop occupé à des combinaisons politiques aux relents électoraux qui réclament toute son énergie. Il n'est pas seulement rongé par la parole. Il est aussi prisonnier des contradictions qui, par un retour en pleine crise aux jeux les plus consternants de la IIIe et de la IVe République, le ligotent et le rendent impuissant.

Un tissu de contradictions

On aurait du mal à énumérer toutes ces contradictions. Au sein déjà du PS, les personnalités et les courants ne cessent de se heurter. Les contradictions sont plus aiguës encore entre socialistes attachés à la croissance et écologistes qui, en secret au moins et souvent en public, lui sont franchement hostiles. Les deux antinomies les plus flagrantes tournent autour du nucléaire et du traité européen. On sait les engagements pris par François Hollande en matière de nucléaire pour s'assurer le soutien des écologistes et des Verts. Quand les Français éberlués ont entendu Arnaud Montebourg, dans le rôle de l'imprécateur au pouvoir, parler de l'avenir de la filière nucléaire, ils ont cru le gouvernement sur le point d'éclater. Mais ces oppositions radicales au sein même du pouvoir ne semblent plus aujourd'hui, dans notre régime nouveau, présenter la moindre importance. Comme n'a aucune conséquence – en dépit des affirmations solennelles d'un Premier ministre qui ose parler de cohérence – l'énormité de la participation au gouvernement de représentants d'un parti qui proclame sans vergogne son opposition au traité européen, fer de lance de François Hollande. Pour reprendre une formule de Cohn-Bendit, le gouvernement ouvertement défié semble non seulement tolérer en son sein mais féliciter de bon cœur ceux qui veulent, avec insolence et cynisme, le beurre, l'argent du beurre et le cul de la fermière par-dessus le marché. Le gouvernement est aujourd'hui une maison divisée contre elle-même. Chacun sait le sort réservé à ce genre de demeure.

Ce qui manque le plus au pouvoir en place, c'est une vision claire de l'avenir. Nous ne savons pas où nous allons. Ou nous le devinons avec effroi. Tout est flou, tout est brouillé. Jusqu'aux relations franco-allemandes, jusqu'à la construction de l'Europe, jusqu'à la place de la France dans le monde. Il n'y a pas l'ombre d'une volonté fortement affirmée dans un gouvernement qui semble naviguer à vue au milieu des récifs.

L'impuissance du pouvoir

François Hollande avait fait de la croissance une clé de sa politique. Cette croissance n'est pas seulement aujourd'hui égale en France à zéro, elle risque fort demain de devenir négative. Rien d'étonnant : elle est gravement menacée d'abord par les convictions d'une partie de l'équipe dirigeante, ensuite et surtout par la politique fiscale du gouvernement. Tout, dans l'action du pouvoir, va contre la croissance qu'il ne cesse de réclamer. Du coup, l'espoir d'un déficit ramené à 3 % du PIB semble un rêve impossible. Comme paraît hors d'atteinte le but fixé par Hollande : inverser en un an – il ne reste plus que sept mois – la courbe du chômage.

Dans le régime économique qui est le nôtre, l'emploi est lié à l'entreprise. Tout a été fait contre les entreprises qui n'ont jamais été l'objet de la moindre reconnaissance dans le programme électoral de la gauche, qui ont été malmenées moralement et financièrement et que le gouvernement essaie aujourd'hui de rattraper avec maladresse. Les plans sociaux vont se succéder. Trouver des repreneurs dans le climat délétère créé par le pouvoir relève du miracle et sans doute de l'illusion. Le gouvernement qui a fait des promesses qu'il ne pourra pas tenir devra se contenter, comme il en a pris l'habitude, de pousser des cris d'orfraie et de verser des larmes de sang. À cet égard, Mélenchon a raison contre Hollande. Le drame est que Mélenchon serait bien pire que Hollande qu'il a soutenu et qu'il combat dans l'ambiguïté. Le risque de Hollande et des siens est de faire le lit de Mélenchon par la parole et l'inaction.

Une fuite en avant

Gouvernement de la parole, tissu de contradictions, image de l'impuissance, le pouvoir a choisi la voie redoutable de la fuite en avant. Le président réclame du temps et demande à être jugé sur ses résultats encore à venir. Il le sera. Qui en doute ? Le Premier ministre traite de défaitistes ceux qui mettent en garde contre l'absence totale, au sommet du pouvoir, de toute vision précise, réaliste, efficace de l'avenir. Il y a la crise, bien sûr, mais il y a aussi sa gestion aberrante, sans courage, sans vérité, qui se confond en fin de compte avec une sorte de vague incantation. À regarder froidement ce qui se prépare sous nos yeux de façon mécanique et quasi irrémédiable, il suffit, hélas ! d'être franchement pessimiste aujourd'hui pour se révéler demain, à coup sûr, bon prophète.

Le Figaro, 4 octobre 2012

Georges Pompidou, un méconnu éblouissant

En dépit de la remarquable biographie que lui a consacrée Éric Roussel il y a quelques années, Georges Pompidou est le plus méconnu des présidents de la Vᵉ République. Le grand public ne retient plus guère de son action que le centre culturel qui porte son nom à Paris. La publication par les soins d'Alain Pompidou et d'Éric Roussel d'un recueil de ses lettres inédites[1] permet de revenir sur un itinéraire éblouissant où les surprises ne manquent pas.

Un fil rouge court à travers cette correspondance où se mêlent vie publique et vie privée et qui s'étend sur près d'un demi-siècle, de 1928 à 1974, année de la mort de Pompidou. À la veille et au début des années trente, Georges Pompidou, né (ça ne s'invente pas) à Montboudif, dans le Cantal, est âgé de quelque vingt ans. Il a un ami intime, Robert Pujol, auquel il écrit lettre sur lettre – et ces relations épistolaires se poursuivront, à un rythme évidemment moins soutenu, jusqu'aux derniers mois de la vie de Pompidou qui était fidèle en amitié.

Dès les écrits de jeunesse se dessinent un caractère et des traits dominants : une intelligence exceptionnelle, une mémoire prodigieuse, une grande curiosité intellectuelle, un vrai bonheur de vivre, l'amour de l'art et de la littérature, du goût pour la politique. Fils d'enseignants, le jeune Pompidou est un lecteur assidu – et d'abord des œuvres classiques. Conscient de ses dons, il a très jeune quelque chose de victorieux. Il est reçu rue d'Ulm, puis à l'agrégation de lettres. La littérature lui paraît hors d'atteinte. La politique l'attire : il est socialiste. Il lui arrive de penser au journalisme et, fugitivement, à l'Inspection des finances.

Au lendemain de la guerre, à sa requête – « Je ne demande rien de brillant ni d'important, mais d'utile […], je n'apporte aucun génie mais de la bonne volonté et, je crois, du bon sens » –, son ami René Brouillet, adjoint de Gaston Palewski, directeur de cabinet du général de Gaulle, l'invite à venir le rejoindre, dans l'ombre du Général, en qualité de chargé de mission. De Gaulle quitte le pouvoir en janvier 1946. Mais il avait eu le temps de remarquer le jeune chargé de mission qu'il fait nommer au Conseil d'État. Au printemps 1948, il le prend avec lui, dans sa

1. Georges Pompidou, *Lettres, notes et portraits, 1928-1974*, témoignage d'Alain Pompidou, préface d'Éric Roussel, Paris, Robert Laffont, 2012.

retraite, comme chef de son cabinet privé. Commence une formidable et émouvante aventure.

Pompidou a de l'admiration pour de Gaulle. Et une profonde affection. Mais il le juge : « Finalement, je retiens dureté, intelligence extraordinaire, mais glacée et orgueil ! » Et encore : « Je suis un peu lassé de la rigueur excessive de Charles… » Il joint à un attachement sans faille un solide esprit d'indépendance. En juin 1953, à propos de la vie politique, il écrit au Général : « Quand, en 1946, vous vous êtes retiré, je m'étais promis de ne plus la mener En 1948, vous m'avez rappelé : je n'ai pas hésité, parce qu'il s'agissait d'être votre collaborateur direct et cela m'apparaissait comme le plus grand honneur qui pût m'échoir et comme une expérience passionnante et enrichissante […]. Mais je suis ivre du désir de m'éloigner de ces jeux […]. C'est pourquoi je me propose de faire un saut provisoire dans les affaires privées. »

Tout est fascinant dans cette lettre. Poussé sans doute par sa femme, Claude, le normalien agrégé de lettres passé par la politique va devenir – provisoirement ?… – directeur général de la banque Rothschild, tout en restant fidèle à de Gaulle et en ne profitant jamais de ses fonctions nouvelles pour faire fortune comme tant d'autres. On imagine le Général, pour dire les choses un peu vite, à la fois étonné et épaté par son collaborateur si plein de talents.

En 1958, de Gaulle, revenu au pouvoir et président du Conseil des ministres, prend Pompidou – qui n'a pas joué un grand rôle dans les événements du printemps 1958 – pour directeur de son cabinet. Georges Pompidou évite tout incident entre le Général et les hautes autorités : René Coty, président de la République, Le Troquer et Monnerville, présidents des Assemblées. Avec Antoine Pinay et Jacques Rueff, il apporte une contribution décisive au redressement économique et financier. En 1959, le jour de son investiture comme président de la République, de Gaulle demande à Pompidou de prendre place à ses côtés dans la voiture à bord de laquelle il descend les Champs-Élysées. Mais à peine le Général est-il installé à l'Élysée que Pompidou le quitte à nouveau et retrouve sa place chez Rothschild. « J'ai donc retrouvé la banque sans enthousiasme, écrit-il à Pujol. […] En tait – je ne le dirai pas à un autre que toi –, le poste que j'occupais avec mon chef de gouvernement pratiquement tout-puissant et qui ne se consacrait qu'aux très grandes questions faisait de moi un véritable Premier ministre. »

Tout au long de la période 1959-1961, Pompidou siège – à titre bénévole et gratuit – au Conseil constitutionnel, mais il n'est plus au centre des affaires comme il l'a été dans la seconde moitié de 1958. Il ne se laisse pourtant pas oublier. L'année 1961 est bien intéressante parce qu'il se livre à trois activités apparemment contradictoires et qui le résument assez bien : il est directeur général de la banque Rothschild ; il lance son *Anthologie de la poésie française* ; et il participe en secret, à Lucerne, en Suisse, à des conversations avec le FLN qui déboucheront sur l'indépendance de l'Algérie. Au cours de l'été 1961, il refuse le poste de ministre des Finances qui lui est proposé : « Croyez bien, écrit-il en juillet à Michel Debré, Premier ministre, que je suis désolé de vous décevoir [...]. Mais je ne puis accepter d'entrer au gouvernement. Ce n'est pas à la légère que j'ai pris ma décision. J'avais été profondément touché et ébranlé par notre conversation. Mais après avoir beaucoup réfléchi et tout examiné autour de moi, j'ai dû constater que les raisons per-sonnelles et familiales qui m'ont jusqu'ici tenu à l'écart de la vie publique sont plus fortes et plus impératives que jamais. » C'est en s'appuyant sur des documents de ce genre qu'est née, à tort ou à raison, la thèse selon laquelle Georges Pompidou se mettait en réserve de la République afin d'accéder, le moment venu, aux plus hautes responsabilités. Au printemps 1962, en effet, de Gaulle le nomme Premier ministre en remplacement de Michel Debré.

Les débuts de Pompidou à l'Assemblée nationale sont diffi-ciles : il n'a pas l'habitude de ce genre d'exercice et le Général et lui partagent une certaine réserve à l'égard des parlemen-taires. « Le Parlement, dit de Gaulle à Pompidou, a beaucoup à attendre de vous. Il n'y a rien à attendre du Parlement. » En même temps, le Général reconnaît que la vie parlementaire « ne manque pas de ragoût ». Il ajoute que s'il n'avait pas été mili-taire, il aurait sans doute – et hélas ! – été parlementaire.

À la confiance témoignée par le Général à son Premier ministre répond la fidélité absolue de Pompidou. Sur l'indépen-dance de l'Algérie, notamment, le Premier ministre partage sans

réserve les vues du président. La fidélité, pourtant, est indisso-
ciable d'une liberté d'esprit totale. Quand, le général Salan
ayant sauvé sa tête à l'issue de son procès, de Gaulle est décidé
à faire exécuter le général Jouhaud, Pompidou lui déclare qu'il
ne peut pas s'associer à une décision qui frappe un subordonné
à la place de son supérieur. « Dans ce cas, tranche de Gaulle,
il faudra me remettre votre démission. » Georges Pompidou
répond simplement : « Bien, mon Général. » De Gaulle cède :
« Entre deux inconvénients, votre démission et la grâce de Jouhaud, j'ai choisi le moindre. » Avec Pompidou à Matignon, le
gaullisme atténuait sa rigueur et prenait une allure gestionnaire.
C'était l'époque des Trente Glorieuses. La croissance s'établissait
à 6 %. À la fin de 1965, de Gaulle est réélu à la présidence de
la République. Et Georges Pompidou est à nouveau nommé Premier ministre. Entre le 15 mars et la fin juillet 1968, aucune
lettre ne figure dans le recueil : le tourbillon des « événements »
a soufflé trop fort sur le pays. Pour différentes raisons bien
connues, les rapports de Gaulle-Pompidou commencent lentement à se tendre. En juillet 1968, après le raz-de-marée aux élections législatives, de Gaulle hésite à renommer Pompidou à
Matignon et Pompidou hésite à y rester. Le Général tranche et
le remplace à la tête du gouvernement par Maurice Couve de
Murville. Georges Pompidou redevient simplement député du
Cantal.

Il prend du recul. Il échange plusieurs lettres de pure forme
avec François Mauriac. Il s'éloigne du Général. Le 27 avril 1969,
le « non » l'emporte au référendum voulu et organisé par le
Général qui démissionne aussitôt. Le 1er juin 1969, Georges Pompidou est élu président de la République. À nouveau, les lettres
se font plus rares. Les affaires de l'État prennent tout son temps.
Plusieurs années plus tôt, il avait déjà écrit au fidèle Pujol : « À
mon tour, je suis en retard pour répondre à ta lettre. J'espère
que tu ne m'en voudras pas trop compte tenu de "mes hautes
fonctions". De plus, il faut bien constater que j'ai de plus en
plus de peine à tenir une plume. L'habitude de dicter devient
une seconde nature [...] – ce qui rend le fait d'écrire très éner-
vant et fatigant. »

Cette relative baisse de régime de la correspondance est largement compensée par l'apparition, un an avant la mort de

l'auteur, de quelques portraits remarquables d'hommes politiques. « Écrits au courant de la plume [...] notamment durant
la période électorale de 1973 où l'activité gouvernementale se
ralentissait et l'activité politique se concentrait à Matignon », ils
mériteraient à eux seuls une longue analyse politique et littéraire. Le portrait de Chaban-Delmas, remplacé assez vite à Matignon par Pierre Messmer, est d'une vivacité qui touche à la
cruauté. Beaucoup moins durs sont les portraits de Nixon ou
de Heath. Mais les pages qui retiendront toute l'attention sont
celles qui sont consacrées à de Gaulle. Le lecteur les comparera
avec intérêt aux passages de la correspondance où apparaît le
Général en 1950, en 1953, en 1958.

Le temps a fait son œuvre. L'affaire Jouhaud, le désaccord
sur la « participation », l'affaire Markovic ont laissé des traces.
Un « passif » apparaît à côté de l'actif. Le nouveau président se
souvient avec des sentiments mêlés du conseil prodigué par
l'ancien : « Soyez dur, Pompidou ! » En fin de compte, en dépit
des épreuves et des dissentiments, l'admiration pour le Général
reste toujours intacte : « Grand homme, au suprême degré, un
des plus grands de l'histoire de France et de l'Histoire tout
court [...]. Intellectuellement, il m'a révélé à moi-même [...].
Il m'a appris à élever systématiquement le débat et, surtout, à
ne pas céder à la facilité. Certes nos méthodes sont différentes
des siennes, moins abruptes et moins grandioses [...]. En définitive, je lui dois tout. » On lira pour le plaisir littéraire le portrait d'Edgar Faure : « Il est victime de sa réputation d'extrême
habileté. On pense à lui comme à "la solution" dans les crises
les plus délicates. Mais l'expérience prouve qu'on ne sort jamais
des crises en France par l'habileté. Dans les graves moments,
c'est la force de caractère et la rapidité de décision qui l'emportent [...]. Edgar Faure est l'homme capable de réussir n'importe
quelle combinaison, mais à l'heure du destin il n'y a pas de
place pour la combinaison. »

Des lettres jusqu'alors inconnues de Georges Pompidou surgit
l'image d'un de Gaulle en majesté, parfois contredit mais toujours vénéré. Le plus intéressant et le plus neuf n'est pourtant
pas le regard de Pompidou sur de Gaulle, mais le regard du
Général sur Pompidou. Très vite, de Gaulle est frappé par les
dons rares et multiples de Pompidou qu'il ne tarde pas à pousser

vers les sommets jusqu'au moment où le protégé devient un rival. Mais même la rivalité ne met pas un terme aux liens d'admiration dans un sens et d'estime dans l'autre qui unissent les deux hommes à la fois si proches et, sur bien des points, très éloignés l'un de l'autre, qui, ensemble et successivement, ont dirigé le pays.

Le Figaro, 3 novembre 2012

2013

Quelques nuances de noir,
et un peu d'espérance

Il n'est pas permis de dire que c'était mieux avant. Avec ses totalitarismes, avec ses deux guerres mondiales, avec le goulag et la Shoah, avec les drames à répétition de la fin du colonialisme, avec le Cambodge et le Rwanda, avec la crise de 1929, avec la montée inexorable du chômage et la crainte d'un retour aux désastres de l'inflation qui avait frappé l'Allemagne dans les années 1920, avec le doute soudain jeté sur la marche de l'histoire, le XXe siècle ne laissera pas le souvenir d'une époque estimable et heureuse.

Le XIXe siècle a été un siècle, à beaucoup d'égards, injuste et cruel, mais il était au moins porté par l'espérance. Le mot qui revient le plus souvent chez Hugo est le mot « aurore » et le communisme de Karl Marx promettait à l'humanité des lendemains qui chantent. Le monde vivait à crédit. On sait ce que sont devenues ces espérances.

La science a poursuivi depuis cent ans son parcours éblouissant. Elle a jeté la lumière sur les mystères de notre passé. Elle a augmenté de façon spectaculaire notre espérance de vie. Nous souffrons moins. Nous vivons mieux. Mais, avec le nucléaire, avec le clonage, avec ses succès innombrables, la science, et du même coup le progrès, sans cesser de faire envie et de susciter l'admiration, commencent aussi à faire peur. En Europe au moins, et en France, la foi et l'espoir en l'avenir semblent en avoir pris un coup. Hier encore si gais, si insouciants, si charmants, les Français sont devenus un des peuples les plus pessimistes de la planète. Comme les Grecs, comme les Italiens, comme les Espagnols, ils ne croient plus à grand-chose.

Ils ne croient plus à la politique. Ils ne font plus confiance à leurs dirigeants. Élu contre Nicolas Sarkozy abandonné par beaucoup de ses partisans, François Hollande n'a pas tardé à le rejoindre et à le dépasser dans l'impopularité. À deux mois de la fin de sa première année de pouvoir, il est soutenu par une minorité qui se situe entre un Français sur quatre et un Français sur trois. Il a beaucoup promis pour se faire élire. Il ne pourra pas tenir les promesses à tout-va dont il est maintenant prisonnier. Lui et ses ministres n'ont pas cessé d'annoncer dur comme fer l'inversion dans l'année de la courbe du chômage et le retour à un déficit de 3 % du PIB. Voilà déjà qu'ils préparent une opinion, dès le début plutôt méfiante et plus lucide qu'eux-mêmes, à la constatation d'un échec prévisible. On poursuivra la politique de la parole triomphante et de la fuite en avant. On reportera à plus tard les succès impossibles.

Le pouvoir rejette volontiers sur ses prédécesseurs la responsabilité de ses échecs. Il est vrai qu'il n'est pas le seul responsable. Il a hérité d'une situation difficile. La crise a frappé le monde entier, et l'Europe en particulier. Mais il a longtemps nié la crise avant de s'en prévaloir et le moins qu'on puisse dire est que sa politique n'est pas faite pour arranger les choses. L'incohérence, la contradiction, le bricolage élevé à la hauteur d'une institution, les bévues à répétition sont visibles à l'œil nu. La Cour des comptes, présidée par un socialiste, le rapport Gallois, qui n'est pas le fait de l'opposition, les prises de position d'un Pascal Lamy et de tant d'hommes et de femmes de gauche autant que de droite suffisent à établir que la voie tracée par le pouvoir n'est pas la bonne. En dépit des objurgations pathétiques d'un Premier ministre qui traite de défaitistes ceux qui ne pensent pas comme lui, personne n'en doute plus. Le coût du travail est trop cher. Les impôts sont trop lourds. L'administration est trop pesante. Les petites et moyennes entreprises souffrent plus encore que les groupes plus puissants. Les plans sociaux se multiplient. L'automobile va très mal. Les agriculteurs n'en peuvent plus. Les librairies disparaissent. Les acteurs de l'économie sont découragés. Et ce ne sont pas les grands cirques du crédit d'impôt ou des contrats de générations – illustration de la manie de faire compliqué au lieu de faire simple – qui leur rendront confiance. Bien plus que l'exode des grosses fortunes, la fuite des jeunes cerveaux prend des allures de débâcle. La France, hier si riche, a le sentiment d'être ruinée. Les Français ne vont pas bien. Ils ont peur de l'avenir.

Ce n'est pas seulement dans le domaine économique et social que la situation se dégrade. Le moral est atteint. Malgré les promesses et les rodomontades, Marseille et la Corse sont, sinon à feu et à sang, du moins minées par la violence. L'État impartial se fait attendre. Proclamée à grand renfort de tambours et de trompettes, la moralisation du monde politique est une blague. Les réformes nécessaires sont repoussées de mois en mois. Chaque jour apporte son lot de scandales et d'horreurs. La télévision et la radio égrènent sans fin des nouvelles consternantes. L'école, gloire de la France républicaine, décline inexorablement. Responsable d'un scandale planétaire récent, Dominique Strauss-Kahn est traité de telle façon que le coupable semble presque apparaître en même temps comme une victime paradoxale et piégée. Surenchères d'intrigues. Tourbillons d'ignominie. Enfoncé, Valmont. Dépassé, le bon vieux Sade, amusement des familles. Nous nous sentons trop souvent cernés et comme aspirés par un océan de bassesse et de médiocrité. Il y a quelque chose de pourri, non dans le royaume du Danemark, mais dans notre sacrée République. L'idée d'un déclin irrémédiable se fraye un chemin en nous.

La crise que nous vivons n'est pas seulement économique et sociale. Ses racines vont plus loin. Parce que les promesses jetées au vent de l'ambition ne pourront pas être tenues, il faut changer de politique. Mais il y a plus grave encore : au point où nous en sommes arrivés de méfiance et de dégoût, il faut quelque chose qu'il est impossible d'appeler autrement qu'une espèce de réforme – lâchons les mots qui auraient soulevé l'ironie il y a encore quelques années – intellectuelle et morale.

Pour plusieurs générations successives, l'Europe a été une grande espérance. Avec aux postes clés de notre gouvernement d'écartèlement plusieurs adversaires déclarés du traité de Maastricht si cher à François Mitterrand, la voici au point mort. Elle reposait sur une idée fondamentale : la réconciliation

424

franco-allemande après trois guerres atroces. Le couple franco-allemand est en train de tanguer. On voit bien, un peu partout, un mouvement en train de se dessiner contre l'euro et contre l'Europe. Sortir de l'euro, renoncer à avancer vers une Europe unie serait une catastrophe pire que toutes les autres. Les États d'une Europe désunie ne pèseraient pas lourd entre les États-Unis et la Chine. Les ennemis aujourd'hui de l'Europe – le clown Beppe Grillo en Italie ; en France, Jean-Luc Mélenchon et Marine Le Pen – traduisent des aspirations et des rejets trop réels. Mais les voies qu'ils préconisent seraient pires que les échecs qu'ils dénoncent.

Accablé de problèmes qu'il a beaucoup contribué à rendre insolubles, le drame de notre gouvernement est qu'il est incapable de faire face aux engagements matériels et moraux qu'il a pris avec légèreté. Tout le monde, et lui le premier, savait que 2013 serait une année terrible. Nous y voilà. Et aussi mal armés que possible. François Hollande a deux qualités qui se retournent hélas ! contre lui : il est habile – trop habile – et il est optimiste – trop optimiste. Il croit que la politique, même par gros temps, consiste à naviguer au jugé entre les opinions différentes et à concilier les contraires. Et il est persuadé que les crises ont un terme et que la situation finira bien par se retourner. Il est au moins douteux que la crise se termine et que la situation se retourne en 2013 – ni peut-être en 2014. Il n'est pas sûr que les Français, et même les électeurs de gauche, attendent avec patience cette fin de crise hypothétique et ce retournement improbable. Ce qui manque aux Français, c'est ce fameux cap, si longtemps réclamé par la nation et enfin fixé, mais dans la contradiction, dans le flou et en vain, par François Hollande.

Ce qui manque aux Français, c'est l'espérance. Parce que ce qui manque au pouvoir, c'est une vision de l'avenir. Le gouvernement se contente de colmater les brèches. Il agit au jour le jour. Un coup à droite, un coup à gauche. À hue et à dia. La tapisserie de Pénélope qui défait la nuit ce qu'elle a tissé le jour. Un stop and go perpétuel. Hésitations et impulsions. Impréparation et improvisation. Le pays acceptera-t-il encore longtemps cette navigation à vue et cette absence de grand dessein ? Ce que veulent les Français dans ce monde unifié qu'on le veuille ou non, si complexe, si difficile, c'est de savoir où ils vont. Ils n'en ont plus la moindre idée. Ils avancent en aveugles dans une forêt obscure. Il y a comme un symbole de notre temps dans la renonciation de Benoît XVI. Le Pape n'avait plus la force de faire face à la masse des problèmes qu'il avait à résoudre. Il s'est retiré. Non seulement les catholiques, mais tous les hommes de bonne volonté ont été frappés d'une espèce de stupeur et de terreur sacrée devant ce retrait volontaire, si éloigné du déferlement des appétits déchaînés autour de nous. Les derniers mots de Benoît XVI en tant que pape ont une dignité et une grandeur qui contrastent avec le désenchantement du monde. Il a souhaité à chacun d'expérimenter la joie de mettre le Christ au centre de sa vie. Sur cette Terre où nous sommes tous de passage, beaucoup croient au Christ, mais beaucoup n'y croient pas. Au-delà de toute distinction religieuse, l'essentiel, pour éviter le désespoir et la médiocrité, est de s'appuyer sur quelque chose de plus grand que l'argent, que l'ambition sans frein, que la réussite immédiate, que l'égoïsme quotidien, que la bassesse de l'intérêt personnel. Ce qui importe, dans ce monde où règnent la violence et l'injustice, c'est de rendre aux gens – et d'abord aux jeunes gens – un peu de cette espérance en l'avenir qui est en train de disparaître.

Le Figaro, 9 mars 2013

2014

Où va le couple Hollande-Valls ?

C'est merveille d'entendre tous ceux qui encensaient Ayrault quand il était au pouvoir et qui participaient parfois à son gouvernement dénoncer aujourd'hui à qui mieux mieux son inaction et son échec. L'envie viendrait presque à ses adversaires d'hier de le défendre maintenant qu'il est tombé et délaissé par les siens. Car enfin qu'est-ce que le ministère Valls sinon ce ministère Ayrault qui s'est révélé si décevant avec Royal en plus, Moscovici en moins et Valls à la place d'Ayrault ? Pour la énième fois depuis deux ans, on nous fait le coup du choc. Tout tourne, en vérité, autour du seul nom et de la seule personne de Valls. Pour le reste, on prend les mêmes et on recommence. Avec des finesses politiciennes d'équilibre héritées de la IVᵉ et marquées du sceau de la prudence, de l'habileté et de l'obstination pusillanime chères au chef de l'État : Cazeneuve passé bizarrement du Budget à l'Intérieur, Peillon remplacé par Hamon, Bercy toujours partagé, mais en deux au lieu de six, avec Sapin et Montebourg dans les rôles de Footit et Chocolat aux Finances et à l'Économie, Filippetti maintenue sur le trône de Malraux.

François Hollande nous assure avoir entendu la colère des Français réclamant plus de justice et une action plus ferme. De qui se moque-t-on ? Les Français ont voté en masse contre les impôts qui les écrasent et contre une idéologie qui leur déplaît. Par le biais d'élections locales, les seules pour le moment à être à leur portée, ils ont voté contre Hollande qu'ils regrettent amèrement, à 80 %, d'avoir choisi il y a deux ans. Et qu'est-ce qu'on leur offre ? Un changement, bien sûr, puisqu'il y a Valls. Mais dans la continuité puisque Hollande est toujours là.

Le drame d'Ayrault à Matignon, c'était que chacun ne pouvait voir en lui que le double exact de Hollande. Le défi de Valls à Matignon, c'est que chacun devine en lui l'exact opposé de Hollande. Ayrault serait peut-être, et même probablement, resté si les élections de mars avaient été seulement mauvaises. Parce qu'elles ont été, avec les succès de l'UMP et les gains modestes du FN, bien plus désastreuses qu'attendu pour un pouvoir à la dérive, il n'y avait pour Hollande plus d'autre choix possible que Valls. Le président s'y est résolu, sans aucun doute à contrecœur et avec des arrière-pensées qui transparaissent déjà dans la composition d'un gouvernement où l'influence de Hollande contrebalance sérieusement la consécration de Valls. Il y a désormais à la tête de l'État la pire des cohabitations. Non plus entre adversaires affichés qui finissent par se supporter. Mais entre frères d'armes appelés par la force des choses à s'entre-dévorer. La question majeure qui se pose dès aujourd'hui est très simple : lequel mangera l'autre ?

Comme Sapin et Montebourg à Bercy, Élysée et Matignon s'élèveront de concert contre ces rumeurs défaitistes et afficheront leur entente. Mais, dans l'avenir comme par le passé, les choses sont déjà écrites : hier, une médiocrité fusionnelle ; demain, une tension permanente. De part et d'autre, à défaut de résultats, la parole fonctionne encore. Elle ne convainc plus grand monde, mais elle se déploie à l'Assemblée nationale comme elle se déployait au Bourget en 2013 ou à l'Élysée il y a trois mois. Il faut encore et toujours attendre et juger sur les actes. Dans cent jours, dans six mois, à la fin de l'année, Manuel Valls aura-t-il réussi, en dépit du président, à rétablir la confiance, à encourager la croissance, à remettre sur pied l'économie, à inverser la courbe du chômage, à freiner la baisse du pouvoir d'achat, à rassurer une Europe où la France prend peu à peu la place de l'Espagne ou de la Grèce, où l'Italie de Renzi la considère avec une sorte de commisération ? Qui le sait ? Ayrault devait être jugé sur ses résultats. C'est fait. Valls le sera à son tour sur les siens. Dans les deux cas, Hollande – il l'a dit et répété – était et sera responsable.

Il faut naturellement souhaiter, dans ces conditions redoutables, le succès de Manuel Valls. Si, par malheur, le gouvernement Valls ne faisait guère mieux que le même gouvernement avec Ayrault à sa tête, François Hollande aurait réussi, non seulement à détruire la social-démocratie et peut-être le socialisme en France, mais à mettre à genoux un pays naguère riche et puissant.

L'autre hypothèse est à peine plus réjouissante : si Manuel Valls réussissait à redresser une situation presque désespérée, le conflit d'ambitions serait inévitable entre le président et son Premier ministre. À vrai dire, on s'en consolerait si la France pouvait au moins tirer un bénéfice de ce déchirement au sommet dont l'évidence crève déjà les yeux.

Le Figaro, 9 avril 2014

2015

Nous sommes tous des Charlie Hebdo

L'émotion submerge Paris, la France, le monde. Nous savions depuis longtemps que, renaissant sans cesse de ses cendres, la barbarie était à l'œuvre. Nous avions vu des images insoutenables de cruauté et de folie. Une compassion, encore lointaine, nous avait tous emportés. La sauvagerie, cette fois, nous frappe au cœur. Douze morts, peut-être plus encore. Des journalistes massacrés dans l'exercice de leur métier. Des policiers blessés et froidement assassinés. La guerre est parmi nous. Chacun de nous désormais, sur les marchés, dans les transports, au spectacle, à son travail, est un soldat désarmé.

Nous avions des adversaires. Désormais, nous avons un ennemi. L'ennemi n'est pas l'islam. L'ennemi, c'est la barbarie se servant d'un islam qu'elle déshonore et trahit. Les plus hauts responsables de l'islam en France ont dénoncé et condamné cette horreur. Il faut leur être reconnaissants.

La force des terroristes, c'est qu'ils n'ont pas peur de mourir. Nous vivions tous, même les plus malheureux d'entre nous, dans une trompeuse sécurité. Nous voilà contraints au courage.

L'union se fait autour des martyrs libertaires d'un journal défendant des positions qui n'étaient pas toujours les nôtres. Des journalistes sont morts pour la liberté de la presse. Ils nous laissent un exemple et une leçon.

Loin de tous les lieux communs et de toutes les bassesses dont nous sommes abreuvés, nos yeux s'ouvrent soudain sous la violence du coup. Nous sommes tous des républicains et des démocrates attachés à leurs libertés. Mieux vaut rester debout dans la dignité et la liberté que vivre dans la peur et dans le renoncement. Devant la violence et la férocité, nous sommes tous des *Charlie Hebdo*.

Le Figaro, 7 janvier 2015

L'HISTOIRE QUE NOUS VIVONS

1984

Une dictature collective

Un mort mérite toujours le respect. Nous sommes si dépendants des volontés de l'URSS qu'un autre sentiment – un sentiment paradoxal, mais nous ne sentons même plus le paradoxe – vient s'ajouter au respect devant la mort d'Andropov : une sorte d'affectueuse gratitude. Car Youri Andropov n'a pas donné l'ordre à ses troupes de marcher sur l'Europe, il n'a pas déclenché la catastrophe nucléaire, il n'a même pas lancé ses tanks sur la Pologne rebelle. Ah ! le brave homme ! Il a bien mérité de la paix.

Il suffit de prendre un peu de recul pour que tout devienne surprenant dans nos relations avec M. Andropov. Il y a à peine quinze mois, le nom de M. Andropov ne disait rien à personne. Et puis – par quels canaux mystérieux ? – le bruit a couru que c'était un grand libéral. Ce qualificatif se combinait assez mal avec ce qu'on a fini par savoir de sa carrière passée : elle s'était déroulée en grande partie au KGB dont il était devenu le patron. La seule idée que le KGB était dirigé par un grand libéral aurait pu et peut-être dû entraîner quelques doutes. Pensez-vous ! J'ai entendu soutenir avec le plus grand sérieux par des esprits éminents que le maniement du KGB l'avait mis en contact avec le monde entier et lui avait donné des ouvertures sur les démocraties occidentales. Bien sûr… Les services secrets, comme chacun sait, et surtout en URSS, sont une pépinière de grands libéraux et constituent le meilleur apprentissage de la démocratie idéale.

À l'occasion de la mort de M. Youri Andropov, hommage a été rendu – vous l'avez entendu comme moi-même – aux efforts de l'ancien chef du KGB en matière de paix et de désarmement. On aurait pu croire, ma parole, qu'un Jaurès, un Briand, un Stresemann soviétique venait de disparaître. Il fallait faire un effort pour se rappeler que, sous son règne, les *SS 20* ont continué à être installés à un rythme hallucinant et que tous les moyens – y compris, peut-être, ceux des services secrets si proches de M. Andropov ? – ont été utilisés pour contrecarrer les tentatives occidentales, courageusement soutenues par M. François Mitterrand, d'équilibrage des forces. M. Andropov n'a pas déchaîné le feu nucléaire. Mais il a fait tout ce qu'il a pu pour renforcer l'Armée rouge et la mettre en mesure d'être plus menaçante que jamais.

Le souci du désarmement et l'amour de la paix n'ont pas été jusqu'à retirer les troupes de l'Afghanistan envahi. Ils n'ont pas été jusqu'à reculer d'horreur devant l'ordre d'abattre un avion civil sud-coréen. Le libéralisme n'a pas été jusqu'à appliquer à Andrei Sakharov le bénéfice des accords d'Helsinki. La vérité est que le système soviétique est si fort que la présence ou l'absence de M. Andropov n'a pas grande importance. Le monde entier se croit obligé de prendre des mines et d'aligner des phrases sur une disparition qui, à beaucoup d'égards, est un non-événement.

Elle l'est d'autant plus qu'elle intervient après un règne de quinze mois et une grave maladie qui a fait de M. Andropov, pendant près de six mois, l'Arlésienne invisible de la vie politique internationale. M. Gromyko dirige les Affaires étrangères de l'URSS, sans aucune interruption, depuis 1957. Le maréchal Oustinov tient l'armée d'une main de fer. Quels que soient les pouvoirs du Numéro un, quinze mois, dans ces conditions, ne pèsent pas très lourd. Toutes proportions gardées, M. Youri Andropov est un peu le Jean-Paul Ier de l'Union soviétique.

Les rites funéraires ont été observés avec une régularité qui aurait quelque chose de comique s'il ne s'agissait pas d'une mort. Le monde s'est émerveillé parce que la fin du maître de l'URSS n'a été dissimulée que pendant vingt-quatre heures. Quel progrès ! Deux symptômes pourtant avaient alerté les spécialistes : la musique classique à la radio, qui avait fait dire aussitôt aux Dupond et Dupont de la kremlinologie qu'il « se passait quelque chose » à Moscou, et le remplacement à la télévision d'une émission de gymnastique par un documentaire. Ce sont des signes qui ne trompent pas. La désignation de M. Tchernenko comme président de la commission des funérailles a bouleversé ensuite ceux qui savent. Il faut remonter à Saint-Simon et aux querelles du tabouret pour retrouver dans notre histoire quelque chose d'analogue à ces détails de protocole révélateurs de la plus haute politique. À travers le détour du marxisme et de la révolution d'Octobre, le communisme soviétique, appuyé sur toute la structure immobile de la permanence russe, n'a pas mis très longtemps à retourner à un mélange étonnant de féodalisme bureaucratique et de mythologie.

La seule question sérieuse que pose la disparition de M. Andropov c'est celle de son successeur. Que fera-t-il ? La réponse la plus plausible : la même chose que son prédécesseur. À nos yeux d'Occidentaux au moins, la désignation du successeur de M. Andropov a tourné tout entière autour d'un problème d'âge et de génération : l'affaire se jouait entre MM. Romanov et Gorbatchev – les *jeunes* – d'un côté et M. Tchernenko de l'autre. On sait comment elle s'est réglée : par la victoire de l'âge et de l'immobilisme. La nomination du nouveau maître apparent de l'URSS, même si elle ramène au pouvoir un fidèle de Brejnev, a-t-elle beaucoup plus d'importance que le décès de M. Andropov ? Elle est le fruit de négociations entre les tendances du Comité central et du Bureau politique. La différence entre l'époque de Staline et le régime actuel n'est pas dans je ne sais quelle libéralisation tout illusoire du système. Elle est seulement dans l'évidence de la substitution d'un totalitarisme collectif à un totalitarisme personnel.

Le Figaro Magazine, 18 février 1984

Liberté pour Sakharov !

J'ai vu un film plus beau, plus fort, plus émouvant que *Tendres passions*, aux cinq oscars. C'est une histoire vraie : elle met en scène les Sakharov. Andreï Dimitrievitch Sakharov, physicien nucléaire, membre de l'Académie des sciences de l'URSS, prix Staline, prix Lénine, prix Nobel de la paix, figure de proue de la dissidence russe, est joué, merveilleusement, par Jason Robards. Glenda Jackson, superbe, est Mme Sakharov. Il s'agit donc d'acteurs qui interprètent deux vies, dramatiques et inséparables. Mais l'exactitude des événements et des situations a été rigoureusement contrôlée, sur les indications des Sakharov eux-mêmes.

Pas la moindre violence tout au long de ces images et de ce texte d'un peu plus de deux heures, d'une sobriété exemplaire et sans aucune longueur. Il y a bien une gifle, appliquée d'une main ferme : mais c'est Mme Sakharov – ou Glenda Jackson – qui la donne à un provocateur du KGB. De pétition en conférence de presse et en interrogatoire, impossible de mieux rendre les glissements progressifs de la terreur douce. Au cours d'une promenade familiale en bateau, la belle-mère de Sakharov livre peut-être la clé de l'énigme : ce n'est pas mieux que sous Staline, mais ils sont devenus plus malins.

À aucun moment, le pouvoir soviétique, sa police, ses mouchards ne sont caricaturés. Certains pourront soutenir que le film ne rend même pas justice à la réalité soviétique. On ne voit ni camps, ni torture, ni brutalités – à peine un cachot qui n'est pas pire que les nôtres. Mais l'absence de quelque chose se fait sentir avec dureté, et presque physiquement : c'est la liberté.

L'aventure des Sakharov commence, sur le mode mineur, avec des banderoles déployées par de minuscules groupes de manifestants pacifiques. Elle se poursuit par des convocations, des procès, des perquisitions, des mises en garde de plus en plus menaçantes. Jusqu'à ce que l'affaire bascule dans le drame : Mme Sakharov est harcelée par le KGB et un des ses petits-fils est mystérieusement empoisonné. Il faut se résoudre à mettre à l'abri les enfants, qui réussissent à quitter le pays.

Au moment – déchirant – de la séparation, Sakharov murmure que ce départ, qui le bouleverse, est le plus grand bonheur de sa vie. Les enfants sont sauvés et lui reste seul avec sa femme et quelques fidèles : les voilà libres de se sacrifier.

Lorsque, enfin, le KGB vient l'arrêter pour le déporter à Gorki où, entre la vie et la mort, soutenu par sa femme, il est toujours assigné à résidence et s'affaiblit chaque jour, la police politique trouve un argument éloquent, qu'il nous arrive de retrouver sur nos propres ondes, sur nos petits écrans et dans certains de nos journaux, libres, grâce à Dieu, de raconter ce qu'ils veulent : l'activité de Sakharov met en danger la détente entre l'Est et l'Ouest. Et moi-même, qui ai exprimé en public mon admiration pour Soljenitsyne et qui récidive ici avec Andreï Sakharov, une des plus hautes et des plus nobles figures de notre temps, je ne fais sans doute rien d'autre que de me livrer sans retenue à un anti-communisme primaire, viscéral et vulgaire qui risque peut-être de détériorer les bonnes relations avec l'URSS, dont je me fais souvent l'avocat.

Je suis de ceux, en effet, qui sont favorables non seulement, bien entendu, au dialogue Est-Ouest, mais encore à l'amitié franco-russe. Cette amitié doit se fonder sur des principes très simples et très clairs. Les Russes ont leur régime comme nous avons le nôtre. C'est leur affaire et c'est la nôtre. Ils ne veulent pas du libéralisme. Nous ne voulons pas du communisme. La symétrie s'arrête là : il est plus enviable – figurez-vous – d'être communiste en France que libéral en Russie. J'irais jusqu'à préférer le sort de M. Marchais – qui n'est pas vraiment un doux – à celui de Sakharov, qui est génial et non violent.

Mais surtout les Russes ont signé un certain nombre de textes, dont l'accord d'Helsinki. Que ne le respectent-ils ? Ils parlent de paix et ils préparent la guerre. Ils poussent l'audace jusqu'à évoquer les droits de l'homme – et ils les foulent aux pieds.

Des journalistes étrangers, dans le film de Jack Gold, interrogent le physicien. Pourquoi fait-il tout cela ? Pourquoi prend-il tant de risques ? Pourquoi court-il tant de dangers ? La réponse de Sakharov est admirable : il faut qu'il y ait un idéal pour qu'il y ait de l'espérance.

Appuyé sur Mme Sakharov, au courage indomptable, c'est le rôle même que joue, je crois, dans le monde moderne, Andreï

Sakharov. Il est une source d'idéal et un semeur d'espérance. Les démocraties libérales ne sont pas des modèles de vertu. Mais des mécanismes internes permettent d'en dénoncer les tares les plus évidentes et les abus les plus criants. Nous ne saurions rien de ce qui se passe en URSS, où l'étouffement de l'information atteint des proportions prodigieuses, si des témoins comme Sakharov – et le mot *martyr* signifie témoin – ne se levaient pas pour parler.

Je comprends qu'aujourd'hui Sakharov gêne l'Union soviétique. Il ne la gêne que parce que l'Union soviétique est une dictature totalitaire. Moi qui ne suis pas un juste, je vois dans Andreï Sakharov l'image même du juste persécuté et du héros de notre temps. Il ne suffirait pas à l'URSS de laisser Sakharov et sa femme mourir en paix dans un pays libre pour devenir, d'un seul coup, une démocratie libérale. Mais tant que les Soviétiques s'obstineront à reléguer et à torturer au moins moralement cet homme et cette femme admirables et admirés, il sera impossible de les considérer autrement qu'avec méfiance et soupçon.

Le film de Jack Gold n'est pas projeté en ce moment dans les salles françaises. Il n'est pas présenté par la télévision française qui a d'autres préoccupations. Je souhaite que, d'une façon ou d'une autre et très vite, il serve la cause d'un homme dont l'image héroïque brille sur notre temps.

Le Figaro Magazine, 20 avril 1984

Pour une Europe des libertés

Les Français votent demain. Ils ont une occasion – trop rare – d'exprimer leurs sentiments sur le pouvoir en place. Il ne faut pas qu'ils puissent se dire après-demain qu'ils ont laissé passer cette occasion.

Le premier impératif est de voter. Les abstentionnistes n'auront plus le droit d'émettre la moindre plainte sur ce qui arrive à leur pays et sur ce qui leur arrive à eux-mêmes. Liberté leur est enfin donnée d'approuver ou de désapprouver ce qui est en train de se faire. Tout abstentionniste glisse dans l'urne de dimanche une approbation invisible et une sorte de quitus pour le socialisme. S'ils ne profitent pas de la possibilité qui leur est offerte de dire non et qui constitue le cœur même de la démocratie, ils n'auront qu'à s'en prendre à eux-mêmes – et non plus au gouvernement.

Une erreur capitale – et élémentaire – à ne pas commettre est de confondre l'élection au Parlement européen avec les élections législatives, cantonales ou municipales. La différence fondamentale est que, dimanche, il n'y aura qu'un seul et unique tour. Il ne sera pas possible, après avoir précisé demain ses préférences personnelles, de se reporter, dans huit jours, sur une liste mieux placée pour représenter l'opposition. En ce sens, l'élection du 17 juin est plus proche d'un référendum où il faut donner une réponse très tranchée que d'une élection classique où l'on choisit au premier tour pour éliminer au second.

La conclusion est que dès ce premier et unique tour il faut voter utile. Il n'est pas question d'affiner des positions marginales et de préciser, sur des points de détail, ou peut-être même d'importance, des divergences qui risquent d'affaiblir le succès de l'opposition. Il faut choisir entre des inconvénients. Quiconque part du principe que le mal majeur est aujourd'hui incarné par l'alliance des socialistes avec les communistes devrait apporter sa voix à la liste la plus puissante et la plus représentative de l'union de l'opposition – c'est-à-dire à Simone Veil.

Tout ne vous plaît peut-être pas chez Simone Veil ou dans sa liste ? N'importe. Préférez-vous à Simone Veil la coalition du pouvoir ? Si oui, vous pouvez voter pour les socialistes ou pour les communistes – mais aussi pour n'importe laquelle de ces listes de division qui réjouissent, n'en doutez pas, le cœur de ceux qui nous dirigent. Au point que, derrière un rideau d'indifférence ou même d'hostilité, ils les ont choyées et entourées de prévenances. Il est impossible de ne pas être convaincu que le score que regarderont d'abord demain soir M. Mitterrand, M. Mauroy, M. Defferre, c'est celui de Mme Veil. Toutes les autres listes – y compris celle de M. Le Pen, qui joue le rôle classique du provocateur d'extrême droite cher à la gauche et à l'extrême gauche – seront pour eux un moindre mal.

Mme Veil est partie de très haut. Elle a baissé. Il semble qu'elle remonte. Pour des raisons de tactique et de stratégie, pour des raisons de fond aussi, il faut qu'elle se situe à un niveau aussi élevé que possible. Parce qu'elle incarne la liberté et la dignité individuelle face à un étatisme dévorant et que sa démesure même condamne à l'inefficacité.

Pendant que se courait la dernière ligne droite avant les européennes, M. Mitterrand a fait connaître sa décision de se rendre en URSS. Ce n'est pas un voyage qu'on peut désapprouver aveuglément ou approuver sans réserve. Le problème des relations Est-Ouest ne peut être réglé en un tour de main ni dans un sens ni dans l'autre. Et le président de la République a donné, en matière de politique extérieure, assez de preuves de fermeté et de lucidité pour que ses initiatives soient examinées avec sérieux et équité.

Partons de la conviction, plus d'une fois exprimée par le président de la République et partagée par la majorité non seulement des Français, mais des Européens, qu'il faut se refuser à l'entreprise d'hégémonie politique et militaire de l'URSS. Pour assurer l'indépendance nationale des démocraties européennes et la liberté individuelle de chacun d'entre nous, il faut résister à l'URSS, à ses empiétements continuels, à son mépris constant des droits de l'homme. Chacun commence à savoir quel est le principe de base de la diplomatie soviétique, appuyée toujours sur la désinformation et le plus souvent sur des chars d'assaut : « Ce qui est à nous est à nous. Ce qui est à vous est négociable. » Le premier impératif de toute politique extérieure est de refuser catégoriquement d'entrer dans le système soviétique qui, depuis Staline, a peut-être changé dans la forme, mais n'a pas changé sur le fond. La première condition de la survie d'une Europe déjà gravement amputée par les conquêtes et les menaces de l'Armée rouge, c'est d'y cultiver sans relâche l'esprit de liberté et de résistance à l'oppression.

C'est dans cet esprit que doivent être abordées les nécessaires négociations avec l'URSS. Il est naturellement souhaitable de maintenir un dialogue avec un régime que nous condamnons et dont nous ne voulons pas – mais qui existe. Au moment où s'écroulent plusieurs des ponts entre l'Est et l'Ouest, où les Russes décident sans aucune justification de ne pas se rendre aux Jeux de Los Angeles, où les États-Unis annoncent leur intention de se retirer de l'Unesco, il est plus nécessaire que jamais de discuter – fermement – avec les Soviétiques.

Ce qui est troublant, chez M. Mitterrand, c'est qu'il est toujours impossible, lorsqu'il entre en scène, de se défaire de l'idée que des préoccupations politiciennes, personnelles, tactiques y pénètrent avec lui. Il est désormais clair pour tout le monde qu'il s'efforce de camoufler l'échec de sa politique intérieure sous des initiatives extérieures et de compenser une impopularité record dans l'histoire de la République par un rôle sur la scène internationale. Rien de plus légitime qu'une telle préoccupation, très classique à toutes les époques et sous tous les régimes. Le fâcheux, pour M. Mitterrand, est qu'il a condamné avec violence chez son prédécesseur ce qu'il est en train d'entreprendre lui-même.

Avec des apparences de raison, il a fustigé le voyage à Varsovie de M. Giscard d'Estaing à l'époque de l'invasion de l'Afghanistan. Les troupes soviétiques auraient-elles quitté Kaboul ? Suffit-il aux Soviétiques d'attendre pour que, l'une après l'autre, leurs exactions soient oubliées, acceptées, entérinées par leurs adversaires ? La situation de M. Mitterrand est encore plus inconfortable : héraut quasi professionnel des droits de l'homme, le chef de l'État se rend à Moscou au moment même où l'affaire Sakharov entre dans une phase critique et émeut plus que jamais l'opinion internationale. La seule issue possible pour le président de la République serait de revenir de Moscou avec la libération des Sakharov en poche. Faute de cet épilogue heureux, le monde entier s'interrogera sur la cohérence des attitudes de celui qui, dans des circonstances rigoureusement identiques, dit successivement « *non* » quand il s'agit d'un autre et « *oui* » quand il s'agit de lui.

1989

Et si c'était l'année du siècle…

Deux cents ans après la Révolution française, une révolution dans la révolution a retourné contre le communisme soviétique les principes de 1789. Aux yeux des historiens, 1989 sera bien l'année des droits de l'homme et de la liberté. Non pas tant parce qu'elle aura marqué le deuxième centenaire de la prise de la Bastille ou de l'abolition des privilèges, mais parce qu'elle aura marqué la révolte des peuples de l'Europe de l'Est asservis par un régime qui leur avait été imposé par la force. Parce qu'elle aura sonné le glas du totalitarisme communiste et abattu les bastilles et les privilèges qui s'étaient édifiés à l'ombre du marxisme-léninisme. Sauf en Roumanie, où la folie du Conducator s'est refusée à toute réforme, le communisme totalitaire a semblé reconnaître sa défaite, et les bouleversements se sont accomplis dans un calme aussi stupéfiant que les bouleversements eux-mêmes.

La Révolution de 1789 inventait la liberté, la révolution de 1989 la retrouvait. La Révolution française de 1789 s'était placée sous le signe de la rupture. La révolution dans la révolution s'est placée, en 1989, sous le signe de la rencontre : rencontre de l'Est et de l'Ouest, rencontre entre les deux Allemagnes, rencontre des pays dominés et de la liberté. Contre toute attente, la liberté retrouvée a jeté l'un vers l'autre deux mondes étrangers l'un à l'autre et séparés par un Mur. Le symbole de ces rencontres reste l'entrevue à Rome du chef incontesté du communisme mondial et du chef de l'Église catholique, du successeur de Staline et du successeur de saint Pierre, de Gorbatchev et du Pape.

L'événement est prodigieux. Depuis près de trois quarts de siècle, depuis octobre 1917, le communisme incarnait l'hostilité à l'Église apostolique et romaine, et, aux yeux de beaucoup de catholiques épouvantés et, à juste titre, indignés, l'Antéchrist. La religion était dénoncée par le marxisme-léninisme comme l'opium du peuple, comme l'imposture par excellence, comme l'ennemi à abattre. Bon nombre d'églises, en Russie soviétique, étaient converties en musées antireligieux. Staline aurait prononcé en parlant du Saint-Père une phrase devenue célèbre : « Le Pape ? Combien de divisions ? »

Des événements imprévisibles

Il y a encore quelques mois, une réconciliation entre l'hôte du Kremlin et l'hôte du Vatican – qui travaillent l'un et l'autre pour une éternité dont s'occupent, en sens inverse, le comité central et le Saint-Siège – paraissait inconcevable. C'est pourtant ce qui s'est produit, et le monde stupéfait a vu le Pape polonais serrer la main du chef communiste dont la mère était baptisée – et qui l'est peut-être lui même.

Le sentiment dominant au cours de cet automne 1989 a sans doute été une incrédulité qui allait jusqu'à la stupeur devant le caractère imprévisible et proprement inouï des événements. Jusqu'à l'horreur roumaine, on aurait pu croire que le communisme, qui n'avait cessé de reposer sur la violence, allait se dissoudre de lui-même dans l'acceptation molle, et parfois presque enthousiaste, de son échec. La rencontre de Rome n'était que le symbole et l'acmé de bien d'autres rencontres qui parsèment cette année si fertile en surprises – et, à la dernière minute, en tragédie. Entre Yalta et Malte, de nombreuses entrevues s'étaient déjà produites entre le président des États-Unis et le maître du Kremlin. Mais elles opposaient des adversaires avoués plutôt qu'elles ne les réunissaient.

Les deux ennemis contraints de se fréquenter parce qu'ils se partageaient le monde sont devenus deux partenaires qui ne sont plus très loin de partager les mêmes vues. La rencontre entre l'Est et l'Ouest est si spectaculaire qu'elle finit par effacer l'image d'un monde bipolaire – qui s'était d'ailleurs habitué à l'équilibre qui naissait de la tension. Paradoxalement, le temps des rencontres risque de libérer des conflits régionaux ou locaux comprimés par la division de la planète en deux camps.

Il met fin en tout cas à l'antagonisme majeur qui dominait le monde depuis un demi-siècle et que la montée du nazisme n'avait fait qu'occulter pendant une douzaine d'années. Les retrouvailles, les regroupements, se multiplient à tel point qu'il peut y avoir des chevauchements et des courts-circuits. La rencontre entre les deux Allemagnes est intervenue au moment où prenait forme celle entre les Douze de la Communauté européenne.

Une rencontre ne renforce pas nécessairement une autre rencontre : il peut arriver qu'elles se neutralisent ou qu'elles se contrarient. On a pu craindre que la construction européenne ne pâtît de la reconstruction allemande. Une des tâches majeures, et des plus difficiles, de la politique européenne sera d'harmoniser les rythmes des regroupements en cours.

Résister à l'irrésistible ?

Les rencontres de 1989 ne se limitent pas à l'Europe. La décrispation venue de l'Europe de l'Est a rejeté dans l'ombre la décrispation en Afrique du Sud. La rencontre entre M. De Klerk et M. Mandela enclenche un processus qui pourrait mettre fin à l'apartheid. Là encore, 1989 a marqué un progrès de la démocratie et des droits de l'homme qui s'est incarné dans une rencontre. Rencontre aussi que celle du peuple chilien avec la démocratie. Rien de surprenant à voir la démocratie, qui repose sur le pluralisme, se confondre en fin de compte avec des gens qui se retrouvent dans la liberté et la fraternité.

Ces rencontres à travers le monde, ces frontières qui s'ouvrent et ces murs qui s'abattent renvoient, par contraste, aux fossés qui subsistent – et aussi, hélas ! aux fosses communes léguées, de Katyn à Timisoara, par un communisme qui n'a pas grand-chose à envier au fascisme. La dictature communiste en Roumanie aura été, avec l'Albanie, la dernière en Europe à résister à la révolution démocratique. Comme on pouvait s'y attendre depuis quelques semaines, l'obstination paranoïaque de Ceausescu a entraîné les drames que l'on sait. Il est permis de soutenir que l'exécution sommaire du dictateur est le dernier effet de sa conception totalitaire du pouvoir et comme un écho lointain des procès de Moscou.

Parce que Ceausescu s'est refusé à tout compromis, la Roumanie entre la dernière et avec peine dans la démocratie pluraliste. La Chine, Cuba, l'Éthiopie ne sont pas encore des lieux de dialogue. Au lieu de faire figure de régimes d'avant-garde, ces pays-là font désormais figure de pierres témoins de l'arrière-garde. Au Proche-Orient, le problème palestinien reste entier. Parce que les rencontres s'y révèlent encore impossibles, la situation reste bloquée, avec tous les risques qu'elle comporte. Israël fournit l'exemple d'un problème peut-être sans solution, où tout le monde a raison et où tout le monde a tort.

Une configuration post-moderne

La multiplication des rencontres et la fluidité du monde à la fin de 1989 ont incité des esprits libéraux à reprendre, dans la lumière démocratique, le thème hégélien et marxiste de la fin de l'Histoire. Il y aurait naturellement encore des successions d'événements, mais la disparité des idéologies aurait été effacée par une acceptation générale des droits de l'homme et de la démocratie. Ne serait-ce qu'en raison des délires du Conducator – sera-t-il vraiment le dernier de son espèce ? – et des convulsions de son malheureux pays, je doute qu'on en soit là.

L'Iran donne l'exemple d'un intégrisme religieux tout à fait étranger au libéralisme démocratique, et la répression en Chine montre suffisamment que le stalinisme n'était pas une déviation du communisme mais faisait partie intégrante de sa nature. Ce qui est vrai, c'est que l'année qui s'achève aura donné avec éclat l'idée d'une configuration historique post-moderne où le rôle des médias (pensons, par exemple, à l'insurrection et au procès retransmis en direct par la télévision roumaine), la pression pacifique de l'opinion publique, le déclin des idéologies, la libre circulation des idées, une certaine unification des esprits, lourde à la fois d'espérance et de risques, dessinent un paysage nouveau. Une de ses caractéristiques les plus évidentes est le refus des cloisonnements balayés par un vent de liberté. Mais l'enthousiasme du moment, déjà tempéré par la tragédie des Roumains, ne doit pas faire oublier que la liberté n'en finit jamais de devoir être défendue.

Le Figaro Magazine, 30-31 décembre 1989

1990

1990, première année du XXIᵉ siècle

Année du bicentenaire de la Révolution française, 1989 avait été – un peu paradoxalement – l'année de l'effondrement du communisme en Europe orientale et de la gloire de Gorbatchev, libérateur des peuples. 1990 a été l'année de la réunification de l'Allemagne et des épreuves de Gorbatchev. Gorbatchev avait été, sans conteste possible, l'homme de l'année 1989. Kohl est, sans conteste possible, l'homme de l'année 1990.

Du haut de leur splendeur intellectuelle et morale, les Français, la presse française, les intellectuels français ont longtemps considéré avec un peu de dédain Ronald Reagan, George Bush, Helmut Kohl : c'était tout juste si le cow-boy de série B, le successeur médiocre, le géant un peu balourd, on ne les traitait pas d'imbéciles. Opposé aux lumières de la social-démocratie et d'Oskar Lafontaine, Helmut Kohl, en particulier, avait fini par apparaître aux yeux de tout ce qui comptait chez nous, jusqu'aux sommets de l'État, comme un « semi-demeuré ». C'est cette « moitié de crétin » qui a pris place dans l'Histoire, à la suite des Bismarck et des Adenauer, en réunifiant l'Allemagne divisée, en effaçant le désastre le plus éclatant de tous les temps et en hissant son pays du camp des vaincus au premier rang dans le monde.

Dès 1989, et sans doute même avant pour qui savait regarder, la réunification allemande était inscrite dans les faits. Il devenait de plus en plus difficile de fonder une morale politique sur le droit des peuples à disposer d'eux-mêmes et de maintenir en même temps l'Allemagne dans une division dont les Allemands ne voulaient pas. Ce qui était incertain, à la fin de 1989, c'était le rythme de la réunification. Beaucoup de beaux esprits, jusqu'au sommet de l'État une fois encore, s'imaginaient que la réunification de l'Allemagne était inévitable, mais qu'elle prendrait beaucoup de temps. Le coup de génie de l'« imbécile » a été de mener l'affaire tambour battant. Il y a gagné une réélection qui pouvait paraître douteuse et sa stature dans l'Histoire.

Un peu de liberté a mis beaucoup de désordre dans l'empire délabré

L'homme de l'année 1990 et les événements qui l'entourent découlent en droite ligne de l'homme de l'année 1989 et des événements qu'il avait déclenchés – ou dont il avait dû s'accommoder. C'est l'action de Gorbatchev qui a rendu possible le succès d'Helmut Kohl. Du coup, l'Ostpolitik allemande, qui suscitait naguère tant de crainte dans le camp occidental, a pu se déployer dans un cadre nouveau. L'aide allemande à la Russie a précédé l'aide européenne et, symbole de ce renversement prodigieux, les réserves alimentaires constituées à Berlin-Ouest en prévision d'un blocus soviétique ont été envoyées à la Russie de Gorbatchev par l'Allemagne réunifiée.

C'est que 1990 a été l'année des grandes épreuves soviétiques. Dans l'ancien empire des tsars, de Lénine, de Staline, tout s'est mis à craquer. Non pas une mais deux convulsions ont secoué l'URSS jusque dans ses fondements mêmes : une convulsion périphérique et centrifuge, d'abord, née de la volonté d'indépendance des républiques musulmanes, des républiques baltes, de l'Ukraine, de la Biélorussie et, paradoxe suprême, de la Russie elle-même : une convulsion centrale, ensuite, née d'un rejet du système communiste en place depuis soixante-dix ans et d'une volonté générale de liberté et de démocratisation. Dictateur assoiffé de pouvoir contre l'hydre de la dictature sans cesse renaissante, le génie de Gorbatchev a été de faire passer pour autant de victoires ses revers successifs. Personne n'a appliqué mieux que lui le fameux précepte de Cocteau : « Puisque ces mystères nous dépassent, feignons de les organiser. »

La résurgence de tous les nationalismes
comme avant 1914

La perestroïka a comblé les espérances et elle a vidé les magasins. Rien n'est plus facile que d'entrer dans la dictature : rien n'est plus difficile que d'en sortir. Le système communiste était une gangrène qui, chaque année un peu plus, affaiblissait le tissu économique et social d'une société minée par la combinaison d'un égalitarisme déstabilisateur, des privilèges insupportables de la nomenklatura et du surgissement d'un marché noir de type mafieux. La perestroïka et l'adoption, dans une certaine mesure, de l'économie de marché constituaient l'opération chirurgicale nécessaire au retour à la santé. Mais les hospitalisations fatiguent, les opérations épuisent. Un peu de liberté a mis beaucoup de désordre dans l'immense empire délabré. Jamais la situation n'a été aussi grave en Russie qu'au moment où un peu d'espérance perçait enfin à travers les ténèbres du totalitarisme.

1989 avait été l'année de la stupeur et de la joie devant l'écroulement soudain d'un système communiste dont beaucoup – partisans et adversaires mêlés – pensaient que son triomphe final était inévitable. 1990 a été l'année de l'incertitude et d'une espèce d'affolement devant l'immensité des bouleversements en cours. La ville de Leningrad irait-elle jusqu'à changer de dénomination et reprendre le nom de Pétersbourg ? La Russie irait-elle jusqu'à se séparer de l'Union soviétique ? L'URSS elle-même allait-elle se transformer jusqu'à changer d'identité et devenir l'URS – Union des républiques souveraines ? Gorbatchev était-il le dernier des communistes, acharné à sauver ce qui pouvait être sauvé d'un naufrage sans précédent ? Ou était-il, en secret, un adversaire du communisme, un partisan de la liberté, une sorte de démocrate-chrétien encore masqué ? Enfin et surtout, l'Occident, oui ou non, devait-il aider Gorbatchev, successeur à coup sûr et peut-être adversaire de Staline et de Lénine ?

Stupéfaits, incrédules, un peu déboussolés par l'ampleur du changement, nous aurons vu le monde basculer dans les mois écoulés. 1989 se présentait comme la dernière année du XXe siècle.

De 1789 à 1914, le XXe siècle aura été interminable. De 1914, ou 1917, à 1989, le XXe aura été très bref, 1990 aura peut-être été – peut-être, car nous ignorons ce que nous réserve encore l'avenir – la première année du XXIe siècle. Gorbatchev et Helmut Kohl, l'un dans le sillage de l'autre, auront effacé non seulement Hitler et Yalta et l'écroulement de l'Allemagne nazie, mais Staline et le Komintern et les espoirs d'une révolution communiste aux dimensions de la planète, mais encore, peut-être, la Première Guerre mondiale. À beaucoup d'égards, c'est à une situation antérieure à 1914 que nous ramène l'année écoulée : une Russie menacée et au bord du chaos, une Allemagne puissante au centre de l'Europe, des Balkans effervescents, la montée des nationalismes.

1990 aura été l'illustration posthume de l'intuition géniale du général de Gaulle : le nationalisme n'est pas mort. La Russie éternelle, avec ses vertus et ses défauts, aura survécu à l'internationalisme communiste. Le nationalisme se sera emparé de bon nombre de pays libérés du communisme – y compris la Pologne de Walesa, héros de notre temps, prédécesseur éclatant de Gorbatchev dans la liste des prix Nobel de la paix. À l'intérieur même de plusieurs peuples enfin émancipés, des nationalismes subalternes se seront fait jour au sein des nationalismes dominants. Bien des exemples de la contagion de ces nationalismes en chaîne peuvent être fournis par les républiques musulmanes d'URSS, par la Moldavie, par la Yougoslavie où les Slovènes unanimes viennent de réclamer leur indépendance. L'année 1990 n'aura pas été seulement l'année de l'éclatement de l'URSS et de la renaissance de l'Allemagne unifiée : elle aura été l'année de la résurgence de tous les nationalismes. Et d'abord et surtout des nationalismes arabes, en quête désespérée de l'unité de la nation arabe.

La mainmise de l'Irak sur le Koweït, celle de la Syrie sur le Liban

L'année 1990 aura été coupée en deux parties plus qu'égales par la date fatidique du 2 août, où on fête dans le soulagement la fin de la tension entre l'Est et l'Ouest ; après le 2 août, on assiste dans l'inquiétude à la naissance de la tension entre le Nord et le Sud. L'invasion du Koweït par les troupes de Saddam Hussein, le 2 août 1990, fait, une seconde fois, basculer la planète.

Officiellement, l'opposition au coup de force irakien ne relève pas d'un affrontement Nord-Sud. Dictateur sanguinaire, Saddam Hussein a enfreint le droit international.

Sous les auspices des Nations unies, une coalition presque universelle se constitue contre lui. Elle comporte la plupart des *gouvernements* arabes. La question est de savoir si elle entraîne les peuples arabes. Peut-être pourrait-on soutenir qu'au sein du monde arabe Saddam Hussein a contre lui les gouvernements et avec lui les peuples.

Que l'Irak soit une dictature de la pire sorte, personne ne le met en doute. Le surprenant est qu'il ait fallu attendre 1990 et l'invasion des champs pétrolifères du Koweït pour s'en rendre enfin compte. Le paradoxe est peut-être aussi que, contre l'Irak totalitaire foulant au pied les droits de l'homme, on ait mobilisé des pays qui ne valaient guère mieux. La Syrie, par exemple. Malgré toutes les délégations officielles, la mainmise de la Syrie sur le Liban en 1990 peut être mise en parallèle avec la mainmise, la même année, de l'Irak sur le Koweït. Il n'est pas impossible que l'acceptation d'un des deux coups de force pour mieux lutter contre l'autre soit le fruit d'un marchandage. À beaucoup d'égards, 1990 est une année où triomphe une certaine forme de morale politique : le communisme s'écroule, l'Europe de l'Est se libère, l'Allemagne se réunit dans la démocratie et la paix, l'apartheid recule en Afrique du Sud, l'Europe progresse sur le chemin de l'unification. Le Proche-Orient, en revanche, reste un terrain miné où il y a deux poids et deux mesures et où le respect universel de la loi internationale a du mal à s'appliquer.

1990 est peut-être l'année charnière où, pour la première fois, non seulement les rapports Nord-Sud l'emportent sur les rapports Est-Ouest, mais où, pour la première fois, par voie de conséquence, le sort de l'État d'Israël est sérieusement mis en question. Que, dans une quinzaine de jours, la guerre avec l'Irak éclate ou n'éclate pas, l'avenir d'Israël apparaît soudain incertain – et peut-être assez sombre. Si l'Irak est écrasé, il faudra bien offrir quelque compensation aux États arabes qui auront contribué à son isolement. Si, d'une façon ou d'une autre, l'Irak de Saddam Hussein tire son épingle du jeu, quelle menace pour Israël !

L'Occident judéo-chrétien va-t-il trembler pour Israël ?

Pendant quelque quarante ans, l'Occident judéo-chrétien aura tremblé pour le Liban. Il n'est pas impossible qu'à partir de 1990, année charnière, l'Occident judéo-chrétien se mette à trembler pour Israël.

Dans ce bilan trop bref, et pourtant déjà trop long, de 1990, rien n'aura été dit du départ empreint de courage et de la grandeur malheureuse de Mme Thatcher : du naufrage de l'Afrique, ravagée par la faim, le sida et le sous-développement ; des relations, en France, entre le président de la République et son Premier ministre, menacées d'abord par la popularité du second, puis par son impopularité relative ; de la multiplication des scandales dans le monde de la politique, des affaires et du sport ; du scandale de Carpentras ; inouï à beaucoup de titres ; de l'exploit de Florence Arthaud ; de la comédie des prix littéraires ; du psychodrame si français de la réforme de l'orthographe ; des efforts surtout de l'Europe pour tenter de s'unir à l'ombre de l'Allemagne après avoir tenté en vain de s'unir sur ses ruines. C'est que 1990 restera d'abord, dans une Histoire où le poids de la France, s'il demeure important, a cessé d'être décisif, comme l'année charnière où l'ombre de Gorbatchev aura reculé devant l'ombre d'Helmut Kohl et où la tension Est-Ouest se sera évanouie devant la tension Nord-Sud. Jusqu'à 1990, le mot clé de l'Histoire aura été le marxisme. Autant qu'on puisse en juger à partir de 1990, un des mots clés de l'Histoire sera à coup sûr l'islam, porte-parole et avant-garde des pays déshérités. Pendant quarante-cinq ans, depuis la fin de la guerre, nous avons vécu dans une situation où rien ne changeait jamais : année après année, on craignait que les chars russes ne déboulent dans les grandes plaines de l'Europe centrale, ne franchissent le Rhin et ne se ruent jusqu'à Brest. Comme c'était inquiétant ! Et comme c'était rassurant ! En cette fin de 1990, ce que nous redoutons, ce n'est plus la menace de l'immobilisme, c'est la menace du changement. Nous avons échangé nos certitudes pessimistes contre des incertitudes modérément optimistes. Comme c'est rassurant ! Et comme c'est inquiétant !

Hitler est mort. Staline est mort. Gorbatchev et Kohl veulent la paix. En 1990, l'équilibre de la terreur est enfin entré dans le passé. Ce qui nous fait peur, désormais, ce sont des dizaines de Saddam Hussein qui disposeraient de l'arme nucléaire. En 1990, le XXᵉ siècle s'achève. Mais, contrairement aux rêveurs du libéralisme qui ont pris le relais des rêveurs du marxisme, l'Histoire n'a pas pris fin. Elle continue. En 1991 comme en 1990, dans le siècle qui s'annonce comme dans le siècle qui s'achève, elle sera dure et tragique. Et, parce que le progrès de la science ne cesse jamais de se combiner avec les passions des hommes, qui restent toujours ce qu'ils sont, elle sera pleine de drames et elle sera pleine d'espérance.

Le Figaro, 26 décembre 1990

1991

Non, il n'y a pas de guerre « propre »

D'abord, nous n'avons pas su si la guerre aurait lieu. Peut-être pourrait-on dire que nous avons été surpris par ce que nous attendions. La plus prévue, la plus annoncée, la plus publique de toutes les guerres, nous nous sommes longtemps imaginé qu'un sursaut de raison de la part de Saddam Hussein finirait par l'écarter. Saddam Hussein s'est obstiné. La guerre a éclaté. Nous avons été stupéfiés par l'inévitable.

On nous a, alors, annoncé une guerre courte : quelques heures, quelques jours. Elle a été plus longue que prévu : six semaines. À peine nous étions-nous installés dans l'idée que la guerre allait durer qu'elle s'est dénouée aussitôt : l'opération terrestre n'a demandé que cent heures.

Courte ou longue, nous avons craint que les morts ne soient nombreux dans les rangs de la coalition. Des rumeurs circulaient sur un nombre élevé de victimes, sur des cercueils préparés en série, sur de sinistres body bags fabriqués par milliers. On annonçait cinquante mille morts, peut-être cent mille, peut-être plus. Armée et surarmée par les Russes, par les Français, par les Allemands, par tout le monde, l'armée irakienne était, nous disait-on, la quatrième de la planète – et c'était sans doute vrai. On prévoyait des batailles de chars, des lancements de missiles et des armes chimiques.

L'ombre du Vietnam

Même après les lourds bombardements effectués par les alliés, de nombreux commentateurs redoutaient des corps à corps dans le style vietnamien et des batailles acharnées contre des Irakiens enterrés dans des trous. On attendait des dizaines et des dizaines de milliers de morts. Il y en a eu une centaine. De notre côté, au moins, jamais moyens si puissants n'ont entraîné si peu de pertes. Pour une raison ou pour une autre, Saddam Hussein s'est révélé moins redoutable que prévu. Et le général Schwarzkopf, un stratège très habile. Pour cruels qu'ils fussent, les Scuds irakiens, destinés à transformer la guerre contre Saddam Hussein en un conflit entre Israël et les pays arabes, n'ont fait que quelques victimes dans l'État hébreu. Et les masques à gaz n'ont servi à rien. Immense opération de police un peu rude, la guerre, en fin de compte, a fait moins de victimes chez les coalisés que la montagne, ou bien la route, pendant le même laps de temps. Mais chez les Irakiens ? Combien de morts chez les Irakiens ? Cent mille ? Cent cinquante mille ? Voilà que les chiffres tant redoutés refont leur apparition. Mais du côté de l'ennemi. Un malaise s'empare de nous. Ces morts étaient-ils nécessaires ? Au regard de la conscience universelle, la guerre propre, aseptisée, la guerre miracle sans mort n'était-elle qu'une guerre sale, aux victimes innombrables dans le camp des vaincus ?
Trois séries de réflexions semblent s'imposer aussitôt. Peut-être y a-t-il, d'abord, non seulement un progrès scientifique et technique qui crève les yeux, mais même un semblant, un début de progrès moral, si souvent nié, dans les relations entre les hommes. Il y a encore cent ans, les morts du camp ennemi comptaient presque pour rien. Déjà ceux de notre propre camp... Aujourd'hui, la mort, qu'elle frappe d'un côté ou de l'autre, est ressentie avec douleur. Progrès de la conscience ou force de l'image transmise en direct par la télévision ? Nous n'aurions pas supporté un grand nombre de morts de notre côté. Nous supportons assez mal un grand nombre de morts de l'autre côté. Peut-être – peut-être – arriverons-nous un jour à mettre la guerre hors la loi parce que nous considérerons que même nos ennemis sont nos frères inconnus.

La responsabilité de Saddam

La deuxième série de remarques n'est pas conditionnelle, interrogative, hypothétique. Elle est catégorique. Les morts irakiens sont à porter au débit du seul Saddam Hussein. Nous nous interrogeons ici sur les morts de l'autre camp. Saddam Hussein se moquait bien des morts de son propre camp. Ce n'est pas nous qui le disons. C'est lui qui l'a dit. Il a proclamé que le vainqueur serait celui qui accepterait cent mille morts sans sourciller. Il n'avait pas prévu que les cent mille morts seraient tous dans son camp et qu'il n'y en aurait que quelques dizaines dans l'autre.

C'est parce qu'il acceptait sans frémir cent mille morts que nous avons été contraints de faire la guerre contre lui. Il n'est plus besoin de prouver que Saddam Hussein aimait la guerre et la mort et qu'il a torturé et tué beaucoup de gens. Il était prêt à sacrifier non seulement les autres, mais les siens. C'est ce qui rend si insupportables les manifestations des pacifistes qui dénonçaient Bush et Mitterrand et épargnaient Saddam Hussein.

La troisième série de réflexions porte sur le décalage croissant entre le progrès technique évident et un hypothétique progrès moral. Au moment même où la mort des nôtres, et même celle des autres, nous devient de plus en plus insupportable, les armes dont nous disposons deviennent de plus en plus performantes. Or, pour précises qu'elles soient, les armes et les bombes continuent à tuer. Le feu tue. La technique tue. Nous avons pu nous bercer de l'illusion que les armes devenaient si perfectionnées qu'on pourrait frapper les objectifs militaires et épargner les êtres vivants. C'est une illusion. D'autant plus que, pour épargner des morts dans les rangs de la coalition, il a fallu déverser sur l'Irak des dizaines de milliers de tonnes de fer et de feu. Impossible de marquer à la fois notre satisfaction devant le petit nombre de nos morts et notre indignation devant le grand nombre des morts irakiens. Les uns sont liés aux autres. Et la responsabilité de l'enchaînement remonte à Saddam Hussein.

La question décisive que pose la guerre du Golfe ne concerne plus le passé. Elle concerne l'avenir. Il ne s'agit plus seulement de savoir si elle a été propre ou sale, nécessaire ou évitable, acceptable ou inacceptable. Elle a été faite, et gagnée. Il s'agit maintenant d'en tirer les leçons. Au moment même où la conscience universelle s'émeut des morts de tous les camps, il me semble que bien peu de voix s'élèvent pour assurer, comme à l'issue des deux guerres mondiales, que cette guerre sera la dernière. Au contraire. Non seulement Saddam Hussein a expliqué clairement que cette tentative, même manquée, sera suivie de bien d'autres, mais des réactions inquiétantes continuent à se faire entendre.

Il est vrai que la guerre n'a pas réglé tous les problèmes. Le problème du Koweït est réglé. Celui de la Palestine ne l'est pas. Celui du Liban ne l'est pas. Des questions nouvelles – et anciennes – vont se poser, comme celles de la Jordanie ou des Kurdes. La guerre contre Saddam Hussein était inévitable et nécessaire. Le mieux serait qu'abandonné même des Russes, qui l'ont soutenu en sous-main au-delà du raisonnable, il disparaisse de la scène internationale. Mais même cette heureuse issue ne suffirait pas à dissiper tous les nuages.

Au-delà même du Moyen-Orient, on sent monter ici ou là, dans les Balkans par exemple, mais d'abord dans le monde arabe, des tensions et des pulsions qui poseront à nouveau le problème du recours à la violence. L'essentiel n'est plus aujourd'hui de s'interroger sur une guerre qui a été menée le mieux possible, contre un adversaire qui l'a voulue, mais d'extirper partout des esprits et des cœurs et des uns et des autres les racines de la violence et d'essayer enfin de faire régner la paix. Au Proche-Orient surtout, où tant de peuples hostiles et de religions différentes se partagent les mêmes terres, c'est un vaste programme. Et sans doute un casse-tête. La paix coûtera encore plus d'efforts, plus d'argent, plus d'idées que n'en a coûté la guerre.

Le Figaro, 4 mars 1991

Requiem pour une idéologie défunte

À la différence du fascisme, qui constitue surtout une réaction élémentaire et souvent viscérale fondée sur les notions d'ordre, de sécurité, de nationalisme conquérant, de puissance, et du national-socialisme, où l'obsession de la race et l'antisémitisme jouent un rôle central, le communisme est une construction intellectuelle formidable.

Il remonte loin dans l'Histoire et, tout au long des civilisations et des cultures successives, des noms et des œuvres illustres jalonnent sa préhistoire. Beaucoup de populations primitives pratiquent en fait une sorte de communisme. On a pu soutenir qu'un communisme de type aristocratique était déjà en germe dans *La République* de Platon.

Plusieurs hérésies qui jouent un grand rôle dans l'histoire de la pensée religieuse, et jusque dans la lointaine genèse de ce qui sera, mais au sein de l'Église catholique cette fois, la doctrine de saint François d'Assise, se situent au bord d'une espèce de communisme. Au XVIIIe siècle, des pamphlétaires, des écrivains, des essayistes politiques – le fameux curé Meslier, par exemple – lancent des idées ou des plans qui aboutiront au quasi-communisme d'un Babeuf ou d'un Félix Le Pelletier. Mais le communisme scientifique auquel Marx attachera son nom descend d'une lignée autrement prestigieuse : la fameuse généalogie de l'idéalisme allemand telle que la présente un Péguy : « Kant *qui genuit* Fichte *qui genuit* Schelling *qui genuit* Hegel. »

C'est Hegel qui assure au communisme moderne une bonne part de sa fascination sur les intellectuels d'aujourd'hui – il faut, aujourd'hui, dire : d'hier. La prodigieuse construction de l'idéalisme absolu hégélien est inversée et, selon les propres termes de son disciple et ennemi, « remise sur ses pieds » par Karl Marx. Au confluent de l'économisme anglais, du socialisme français et de la philosophie allemande, dont il s'imprègne et qu'il combat, Marx, flanqué d'Engels, est le père génial d'un marxisme qui gouvernera une partie importante de la planète sous le nom de marxisme-léninisme et qui pèsera d'un poids écrasant sur les intellectuels du monde entier.

Une dictature intellectuelle et morale

C'est grâce à Lénine que la philosophie se transforme en politique. Staline, bien entendu, sera plus brutal et plus sanguinaire que Lénine, déjà plus impitoyable et plus manœuvrier que Marx. Mais tout remonte à Marx, et par lui à Hegel. Il y avait autour des procès de Moscou, autour des goulags de Sibérie, autour des coups de pistolet dans la nuque, comme des relents de philosophie. Et l'histoire se mêle à la philosophie pour justifier et absoudre les crimes du communisme. Dès le coup de force d'octobre 1917 – car il y a un coup d'État à l'origine du communisme comme il y a un coup d'État lors de sa fin –, la philosophie et l'histoire convergent pour fournir une patrie à l'espérance humaine.

Un écrivain aussi éloigné du communisme que Jules Romains donne à l'un de ses ouvrages un titre éloquent : *Cette grande lueur à l'Est*. La guerre d'Espagne joue un rôle décisif dans la mainmise du communisme sur les intellectuels de gauche. Et même parfois de droite : un Bernanos sera obligé de s'éloigner de son camp naturel. Le traité Staline-Ribbentrop d'août 1939 est un coup de tonnerre dans le ciel des rouges illusions. Mais le conflit germano-soviétique, l'entrée des communistes dans la Résistance, l'opposition résolue à Vichy, le triomphe de Staline et le slogan du « parti des soixante-quinze mille fusillés » établissant pour près d'un demi-siècle la dictature intellectuelle et morale du communisme sur les cercles universitaires, scientifiques, littéraires et artistiques. Ceux qui ne sont pas communistes se laissent volontiers embrigader parmi les « compagnons de route ». « Le communisme, écrit David Caute, auteur d'un ouvrage sur le communisme et les intellectuels français, a été pour plusieurs générations d'intellectuels de gauche la grande affaire de l'existence. »

De Barbusse à Langevin, d'Éluard à Joliot-Curie, d'Althusser à Daquin, d'innombrables savants, peintres, cinéastes, écrivains vivent et meurent en communistes convaincus. Ils sont tous persuadés que le communisme triomphera inévitablement d'un capitalisme moribond. Pourquoi la France aurait-elle fait exception ? Le même mouvement irrésistible entraîne les intellectuels allemands à la suite d'un Berthold Brecht, les intellectuels italiens avec un Moravia, un Visconti, un Pasolini, les intellectuels anglais qui fournissent plus que leur lot d'universitaires de Cambridge ou d'Oxford passés, avec McLean, et Burgess, et Anthony Blunt, grand historien de l'art, au service de Moscou.

Ce sont surtout quelques grands noms qui assurent l'emprise du parti communiste sur les intellectuels et qui lui servent d'enseignes publicitaires. Aragon est communiste. « Mes livres, dit-il, sont des livres du parti, écrits pour lui, avec lui, dans son combat. » Ses vers aussi, quand il écrit par exemple avec son lyrisme coutumier : « Ce sont des ingénieurs des médecins qu'on exécute / Balayez les déchets humains où s'attarde / L'araignée incantatoire du signe de croix. » Il est même directeur du journal communiste *Ce soir* et des *Lettres françaises*. Picasso est communiste. Il est en même temps multimilliardaire. Malraux est passé par le communisme avant d'être séduit par de Gaulle. « Dans l'abominable détresse du monde actuel, écrit André Gide avant de s'éloigner du marxisme et d'être couvert d'injures par les communistes, le plan de la nouvelle Russie me paraît aujourd'hui le salut... Les arguments misérables de ses ennemis, loin de me convaincre, m'indignent. »

Les surréalistes passent par des alternances de rapprochement étroit avec les communistes et d'insultes homériques. Le plus remarquable, dans les relations avec le parti de la plupart des intellectuels qui ne sont pas officiellement communistes, c'est précisément l'alternance des périodes de lune de miel et des périodes de franche hostilité. Mais même quand le temps est à l'orage, il n'est pas question de dénoncer le communisme comme une vulgaire dictature. L'exemple le plus frappant à cet égard est celui de Sartre.

Sartre, au lendemain de la Libération, écrit des articles sur les États-Unis dans *Le Figaro*, qui n'est pas, à proprement parler, un organe communiste. Mais, peu à peu, il voit dans les États-Unis « le berceau d'un nouveau fascisme » et l'obsession anti-américaine le pousse à découvrir toutes les vertus possibles au communisme stalinien. Entre Staline et de Gaulle, le dictateur, pour lui, c'est de Gaulle. La haine de l'Occident libéral le jette dans les bras des communistes, qui ne se privent pourtant pas de l'attaquer à boulets rouges.

L'exemple de Jean-Paul Sartre

N'importe. Pour Sartre, « un anticommuniste est un chien ». Il n'est pas le seul à penser de la sorte. Un homme aussi estimable que Jean Lacroix écrit, dans *Esprit*, que « l'anticommunisme politique, c'est la trahison déclarée ou virtuelle » et que « l'Histoire passe désormais par le communisme ». Un éditorial non signé de *Combat*, peut-être écrit par Camus, – que Sartre vomira plus tard pour son libéralisme –, déclare, en 1945 : « L'antisoviétisme est une stupidité aussi redoutable que le serait l'hostilité à l'Angleterre et aux États-Unis. »

Quelques-uns s'obstinent à dire la vérité sur la Russie communiste. Malheur à eux ! Évoquer l'hypothèse que les charniers de Katyn peuvent être l'œuvre des communistes, c'est frôler la trahison. Après la guerre, le malheureux Kravchenko est traîné dans la boue par l'intelligentsia française pour son livre *J'ai choisi la liberté !* Au procès Kravchenko, où défilent des brochettes entières d'intellectuels de gauche et de compagnons de route, André Wurmser déclare que quiconque attaque la Russie se range du côté de Hitler. Jean Bruhat, historien de renom, parlant de la Russie, assure qu'il n'y a jamais eu là de persécutions. Pour un Koestler, pour un Camus, pour un Manès Sperber, pour un Raymond Aron, plus tard pour un Jean-François Revel, qui se battent pour la vérité, que de Sartre et de Merleau-Ponty ! L'idée de vérité elle-même ne suffit plus à régler le problème.

La brèche de Soljenitsyne

Quand la vérité commence à percer, une formule célèbre affirme qu'il vaut mieux se tromper avec Sartre qu'avoir raison avec Aron.

C'est Soljenitsyne qui, le premier, réussit à pratiquer une brèche dans le mur des convictions aveugles. À partir d'*Une journée d'Ivan Denissovitch, Le Premier Cercle, L'Archipel du goulag*, quelque chose s'effrite dans la conscience – et dans l'inconscient – de l'Occident. Soljenitsyne ne suffit pourtant pas à ébranler Sartre, qui lui oppose des paroles inouïes : « Soljenitsyne n'a pas d'idée adaptée à une société actuelle ; il est donc un élément nuisible pour le développement. Il a connu les camps et donc subi jusqu'au bout l'idéologie soviétique : il lui a opposé une idéologie datant du XIXe siècle. Ça, ça ne sert à rien. »

Ainsi, d'année en année, pendant près de soixante-quinze ans, un climat s'est constitué. Des milliers d'enseignants, de l'instituteur au professeur à la Sorbonne et bientôt au Collège de France, sont profondément convaincus de la supériorité morale du communisme et du caractère inévitable de son triomphe. Le cinéma, la chanson, le théâtre, le roman véhiculent ces convictions. *Octobre* ou *Le Cuirassé Potemkine* d'Eisenstein sont la bible de millions de cinéphiles. La colombe de Picasso incarne la paix soviétique.

Pour beaucoup d'esprits honnêtes et aussi bien informés que possible, Hitler est un monstre et Staline un génie qui obéit à des règles qui ne sont peut-être pas les nôtres. Un système intellectuel strictement rationaliste et appuyé sur ce qui se donne – en dépit des délires d'un Jdanov ou d'un Lyssenko – pour la science la plus rigoureuse est élevé à la hauteur d'un mythe. Ce mythe a dominé les intelligences et les consciences en France et en Europe pendant trois quarts de siècle. Et ce n'est pas ici, dans les esprits de tant d'hommes libres et pourtant fascinés, que le mythe s'est écroulé. C'est là-bas, là où le mythe a été vécu, en Europe de l'Est, en Russie, au cœur même du Kremlin, sous la dure épreuve des faits. Si quelque chose n'avait pas craqué à l'Est, les intellectuels français, n'en doutons pas, seraient encore sous le charme et sous l'envoûtement.

Le Figaro, 27 août 1991

De retour à Dubrovnik, écrasée par le malheur

Les remparts, les églises, le cloître des franciscains et celui des dominicains, les fontaines, les palais étaient toujours aussi beaux. Entre le palais Sponza et le palais des Consuls, la colonne de Roland disparaissait sous un échafaudage chargé de la protéger des obus et des balles. J'étais de retour à Dubrovnik.

Je me promenais sur la Placa. Sous un soleil éclatant, débarrassée de ses touristes, fière de ses trésors et de son passé, la ville était faite pour le bonheur. Elle avait peur de l'avenir. Le malheur l'écrasait.

La vieille ville est debout. Presque intacte. Ici ou là, un obus a creusé un trou dans un toit ou arraché une corniche. J'ai sous les yeux quelques éclats de grenades ramassés dans la rue. Sur plusieurs tours des remparts flotte le drapeau des Nations unies, symbole de la protection accordée à une cité qui figure sur la liste des trésors du patrimoine universel dressée par l'Unesco.

Tout autour de Dubrovnik, les forêts ont brûlé. Les villages, occupés par l'armée fédérale, ont été livrés au pillage.

La ville neuve, au pied même des remparts de la vieille ville, a été sévèrement bombardée. Sur les crêtes des montagnes qui enserrent la ville de toutes parts, à quelques centaines de mètres à peine, on distingue les silhouettes des soldats serbes qui guettent leurs proies à portée de fusil.

Une de ces hauteurs se situe exactement dans la perspective du large boulevard que constitue la Placa. De temps en temps, des rafales de mitrailleuses prennent la Placa en enfilade. Les jours de soleil où la vue est dégagée, les habitants les redoutent. Ils aiment les jours de pluie où, à l'abri du brouillard ou des nuages, ils peuvent se déplacer sans trop de crainte sur la Placa.

Alors, la grande rue est encombrée de récipients – tantôt des seaux de plastique, tantôt des trésors d'art – qui recueillent l'eau de la pluie. C'est qu'il n'y a plus d'eau à Dubrovnik.

Après deux mois d'un siège dans le style du Moyen Âge, il reste un peu de nourriture – pour deux ou trois semaines peut-être, si de nouveaux secours n'arrivent pas. Il ne reste déjà plus d'eau. On ne boit pas d'eau à Dubrovnik, et on ne peut pas se laver. La situation sanitaire risque de devenir dramatique d'un moment à l'autre. D'autant plus que dans les hôtels désertés par les touristes et dans les antiques salles voûtées des remparts s'entassent les réfugiés, arrivés en masse de la ville nouvelle et des villages des alentours. Il faut les loger, les nourrir et c'est un problème insoluble.

Aux réfugiés qui arrivent s'opposent les femmes et les enfants qui ont réussi à fuir la ville sur les bateaux de l'aide humanitaire et, notamment, sur la *Rance*, instrument de paix formidable, au commandant et à l'équipage au-dessus de tout éloge, dont l'arrivée dans le port, pour la deuxième fois en quelques jours, a constitué un événement.

Sur la Placa, à de rares exceptions près, vous ne voyez que des hommes. La plupart des femmes ont disparu. En temps normal, Dubrovnik compte quelque soixante mille habitants. Il est difficile de savoir combien il en reste exactement aujourd'hui. Il y a eu un peu plus de cent tués et environ six cents blessés. Sur tous ceux qui survivent dans la ville assiégée plane l'angoisse de l'avenir.

La beauté des lieux, le soleil, la tradition d'un tourisme qui faisait vivre toute une région qui peut être comparée à la côte amalfitaine ou à la Côte d'Azur contrastent avec l'atmosphère de peur qui naît de la menace de l'armée fédérale qui ne cesse, jour après jour, de resserrer son étreinte.

Dans toute l'ancienne Yougoslavie, l'armée fédérale n'est fédérale que de nom. En réalité, elle est serbe. Ici, sur la côte dalmate, elle est en grande partie monténégrine.

Les gens du Monténégro sont des soldats redoutables, mâtinés de brigands. Déjà, à l'époque de Marmont, duc de Raguse, ils avaient donné du fil à retordre aux troupes de Napoléon. Aujourd'hui, ils font régner la terreur sur toute la région.

La vérité est que la ville même de Dubrovnik est relativement protégée. Par l'éclat de sa réputation. Par la beauté de ses monuments. Par les professionnels – j'en suis – de l'emmerdement humanitaire et médiatique qui empêche les troupes d'assaut de danser en rond sur des ruines.

Dans les guerres civiles, on boit toujours ensemble avant de s'égorger

Il est tout à fait clair qu'il n'y a pas, à Dubrovnik, deux armées face à face. Il y a l'armée fédérale, à la discipline inexistante et portée au pillage, mais puissamment armée, et il y a une population civile à peu près totalement désarmée. Si les fédéraux n'attaquent pas, c'est qu'ils craignent le bruit que ferait leur victoire. Dubrovnik n'est pas Vukovar. S'il se passait à Dubrovnik ce qui s'est passé à Vukovar, le monde entier, qui n'a guère bougé pour Vukovar, marquerait son horreur et sa réprobation.

466

L'armée fédérale peut demain, sans trop de peine, s'emparer de Dubrovnik. Mais il faudra y mettre le prix. La ville fermera ses portes, comme au Moyen Âge. Quelques centaines d'hommes armés de vieux fusils, aidés par ce qu'il subsiste de femmes, de vieillards et d'enfants, se battront de maison en maison, derrière les remparts aux ponts-levis relevés et dans les rues de la vieille ville. Pour venir à bout de la résistance de ces quasi-civils, il faudra bombarder la ville et mettre le feu aux maisons. Il y aura des morts par centaines. À l'entrée de Dubrovnik comme de beaucoup de cités de ce temps-là, on voit la statue d'un saint – c'est saint Blaise pour Dubrovnik – qui présente aux regards la maquette de la ville. Dans une exposition de dessins d'enfants qui se tient sur la Placa, on voit la reproduction de la statue du saint avec la ville dans sa main : la ville est en train de brûler.

On le savait : la vie est injuste. La magie du nom de Dubrovnik a, jusqu'à présent, écarté le torrent d'acier et de feu qui a ravagé tant de villes croates. Tout autour de la ville, ce ne sont que récits de pillages, d'emprisonnements, d'incendies. Dubrovnik même a réussi, une fois de plus, à préserver son existence fragile et toujours menacée. Mais l'épée de Damoclès de l'armée fédérale, des anciens communistes de Belgrade mués en nationalistes serbes et des pilleurs monténégrins, reste suspendue sur sa tête.

C'est pour essayer de détourner cette épée que quelques exaltés, assurés de l'appui d'une opinion qui ne sait trop que faire mais qui s'indigne en silence, se sont mobilisés. Une première fois, j'ai essayé de passer avec Jean-François Deniau et quelques camarades. Nous avons été arrêtés par le patrouilleur 174. Cette fois-ci, je suis parti avec Bernard Kouchner, qui avait emmené avec lui, outre un petit nombre de journalistes et de membres de son cabinet, deux députés, l'un de la majorité, l'autre de l'opposition, André Glucksmann et moi.

Nous sommes partis de Bari, comme la première fois. Et j'ai retrouvé, à ma surprise, le même hydroglisseur qui m'avait transporté il y a trois ou quatre semaines : ce bon vieux *Krila Dubrovnika* qui est devenu pour moi une sorte d'ami maritime, mélancolique et dalmate. Nous avons eu une pensée pour Jean-François Deniau, le plus courageux, le plus brillant des marins, qui n'était pas, cette fois, parmi nous et qui nous manquait. Ce n'est plus le patrouilleur 174, mais le 133 qui nous a contrôlés. Mitrailleuses et fusils, à nouveau, se sont braqués sur nous. Mais, enfin, nous sommes passés et nous avons marché dans Dubrovnik au milieu des Croates plongés dans la guerre civile.

Le lendemain de notre arrivée, entouré de représentants de la communauté de Dubrovnik, Bernard Kouchner est allé entreprendre avec sa détermination, sa générosité, son talent habituel, dans le petit port de Cavtat où l'attendaient les représentants de l'armée fédérale, des négociations difficiles sur les couloirs humanitaires et sur un hypothétique cessez-le-feu, appuyé sur des forces d'intervention pacifiques.

À quelques kilomètres de Dubrovnik, Cavtat est ce qu'on appelait, dans le bon vieux temps, une ravissante station balnéaire. Découpée au milieu des pins, l'anse de Cavtat s'ouvre juste en face des remparts de Dubrovnik que vous devinez dans le lointain. Cavtat, aujourd'hui, est occupé par les fédéraux. Moins détruite que les autres, la petite ville constitue comme la vitrine présentable de l'occupation serbo-monténégrine.

La première chose que j'ai aperçue dans le port, c'est le patrouilleur 174, de sinistre mémoire. Quand nous avons débarqué du bateau de croisière qui nous amenait de Dubrovnik, une petite foule, maintenue par un cordon de quelques soldats de l'armée fédérale, s'est mise à applaudir. Ces applaudissements étaient, sans doute, positifs à l'égard des Français. Ils m'ont semblé surtout négatifs à l'égard de l'armée d'occupation.

Le colonel Scicevic, de l'armée de terre, le commandant Jeremic, de la marine yougoslave, qui nous recevaient, étaient des officiers très corrects – vous savez ce que c'est –, et même courtois et sympathiques. Leurs rapports avec les gens de Dubrovnik étaient très surprenants. Ils se détestaient, bien entendu, et ils étaient ennemis. Mais ils parlaient la même langue, ou presque, et ils étaient unis par tous ces liens étroits qui rendent les guerres civiles si atroces.

Le colonel Scicevic, médecin et psychiatre, était de Belgrade. Mais le commandant Jeremic était du coin. Il connaissait tout le monde à Dubrovnik où il avait travaillé et tout le monde le connaissait. Un des négociateurs du côté de Dubrovnik était un juriste du nom de Djuro Kolic. C'était un armateur et un homme d'affaires lié depuis toujours à la ville. C'était, surtout, un champion de l'équipe de water-polo.

Cette particularité lui valait une grande réputation et presque une petite gloire qui lui servait de protection. Il avait failli recevoir une rafale de mitrailleuse tirée du haut des crêtes quand il se tenait devant sa maison et il avait rédigé, en style comique, une lettre de protestation qu'il agitait devant le colonel et devant le commandant. Tout le monde se tordait de rire.

Dans les guerres civiles, et surtout dans ces coins-là, on rigole beaucoup et on boit ensemble avant de s'égorger. On racontait que, quelques jours auparavant, le colonel Démianovic, qui commandait les troupes serbes en train de tirer sur Dubrovnik, avait été nommé général. Djuro Kolic et les siens, qui le détestaient de tout cœur, étaient venus le féliciter de sa promotion et ils s'étaient tous embrassés.

Pendant que Bernard Kouchner, flanqué des représentants de l'Unicef et de l'Unesco, présidait aux négociations entre Serbes et Croates, Glucksmann et moi, nous nous sommes promenés dans les rues ensoleillées de Cavtat.

C'était une journée délicieuse. Nous sommes tombés sur des jeunes gens qui ne parlaient pas français, mais qui parlaient anglais. Nous leur avons demandé comment était leur vie sous l'armée fédérale. Ils se sont sentis en confiance. Ils ont parlé assez vite. Ils nous ont dit, avec un peu d'exagération sans doute, que c'était un camp de concentration dans un décor de paradis. Ils nous ont dit que 90 % de la population dans ce coin de Dalmatie occupé par l'armée fédérale étaient contre les Serbes. Qu'ils étaient démunis de tout, qu'ils n'avaient pas de travail, qu'ils n'avaient pas de quoi manger.

La diplomatie française s'est trompée et,
aujourd'hui, il est trop tard

Ils nous ont raconté tout ce qu'on commence à savoir : que les maisons étaient pillées par des soldats ivres qui n'obéissaient plus à personne et que toutes les églises étaient systématiquement détruites par l'armée fédérale. Ils nous ont parlé de Mokosica, un village voisin qui avait négocié avec l'armée fédérale :

il avait rendu ses armes pour ne pas être envahi et, maintenant, en dépit des accords signés, son école élémentaire était devenue – hé, l'Unesco !... – le siège du quartier général de l'armée fédérale.

Du côté serbe, bien entendu, on réfute en bloc allégations et rumeurs. On explique que les églises sont des dépôts de munitions, et que l'armée fédérale assure l'ordre, la paix et le ravitaillement. Un des thèmes favoris de la propagande serbe, c'est que les frontières de la Croatie ont été artificiellement gonflées, dans le cadre de la République fédérative de Yougoslavie, par le Croate Tito.

Ce qui semble certain, c'est que les gens qui vivent dans les territoires conquis et occupés par l'armée fédérale sont, dans l'immense majorité, anti-Serbes. Partout où elle est arrivée par la force, l'armée fédérale est une armée d'occupation.

Il y a, en Serbie, des démocrates et des fédéraux qui sont hostiles au régime communiste d'hier, aujourd'hui nationaliste. C'est pour mieux garder le pouvoir que ce régime a déclenché des opérations de guerre contre la Croatie. Personne ne doute plus que l'Europe – et la France – aurait dû, dès le départ, se mettre en travers de ces velléités de guerre civile et les étouffer dans l'œuf. Mais, comme pour la réunification allemande, comme pour le putsch de Moscou, comme pour la Libye de Kadhafi, comme pour Cuba et Fidel Castro, la diplomatie française a voulu prendre le vent, elle a été hésitante, elle a été contradictoire et, en fin de compte, elle s'est trompée. Aujourd'hui, il est trop tard. La guerre civile est là. Vukovar a été un drame atroce qui répète Guernica. Essayons, au moins, d'empêcher que ce drame ne se répète à Dubrovnik. Comment ?

D'abord, par la présence. Qu'on le veuille ou non, nous vivons une époque de communication médiatique de masse. Kouchner a raison : il faut que le plus grand nombre possible de dirigeants, d'hommes politiques, de parlementaires de tous bords, d'artistes, d'intellectuels, de chanteurs, de vedettes d'on ne sait trop quoi forment une sorte de chaîne vivante pour maintenir Dubrovnik dans le monde de la paix et de la liberté.

Longtemps, il n'y a eu que la guerre pour faire reculer la guerre. Si on essayait la paix ? Si, pour une fois, on donnait des forces à la paix pour l'emporter sur la guerre ? Si on établissait, par tous les moyens, une sorte de pont maritime avec Dubrovnik et que les organisations internationales de toutes farines venaient y faire la nique à la guerre. C'est la thèse que défend à Dubrovnik, en même temps que Kouchner, le représentant de l'Unicef, Stefano di Mitsura, un Italo-Suédois pittoresque et brillant, toujours vêtu à quatre épingles, malgré l'absence d'eau, et qui semble sorti d'un roman.

Il faut reconnaître la Croatie

Le rêve serait de créer à Dubrovnik, menacée par la guerre, une sorte de centre culturel où afflueraient, sans relâche, des gens venus de partout, des bateaux, des journalistes. On verrait bien si l'armée fédérale prendrait le risque d'attaquer. André Glucksmann proposait que la réunion de Maastricht envoie au moins une antenne européenne à Dubrovnik. Encore faut-il, bien entendu, que le port reste ouvert. S'il se passe quelque chose à Dubrovnik dans les jours qui viennent, ce sera du côté du port. Les fédéraux sont à quelques pas. Qu'ils avancent de quelques centaines de mètres et Dubrovnik, étouffée, est définitivement perdue. Il est grand temps que l'Europe s'énerve un peu sur Dubrovnik et sur la Croatie.

Franchement, si M. Delors, sans s'occuper des risques, ni des compétences, ni du protocole, ni des responsabilités, avait débarqué à Dubrovnik, ce n'aurait pas été mal. Et je ne donne pas cher de l'Europe ni de ses dirigeants si quelque chose de sérieux n'est pas fait, dans le délai le plus bref, pour empêcher tant d'hommes et de femmes, de vieillards et d'enfants d'être massacrés en Croatie.

À côté de ces actes de paix et des efforts de beaucoup, et notamment de Kouchner, pour obtenir que des forces d'interposition pacifiques viennent séparer les combattants – avant, bien entendu, que la Croatie n'en soit réduite, à force de traîner, aux faubourgs de Zagreb –, il faut des actes politiques pour soutenir l'utopie. Le premier, le plus simple, celui qui s'impose avec évidence et qui n'a que trop tardé, c'est la reconnaissance de la Croatie. On nous dit : « Ah ! Il faut que l'Europe soit unie et qu'elle parle d'une seule voix. » Si c'est pour attendre qu'un peu plus de Croates aient été massacrés comme à Vukovar, merci beaucoup. On nous dit aussi : « Reconnaître la Croatie, c'est inciter l'armée fédérale à multiplier et à renforcer ses attaques. » Il semble que le moment soit venu où il n'y a plus rien à perdre et, peut-être, quelque chose à gagner dans la reconnaissance.

S'il n'y avait pas eu Vukovar, s'il n'y avait pas Osijak, s'il n'y avait pas le siège insupportable de Dubrovnik, on aurait pu hésiter. Après tout ce qui s'est passé, il faut, tout de même, que les abominations soient accompagnées de sanctions. La pire des solutions serait d'annoncer la reconnaissance et de ne pas y procéder aussitôt : autant inviter l'armée fédérale à prendre le plus de gagnes possibles. Maintenant, tout de suite, seul s'il le faut – il ne sera pas seul –, le gouvernement français doit reconnaître la Croatie.

Enfin, la Serbie doit être avertie avec fermeté et clarté qu'elle risque de se mettre au ban des nations si elle poursuit des actions qui sont devenues injustifiables. La Serbie démocratique a été l'alliée et l'amie de la France. Les Français aimaient les Serbes parce qu'ils représentaient la liberté, l'indépendance nationale, la démocratie. Qu'ils continuent à les représenter, et on continuera à les aimer. Mais s'ils leur tournent le dos pour sauver un régime national-communiste en décomposition, il faudra bien en tenir compte.

Il y a eu pendant la dernière guerre, des fascistes en Croatie. Il y en a eu aussi en Allemagne – et même en France. Aujourd'hui, les Croates apparaissent comme un peuple démuni, désarmé, qui réclame son indépendance et qui est écrasé par une machine militaire impitoyable. Tout n'est pas parfait chez les Croates. Ils sont aussi brutaux que les Serbes et je ne les pare pas de toutes les vertus. Si les Serbes étaient attaqués par les Croates, il faudrait défendre les Serbes. Mais il est clair, désormais, aux yeux du monde entier, que ce sont les Serbes qui attaquent les Croates. C'est lumineux à Dubrovnik où, pendant que j'écris ces lignes, on entend des tirs de mitrailleuses et l'explosion des obus qui tombent autour de la vieille ville, et peut-être sur elle.

Quand l'indépendance de la Croatie aura été, enfin, reconnue, il faudra veiller, avec le même soin et la même rigueur, au respect des droits des minorités serbes qui subsisteront en

Croatie. Mais chaque chose en son temps. Après tant de victimes du fascisme hitlérien, après tant de victimes du communisme stalinien, après le malheureux Liban, abandonné à son sort, ce sont les Croates qui meurent. Il faut sauver Dubrovnik.

Le Figaro, 3 décembre 1991

1992

De Lisbonne à Sarajevo

Ce qui est en train de se passer en Bosnie-Herzégovine et à Sarajevo est révoltant. Les scènes que nous avons tous vues à la télévision sont insupportables. Quand ils ont la chance de ne pas être massacrés, des enfants, des femmes, des vieillards, des civils vivent dans l'horreur quotidienne. Je crois que les Français ne comprennent plus. On les abreuve chaque jour – en discours – de la solidarité nécessaire. Et quand la simple humanité, quand la compassion la plus élémentaire frappent à notre porte à coups répétés et haletants, on la leur claque au nez. Vous souvenez-vous encore – l'histoire va si vite – de la guerre du Golfe, il y a dix-huit mois ? Il se passait des choses inacceptables au Koweït et Saddam Hussein devait être combattu. On nous le faisait savoir, à juste titre, à grand renfort de trompes. Il se passe dans les Balkans, en Europe, à nos portes, des choses tout aussi inacceptables. Et, comme pour le Liban naguère, aucune grande voix officielle, jusqu'à ces dernières heures, n'avait fait entendre sa colère. Un grand silence plein de honte planait sur Sarajevo. M. Mitterrand a eu le mérite de sentir qu'il était impossible aux Européens de se réunir en paix à Lisbonne pendant qu'on mourrait à Sarajevo. Son voyage n'est qu'un symbole. Au moins est-ce un symbole. Et les symboles ont leur importance.

La guerre en Yougoslavie est d'une sauvage cruauté. Il n'y a pas de camp qui soit tout blanc ni de camp qui soit tout noir. Mais tout le monde sait aujourd'hui qui est le principal responsable des malheurs qui accablent ce pays si durement éprouvé :

474

c'est M. Slobodan Milosevic. Il ne doit pas être confondu avec le peuple serbe. M. Milosevic est au peuple serbe ce que M. Saddam Hussein est au peuple irakien : il est le maître et le bourreau. Le bourreau des autres – et celui des siens. Il faut mettre fin aux ravages que, par un nationalisme obtus et pour se maintenir au pouvoir, M. Milosevic, digne émule de Ceausescu et héritier du communisme le plus sombre, exerce dans les Balkans.

Il faut mettre Milosevic hors d'état de nuire

Les Nations unies, les États-Unis, l'Europe ont marqué leur émotion. C'est très bien. Ce n'est pas assez. Il y a non-assistance à personnes en danger. Il y a un devoir d'ingérence. Ou bien les mots n'ont aucun sens, ou bien le fameux devoir d'ingérence dont on nous a rebattu les oreilles doit s'appliquer à Sarajevo. La solidarité s'applique à Sarajevo. La non-assistance à personnes en danger s'applique à Sarajevo. Et le devoir d'ingérence s'applique à Sarajevo. Et s'ils ne s'appliquent pas là, mieux vaut ne plus jamais nous en parler. C'est évidemment le sentiment qu'a éprouvé M. Mitterrand lui-même lorsqu'il a pris la décision de se rendre à Sarajevo. Sans ce geste, tout un pan de la politique extérieure de la France et son image morale s'écroulaient.

Il faut dire clairement qu'on entend des choses inouïes auxquelles personne, tant les réactions les plus élémentaires s'émoussent vite, ne réagit même plus. Plusieurs fois par semaine, et parfois par jour, nous entendons que les forces des Nations unies attendent, pour intervenir, que le cessez-le-feu soit respecté. Est-ce qu'on rêve ? Est-ce qu'on marche sur la tête ? Si le cessez-le-feu était respecté, les forces d'intervention n'auraient plus de raison d'être. C'est parce que le cessez-le-feu ne cesse d'être rompu qu'il faut des forces d'intervention pour le faire respecter. En un mot comme en mille, débrouillez-vous comme vous voudrez, il faut mettre hors d'état de nuire M. Milosevic.

En dehors des Nations unies, il y a une puissance collective en train de se constituer : c'est l'Europe. Nous avons tous dans l'oreille les déclarations des plus hautes autorités de ce pays : « L'Europe, c'est la paix. » Si nous ne voulons pas que la formule : « L'Europe c'est la paix », prenne le même sens dérisoire et tragique que la fameuse formule : « L'Empire c'est la paix » à la veille de 1870, le moment est venu de mettre fin aux massacres et au martyre de Sarajevo. Après tout, Maastricht n'existait pas encore quand les puissances européennes sont intervenues en Chine pour répondre aux exactions des Boxers, dont vous avez pu voir les exploits dans *Les Cent Jours de Pékin*. L'Europe peut-elle faire moins au moment où elle s'efforce de naître à l'ombre de Maastricht ? On le sait bien : l'argent de l'opium était en cause en Chine. Et le pétrole en Irak. Ce qui est en cause à Sarajevo, c'est simplement la justice, les droits de l'homme, l'humanité. L'Europe a tout autant de motifs pour intervenir en Yougoslavie où meurent des Européens qu'en Chine ou en Irak où l'opium et le pétrole ajoutaient à l'urgence d'une action nécessaire.

En Bosnie-Herzégovine, il n'y a rien à conquérir, il n'y a pas de terres à occuper, il n'y a pas d'argent à gagner ni de situations économiques à soutenir. Il y a des vies à sauver. Il ne s'agit pas d'entreprendre une expédition longue et risquée. Il s'agit – avec l'appui d'une bonne partie du peuple serbe, des intellectuels, des pacifistes, des progressistes – de faire comprendre à M. Milosevic qu'il a tué assez de monde et que son bluff sanglant est terminé. Il n'est pas certain que l'initiative de M. Mitterrand soit suffisante pour le convaincre. Quelques avions, quelques navires, une démonstration de force seront peut-être nécessaires.

Si l'Europe n'est pas capable de mettre fin au drame qui se déroule à Sarajevo, à quoi donc sera-t-elle bonne ? J'ai écrit naguère que l'Europe ne pouvait pas se construire sur les ruines de Dubrovnik. Je crois, avec autant de force, que, faute d'une action rapide, réclamée d'évidence par la conscience internationale, Sarajevo risque, sous les yeux des technocrates tatillons, apeurés et sans âme, de sonner le glas de Maastricht. C'est ce risque mortel qui a poussé le président de la République à partir pour Sarajevo à l'instant même où s'achevait la réunion de Lisbonne, à partir d'ailleurs seul, presque en secret, sans la moindre concertation qui puisse faire penser à l'Europe.

Le Figaro, 29 juin 1992

Le simulacre et la honte

Qui s'occupe encore du Liban, ou des élections législatives truquées qui se sont déroulées hier ? Vous souvenez-vous de la place que ce pays si proche de nous par le sentiment et la langue occupait naguère encore dans les colonnes des journaux, à la radio, à la télévision ? Le cœur de la France battait à l'unisson de celui du Liban. Le mur de Berlin, la chute du communisme dans la patrie du socialisme, les déchirements de l'ex-Yougoslavie, le drame de la Somalie, les menaces nouvelles en Irak, le coude à coude Bush-Clinton, le référendum sur Maastricht, ont rejeté à l'arrière-plan le Liban et les Libanais. De quoi se plaindrait-on ? On se massacrait au Liban. À tant de déchirements implacables a succédé la paix. Le seul ennui est que la paix est imposée par les canons étrangers. L'ordre règne à Beyrouth. Mais c'est l'ordre syrien. Les élections d'hier se sont déroulées au Liban sous le contrôle de l'armée d'occupation syrienne.

Ce qui se passe au Liban, hier encore si prospère, aujourd'hui ruiné et sinistré, entièrement dominé par l'occupation étrangère, est tragique pour les Libanais. C'est aussi tragique pour le monde. Et c'est tragique pour la France. Parce que les droits de l'homme sont bafoués, que la collaboration triomphe et que le mensonge règne.

Tout remonte aux sinistres accords de Taef, signés sous la menace des mitrailleuses syriennes, et qui faisaient pratiquement du Liban, avec la bénédiction hypocrite des grandes puissances soulagées, un protectorat syrien. Les accords de Taef, dont on pourrait parler longuement, c'était l'Anschluss au Proche-Orient. C'était le Vichy libanais.

Nous avons tous entendu les plus hautes autorités de notre pays – le président de la République, le Premier ministre, le ministre des Affaires étrangères – nous expliquer que l'affaire du Koweït était autrement grave que l'affaire yougoslave : parce que la Yougoslavie, c'est une guerre civile ; et le Koweït, c'est une agression étrangère. À moins de considérer que le Liban fait d'ores et déjà partie intégrante de la Syrie, ce qui se passe au Liban, c'est une agression étrangère. Les Syriens occupent le territoire libanais, comme les nazis occupaient le territoire autrichien. Ils contrôlent la politique du gouvernement libanais, comme les nazis contrôlaient la politique du gouvernement de Vichy.

Comment, dans ces conditions, les grandes puissances acceptent-elles le scandale politique et moral des élections d'hier ? Comment la France, en particulier, qui entretient depuis si longtemps des liens privilégiés avec le Liban, et dont le gouvernement se gargarise de francophonie, n'a-t-elle pas élevé la voix ? Je crois que tous les Français se diront ce matin que c'est une honte et un scandale. Il y a quelques jours encore, le gouvernement français, par la voix de ses plus éminents représentants, expliquait que la France, dans le conflit yougoslave, avait pris plutôt le parti des minorités que des nationalités. Les chrétiens au Liban ne peuvent même pas être considérés comme une minorité : ils sont une part essentielle du pays. Et tout le monde sait que beaucoup de musulmans sont aussi indignés que les chrétiens de ce qui se passe dans leur pays.

Comment voulez-vous que la politique française à l'égard de l'Irak ou dans l'ex-Yougoslavie ait la moindre crédibilité quand les principes mêmes qui la fondent sont foulés aux pieds au Liban – au Liban ! Au Liban où on parle français ! Au Liban où la France est aimée ! – sans la moindre réaction d'un gouvernement français dont il est permis ici, très calmement, de dire que son silence le déshonore.

Si le gouvernement français accepte ce qui se passe au Liban sous prétexte que la paix y est au moins assurée, autant donner tout de suite le Koweït à l'Irak et la Bosnie-Herzégovine tout entière aux Serbes : l'Irak et la Serbie assureront la paix dans ces territoires qui leur sont proches et où ils ont des partisans tout aussi bien que la Syrie, totalitaire elle aussi, et souvent terroriste, assure la paix au Liban.

Mascarades

Les chrétiens, souvent divisés au Liban, sont unanimes derrière le patriarche maronite, Nasrallah Sfeir, qui refuse le chantage syrien. Beaucoup de chrétiens pensent avec fidélité et mélancolie au général Aoun, qui a échoué politiquement mais a incarné une certaine idée nationale libanaise qui n'était pas médiocre. Beaucoup de musulmans évoquent avec nostalgie le Liban des droits de l'homme et de la tolérance entre les communautés libres, qui est aujourd'hui piétiné.

Tous ces derniers jours, les pressions, les chantages, les mascarades se sont multipliés. Le monde entier le sait. Il se tait. Il laisse les Libanais à leur misère et à leur chagrin. On voudrait, dans cette honte, dire aux Libanais – musulmans et chrétiens – qu'en dépit du silence d'un gouvernement empêtré dans ses contradictions, les Français ne les oublient pas et pensent à eux avec fidélité. Avec tristesse. Avec espoir.

Le Figaro, 24 août 1992

L'année de tous les doutes (1)

Mil neuf cent quatre-vingt-douze aura été une année de scepticisme, de découragement général et de morosité. En dépit des pires épreuves tout au long de son histoire, la France était un pays riche, heureux de vivre, très gai, qui donnait au monde autour de lui des leçons de grandeur et d'optimisme. Il s'est appauvri et assombri. Il s'est rétréci. Il est devenu inquiet et bougon. Ce qui semble s'être écroulé en 1992, c'est un sentiment de confiance en l'avenir, 1992 est l'année du désarroi. L'événement majeur de l'année est un événement négatif, un événement en creux : le moral de la nation est atteint comme jamais. Toute grande espérance, toute trace d'enthousiasme, tout élan semble s'être évanoui. On sait à peu près ce que redoutent les Français et ce qu'ils rejettent. On ne sait plus ce qu'ils espèrent. On dirait, en vérité, que, vers le milieu du second septennat de M. François Mitterrand, les Français ne croient plus à rien.

Que s'est-il passé ? Essentiellement, trois choses : en 1992, le chômage n'a pas été vaincu, l'Europe a eu du mal à se faire, les affaires et les scandales ont pris des proportions jusqu'alors inconnues et ont envahi tout l'horizon politique.

Personne ne peut reprocher à M. Mitterrand et aux socialistes de n'avoir pas pu endiguer un chômage qui frappe tous les pays du monde. Ce qu'on peut, ce qu'on doit leur reprocher, c'est d'avoir promis de l'endiguer – et de s'être fait porter et maintenir au pouvoir sur cette promesse. Les engagements solennels et successifs pris par M. Mitterrand, par M. Mauroy, par M. Bérégovoy, sur un reflux du chômage ont été cruellement démentis par les faits. Malgré tant de dénégations, 1992 est l'année des trois millions de chômeurs – et peut-être beaucoup plus.

Aux mensonges sur le chômage, aux faux-semblants, aux trucages, destinés à camoufler l'étendue du désastre, s'ajoutent les trucages, les faux-semblants, les mensonges sur une fiscalité dont les effets désastreux se sont révélés de façon éclatante en 1992. Personne n'embauche plus parce que personne n'a plus les moyens d'embaucher ni, surtout, la confiance nécessaire.

Héritage catastrophique

Avec toujours la même solennité suivie d'aucun effet, M. Mitterrand avait annoncé naguère la baisse des prélèvements obligatoires. Ils n'ont fait qu'augmenter grâce à des expédients tels que la hausse de nombreux impôts locaux, qui sont devenus, en fait, à la suite des dispositions socialistes sur la solidarité entre communes, des annexes des impôts nationaux. D'une main, le président de la République assure que les prélèvements obligatoires ont atteint un niveau insupportable. De l'autre main, il fait le nécessaire pour transférer une partie de la charge des prélèvements obligatoires sur les impôts locaux. L'hypocrisie est ainsi élevée à la hauteur d'un procédé de gouvernement.

En 1992, le franc est resté fort. Mais le doute s'insinue. Ce succès monétariste n'est-il pas construit sur les ruines de l'économie ? La bonne tenue de la monnaie n'est-elle pas un faux-semblant de plus ? Le franc est fort, mais les affaires se traînent, les entreprises périclitent, les bilans se déposent, le chômage s'accroît, la pauvreté progresse.

Le socialisme, dans une première phase, apparaissait comme porteur de justice sociale et comme peu compétent. Dans une deuxième phase, il a manifestement abandonné toutes ses valeurs morales au profit de succès de gestion. C'est la qualité de cette gestion que, dans une troisième phase, l'année 1992 a remise en question : en dépit de l'inflation jugulée et de la bonne tenue du franc, qui sont à mettre au crédit de M. Bérégovoy, jamais la situation économique n'a été aussi désastreuse. Au point que l'héritage laissé en 1993 par 1992 risque de se révéler catastrophique. Mais, tout au long de l'année écoulée, ces détails économiques ont été balayée d'un revers de la main par le président de la République : l'Europe allait assurer le salut de la France ébranlée.

Les hésitations sur l'Europe

L'Europe était la grande idée du second septennat. Sa construction figurait dans tous les programmes successifs de M. Mitterrand. Sur ce point-là au moins, le président n'avait jamais varié. Mais, tout au long du premier septennat, édifié sur le socle d'une union de la gauche qui comprenait les communistes, peu favorables à l'Europe, l'union européenne était restée au deuxième plan, pour ne pas dire en veilleuse. 1992, enfin, allait être l'année de la réalisation et de l'apothéose. L'inauguration définitive et irréversible de l'Europe était d'ores et déjà fixée au 1ᵉʳ janvier 1993. Toute l'année 1992 allait constituer une ascension triomphale vers l'avènement de l'Europe.

Depuis longtemps, le président de la République était à la recherche d'un second souffle. Il tournait autour de l'idée d'un référendum qui lui aurait donné comme un supplément de légitimité et d'adhésion populaire. Après plusieurs échecs, après l'expérience de la guerre du Golfe, qui, au début au moins, a joué un peu, l'année dernière, le rôle d'un référendum gagné, deux thèmes auront marqué l'année en train de disparaître ; la réforme constitutionnelle et l'Europe.

Sur l'un et l'autre thème, une majorité substantielle pouvait être espérée. M. François Mitterrand était sincèrement européen : ses convictions ne l'empêchaient pas, bien au contraire, de se servir de l'Europe comme d'un outil électoral, destiné à redresser une situation intérieure en train de se dégrader pour un certain nombre de raisons, dont la première était le chômage.

Comme 1988 avait été marquée par l'hésitation, réelle ou feinte, du président de la République à se représenter, 1992 a été marquée par l'hésitation présidentielle sur le référendum européen. Le nom qui domine l'année, c'est celui de Maastricht : il s'enfonce déjà dans l'oubli. Les batailles autour de ce nom auront pourtant été vives et présentées comme historiques à grands renforts de propagande officielle. Maastricht devait marquer un tournant dans l'histoire de notre pays.

La ratification du traité était assurée par la voie parlementaire. Peut-être avec imprudence, le RPR réclamait un référendum. Pour deux motifs différents, le président, qui avait longtemps laissé deux fers au feu, se décida tout à coup : référendum. L'un des motifs était le vote des Danois, qui avaient refusé par référendum le traité adopté par la voie parlementaire. L'autre motif n'appartenait qu'à la politique intérieure : le succès prévisible allait renforcer le président et son gouvernement.

Issue de secours

Sauf un quarteron d'irréductibles emmenés par le tandem Pasqua-Séguin, les milieux politiques, économiques, religieux, intellectuels, toutes les instances dirigeantes, la quasi-totalité des médias étaient en faveur de l'Europe. À la veille des débuts de la campagne sur Maastricht, les partisans de l'Europe dépassaient ou avoisinaient les deux tiers de l'électorat. L'événement peut-être capital de l'année écoulée est le lent effritement de cette majorité et la défaite du complexe politico-médiatique.

À les évoquer aujourd'hui, les arguments des défenseurs de Maastricht apparaissent discutables – pour ne pas dire mensongers. Tout le monde a pu entendre le président de la République assurer que le traité n'était pas négociable, qu'il fallait le prendre ou le laisser et que l'adhésion formelle des douze pays impliqués était une condition *sine qua non.* Tout le monde a pu constater non seulement que le « non » danois n'avait pas fait capoter l'Europe, mais que des conditions particulièrement douces et alléchantes ont été par la suite accordées au Danemark. On a même pu entendre le gouvernement français dénoncer avec vigueur le gouvernement britannique, qui, reprenant simplement l'argumentation présidentielle, prétendait, ces dernières semaines, que l'accord des Douze était nécessaire à l'Europe.

Après le succès d'un cheveu du « oui » au référendum, on a le sentiment qu'un succès du « non » n'aurait pas changé grand-chose. On nous menaçait d'une crise sévère en cas de victoire du « non ». Il y a eu un succès, très limité il est vrai, du « oui », et il y a eu tout de même une crise sévère. Ce qu'il y a proba-blement de plus grave dans l'affaire du référendum sur Maas-tricht, c'est que l'échec relatif du « oui » – ou, si l'on préfère, la minceur de sa victoire –, qui venait d'un scepticisme à l'égard de l'Europe et aussi d'une hostilité à l'égard du gouvernement, a contribué encore un peu plus, chez les adversaires de l'Europe comme chez ses partisans, à la morosité et à la confusion.

Le 1ᵉʳ janvier 1993, qui devait constituer pour l'Europe comme un arc de triomphe, ressemblera plutôt à une porte de service ou à une issue de secours.

Tout au long de l'année, des catégories sociales de plus en plus nombreuses – les infirmières, les routiers, les cheminots, les agriculteurs... – ont manifesté leur mécontentement. Ce mécontentement était souvent lié à la méfiance à l'égard de l'Europe. Au moment même où l'Europe frappait à la porte, un mouvement de repli sur soi-même se faisait jour en France. On a vu le gouvernement, pour des raisons électorales, se rallier à peu près aux arguments qu'il avait combattus dans la cam-pagne pour Maastricht. On a assisté au spectacle stupéfiant d'un Premier ministre qui appelait ceux qui avaient voté « oui » sur sa recommandation à se convertir derrière lui à une position proche du « non ». Et qui conjurait ceux qui avaient voté « non » de se rallier à lui, qui avait voté « oui » afin de mieux dire non à l'ensemble d'une Europe qui acceptait le compromis sur le Gatt. À ce point de confusion, un pouvoir n'en peut plus. C'est l'image que donnent les socialistes à quelques semaines de légis-latives qui seront moins gagnées par une opposition toujours affaiblie par la division de ses chefs que perdue par une majorité que l'effondrement de ses valeurs a réduite en charpie.

L'effondrement de la confiance

Les socialistes étaient parvenus au pouvoir sur des promesses de transparence, d'honnêteté financière et de rigueur morale. La cascade des scandales fait de 1992 une année record, non pas de l'effritement, évident depuis longtemps, des valeurs morales, mais de l'écroulement de tout ce qui peut ressembler à une confiance dans les dirigeants et à un respect de leur action. Le président de l'Assemblée nationale est inculpé. Un ancien Premier ministre est déféré en Haute Cour. Des suspicions graves pèsent sur des ministres, sur des directeurs de cabinet, sur de hauts fonctionnaires. La justice est remise en question et ouvertement contestée jusque dans les rangs mêmes du gouvernement. Le contrôle fiscal est ouvertement brandi par un ministre comme une arme politique contre ses adversaires. Jamais l'image du président de la République et de son entourage n'a été aussi mauvaise dans l'opinion publique. C'est que, de Jean Jaurès à Bernard Tapie, de Léon Blum, qui aimait la littérature avec tant de distinction intellectuelle et morale, à M. Charasse, qui est intimement convaincu que la République n'a pas besoin d'écrivains, le socialisme a beaucoup changé.

Contre le général de Gaulle, contre Georges Pompidou, contre Valéry Giscard d'Estaing, M. François Mitterrand a donné longtemps l'image d'un polémiste redoutable – qui allait jusqu'à l'injustice. Que dirait-il aujourd'hui ! Le gouvernement de la France, que le général de Gaulle avait hissé à des hauteurs imprévisibles, n'est pas tombé tout à fait au niveau de discrédit de certains gouvernements africains ou sud-américains, mais il n'en est pas loin. Il n'a plus rien à envier aux gouvernements les plus critiqués de nos voisins italiens écœurés par leur pouvoir. Alors que le président de la République continuait, comme si de rien n'était, à dénoncer l'argent corrupteur, les scandales financiers frappaient à répétition les dirigeants socialistes. Après l'affaire de l'amnistie réservée aux politiques, après l'affaire Habache, où des hauts fonctionnaires ont payé pour les dirigeants responsables et ont été jetés en pâture à l'opinion publique, toute l'année 1992 a été marquée par l'affaire tragique du sang contaminé.

Intérêts particuliers

Ce drame humain, devenu par la force des choses une affaire politique, est comme le symbole de l'année. Le thème de la responsabilité politique s'y mêle aux thèmes de l'horreur et de l'accablement. Les retournements successifs des socialistes et de leur chef, pris au piège de l'histoire – nous avons vu coup sur coup menacer de la Haute Cour trois anciens ministres, puis deux, puis aucun, puis de nouveau trois –, ne peuvent qu'accroître les sentiments d'inquiétude et de désarroi qui dominent un temps où la grandeur, le courage, la vraie générosité, le dévouement à la chose publique mise au-dessus des intérêts particuliers, font étrangement défaut.

Étouffé par des scandales bien pires que ceux qu'il dénonçait volontiers chez les autres, incapable de mener à bien le grand dessein européen avec lequel il entendait se confondre, le président de la République a sorti, à la fin de l'année, dans les derniers mois de la législature, une ultime carte de son chapeau : la réforme constitutionnelle. Chacun a vu aussitôt qu'elle était biseautée et qu'elle servait, elle aussi, des intérêts partisans au lieu de l'intérêt général. Entre l'Europe qui se crée, le chômage qui s'accroît, et la série ininterrompue de scandales, elle ne suffira pas à marquer l'année politique d'une connotation positive.

Il n'y a pas eu de grande guerre en 1992 ni d'effondrement monétaire. Sauf quelques bavures, la paix civile a régné. La liberté et les droits de l'homme ont été préservés. Le tableau général de cette année est pourtant assez sombre. L'économie est en miettes. Le moral, au plus bas. La responsabilité de cette situation, si dangereusement dégradée, n'incombe pas entièrement au président de la République et aux socialistes au pouvoir. M. Mitterrand n'a jamais voulu reconnaître que le choc pétrolier avait secoué la France au temps de M. Giscard d'Estaing. Nous sommes moins partisans que M. Mitterrand.

Nous reconnaissons volontiers qu'en 1992 la configuration générale n'était pas bonne autour de la France. Ce qu'on peut reprocher au pouvoir socialiste, c'est d'avoir menti aux Français, de les avoir bercés de promesses qu'on ne pouvait pas tenir, de les avoir découragés par des flots de réglementations tatillonnes et absurdes. Mensonge sur le chômage, mensonge sur l'Europe, mensonge sur les valeurs affichées par le socialisme. Rien n'a plus démoralisé les Français que les discours trompeurs de M. Mitterrand. Rien ne les a plus indignés que les palinodies, les retournements et, dans plus d'un cas, les chantages socialistes.

S'il fallait résumer de trois mots l'année 1992, ce serait par les mots : découragement, désarroi et méfiance. De cette méfiance, de ce désarroi, de ce découragement – qui se joignent souvent au mépris pour l'ensemble des hommes politiques –, M. Mitterrand et quelques-uns de ses proches sont largement responsables. Non pas exclusivement, mais largement. Ils ont poussé les Français vers le bas au lieu de les tirer vers le haut. Ils les ont trompés pour conquérir le pouvoir et pour y rester. Ils ont découragé leurs initiatives. Ils les ont scandalisés par leur exemple. Ils les ont démoralisés.

Le Figaro, **24 décembre 1992**

1993

Pérès, Arafat, le courage et le risque

Ce qui se passe sous nos yeux sur cette terre où a vécu le Christ et où sont passées les Croisades constitue un des événements les plus importants depuis la fin du national-socialisme et la chute du communisme. Les racines poussent très loin. Elles recouvrent toute l'Histoire qui nous a fait et sur laquelle nous vivons. Leur enchevêtrement avait abouti à une situation bloquée et apparemment insoluble, dont nous étions tous responsables.

Sans remonter au Déluge, la décision de créer un État juif sur une terre habitée depuis plusieurs siècles par des Arabes musulmans était lourde de remords et de menaces. Les remords, c'étaient ceux des nations occidentales, épouvantées par le drame de l'extermination des juifs européens sous les coups du national-socialisme. Répondant aux vœux des sionistes, qui se battaient pour le retour des juifs sur une terre qui était aussi la leur, elles avaient décidé de battre leur coulpe sur la poitrine des Arabes et des Palestiniens. Du coup, le monde arabe dans sa totalité, et même le monde musulman, qui déborde le monde arabe, trouvait dans la lutte contre l'État hébreu le ciment nécessaire au camouflage de ses querelles intestines et un motif de guerre perpétuelle. Nulle part la paix n'était autant menacée que sur cette terre que nous disons sainte. Il y a encore quelques semaines, les meilleurs esprits, et les plus pacifiques, pouvaient voir à juste titre dans l'hostilité entre juifs et Arabes un foyer de violence dont il était impossible de venir à bout. Les Palestiniens voulaient reprendre la terre dont ils avaient été chassés. Les Israéliens voulaient défendre la terre qui leur avait été donnée. Les uns et les autres étaient sûrs d'avoir raison, d'incarner la justice et la vérité. Il n'y avait pas d'issue à une situation qui paraissait figée.

Le mérite immense du gouvernement israélien est d'avoir, d'un seul geste, par un coup d'audace qu'on ne saluera jamais assez, débloqué la situation. Il faut dire et répéter que non seulement la justice, mais aussi la sagesse sont de ce côté-là. Les armées israéliennes ont remporté l'une après l'autre toutes les guerres où elles étaient impliquées. Mais, ne serait-ce que pour des raisons démographiques, auxquelles s'ajoutent beaucoup d'autres, l'avenir était sombre pour Israël. La force, dans le monde moderne, ne suffit plus à régler les problèmes.

Dans un monde dominé par la communication de masse, la situation d'Israël se dégradait peu à peu. L'Intifada, la guerre des pierres, était un piège mortel. D'un côté, il était impossible à une armée et à une police de subir sans réagir les attaques dont elles étaient victimes ; de l'autre, la répression devenait intenable. Les Israéliens apparaissaient comme une armée d'occupation ; c'est une position, aujourd'hui, qui ne pardonne plus. Israël disposait dans le monde d'un énorme capital de sympathies. L'intelligence, la mesure, la capacité d'adaptation, le courage des Israéliens, faisaient l'admiration du monde. Mais les Israéliens eux-mêmes sentaient obscurément qu'ils étaient engagés dans une impasse de l'Histoire.

L'immense mérite du gouvernement israélien est d'avoir voulu sortir de l'impasse. Il a fait un pas vers la paix. Il a tendu la main aux Palestiniens. L'immense mérite de Yasser Arafat et de l'OLP est d'avoir saisi cette main. Oui, parmi ceux qui veulent la paix dans ce monde, ne s'en réjouirait pas ?

Baguette magique

Le rapprochement, à propos de Jéricho et de la bande de Gaza, entre l'OLP et le gouvernement israélien, suffit à transformer, comme par un coup de baguette magique, la situation insoluble où nous nous trouvions il y a encore quelques jours :

à l'affrontement entre juifs et Palestiniens succède un double affrontement entre extrémistes et modérés à l'intérieur de chacun des deux camps. Faucons israéliens et faucons musulmans regardent avec fureur la tentative de rapprochement.

Essayons de comprendre au lieu de condamner. Les Israéliens ont peur. Beaucoup d'entre eux se disent – et comment leur donner tort ? – que leur seule chance de survie est dans les mains de Tsahal. Tout ce qui affaiblit l'armée et la puissance d'Israël est un danger pour l'avenir. Comment être sûr que les territoires accédant à l'autonomie ne seront pas des bases pour un terrorisme de demain, plus redoutable encore que celui d'hier et d'avant-hier ?

Imagine-t-on les sentiments des colons israéliens isolés dans les territoires promis à l'autonomie ?

Du côté palestinien, comment Yasser Arafat, en perte de vitesse, ne serait-il pas accusé par les durs de son camp de pactiser avec l'adversaire ?

Il est très facile, de l'extérieur, de distribuer les bons et les mauvais points. De l'intérieur, la passion est montée à un tel degré que converser avec l'ennemi est un crime inexpiable. Négocier avec lui un arrangement politique est au-delà des mots.

C'est dire le courage dont ont dû faire preuve, pour briser les tabous, et Shimon Pérès et Yasser Arafat. Au moment où ils ouvrent tous deux une voie nouvelle qu'il n'était pas permis d'espérer il y a à peine quelques semaines, comment ne pas penser à un pionnier qui, le premier, a accepté, avec une sorte d'héroïsme au service de la paix, de jeter un pont entre Israël et le monde arabe : Anouar el-Sadate. C'est sur le chemin qu'il a tracé que s'engagent les négociateurs d'aujourd'hui.

Aujourd'hui comme hier, les risques sont immenses. Tout ce que les deux camps comptent de fanatiques va se déchaîner de part et d'autre. Nous voyons en Bosnie les dégâts de la passion nationaliste et religieuse. Les positions sont plus tranchées encore, et les haines plus enracinées, entre juifs et Arabes.

Le terrorisme va s'en donner à cœur joie. Il va tenter de jeter à nouveau l'une contre l'autre les deux communautés, dont le rapprochement lui est insupportable. Il n'est pas sorcier de prédire que Yasser Arafat est désormais un homme traqué, plus gravement sans doute qu'il ne l'a jamais été par le Mossad.

Il faudra, de part et d'autre, une énergie sans bornes pour empêcher la paix d'être étouffée sous le terrorisme.

Le pari est formidable. Il était plus simple de laisser les choses en l'état. Et peut-être, à court terme, plus rassurant. Mais c'était pour aller, à coup sûr, vers une terrible explosion. C'est pourquoi le coup d'audace d'Israël et de l'OLP est en même temps un coup de sagesse. Tout compte fait, les risques – immenses – d'un accord sont moins grands à moyen ou à long terme que les risques d'un désaccord indéfiniment perpétué sous forme de haine et de violence aux aguets. D'un côté, une certitude de désastre. De l'autre, au sein des dangers et des obstacles innombrables, une espérance de paix.

Personne ne peut dire ce qui sortira des événements qui se préparent sous nos yeux. Mais on peut prédire ce qui se passerait si la paix ne l'emportait pas : des massacres sans fin et une apocalypse. C'est pourquoi il faut soutenir de toutes nos forces ceux qui, pour des raisons sans doute très compliquées, et en même temps toutes simples, tentent de se rapprocher.

On peut même imaginer une issue presque radieuse. Les Palestiniens sont une élite au sein du monde arabe. Et chacun sait les capacités et les vertus des Israéliens. Un rapprochement sincère et durable entre Palestiniens et Israéliens ouvrirait des perspectives radicalement nouvelles. Tout dépend non seulement des accords et des textes, mais de l'esprit qui y préside et du sentiment populaire. Il faut tout faire pour que la tolérance l'emporte sur le fanatisme. Et le courage sur les risques.

Le Figaro, 7 septembre 1993

Un seul supergéant sur la planète

En 1993, les États-Unis du démocrate Bill Clinton, qui, flanqué d'Hillary, a succédé à Bush le républicain, sont seuls à régner sur le monde. Ils ont gagné la guerre froide et l'URSS s'est écroulée. Héritière principale de l'URSS en morceaux, la Russie se débat dans quelque chose qui ressemble à une guerre civile larvée. Boris Eltsine, dont d'innombrables Cassandres annon

cent la chute chaque jour, est toujours là. Il a même sérieusement renforcé son pouvoir. Pendant les neuf premiers mois
de 1993, il a joué au chat et à la souris avec le Parlement issu
de l'ancien régime et dominé par les conservateurs : le président
Rouslan Khasboulatov et le général Routskoï. À la fin de septembre, Eltsine a dissous le Parlement et le Parlement a destitué
Eltsine.

Le dimanche 3 octobre, quelque dix mille manifestants
déchaînés, armés de bâtons et de barres de fer, rompent avec
une déconcertante facilité – qui a parfois suscité quelques soupçons – les barrages de police et se regroupent devant la Maison
blanche qui abrite le Parlement. Le général Routskoï les appelle,
du balcon, à s'emparer de la mairie, toute proche, et du centre
de télévision d'Ostankino, au nord de Moscou. La mairie est
prise, la télévision est investie par les insurgés. « Il faut prendre
le Kremlin ce soir », déclare aux députés le président Khasboulatov. Eltsine semble sur le point d'être renversé.

Mais le lundi 4 octobre, des chars T 72 appartenant à des
forces blindées appelées d'urgence en renfort cantonnent la
Maison blanche. Les députés se rendent sans condition. Khasboulatov et Routskoï sont arrêtés. Au moins pour un temps,
appuyé sur l'armée qui lui a donné un sérieux coup de main,
Boris Eltsine, trop vite condamné par tous les médecins qui se
penchent au chevet de la Russie convalescente, occupe le terrain. À l'extrême fin de l'année, des élections législatives, qui
n'ont pas suscité l'enthousiasme des citoyens, ouvrent une étape
nouvelle où communistes et ultranationalistes mèneront, semble-
t-il, la vie dure au réformisme de Boris Eltsine.

Les deux seuls pays qui peuvent, non pas lutter d'influence
avec les États-Unis, mais jouer un rôle déterminant dans la politique internationale sont les deux grands vaincus de la guerre :
l'Allemagne et le Japon. L'écroulement de l'URSS a fait l'affaire
du Japon dont l'étoile continue à monter sur la scène internationale : les États-Unis, de plus en plus, regardent vers le Pacifique. Des signes pourtant à la fois de démocratisation et de
lente usure commencent à apparaître dans le pays le plus
moderne et le plus conservateur du monde. Pour la première
fois depuis sa création en 1965, le Parti libéral démocrate (PLD)
perd la majorité absolue aux élections législatives de juillet 1993.

Mais les élections marquent aussi l'effondrement des socialistes japonais.

Prend le pouvoir une coalition de petits partis nouveaux, rénovateurs sans doute, mais surtout conservateurs, qui porte au poste de Premier ministre M. Morihiro Hosokawa. M. Hosokawa, nouveau Parti du Japon, cinquante-cinq ans, remplace M. Miyazawa, PLD, soixante-quatorze ans. Une révolution ? Peut-être plutôt un nouvel habillage.

La réunification a rendu toute sa puissance à l'Allemagne coupée en deux par l'écroulement du nazisme – et elle l'a fragilisée. Le prix de la réunification est plus élevé encore que prévu. L'année 1993 prend conscience d'un paysage politique radicalement nouveau : l'URSS, contre laquelle tentait de s'édifier l'unité européenne, n'existe plus ; en revanche, à l'Allemagne de l'Ouest, limitée et prospère, s'est substituée la grande et vieille Allemagne traditionnelle. À l'Allemagne européenne succède une Allemagne allemande. C'est un géant. Mais affaibli – ou temporairement affaibli. Avec une subtilité souvent cynique qui échappe souvent à l'Occident, la Chine cherche encore son chemin entre un capitalisme de plus en plus conquérant et un communisme qui n'en finit pas de mourir. Le Brésil, autre géant, mais toujours en puissance, se débat dans les séquelles du scandale Collor. Les États-Unis règnent seuls sur le monde.

États-Unis et Nations unies

En 1993, les États-Unis servent de glaive séculier aux Nations unies comme tel ou tel prince, roi ou empereur pouvait, au Moyen Âge, servir de glaive séculier au pape, maître de Rome. Les Nations unies s'engagent surtout sur deux théâtres : l'ex-Yougoslavie et la Somalie. Avec les meilleurs intentions du monde. Et avec un mince, très mince succès. En Somalie, les chefs de guerre, qui détournaient l'aide humanitaire et contre qui l'intervention avait été décidée, finissent par dicter leur loi. Il faudrait des bains de sang pour faire régner la paix. On y renonce. À juste titre. Les opérations militaires coûteraient plus cher, matériellement et moralement, que tout ce qu'on pourrait imaginer en matière d'aide alimentaire et sociale. Mais c'est en Bosnie surtout, et à Sarajevo, que se déroule une tragédie qui bouleverse le monde entier à la lueur des sunlights, avant de tomber, à son tour, comme le Liban, comme les Kurdes, comme l'Arménie, comme le Soudan, comme le Cambodge, comme l'Amérique centrale, comme toutes les régions martyres d'une planète qui semble parfois retourner à la sauvagerie, dans la grisaille de la routine.

Tout au long de 1993, le cœur du monde bat au rythme de Sarajevo et de ses habitants. Les images à la télévision, les reportages à la radio, les articles dans les journaux suscitent un immense élan d'indignation et de compassion. L'action humanitaire fait ce qu'elle peut. L'action politique est un échec cuisant. Faute d'avoir imposé leur volonté à temps, les Nations unies et la Communauté européenne – devenue, sans trop de fifres ni de tambours, l'Union européenne à la fin de 1993 – perdent un peu de leur crédit à Sarajevo et en Bosnie. Ceux qui avaient, à bon droit semble-t-il, condamné Milosevic et ses sbires, qui ne se confondent pas avec le peuple serbe, comme les premiers responsables des horreurs de l'ex-Yougoslavie, voient avec tristesse les adversaires des Serbes procéder avec une cruauté digne de celle qu'ils dénonçaient.

Un peu de lumière

Aux destructions par les Serbes d'églises ou de cimetières, de bibliothèques, de chefs-d'œuvre culturels répond, en 1993, la destruction par les Croates du célèbre pont de Mostar. Les musulmans de Bosnie apparaissent comme les victimes des Serbes et des Croates, mais de leur côté aussi se multiplient les actes d'inhumanité. En 1993, une sorte de lucidité sinistre confirme des leçons vieilles comme le monde : tous les hommes se valent ; ce qui met une différence entre eux, ce sont les circonstances où ils se trouvent ; dans le cœur de tous les êtres vivants il y un coin de sauvagerie. Ce n'est pas une raison pour rester inactif et des voix continuent un peu partout à s'élever avec force, mais sans grand succès, pour obtenir la fin des combats et le retrait des Serbes qui ne relâchent par leur pression.

L'an 1993 est-il sombre à ce point ? Un peu de lumière brille pourtant dans les ténèbres. Au Liberia, déchiré par des années de guerre civile, un accord est intervenu sous l'égide des Nations unies. Mais surtout, dans deux des régions du monde qui suscitaient le plus de pessimisme, un peu d'espérance s'est levée. En Afrique du Sud, grâce à deux hommes que tout sépare et dont l'un est noir et l'autre blanc, la Constitution abolit l'*apartheid*, consacre l'égalité des droits entre les Noirs et les Blancs et ouvre la voie à une réconciliation inimaginable il y a encore quelques années. Les deux hommes s'appellent Nelson Mandela et Frederik De Klerk. Ils reçoivent le prix Nobel pour récompenser leurs efforts en faveur de la paix. Ils forment, à coup sûr, l'un des deux couples de l'année.

L'autre couple – qui est un trio – est plus extraordinaire encore. Il essaie de rétablir la paix dans la seule région du monde où, pour beaucoup de raisons dont certaines remontent très loin et dont d'autres sont liées à la création de l'État d'Israël au lendemain de la guerre, elle paraît impossible : la Palestine, les territoires occupés, le Proche-Orient. Beaucoup pensaient que tout contact entre les frères ennemis – Hébreux et Arabes – était pure illusion. 1993 a, dans ce domaine, soulevé au moins une grande émotion et une grande espérance. Les négociations, longtemps secrètes, entre Itzhak Rabin et Shimon Pérès, d'un côté, et Yasser Arafat, de l'autre, aboutissent à une poignée de main qui, en d'autres temps, aurait déclenché des flots de sang et qui se propose de les arrêter. Si à l'exclusion de toute phrase et même de tout mot, il fallait choisir un seul geste pour résumer l'année et pour lui rendre hommage, ce serait la poignée de main de Washington.

La question est : « Pourquoi en 1993 ? » La réponse à court terme pourrait être cherchée dans l'Intifada, la guerre des pierres. Mais une réponse plus profonde serait liée à la guerre du Golfe dans laquelle Arafat avait pris parti pour l'Irak, ce qui lui avait coupé les ressources en provenance d'Arabie Saoudite : par un étonnant paradoxe, c'est pour s'être rangé du côté du pire ennemi d'Israël – ou d'un de ses pires ennemis... – qu'Arafat a été obligé de se rapprocher d'Israël.

Intégrisme, extrémisme, terrorisme

Plus profondément encore, c'est la montée de l'extrémisme intégriste qui a jeté l'un vers l'autre Israël et l'OLP. L'histoire des négociations, tout au long de 1993, pour faire tomber une muraille d'incompréhension et de haine, plus épaisse que le mur de Berlin, plus épaisse que les murs de Jéricho, est une aventure prodigieuse, digne des meilleurs romans policiers. On dirait volontiers que l'avenir du rapprochement entamé est sur les genoux des dieux – mais ce n'est pas vrai : il est sur les genoux des hommes. Et c'est moins rassurant.

C'est moins rassurant parce que, des deux côtés, des forces puissantes luttent contre la paix : il y a des faucons israéliens, il y a des extrémistes musulmans. Et tous ont leurs raisons, qui leur paraissent non seulement décisives, mais inspirées par la justice et par la vérité. Des Israéliens établis dans les fameuses colonies de peuplement ne peuvent se résigner à quitter les terres qu'ils ont fait fructifier ; des Arabes hostiles au sionisme ne peuvent se résoudre à un accord qui reconnaît l'État d'Israël. Pour des motifs différents et parfois opposés, l'Iran, l'Irak, la Syrie, on lui offre sur un plateau le malheureux Liban, jouet indirect et victime des négociations israélo-palestiniennes. L'obstacle sur la route de la paix, ouverte en 1993, est évidemment le terrorisme. Chaque meurtre, de part et d'autre, fait reculer les chances de la négociation.

Le terrorisme ne frappe pas seulement le Proche-Orient, son théâtre jusqu'alors favori. Il se rapproche dangereusement de nos côtes : il ravage l'Algérie. Ce qui s'est passé en Algérie en 1993 ne relève pas seulement d'éphémérides sinistres, mais met en cause les fondements et l'idée même de démocratie. Le FIS intégriste a derrière lui une fraction importante de la population algérienne. La question qui se pose est celle-ci : faut-il ou ne faut-il pas laisser au FIS liberté pleine et entière ? Si vous répondez « oui », vous condamnez à mort, à plus ou moins brève échéance, une démocratie exécrée et ouvertement combattue par le FIS ; si vous répondez « non », vous détruisez à coups de chars et d'opérations de police les principes mêmes de la démocratie. C'est le dilemme et l'aporie de la démocratie. On dirait un piège tendu par l'histoire à la simplicité et à la naïveté de la conscience démocratique.

Le désir d'union

La violence, en 1993, s'est déchaînée un peu partout. En Arménie. En Géorgie. Au Cambodge, encore et toujours, où le prince Sihanouk a tenté de former un gouvernement « d'union nationale provisoire ». En Inde, où musulmans et hindouistes se sont durement affrontés. En Irlande du Nord, où l'enfer n'en finit pas. La violence se cache derrière la nation, la langue, la religion. Dans des pays pacifiques comme la Belgique ou le Canada, les particularismes linguistiques affrontent les structures unitaires : en juillet 1993, le Parlement belge adopte les accords dits de « la Saint-Michel » transformant la Belgique en un État fédéral ; en octobre 1993, à Ottawa, les francophones du Québec représentent la seule véritable opposition au Parti libéral qui a écrasé les conservateurs et qui remporte 178 des 295 sièges de la Chambre des communes.

À ces mouvements centrifuges, si marqués notamment dans l'ex-URSS et dans l'ex-Yougoslavie, répondent, en 1993, de grandes nostalgies de rassemblement. On dirait que l'année, à nouveau, se décline à la fois sur le mode de la rupture et sur le mode de l'union. 1992 avait été, avec des destins divers, l'année de Maastricht. 1993 est l'année de l'Alena – accord de libre-échange nord-américain –, que les Américains appellent d'ailleurs Nafta – North American Free Trade Agreement. Et aussi l'année du Gatt – General Agreement in Trade and Tariffs.

En Amérique, en Europe, en France, l'un et l'autre accords entraînent de furieux débats. Approuvé en novembre, à la Chambre des représentants, par 234 voix contre 200, Alena doit abolir en quinze ans tous les obstacles aux échanges économiques entre les États-Unis, le Canada et le Mexique. Pour faire adopter le projet, lancé par George Bush, le président Clinton a dû s'appuyer plus sur ses adversaires républicains que sur ses amis démocrates. Les négociations du Gatt, vaisseau amiral flanqué du brûlot de « l'exception culturelle », sont dans toutes les mémoires. Alena et Gatt marquent à la fois la prédominance américaine et le triomphe de la liberté du commerce. Les deux accords font de 1993 l'année du libéralisme.

Le retour de Fantômas

Cette année du libéralisme est pourtant hantée par un fantôme qu'on s'imaginait exorcisé : le fantôme du communisme. Le Fantômas communiste est d'abord signalé en Lituanie où des élections libres font entrer au Parlement une majorité d'anciens communistes. On le retrouve en Pologne où, malgré Walesa, la gauche ex-communiste remporte les élections. Il triomphe enfin en Italie où les *mani pulite* de juges extrêmement actifs, et peut-être un peu plus indulgents pour l'ex-PC italien que pour la démocratie chrétienne et pour les socialistes, lui ont ouvert la voie et où il l'emporte sur des néofascistes en train de prospérer sur les ruines des partis traditionnels. Un message bref, mais clair, semble émaner de 1993 : « URSS écroulée mais communisme pas mort. »

La peur devant l'avenir

Les hommes, en vérité, ne savent plus où donner de la tête ni à quel saint se vouer. Les idéologies sont mortes – et on se demande parfois si elles ne manquent pas. Des voix s'élèvent – *mezza voce* – pour regretter les délices de la guerre froide et de l'équilibre de la terreur qui faisaient si bien les affaires des conservateurs du libéralisme et des conservateurs du communisme. L'année de la lucidité est aussi l'année du découragement. L'immense armée des pauvres recrute un peu partout – surtout dans le Sud, naturellement, mais aussi dans le Nord privilégié et industrialisé – et la prospérité ne cesse d'être affrontée à la misère.

En 1993, l'idée de progrès, déjà mise à mal par la bombe atomique et par les triomphes accablants de la biologie, ne se porte pas très bien. Les hommes ont peur. Non plus de l'affrontement entre Est et Ouest. Mais de la crise, du chômage, du sida – qui sera pourtant vaincu un jour –, de la drogue, des crimes d'enfants. Ils ont peur d'eux-mêmes. Et de l'avenir. De l'Espagne en proie au chômage à la Russie sinistrée par le communisme et que le libéralisme ne parvient pas à guérir assez vite, de l'Afrique en proie au sida et aux coups d'État militaires à l'Amérique du Sud guettée par la misère et par le banditisme, de l'Europe où les voitures ont du mal à se vendre à l'Asie où les individus ont du mal à émerger des masses, on dirait que l'année 1993 a été, entre lucidité et angoisse, une année de l'attente. Mais on ne sait pas de quoi. Et on en a peur.

Toujours la même chose et toujours plus loin

Pour chacun d'entre nous, l'année écoulée a connu plus important que batailles ou traités, plus important que les états d'âme et les interrogations : des bonheurs, des malheurs, des amours nouvelles, des amitiés brisées, des naissances et des morts. Des naissances, on ne peut rien dire encore : peut-être des génies universels sont-ils nés en 1993, mais nous ne le saurons que plus tard. Toujours pareille et toujours différente, la mort a frappé sans distinction des hommes de toutes sortes : le président turc Turgut Ozel, le roi Baudoin de Belgique, Federico Fellini, poète des temps modernes, Anthony Burgess, le trafiquant de drogue Escobar, le président Houphouët-Boigny... À l'enterrement d'Escobar, des femmes étaient en larmes et des hommes acclamaient le souvenir du milliardaire assassin. La Mafia a connu des revers en 1993 mais le crime organisé, la prostitution enfantine, le trafic de drogue et la violence sous toutes ses formes a encore connu de beaux jours.

La science avance pourtant, porteuse de craintes et d'espérances. Il semble, heureusement, que l'énigme du théorème de Fermat, qui tourmentait déjà Pascal, ait été résolue en 1993. Et surtout, surtout, le télescope spatial Hubble, qui avant donnait tant d'espérances avant de donner tant d'inquiétudes, a été réparé avec succès par les astronautes de la navette *Endeavour*. Il est permis de juger hors de prix et inutiles les grandes aventures spatiales qui se sont poursuivies en 1993 et qui ont entraîné des dépenses qu'on peut, à juste titre, qualifier d'astronomiques. Il est permis aussi de penser que, pour nous, en 1993, l'avenir du monde est dans l'espace comme il était en Chine pour Marco Polo, comme il était en Amérique pour Christophe Colomb.

Une bonne nouvelle pour finir : la fin du monde n'a pas eu lieu. En 1993, le monde a continué.

Le Figaro, 31 décembre 1993

1994

Triomphe et périls de la démocratie

La démocratie est fragile. Elle ne cesse de lutter contre des
adversaires mieux armés, plus agressifs, moins scrupuleux. On
la jurerait aux abois, on la croit abattue, on est déjà en train
de l'enterrer. Mais elle puise des forces dans le soutien populaire, et elle ressuscite de ses cendres. Il est rare que les dictatures, qui commencent souvent dans l'enthousiasme, ne finissent
pas dans le désaveu. La démocratie perd beaucoup de batailles,
mais elle gagne toujours la dernière.

Nous avons tous entendu de longues déplorations sur le
nombre restreint des démocraties dans le monde et sur leur
faiblesse constitutive. Et il est vrai qu'à la veille de la Seconde
Guerre mondiale ou au temps de la guerre froide la France ou
l'Angleterre, et même les États-Unis, apparaissaient moins com-
batifs que l'Allemagne hitlérienne ou le Japon des militaires ou
la Russie stalinienne. N'importe. Partout, en dépit de sa faiblesse
apparente et de sa fragilité volontaire, due à l'équilibre des pouvoirs et au respect de l'individu, la démocratie l'a emporté. Elle
l'a emporté sur les machines de guerre les plus puissantes de
l'histoire, et elle triomphe sous nos yeux.

Au moment même où elle triomphe après tant de vicissitudes,
on voit apparaître, ici ou là, quelques signes précurseurs qui
mènent pourtant, de nouveau, à s'interroger sur son avenir. Le
plus visible, le plus inquiétant de ces signes précurseurs est évidemment le fanatisme nationaliste et surtout religieux. Hitler
et Staline et les généraux japonais et le matamore Mussolini

abattus, le nationalisme extrémiste resurgit, comme un diable de sa boîte, à Sarajevo et dans toute l'ex-Yougoslavie. Il est tapi un peu partout dans le monde, et il nourrit l'intolérance et le terrorisme. Il est doublé et dépassé dans cette tâche par l'extrémisme religieux. L'intégrisme musulman représente aujourd'hui le plus grand péril pour la démocratie.

Ne tombons pas dans les excès que nous reprochons aux autres et ne faisons pas de la démocratie le chevalier blanc de l'histoire. Si la démocratie suscite des adversaires si résolus, c'est qu'elle se révèle trop souvent incapable de relever le défi le plus grave de notre temps : la misère. La misère urbaine, le problème des banlieues, la fin des paysans, le chômage, le dénuement du Sud en face des gaspillages du Nord : voilà les fourriers des adversaires de la démocratie. Au directeur général de l'Unesco, un chef d'État africain livrait une formule frappante : « Le problème est de savoir quel poids de misère peut être imposé aux ailes de la démocratie. »

L'histoire s'y connaît en pièges et en retournements. Il est clair que l'Iran des ayatollas ou l'Irak de Saddam Hussein représentent des dangers pour la démocratie. Le cas de l'Algérie est autrement subtil : rien n'y est encore joué, mais toutes les solutions y sont mauvaises. Ou bien le FIS triomphe, et la démocratie est crucifiée : ou le FIS est tenu en échec par les chars et la police du gouvernement qui le combat, et la démocratie, sauvée, est perdue du même coup. C'est quand on croit que l'histoire est finie et qu'un des camps a triomphé pour toujours que les événements se révoltent : le marxisme a cru qu'il était sur le point de l'emporter, et il s'est écroulé ; la démocratie qui s'imagine qu'elle va régner sur la planète ferait bien de se méfier.

Bien loin du terrorisme nationaliste ou religieux, bien loin des lourdes menaces du drame algérien, de la révolte des paysans mexicains, il y a, au sein même des démocraties les plus policées et les mieux établies, de tout petits signes qui méritent attention.

Je suis de ceux qui sont favorables et au Conseil constitutionnel et à l'indépendance de la Banque de France. Le Conseil constitutionnel a été successivement attaqué par la gauche et par la droite. Il a été l'objet de mises en garde, de tous les gouvernements. C'est plutôt bon signe. Mais le fait qu'une Cour suprême puisse mettre en cause les décisions des élus du peuple montre qu'un blanc-seing ne peut pas être accordé sans réserve aux mécanismes de la démocratie. L'indépendance de la Banque de France, de son côté, marque sans aucun doute un progrès. Ne signifie-t-elle pas pourtant que la politique économique d'un pays, sa continuité, sa stabilité sont trop importantes pour être soumises aux aléas et aux fluctuations de la démocratie ?

Le pouvoir de la télévision

Au sein même des démocraties, ce qui se fait jour sous nos yeux, c'est une montée des experts et des juges. À la limite, les experts échappent au jeu normal de la démocratie. Ils sont là pour corriger ses excès, ses emballements, ses partis pris : ne marquent-ils pas une ombre de défiance à l'égard de la démocratie ? La mathématique, la religion, l'art, la biologie ne relèvent pas de la démocratie. Voilà que l'économie, ressort principal de toute politique d'aujourd'hui, commence à y échapper.

Que se passera-t-il demain avec l'éthique ? L'éthique sera-t-elle soumise aux règles de la démocratie ? Il est bien difficile de répondre *oui* ou *non* avec une conviction absolue. Le droit d'avoir des enfants comme on veut et de les élever comme on veut sera-t-il limité par l'État incarné par ses représentants ? Que vous répondiez *oui* ou *non* avec une égale véhémence, vous allez au-devant de grandes difficultés dont le développement marquera à coup sûr le siècle où nous entrons.

Quoi de surprenant ? Nous vivons dans une société dominée par les médias. C'est un lieu commun de répéter que les médias constituent un contre-pouvoir. Et c'est très bien ainsi : la démocratie consiste aussi en un équilibre entre la représentation nationale et l'indépendance de la presse écrite, visuelle ou parlée. Mais le pouvoir croissant de la télévision pose évidemment un problème au sein même de la démocratie dont elle est un des piliers. Les journalistes ne sont pas élus. Ils ne sortent pas d'un concours. Grâce à Dieu, ils ne prêtent pas serment. Ils sont libres. Et les préférences personnelles, l'amitié, le hasard tout simplement jouent un rôle considérable dans leurs choix. Quelque chose d'autre que la volonté populaire se glisse ainsi dans la démocratie. On voit, au loin, se profiler deux sortes de périls pour la démocratie : les dangers extérieurs, naturellement, incarnés en ceux qui haïssent la démocratie et qui ne songent qu'à l'abattre ; et, plus subtils, plus insidieux, les dangers intérieurs qui surgissent de l'exercice même de la démocratie.

Quelles conclusions tirer de ce tableau trop rapide ? La démocratie, à coup sûr, est le moins mauvais des régimes. Elle est loin de régler tous les problèmes. Et ceux qu'elle suscite elle-même sont peut-être les plus redoutables pour son propre destin. Elle est très loin d'être comme on l'imagine, une conquête à jamais et un long fleuve tranquille. Elle est d'abord un équilibre entre des exigences opposées dont la tension est inséparable de son existence même. Comme le monde lui-même, elle est une lutte sans fin. Contre ceux qui la nient, ce qui est la moindre des choses. Et aussi contre elle même, ce qui est une tâche peut-être encore plus rude.

Le Figaro, 14 janvier 1994

Les intellectuels devant Sarajevo

Des hommes, des femmes, des enfants souffrent et meurent à Sarajevo. Les hommes ont toujours souffert et ils ont souvent été tués par les bombes et les mitrailleuses. Ce qui se passe aujourd'hui, c'est que la télévision apporte chaque soir, dans chaque foyer, des images insupportables de leurs souffrances et de leur martyre. Comment ne serions-nous pas solidaires des enfants sur leur lit d'hôpital et des parents qui les pleurent en maudissant ceux qui les tuent ? Nous le sommes d'autant plus que nous nous sentons tous coupables. Nous avons promis aux victimes notre aide et notre assistance et nous nous révélons incapables de tenir nos promesses. Je crains que l'Europe et les Nations unies n'aient pas bonne presse à Sarajevo. Tous ceux qui ont le moindre pouvoir et la moindre influence à travers les médias se sentent responsables d'horreurs qu'ils n'ont pas déclenchées mais auxquelles ils ne parviennent pas à mettre fin. Au premier chef, les intellectuels. S'ils ne se contentent pas de leur rôle d'amuseurs publics ou, dans le meilleur des cas, de dispensateurs de bonheur, ils souffrent de leur impuissance.

Prendre les armes ?

Les médias compliquent les choses. Si les intellectuels ne font rien, on les accusera à juste titre d'indifférence et d'égoïsme. S'ils s'agitent un peu trop, on les accusera de se servir des médias pour servir leur propre cause. Le souvenir de la guerre d'Espagne hante beaucoup d'intellectuels. Les ombres de Malraux ou d'Hemingway viennent les tirer par la manche. L'injustice règne sur le monde et les intellectuels si prompts à se présenter comme le sel de la terre, risquent d'être absents du théâtre où se joue le sort du monde.

Quelle est la tâche des intellectuels ? D'abord d'essayer, dans la mesure de leurs moyens, de dire la vérité et de soutenir la justice. Le souvenir de l'affaire Dreyfus ne s'est pas effacé, mais il y a un autre souvenir qui rôde aussi dans les parages. C'est celui d'un Barrès, grand écrivain, grand artiste, qui, de l'arrière, appelait les autres à se faire tuer dans les tranchées. Quand on appelle aux armes, ne faut-il pas les prendre soi-même ? L'image la plus pure est évidemment celle d'un Péguy qui se fait tuer en silence. Le dilemme des intellectuels, c'est qu'il leur faut agir sans forfanterie et parler avec une modestie en rapport avec leur situation de spectateurs confortables et privilégiés.

Presque tout a été dit sur ce qui se passe en Bosnie et sur la responsabilité des parties en présence. Dans une guerre comme celle-là, personne n'est innocent, personne n'est tout blanc ou tout noir. Les adversaires en présence veulent mutuellement leur mort et ils sont pris dans la spirale infernale de la haine. Cette constatation amère ne doit pas servir à occulter la responsabilité principale. La responsabilité principale est celle de Milosevic et de son clan. À Sarajevo, il y a des assiégés qui sont tués et des assiégeants qui tuent. Impossible de les mettre dans le même sac, impossible de ne pas prendre parti pour les victimes, impossible de ne pas réclamer à tout prix la levée du siège de

Sarajevo, impossible de ne pas agir sur les politiques pour qu'ils sauvent ce qui peut être sauvé de l'honneur, sinon perdu, du moins largement écorné, d'une Europe impuissante et de Nations unies prises dans le piège de l'humanitarisme armé.

Deux livres, deux beaux livres, qui viennent de paraître, l'un de Jacques Julliard, l'autre de Juan Goytisolo, admirablement traduit de l'espagnol par François Maspero, font le point avec passion et avec honnêteté sur le drame de l'histoire qui se déroule à Sarajevo. Il faut lire l'un et l'autre pour voir clair dans cette montée de la haine nationaliste et religieuse, ou plutôt qui se sert du nationalisme et de la religion pour enflammer ces Balkans d'où est sortie la Première Guerre mondiale. On y trouvera l'indignation qui s'empare de ceux qui sont attachés à la paix devant tant d'intolérance et de soif de destruction.

Jacques Julliard est de ceux qui défendent aujourd'hui avec le plus de rigueur et de clairvoyance l'image menacée de l'homme. Il poursuit une enquête serrée, subtile, indépendante, courageuse, sur les responsabilités des uns et des autres. Il conclut, sous peine de retour à une barbarie qu'on croyait ensevelie dans le passé, à la nécessité d'un engagement en faveur des victimes.

Dans ses pages brèves et fortes, Juan Goytisolo retrouve le souffle d'un Bernanos pour dire ce qu'il a vu et pour donner libre cours à sa juste indignation. Tous ceux qui veulent se faire une idée équitable de ce qui se passe en Bosnie se doivent de lire ces deux livres.

L'angélisme facteur de guerre

Le drame est que la paix elle-même, cette paix si fragile et si incertaine, aura un goût amer. Elle se fera, si elle se fait, sur la base de la partition ethnique, linguistique, religieuse. Elle laissera face à face, si elle se fait, des communautés ravagées par la haine. La tâche des intellectuels est de défendre la justice et la vérité. Elle est aussi de défendre la paix et la tolérance. La paix et la tolérance passent aujourd'hui, sans aucun doute, par la levée du siège de Sarajevo. Mais même cette issue heureuse – et hélas ! encore si improbable – ne marquera pas la fin du chemin. En Bosnie comme au Proche-Orient, le but est de faire vivre ensemble des gens de langue, de culture, de religion différentes. Voilà le seul but qui vaille. La ruse de l'histoire consiste en ceci que, pour y parvenir, il faille, plus d'une fois, montrer la force.

Une autre leçon, et la même, de ce qui se passe à Sarajevo est que l'angélisme est un facteur, non de paix, mais de guerre. Si, au lieu de se jeter dans une action humanitaire qui occultait toute action politique, nous avions montré la force en Bosnie il y a quelques mois, nous n'en serions pas où nous en sommes. Le but est la paix. La paix exige une morale, une justice, une vérité. Elles ne doivent pas être désarmées. Si nous avions montré notre force à Hitler en 1934 ou en 1935, nous aurions évité des millions de morts. Il ne faut jamais cesser de penser à la paix. Mais il faut savoir montrer sa force pour assurer la paix.

Le Figaro, 17 février 1994

L'impuissance organisée

Dans un monde menacé par la montée des intégrismes et des nationalismes, les organisations internationales – Union européenne, Otan, Nations unies – restent les dépositaires de l'avenir et de ses espérances. Si elles n'existaient pas, le monde irait à vau-l'eau. Il faut les soutenir et les renforcer. Il faut bien reconnaître aussi qu'elles traversent une passe difficile.

On pourrait même soutenir que les événements de ces derniers jours ont constitué pour elles une suite de catastrophes. Devant tant de revers et d'erreurs, ceux qui s'obstinent à leur faire confiance doivent avoir le cœur bien accroché. Quoi de surprenant ? Toute grande politique exige une poigne d'enfer, une unité de conception et d'action, une capacité de réaction immédiate, une solidarité de tous les échelons du pouvoir. Rien de tout cela n'existe dans nos organisations internationales, qui n'ont, par définition, ni chef incontesté ni continuité de vues. « J'admire moins Napoléon, disait le maréchal Joffre, depuis que j'ai vu ce qu'est une coalition. »

L'Europe et les Nations unies ont abandonné le Liban, baissé les bras en Somalie, renoncé d'avance – peut-être avec sagesse – au Rwanda. Les médias auraient tort, dans tous ces échecs évidents, de jeter la pierre aux politiques : ils sont aussi responsables qu'eux, et peut-être davantage. Qui ne se souvient du battage autour de l'opération des Nations unies en Somalie ? Ce qui a fait, pendant des semaines, la une de tous les journaux télévisés et de toutes les radios, de la presse tout entière, a entièrement disparu des médias. Croit-on que les problèmes se sont évanouis en Somalie comme ils se seraient évanouis au Liban ? Bien sûr que non. Simplement, l'attention des projecteurs de l'actualité s'est soudain portée ailleurs.

Elle n'a pas pu ne pas se porter sur les hélicoptères des Nations unies abattus au-dessus de l'Irak par des avions américains : version miniaturisée des aventures du docteur Folamour. Elle s'est surtout portée, encore et toujours, sur ce qui se passe de désastreux en Bosnie. Il n'était pas sorcier de prédire que les Casques bleus allaient passer, successivement, du statut de témoins au statut de victimes, et du statut de victimes au statut d'otages. En face des Serbes, premiers responsables des malheurs et des massacres, mais dont la résolution et le courage tranchent sur les hésitations et la mollesse des responsables de l'Europe et des Nations unies. Les Casques bleus auront servi sans doute à soulager des misères : ils auront servi surtout à empêcher toute action d'envergure contre les assaillants serbes.

Voilà qu'on nous annonce que leur retrait est envisagé. Il est bien temps. Des centaines de Casques bleus sont aux mains des Serbes : les abandonnera-t-on ? Voilà qu'on nous annonce tantôt que les négociations vont reprendre avec les Serbes, envers qui les Nations unies n'ont que les meilleures attentions ; tantôt que les frappes aériennes vont se multiplier. Dans un même bulletin d'information, nous apprenons successivement, et presque simultanément, qu'une attaque est lancée et qu'elle est décommandée. On se demande s'il existe une politique de l'Europe et des Nations unies ?

Tout cela, il faut bien le dire, est consternant. Aucune politique, pas la moindre vision, pas l'ombre de courage ni de continuité. En face, les Serbes montrent qu'un petit peuple déterminé peut tenir tête, tout seul, à la communauté internationale. Quel exemple ! On aurait envie d'applaudir si tant de sang innocent et tant de larmes versées ne retombaient pas sur la tête de Milosevic et de ses complices nationaux-communistes.

Le but de la communauté internationale, on sait bien quel il est : rétablir la paix, essayer de faire vivre ensemble ceux qui s'égorgent aujourd'hui, tâcher de faire régner la tolérance et la démocratie. C'est le seul dessein politique acceptable. Mais quels chemins désastreux ont été suivis si longtemps, faute d'autorité et d'union ! Il y a déjà de longs, de très longs mois, Dubrovnik jetait sur Maastricht l'ombre des souffrances d'un chef-d'œuvre assiégé. Que de temps a coulé en vain, malgré tant d'avertissements ! Que de sang répandu !

Choix cruel

Aujourd'hui, non seulement Sarajevo est devenu le symbole d'un scandale intolérable qui met en péril l'idée européenne et la communauté des nations, mais, derrière Sarajevo, les Serbes manœuvrent comme ils veulent leurs pions sanglants à Gorazde et dans toute la Bosnie. À regarder les choses sans préjugé, l'action de l'Europe et des Nations unies en Bosnie n'est qu'une longue suite d'impuissance et de désastres.

Une fois de plus, l'angélisme pacifiste et humanitaire aura fait couler beaucoup de sang. Faute d'agir vite et de frapper quand il en était temps et quand il le fallait, on se sera enfoncé dans des problèmes de plus en plus graves et peut-être désormais insolubles. Combien de fois faudra-t-il rappeler le mot de Churchill sur le choix cruel, mais parfois nécessaire, entre le déshonneur et la guerre ? Il semble bien qu'il va falloir faire des efforts surhumains pour éviter à la fois en Bosnie, s'il n'est pas déjà trop tard, et le déshonneur et la guerre.

Le Figaro, 18 avril 1994

« J'ai vu le malheur en marche »

À quelques degrés au sud de l'équateur, entre le Zaïre à l'ouest et le Rwanda à l'est, le lac Kivu étend ses rivages enchanteurs, aussi découpés que les fjords de Norvège, et ses chapelets de baies et d'îles qui rappellent, en tropical et en plus exubérant, les splendeurs de la côte dalmate. Un peu plus à l'est surtout, dans le pays des Mille Collines et des Mille Projets, promis, il y a encore quelques années, à un avenir touristique éblouissant avec ses parcs de gorilles et ses paysages à couper le souffle, parmi les plus beaux d'Afrique, la terre, souvent cultivée en terrasses est d'une richesse merveilleuse : le thé, le café, la banane, des fruits de toute sorte, les flamboyants, les jacarandas, des arbres aux fleurs rouges, jaunes ou bleues y poussent comme à plaisir. C'est un paradis terrestre, aux ressources nombreuses, aux espérances sans nombre, que l'enfer a rattrapé.

Jeudi dernier, le Transall qui devait me déposer sur l'aéroport de Goma, au nord du lac Kivu, à la frontière du Zaïre et du Rwanda, a bien failli ne pas atterrir : des centaines de milliers de réfugiés, chassés sur les chemins par l'avance du FPR (Front patriotique rwandais), envahissaient la ville et son aéroport.

C'est que la ville de Ruhengeri, place forte des troupes gouvernementales au nord-ouest du pays, venait de tomber aux mains du Front patriotique rwandais, dominé par les Tutsis et en train de gagner la guerre qui l'oppose depuis trois mois aux Forces armées rwandaises, constituées essentiellement de Hutus, et au gouvernement légal en pleine décomposition. Du coup, trois cent mille, cinq cent mille, peut-être un million de Hutus se sont mis en marche vers l'ouest et vers le lac Kivu qui leur barre le passage vers le Zaïre. Ils essaient de le déborder vers le nord en passant par Goma, et bientôt vers le sud en passant par Bukavu.

Le Rwanda, qui comptait quelque sept millions d'habitants, se vide ainsi de sa substance. Un million de personnes ont été tuées. Quatre millions et demi sont en train de se précipiter, à la façon des grandes invasions ou de l'exode de 1940, vers les rivages de l'ouest, le long du lac Kivu. Reste dans tout le centre et l'est du pays dominés par le FPR une sorte de grand désert peuplé en tout et pour tout par environ un million et demi d'habitants.

Goma, au nord du lac Kivu, est une petite ville du Zaïre où le président Mobutu possède une belle et grande maison. J'y ai débarqué sans me douter du spectacle accablant qui allait m'y attendre et qui a pris de surprise même les plus pessimistes. Ce ne sont que des rues grouillantes de monde, des places et des carrefours envahis, des enfants jusque dans les arbres, des queues interminables à toutes les voies d'accès et sur tous les ponts. La circulation est presque impossible. Il n'y a plus un mouchoir de poche qui ne soit occupé par une foule au bord du désespoir et de l'épuisement. Comble de malchance, le volcan Nyiragongo, tout proche, qui inquiète depuis longtemps Haroun Tazieff, donne des signes d'activité : il ne manque plus que des torrents de lave au malheur des réfugiés. Aujourd'hui ou demain, tout l'ouest du pays, tout le rivage du lac Kivu sera envahi d'hommes, de femmes, d'enfants, venus de partout pieds nus, formant des files interminables le long de toutes les routes et prêts à mourir de faim. Déjà, des signes de tension apparaissent entre Zaïrois et réfugiés rwandais.

« C'est maintenant que les ennuis commencent », me dit un colonel qui fait écho à la formule de Léotard : « Nous avons mangé notre pain blanc. » Quels ennuis ? Moins des problèmes militaires – parfaitement dominés par les quelque 2 500 hommes de l'opération « Turquoise », et d'ailleurs réglés par l'avance décisive du FPR et l'effondrement du gouvernement d'hier, réduit à quelque chose comme la République de Salo ou le gouvernement de Sigmaringen – que des problèmes humanitaires, en train de se débrouiller pour devenir plus redoutables que les problèmes militaires. L'intervention française au Rwanda se présente, à juste titre, comme une intervention humanitaire. C'est l'humanitaire qui risque de se refermer en piège sur les soldats français sous mandat de l'ONU.

Sous la pression du FPR, désormais seule force rwandaise organisée et avec qui il faudra bien se décider à traiter, le gouvernement et ses milices s'écroulent. Un peuple entier se met en marche. Tout l'ouest du pays, là où nous sommes présents, tend à se transformer en un gigantesque camp de réfugiés : toute la misère du monde déferle en même temps qu'eux. Que faire devant cette marée humaine impossible à contenir ? Reculer, s'en aller, laisser la place libre à la famine et aux tueries ? Impossible. S'opposer par la force au FPR qui les pousse en avant comme les cow-boys des westerns poussent devant eux d'immenses troupeaux de bœufs ou de chevaux ? Impossible, bien entendu, sous peine de bains de sang. La France a délimité au sud-est du pays, une région dite « zone humanitaire sûre » où elle a installé ses 2 500 hommes, une sorte d'équilibre tacite et fragile s'est instauré entre cette zone et le FPR. L'afflux d'un million de réfugiés, ou plus, dans la zone et dans l'ouest du pays risque de la détruire brutalement.

C'est un paradis terrestre, aux ressources nombreuses,
que l'enfer a rattrapé

Partout, depuis la poussée triomphante du FPR et la chute de Ruhengeri, les camps de réfugiés ont vu leurs effectifs gonfler et se multiplier par trois, par quatre, par dix. La famine les menace. L'espoir repose sur les seuls soldats français et leur ravitaillement. « Il faudrait deux cents tonnes par jour, m'indique le colonel Sartre, de l'infanterie de marine, qui commande à Kibuye, le secteur nord de la zone humanitaire. Nous disposons de trente tonnes par semaine. » On commence à mourir de faim dans les camps du Rwanda et on guette comme le Messie l'arrivée des organisations non gouvernementales et de leurs approvisionnements.

La faim, la soif, les épidémies ne sont pas les seules menaces à peser sur les camps. La haine et la peur entre Tutsis et Hutus, qui ont jeté sur les routes tant de centaines de milliers d'êtres humains, se poursuivent dans les camps. Chaque camp, qu'il héberge des Tutsis ou des Hutus, doit être protégé par les Français. Le camp de Nyarubishi, qui regroupe 81 600 Tutsis, est gardé par la Légion étrangère. Spectacle étonnant : on voit des Chinois, des anciens délinquants, des Ukrainiens, des Biélorusses et des chagrins d'amour, veiller, à l'ombre de la République française, sur des Tutsis menacés par les Hutus. Le lieutenant qui les commande me raconte que les Tutsis, en train de fuir un massacre préparé avec soin, se sont d'abord imaginé que les Français les recherchaient, eux aussi, pour les tuer de leur côté. Il a fallu de longs efforts pour les persuader du contraire. La folie du sang et de la haine frappe les victimes autant que les bourreaux.

Au camp de Besserero, gardé par des Français et des Sénégalais qui travaillent de concert, le chef du camp s'appelle Éric. C'est un Tutsi élu par les siens. Comme beaucoup de Tutsis, il est resté longtemps caché dans la forêt, vivant de bananes et fuyant les machettes. Un beau jour, n'en pouvant plus, il s'est jeté à la rencontre d'un véhicule qu'il voyait s'avancer sur la route. « Je me suis confié à Dieu, me dit-il. S'il veut qu'on me tue, qu'ils me tuent. S'il veut me sauver, qu'ils me sauvent. » Le véhicule était une Jeep de l'armée française. Dieu voulait sauver Éric.

Parmi les soldats qui gardent le camp, je bavarde quelques instants avec Vincent. Il tient à la main un fusil de combat qui ne prête pas à rire. Il faisait des études de prothèse dentaire à Montpellier. Un beau matin, l'idée de s'occuper toute sa vie de prothèse dans l'Hérault l'a écœuré. Il s'est engagé. Il ne le regrette pas. Il est devenu soldat dans un camp de Tutsis à Bessesero et il est devenu l'ami d'Éric qui lui fait manger du sorgho. Les voies du Seigneur sont impénétrables.

Les Français ne protègent pas seulement des camps de Tutsis contre les Hutus : ils protègent aussi des camps de Hutus contre les Tutsis et le FPR. Le vrai succès de l'opération « Turquoise », c'est l'impartialité, c'est l'équilibre – difficile – entre les factions rivales. Les Français ont été considérés d'abord par le FPR comme des adversaires qui essayaient de le priver de sa victoire. Mais les premiers réfugiés que les Français ont protégés étaient des Tutsis. Alors ? Les Hutus, en revanche, ont d'abord cru que les Français venaient faire la guerre à leurs côtés contre le FPR : d'où l'accueil enthousiaste et les pancartes de bienvenue un peu compromettantes, suivies assez vite d'une franche déception. Il semble que les Français aient réussi à montrer aux uns et autres qu'ils n'étaient les ennemis de personne et qu'ils n'étaient aux ordres de personne.

Cette impartialité a été facilitée par des opinions assez divergentes, au sein même des forces françaises à l'égard du FPR.

Pour un certain nombre d'officiers supérieurs, les Tutsis ont été victimes de massacres abominables, organisés par les Hutus – ce qui est difficile à contester ; pour d'autres, les Hutus sont surtout menés par la peur, et le FPR, force redoutable, bien organisée, de toute évidence victorieuse, est responsable, lui aussi, de beaucoup de crimes – ce qui est hautement probable. Un pas de plus et on passe à la conviction que le FPR, mélange de fascisme, de marxisme et de Khmers rouges, est tout simplement l'ennemi.

À Gikongoro, le secteur est tenu par un groupe interarmées qui rassemble quelques dizaines ou quelques centaines d'hommes qui n'ont pas froid aux yeux, qui ont fait couler beaucoup d'encre et qui sont chargés de ce qu'il est convenu d'appeler les « opérations spéciales ». À Gikongoro même, à Cyanika, ils assurent la protection de camps hutus. Tout naturellement, ils voient dans le FPR le danger le plus pressant. Un officier supérieur, dont la presse a souvent prononcé le nom, le colonel Thibaut, a été rappelé pour avoir prononcé sur le FPR quelques phrases un peu trop définitives – surtout s'il est vainqueur. Après l'effondrement des FAR, le FPR restant la seule force organisée, ce n'est d'ailleurs qu'avec lui que peut se produire, sur la ligne de démarcation qui sépare la « zone humanitaire sûre » du territoire – sans cesse croissant – contrôlé par le FPR, un certain nombre d'accrochages.

La folie du sang et de la haine frappe les victimes autant que les bourreaux

À deux reprises, dans un court séjour, j'ai assisté à des incidents. La première fois, quand notre Puma a survolé d'un peu trop près la ligne de crête, il n'est pas impossible – mais les autorités diront sûrement le contraire et les journalistes ont tant d'imagination ! – que quelques rafales aient été tirées contre nous. L'hélicoptère, en tout cas, a viré brutalement et fait ronfler son moteur. Une seconde fois, à Rugabano, près du col de Ndela, nous étions en train de nous partager nos rations, quand la nouvelle est parvenue qu'un groupe de quelques soldats était accroché par le FPR, et peut-être encerclé. Aussitôt les moyens, très sérieux, dont disposent les Français – et dont, contrairement à ce qui s'est passé en Bosnie, ils sont autorisés à se servir – se sont mis en branle. Trois automitrailleuses et deux Jeep avec mitrailleuse qui étaient sur place ont été envoyées sur la ligne. Deux Gazelles avec canon ont été appelées de Goma. Et le colonel Sartre en personne s'est fait déposer par le Puma parmi les soldats en difficulté. Tout s'est réglé sans trop de casse, avec pourtant un blessé – une balle dans le coude – qui a été ramené à Goma dans notre Puma.

Dans une situation de guerre civile et, en vérité, de génocide qui peut déboucher sur n'importe quoi tant du côté de Goma, où toute circulation, y compris aérienne, risque bientôt d'être impossible, que de la zone française au sud-est du lac Kivu où la pression du FPR va se faire de plus en plus forte, l'élément nouveau, qui a coïncidé par hasard avec mon arrivée au Rwanda, est le brutal raz-de-marée de réfugiés chassés de chez eux par l'avance du FPR. C'est lui qui va poser des problèmes humains presque insolubles. C'est lui qui va mettre en danger des vies par milliers et par dizaines de milliers. Mais derrière cet accident dû à la supériorité militaire écrasante du FPR, organisé avec rigueur et efficacité en face des milices gouvernementales et des FAR, presque entièrement dépourvues de munitions, ce qui est au cœur du drame du Rwanda, ce qui le fonde, ce qui lui donne son caractère spécifique et atroce, c'est la haine mutuelle des Tutsis et des Hutus.

Cette haine est devenue la cause d'un véritable génocide qui a coûté la vie à un million de personnes – dont la plupart sont Tutsis. D'où vient cette haine ? Que signifie-t-elle ? Quelles formes odieuses a-t-elle prises ?

Le Figaro, 19 juillet 1994

Un problème politique

Intervenant la veille même du retrait des troupes françaises, la fermeture – à éclipses ? – de la frontière entre le Zaïre et le Rwanda a encore ajouté à la misère des réfugiés et donné lieu

514

à de nouvelles scènes déchirantes. On a pu voir des familles coupées en deux et des enfants de 5 ou 6 ans en larmes parce que, restés en arrière pour une raison ou pour une autre, pour ramasser du bois ou peut-être pour jouer, ils ne pouvaient plus franchir le pont que venaient de traverser leurs parents.

Si le pont est de nouveau ouvert, si la frontière s'entrebâille, la ville zaïroise de Bukavu, en face de Cyangugu, au sud du lac Kivu, deviendra vite, comme Goma, au nord, un foyer de misère et d'épidémies. Le piège est bouclé sur lui-même. Le dilemme, tragique. Partout, des dizaines, des centaines de milliers d'hommes, de femmes, d'enfants, essaient de fuir leur pays. Au moment où commence, pour plusieurs mois, la redoutable saison des pluies, tout le monde sait que le retour des réfugiés chez eux est la seule solution, et la condition d'un retour, de toute façon aléatoire, à la normale.

La question fondamentale qui se pose est de savoir pourquoi ce retour ne peut pas se faire. La réponse est claire : le problème humanitaire est un problème politique. À tort ou à raison, les réfugiés, en majorité Hutus – et parmi lesquels se glissent sans aucun doute un nombre important de responsables du génocide de ce printemps – sont convaincus que la mort les attend s'ils regagnent leur pays.

Selon M. Panos Moumtzis, porte-parole de la Croix-Rouge, les responsables de l'ancien gouvernement et des Forces armées rwandaises « contrôlent totalement les camps et terrorisent la population ». Ils interdisent tout retour dans un Rwanda dominé par le FPR qui a gagné la guerre. La diabolisation de l'adversaire et la manipulation de la masse immense des réfugiés est la dernière arme de l'ex-gouvernement vaincu.

Il est difficile de savoir ce qui se passe exactement dans le Rwanda soumis au FPR. Il est très probable que s'y sont déroulées et que s'y déroulent encore, en réponse au génocide, de nombreuses exactions. Comme en Bosnie, il s'agit de briser, comme avaient essayé de le faire les Français, le terrible engrenage des vengeances alternées. Il faut espérer que le nouveau gouvernement FPR donnera demain des signes de modération et de maturité politiques. Aujourd'hui, en tout cas, la violence dans les camps de réfugiés, la terreur qui y règne, les morts qui s'y multiplient, la menace d'attaquer les camions qui ramèneraient des réfugiés à Kigali, appellent de toute évidence – à moins de laisser tout aller – des décisions difficiles.

La situation est encore compliquée par la volonté clairement exprimée par le FPR de rechercher et punir les responsables du génocide, dont beaucoup avaient cherché refuge dans la zone française du Sud-Ouest, désormais aux mains de la Minuar. Le haut-commissaire des Nations unies aux droits de l'homme a lui-même reconnu qu'il n'y aurait ni paix ni réconciliation sans jugement des responsables. Les chefs de l'ex-gouvernement et les forces rwandaises en déroute qui refusent déjà tout retour des réfugiés au Rwanda s'opposeront sans aucun doute avec plus de violence encore à tout établissement d'un tribunal international.

« Bombe à retardement »

Comme on pouvait le prévoir sans trop de peine, les forces des Nations unies chargées de remplacer les Français vont se trouver devant une situation explosive, qualifiée de « bombe à retardement » par les organisations humanitaires. Ces organisations humanitaires, qui font un travail digne d'éloges, ont supplié les forces françaises de rester au Rwanda le plus longtemps possible. Mais résonnent encore dans nos oreilles les déclarations de ces mêmes organisations humanitaires dénonçant la présence des Français au Rwanda et annonçant qu'elles ne se mettraient au travail qu'après le départ des Français.

À ceux qui ont dit n'importe quoi, on souhaite bonne chance de tout cœur, et sans rancune. Mais il semble injuste de montrer maintenant du doigt les Français parce qu'ils s'en vont après les avoir montrés du doigt parce qu'ils arrivaient.

Est-ce à la France seule de porter la responsabilité d'une situation humanitaire déchirante qui devient chaque jour davantage un problème politique ? Les Français ont fait ce qu'ils ont pu, et on le leur a reproché. Ils ont été en flèche, et on le leur a reproché. Aujourd'hui, tout naturellement, après avoir protégé les réfugiés, soigné les blessés, enterré les morts, ils laissent la place à la communauté internationale au nom de laquelle ils agissaient et qui leur avait confié un mandat. Le mandat expire.

516

Ils se retirent. Ils ne se retirent pas en désordre, ils ne se lavent pas les mains de ce qui va se passer. Ils laissent derrière eux des médecins, des médicaments, des organisations non gouvernementales, et ils sont tout prêts à apporter leur concours à toute action internationale.

Ils estiment simplement, et qui peut les en blâmer ? que c'est à la communauté internationale elle-même et aux Nations unies, dont c'est la vocation, de prendre en charge un problème humanitaire et politique aux dimensions manifestement internationales – et chaque jour un peu plus. Voilà le Zaïre impliqué. Demain, peut-être, le Burundi ?

Quant à l'armée française, qui a fait son devoir dans des circonstances dont on voit de mieux en mieux combien elles étaient difficiles, elle peut quitter le Rwanda la tête haute. Elle a accompli avec honneur sa mission impossible – qui sera plus impossible encore, n'en doutons pas, pour ceux qui lui succèdent aujourd'hui.

Le Figaro, 23 août 1994

Entre guerre et paix

On s'est encore beaucoup tué en 1994. Au Rwanda, en Bosnie, en Algérie, en Tchétchénie. Le 6 avril 1994, l'avion qui transporte le président du Rwanda et le président du Burundi explose. L'attentat donne le signal d'un des génocides les plus effroyables de l'histoire. Un million de Tutsis et de Hutus modérés sont massacrés par les Hutus extrémistes. La victoire des rebelles tutsis du FPR, qui occupent la capitale, Kigali, puis le territoire rwandais tout entier, renverse la situation. Des millions de Hutus fuient vers l'ouest, vers le lac Kivu, vers le Zaïre.

Au début de l'été, sur mandat des Nations unies, l'armée française lance l'opération « Turquoise ». Largement critiquée au début, notamment par les organisations non gouvernementales qui y voient un acte de néocolonialisme, l'opération finit par s'imposer et par faire reconnaître sa volonté de neutralité. Les Français séparent Tutsis et Hutus, les empêchent de se massacrer, luttent contre les épidémies qui se déchaînent et enterrent les morts. Quand ils se retirent au bout de quelques mois, pour être remplacés par les forces des Nations unies, le bilan est positif.

La France a fait plus que toute autre nation pour atténuer les malheurs qui se sont abattus, et qui s'abattent encore – notamment dans les camps de réfugiés hutus, dominés par les extrémistes –, sur ce malheureux pays ravagé par la guerre civile et ethnique.

Bosnie, toujours la guerre

Le Rwanda n'est pas seul à souffrir des horreurs de la guerre. Elle se poursuit avec acharnement dans la malheureuse Bosnie. Au printemps, les Serbes entrent à Gorazde. En automne, c'est la bataille de Bihac. D'un bout de l'année à l'autre, le siège de Sarajevo, ville martyre, se poursuit avec une sauvagerie qui ne faiblit pas. La responsabilité des Serbes, et notamment des Serbes de Bosnie, est lourdement engagée et presque universellement reconnue. L'Europe, l'Otan, les Nations unies semblent mystérieusement impuissantes. Dans le monde entier, les intellectuels se mobilisent et réclament une action militaire.

Par une inversion apparemment surprenante, les militaires et les gouvernements hésitent à nourrir la guerre par la guerre. Les Casques bleus de l'ONU, affrontés à une situation dramatique, passent du statut de témoins à un statut d'otages qui empêchent toute action d'envergure. Mais, retirer les Casques bleus, ne serait-ce pas accroître les souffrances des populations civiles ? Il devient de plus en plus clair que devrait être entièrement repensée l'action internationale. Les troupes de l'ONU constituent en vérité une force humanitaire armée. Ce qui fait défaut, c'est une doctrine claire et une vision précise des buts à atteindre.

Comment échapper au sentiment qu'aux atrocités de la guerre – et notamment des tireurs serbes embusqués qui font des cartons sur les civils et plus particulièrement sur les enfants – et aux souffrances des populations s'opposent des flots de paroles et de bonnes intentions, suivies de peu d'effet ? L'affaire de Bosnie est un échec sanglant de l'Europe en train de se faire et de la communauté internationale.

Le drame algérien

Une autre région du monde, et bien proche de la France, est éprouvée par une guerre larvée dont on ne voit pas l'issue et qui annonce de sombres lendemains : c'est l'Algérie. Le FIS entraîne derrière l'extrémisme intégriste une large partie de la population. Dès l'été 94, les étrangers, et notamment les Français, deviennent la cible des tueurs. Les libéraux algériens combattent avec beaucoup de courage cette forme nouvelle du fascisme religieux. Le dilemme qui s'impose est de savoir dans quelle mesure il faut répondre par la force à un extrémisme de la violence, qui est soutenu par une masse peut-être majoritaire.

Toutes proportions gardées, si la guerre de Bosnie rappelle la guerre d'Espagne, la violence aveugle du FIS rappelle les débuts du national-socialisme majoritaire en Allemagne. Au péril soviétique succède le péril de l'intégrisme islamique. La tentation à laquelle il faut résister est de rejeter en bloc l'islam et les musulmans. C'est au sein de l'islam qu'il faut tracer la frontière, entre ceux qui veulent vivre légitimement leur loi et ceux qui exigent de l'imposer par la force – et plus particulièrement aux femmes qui sont au premier rang de la lutte pour leur liberté.

Un foyer de guerre : le Caucase

Dans les derniers jours de l'année, à la date symbolique de Noël, le détournement à Alger de l'avion d'Air France, avec plus de cent cinquante otages, par un commando d'islamistes intégristes d'une extrême sauvagerie, et la détermination du gouvernement français, et notamment de M. Balladur et de M. Pasqua qui prennent des risques considérables et qui gagnent, marquent un tournant dans les relations franco-algériennes. La lutte contre le terrorisme, notamment islamique, constitue un lien entre politique extérieure et politique intérieure. Le succès de l'intervention française renforce la popularité de M. Balladur qui a su faire preuve de courage et de décision.

La lutte des Arméniens pour leur indépendance et leur survie avait déjà fait entrer dans l'histoire de ce temps le nom du Haut-Karabakh. À la fin de 1994, c'est la Tchétchénie qui tient le devant de la scène. Son aspiration à l'indépendance provoque une réaction militaire du président Eltsine qui, paradoxalement, se heurte à l'opposition d'un certain nombre de ses concitoyens, et notamment de militaires qui hésitent à se lancer dans une nouvelle aventure de type afghan, et qui voient dans l'affaire un moyen de s'opposer à Eltsine.

La crise tchétchène est révélatrice d'un dilemme du monde moderne. Comment ne pas éprouver de la sympathie pour des populations qui luttent pour leurs traditions et pour leur autonomie ? Et comment ne pas voir que l'indépendance des Tchétchènes mettrait le feu aux poudres, et provoquerait toute une série de réactions en chaîne dans une mosaïque de populations qui réclameraient, chacune pour son compte, l'autonomie et l'indépendance ? Au grand mouvement de rassemblement des peuples – dont l'Europe est un exemple – répond un mouvement inverse de fractionnement et de dissémination nationaliste. Et la lutte est engagée entre ces deux tendances antagonistes.

Vers la paix

À ces menaces de guerre répondent, en 1994, des avancées spectaculaires vers la concorde et la paix. Dans trois régions du monde essentiellement : en Afrique du Sud, en Palestine, en Irlande du Nord.

En Afrique du Sud, Nelson Mandela a mis fin, avec l'aide courageuse de Frederik De Klerk, au régime de l'apartheid. En avril se déroulent les premières élections multiraciales. Elles n'entraînent pas le bain de sang annoncé. Elles redonnent espoir à ceux qui croient à la justice et à la paix, à l'égalité entre les hommes.

Plus spectaculaire encore est la marche vers la paix dans une région qui semblait à jamais vouée aux affrontements : la Palestine. Elle est l'œuvre de trois hommes dont le prix Nobel de la paix est venu récompenser des efforts : Yitzhak Rabin et Shimon Pérès du côté israélien, Yasser Arafat du côté palestinien.

Tout au long de l'année, au milieu des pires difficultés, sous le harcèlement, souvent violent, de leurs extrémistes respectifs, ils s'avancent, avec un courage inouï, sur les traces d'un grand homme dont le nom doit être évoqué treize ans après sa mort au service de la paix : Anouar al-Sadate.

Dès l'été, Arafat rentre à Gaza après vingt-sept ans d'exil, Israël et la Jordanie proclament leur volonté de paix. Le poste frontière est rouvert entre les deux États. Le monde entier assiste, incrédule, aux poignées de main, à l'ombre des États-Unis, superpuissance unique, entre les frères ennemis qui descendent tous les deux d'Abraham. Après un demi-siècle de haine, de suspicion et de pessimisme, l'ombre de la paix s'étend sur la Terre sainte. C'est une formidable surprise. C'est une formidable espérance.

Du côté israélien, du côté palestinien, les extrémistes n'ont pas désarmé. Ils s'opposent à la paix. Et ils tuent. Pour la première fois, pourtant, la dynamique de la paix semble plus forte que les pulsions de la guerre. La réconciliation a des chances de l'emporter sur la haine.

En Irlande du Nord, dès l'été, l'IRA annonce un cessez-le-feu. Tout au long de l'automne et de l'hiver, du côté catholique et du côté protestant, on semble s'acheminer vers la paix. Là encore, l'espérance, que l'on n'attendait plus, gagne lentement sur la violence.

Afrique du Sud, Palestine, Irlande du Nord, l'année 1994 est à marquer d'une pierre blanche. La haine, la violence, la souffrance et la mort ne règnent plus partout en maîtresses incontestées.

Deux géants

Pour une fois, ce n'est pas le Japon ni la Chine qui font la une de l'année. Ce sont les États-Unis et l'Allemagne. En automne, à une semaine de distance, les Américains envoient, événement assez rare, une majorité républicaine et à la Chambre des représentants et au Sénat. Et les Allemands donnent à nouveau une majorité, assez faible il est vrai, à la coalition CDU-FDP et, comme Adenauer jadis, réélisent, pour la quatrième fois, au poste de chancelier Helmut Kohl, au pouvoir depuis douze ans. La continuité n'est pas un vain mot en Allemagne.

Le vote des Américains est un désaveu infligé à Clinton. Même avec l'aide d'Hilary, le président américain n'a pas réussi à s'imposer à ses concitoyens. Avec un Congrès hostile, les deux ans à venir seront durs pour lui. Et sa réélection en 1996 est sérieusement compromise.

Pour Kohl, c'est la dernière fois. Mais, même acquise de justesse, sa réélection est un triomphe. Les sondages ont longtemps donné vainqueur son rival social-démocrate, Rudolf Scharping. Kohl l'a emporté, à force de vigueur et de ténacité. Son allié, le FDP, sort affaibli des élections. N'empêche. Le poids de l'Allemagne se renforce sur l'Europe.

Il n'a dansé qu'un seul été

Un nouveau venu sur la scène internationale a occupé la quasi-totalité de l'année 1994. Il est apparu comme une comète de première grandeur et un peu surprenante au début du printemps. Il s'est éclipsé – pour toujours ? On ne sait pas – au début de l'hiver. C'est le *Cavaliere* Silvio Berlusconi.

Le triomphe de Forza Italia et de ses alliés, la Lega Nord de Bossi et les néofascistes plus ou moins repentis de Fini, avait surpris par son ampleur. Berlusconi n'a pas réussi, tout au long de l'année, à dominer la situation et à imposer ses vues. Trahi par son allié Bossi, il laisse derrière lui, en démissionnant à la veille de Noël, le point d'interrogation, non pas peut-être le plus angoissant, mais le plus intrigant de l'année. Que va devenir l'Italie ?

Et l'Europe dans tout ça ?

L'Europe, qui ne s'est pas grandie en Bosnie, s'est agrandie en 1994 du côté des pays scandinaves. La Finlande et la Suède ont rejoint l'Union européenne. La Norvège, en revanche, a répondu : « non ». Le refus de la Norvège a été accueilli par les Européens avec regret, mais avec respect. On dirait que les pays d'Europe n'en finissent pas de peser et de soupeser les avantages et les inconvénients de l'Europe unie. D'un côté, les traditions, la patrie, la spécificité contre l'uniformisation : de l'autre, la force que donne l'union. Le débat n'est pas clos.

L'Europe sera un des thèmes majeurs de tout débat politique sur le continent en 1995 – et d'abord en France même. Il n'y a plus de politique intérieure qui ne soit dominée par le problème européen.

S'il fallait, en quelques mots, risquer une conclusion sur la configuration internationale qui est en train de succéder à feu la guerre froide entre les USA et l'URSS, on dirait, sans grande crainte de se tromper, que nous allons vers un monde à trois pôles : le pôle américain, dominé par les États-Unis, seule superpuissance en 1994 : le pôle asiatique, avec les deux grands dragons de la Chine et du Japon, flanqués de tous les petits dragons qui s'agitent autour d'eux, avec une vigueur souvent économiquement meurtrière pour les nations nanties de l'Occident ; et le pôle européen, encore hésitant, toujours sur le bord de l'éclatement nationaliste – et pourtant porteur de la seule grande espérance des vieux peuples recrus de gloire et de richesse, et un peu lassés de leur grand âge.

Le Figaro, 30 décembre 1994

1995

Pour Yachar Kemal

Yachar Kemal est menacé d'emprisonnement en Turquie pour délit d'opinion. Sous le titre : « Une campagne de mensonges », il a dénoncé dans l'hebdomadaire allemand *Der Spiegel* la politique de répression menée contre les Kurdes par le gouvernement turc.

Qui est Yachar Kemal ? C'est un grand écrivain qui a écrit des livres magnifiques où passe le souffle de l'épopée et de la liberté. Et un chef-d'œuvre universel : *Ince Mehmet* (« Mehmet le mince »).

J'aime beaucoup les Turcs et la Turquie. Je ne signe pas souvent de pétitions. Je sais qu'il n'y a pas seulement des écrivains célèbres pour souffrir et que beaucoup d'anonymes mériteraient tout autant d'être défendus contre l'injustice. Mais, depuis le premier livre que j'ai lu de lui, Yachar Kemal est un écrivain que j'admire. C'est aussi un homme que j'aime. Je l'ai connu par Roger Caillois. Yachar Kemal ne parle pas le français. Quand je l'ai rencontré, il ne parlait guère l'allemand ni l'anglais. Nous sommes restés presque muets l'un en face de l'autre. Et nous sommes devenus amis.

Un ami doit défendre son ami quand il est injustement attaqué. La Turquie, qui a des ambitions européennes, ne peut pas continuer impunément à écraser les Kurdes, à poursuivre des personnes pour délit d'opinion, à emprisonner des innocents dans des conditions inhumaines, décrites dans un livre qui vient de paraître en France, avec une préface d'Élie Wiesel, sous le titre : *La Prison n° 5. Onze ans dans les geôles turques*, par un militant démocrate kurde détenu en Turquie depuis des années : Mehdi Zana.

Yachar Kemal a le droit, comme tout le monde, de dire ce qu'il pense et ce qu'il croit. Il est, en plus, un homme d'une dimension exceptionnelle et un écrivain du premier rang. Il faut que les gouvernements, les médias, les associations, l'opinion publique prennent avec force la défense à la fois d'un immense talent, de l'innocence et de la vérité.

Le Figaro, 27 janvier 1995

La fin de la sécurité collective

Quelques semaines à peine après l'entrée de Jacques Chirac à l'Élysée et d'Alain Juppé à Matignon, la tempête souffle. Contrairement aux prévisions, le vent vient moins des banlieues, des déficits, de la crise, des chômeurs, de l'environnement immédiat, à beaucoup d'égards si inquiétant, que du grand large. La reprise des essais nucléaires dans le Pacifique et l'évolution de la situation militaire en Bosnie pèsent de tout leur poids sur le nouveau président et sur le nouveau gouvernement. « Entre Mururoa et Srebrenica, écrit *Libération* de façon cursive et peut-être un peu rude, l'apprentissage diplomatique de Jacques Chirac se fait à coups de pied dans les fesses. » Essayons de dépasser le charme de la formule et de serrer les choses d'un peu plus près. Ce qui se passe en Bosnie, il serait très injuste de le mettre au compte – et au débit – de Chirac. Jacques Chirac a hérité d'une situation impossible. S'il y a quelqu'un qui l'a dénoncée, c'est lui. Il n'est pas responsable de longues années de pourrissement qui ont roulé d'abandon en abandon et de faiblesse en humiliation. À chaque étape, des voix s'élevaient pour clamer que l'intolérable était atteint, que l'inacceptable était dépassé – et les forces internationales s'enfonçaient chaque fois un peu plus dans une nasse sans issue.

Vukovar était intolérable. Osijek était intolérable. L'assassinat d'une personnalité bosniaque dans un véhicule français de la force internationale était intolérable. La prise en otages de soldats de l'ONU était intolérable. Et le siège de Sarajevo, un des plus longs de l'histoire, au cœur de l'Europe d'aujourd'hui qui ne jure que par les droits de l'homme, était intolérable. Toute cette accumulation de provocations et d'agressions a mené à la constitution de la Force de réaction rapide (FRR). Trop faible, encore trop peu capable de riposter aux coups, la FRR n'a pas été en mesure d'empêcher la prise par les Serbes d'une enclave « protégée », désarmée par les Bosniaques, à charge pour les forces internationales de l'ONU d'assurer leur sécurité.

La faillite et le déshonneur

Mesure-t-on ce que signifie pour la crédibilité et l'honneur des Nations unies la chute de Srebrenica, une des fameuses zones d'exclusion dont était responsable la Forpronu ? Ne prononçons plus les mots d'« intolérable » ou d'« inacceptable ». Constatons simplement la faillite et le déshonneur, non pas des Casques bleus, mais des institutions internationales qui en ont la responsabilité politique. Pendant cinquante années, nous avons espéré que l'ONU, porteuse de tant de vision et de foi en l'avenir, échapperait au sort désastreux de la Société des nations (SDN). L'ONU a tenu plus longtemps que la SDN, mais elle avait des adversaires moins redoutables. La SDN s'est effondrée devant la formidable machine de guerre de l'Allemagne et du Japon. L'ONU est ridiculisée par les Serbes de Karadzic et de Mladic, soutenus, bien évidemment, malgré grimaces et comédies, par un Milosevic passé maître dans l'art du chantage, du double jeu et de la provocation par personne interposée.

De tout cela, Jacques Chirac ne peut pas être tenu pour responsable. Voilà que les uns lui reprochent d'être trop dur, et les autres d'être trop faible : ils devraient s'entendre entre eux. Ses premiers actes ont été pour recommander la fermeté. Il l'a fait sans affectation et en restant sans doute en dessous de l'attente de ceux qui auraient voulu voir la France, l'Europe, l'Otan, l'ONU s'engager résolument aux côtés des Bosniaques. Chirac n'a jamais cessé de privilégier la négociation. Et, pour mieux parvenir à réunir les adversaires autour d'une table de négociations, il n'a jamais cessé d'apporter la même considération aux différentes parties en présence. Il a décidé que le contingent français rendrait coup pour coup et il a réclamé la levée du siège de Sarajevo. Que pouvait-il faire d'autre ? Filer plus doux encore que son prédécesseur ? Adopter un profil plus bas ? Trouver de nouvelles joues à tendre aux claques des Serbes ? Ou, au contraire, entrer en guerre contre les Serbes, envoyer 300 000 hommes, admettre l'éventualité de pertes françaises élevées ? Beaucoup de bons esprits, indignés à juste titre de l'attitude des Serbes, estiment que le gouvernement français ne va pas assez loin. Mais le peuple français accepterait-il des morts et des blessés par dizaines, par centaines et peut-être par milliers ? Il est trop facile de vouloir des résultats sans en vouloir ni les conditions ni les conséquences.

Il n'est pas possible de faire porter à Jacques Chirac la responsabilité du désastre militaire, et surtout moral, de Srebrenica, qui vient s'ajouter à une longue liste de désastres répétitifs. Le président de la République s'est trouvé en face d'une situation qu'il essaie de maîtriser comme il peut et dont personne n'a la clé.

La reprise, en revanche, des essais nucléaires français dans le Pacifique relève de la seule responsabilité du président. C'est lui qui l'a décidée. Et c'est à lui que s'adressent, en la matière, les (rares) éloges et les blâmes (presque unanimes).

Que je l'avoue tout de suite : je ne suis pas un partisan fanatique de la reprise des essais nucléaires. Je suis de ceux qui pensent que la conjoncture internationale s'est considérablement modifiée depuis le général de Gaulle et que tout néo-gaullisme court le risque de se changer plutôt en archéo-gaullisme. La chute de l'Union soviétique nous prive, si l'on peut dire, de tout adversaire crédible. Le jeu d'une dissuasion nucléaire qui s'exercerait dans le vide ne vaut pas la chandelle de la réprobation internationale qui s'est manifestée un peu partout, de l'Australie et de l'Autriche à la Nouvelle-Zélande, et notamment, avec une violence peu usuelle, à Strasbourg. Faire cavalier seul dans le domaine nucléaire n'a rien de très exaltant dans ce monde où la coopération internationale tient une place de plus en plus importante.

C'est ici qu'intervient un élément qui semble, malgré son évidence, passer tout à fait inaperçu des politiques et des commentateurs. Une politique étrangère n'est pas faite de fragments sans relations entre eux. Une politique étrangère est un tout. C'est d'ailleurs ce que ressentent obscurément les critiques qui tentent d'accabler Chirac sous l'accumulation des revers, de Mururoa à Srebrenica. Pendant que le président de la République s'adressait à Strasbourg aux eurodéputés, une immense affiche est apparue sur le mur du fond. Elle disait tout : « Moins d'arrogance dans le Pacifique, plus de courage en Bosnie. » Excellent. Mais si l'initiative française dans le Pacifique était un début de réponse au découragement général devant le pourrissement de la situation en Bosnie – pourrissement auquel l'Europe et ses députés ont certainement plus de part que M. Jacques Chirac ?

La reprise des essais nucléaires français mériterait d'être largement condamnée si un véritable ordre international était en train de se faire jour. Ce que révèle, échec après échec, humiliation après humiliation, l'affaire sinistre de Bosnie, c'est que les institutions internationales sont incapables de faire respecter un minimum de justice et de sécurité. Les déclarations de M. Boutros-Ghali, pleines de bonne volonté, sont édifiantes à cet égard. En face de cette évidence, que faisons-nous ? Nous nous lamentons et nous nous indignons. Et nous nous enfonçons, chaque jour un peu plus, dans le piège inextricable où nous nous sommes jetés et d'où nous n'avons pas la force de sortir.

Mururoa, à cet égard, ne se cumule pas avec Srebrenica : Mururoa s'oppose à Srebrenica. L'échec déshonorant des Nations unies et de l'Europe en Bosnie appelait impérativement une solution. Cette solution ne peut être trouvée, hélas, que sur le plan national. Ce que M. Chirac devrait expliquer aux eurodéputés qui l'ont houspillé, aux gouvernements de l'Autriche, de l'Australie, de la Nouvelle-Zélande, aux écologistes de Greenpeace et à Mgr Gaillot, c'est qu'il est hostile, comme tout le monde, à la violence et à ses manifestations et qu'il préférerait, de loin, s'en remettre aux décisions et aux vœux de la communauté internationale. Mais que faire quand la communauté internationale se montre aussi incapable qu'en Bosnie de faire respecter ses engagements les plus sacrés ? Mururoa est le fruit amer de Vukovar, d'Osijek, de Sarajevo et de Srebrenica.

528

Faire la guerre ou partir

Puisque la communauté internationale est décidément hors d'état d'assurer la sécurité de ceux qui se sont mis – et avec quelle amertume le regrettent-il aujourd'hui ! – sous sa protection la plus sacrée, nous voilà bien obligés de prendre les dispositions nécessaires pour garantir notre propre sécurité. Qui pourrait nous assurer que le monde d'aujourd'hui ne présente plus de dangers ? Le mur de Berlin est tombé. Mais les Serbes ont surgi. Saddam Hussein est toujours là. Les Iraniens ne valent pas mieux. Les Russes sont bien inquiétants. Les Chinois poursuivent très tranquillement, sous l'œil bienveillant des Australiens et des Néo-Zélandais à l'affût d'un grand marché commercial, leurs expériences nucléaires. Qui oserait dire quoi que ce soit à la Chine ? il est plus commode de s'attaquer à la France.

Arrêtons de verser des larmes sur le déshonneur des Nations unies, sur la faiblesse criminelle de l'Europe. Cessons de déclarer inacceptable ce que nous n'avons pas été capables d'empêcher. En face des Serbes, aujourd'hui, et de leur audace encouragée par la faiblesse de la coalition politique qui leur est opposée, il n'y a plus que deux solutions : faire la guerre ou partir. On peut choisir l'une ou l'autre solution. Mais de chacune il faut payer le prix.

Je ne sais pas quelle décision finiront par prendre les malheureuses Nations unies, la malheureuse Europe – et le gouvernement français. Je crains qu'il ne soit plus exclu, après tant de reculades et de vains engagements dont on voit ce que vaut l'aune, de partir dans la honte. La communauté internationale a bien abandonné le Liban, elle a bien abandonné la Somalie, elle a bien abandonné le Tibet, elle a bien abandonné le Rwanda, pourquoi n'abandonnerait-elle pas la Bosnie ?

Sauf pour les cyniques accrochés à leurs postes, et pour les aveugles plus ou moins volontaires, tout le système de coopération internationale et de sécurité collective en sera ébranlé. Que faire d'autre, pour chaque puissance, que de reprendre alors ses billes et de veiller, chacun pour soi, à ses propres intérêts ? On a assez répété que Sarajevo représentait pour Maastricht un défi et une menace. Après tant d'affronts successifs et de serments violés, voilà que la chute de la zone d'exclusion de Srebrenica, symbole de l'engagement humanitaire de la communauté internationale, marque l'effondrement de la crédibilité d'un certain système collectif de solidarité et de dissuasion. J'aurais voulu, bien sûr, éviter Mururoa. Mais il aurait fallu alors éviter Srebrenica.

Le Figaro, 17 juillet 1995

Une guerre nouvelle

Le premier sentiment que suscite l'attentat du RER de Paris, c'est le même que celui qui naît des événements de Bosnie : l'indignation et l'horreur. Les malheureuses victimes, tant de sang répandu, tant de vies brisées et tant de souffrance innocente : le découragement vous prend devant la sauvagerie des hommes et leur cruauté imbécile.

De tout temps, la violence civile a régné dans l'histoire. L'attentat politique est une vieille spécialité des hommes. Du meurtre de Jules César en pleine Curie romaine à l'assassinat d'Henri IV, de Sadi Carnot, du tsar Alexandre II, ou du roi Alexandre de Yougoslavie à Paul Doumer, beaucoup de sang a coulé dans l'histoire politique des nations. Du moins étaient-ce des hommes politiques, des responsables, des symboles qui étaient visés. Ce qui est nouveau, peut-être depuis les attentats anarchistes de la fin du siècle dernier, c'est l'attentat aveugle, qui frappe au hasard dans la foule. Ce qui est nouveau aussi, c'est la revendication du crime. Ce qui est nouveau, en un mot, c'est le chantage. Avec les enlèvements d'otages et avec les attentats au cœur des grandes villes, le chantage politique et criminel est une des sombres divinités de la seconde moitié de ce siècle si exigeant sur le plan des principes et qui a connu tant d'abominations.

Le degré zéro du courage

En un temps où les conflits internationaux ont pris des proportions inouïes, la guerre a été légitimement dénoncée. Il y a pourtant en elle, à côté de tant d'atrocités, un culte du courage et du sacrifice qui lui confère une noire grandeur. Les attentats tels que nous les connaissons depuis quelques années, c'est le degré zéro du courage et le triomphe de la lâcheté. N'importe qui place une bombe n'importe où pour tuer le plus de personnes possible : des femmes, des enfants, des innocents désarmés qui ne peuvent pas riposter et dont le sang plonge dans l'horreur. Les victimes sont délibérément recrutées parmi la masse anonyme : ceux qui meurent ne sont pas des généraux ou des ministres : c'est M. Tout-le-Monde, c'est n'importe qui, et c'est vous. On dirait qu'à mesure que les exigences de la morale politique se font plus pressantes, la réalité se fait plus cruelle et plus basse. Le décalage devient criant entre les discours et les faits. Qui veut faire l'ange fait la bête : aucun siècle n'a été plus bestial que notre siècle à beaucoup d'égards angélique. L'angélisme aura, sous nos yeux, accumulé les cadavres.

À peine subi le choc d'un attentat tel que celui du RER, la question qui se pose est celle de la responsabilité. Il n'est pas possible, à l'heure où j'écris ces lignes, de désigner des coupables. Mais, il faut le dire ouvertement, les candidats ne manquent pas. La punition de ceux qui se conduisent avec trop d'ignominie, c'est qu'il est permis de les soupçonner même quand il s'agit d'un forfait que, par exception, ils n'auraient pas commis. Inculpés de génocide par le tribunal criminel des Nations unies, M. Karadzic et le général Mladic ne sont pas au-dessus de tout soupçon. Il n'est pas inimaginable qu'ils veuillent se venger de l'attitude de fermeté de la France. Ils figurent sur la liste des coupables potentiels. Ils ne sont pas les seuls.

Commandé d'Iran ou d'Algérie, l'extrémisme musulman a donné beaucoup de preuves de ce qu'il était capable de faire. Le Groupe islamique armé (GIA) semble avoir décidé d'élargir ses actions au territoire français. Il y a quinze jours, l'imam Abdelbaki Sahraoui, cofondateur du Front islamique du salut (FIS), mais peut-être suspecté d'indulgence et de modération, était abattu dans la mosquée parisienne où il officiait. Beaucoup de symptômes font craindre que la guerre entre Algériens ne s'étende à la France. La piste de l'intégrisme islamique ne peut pas être négligée.

On notera que des deux nébuleuses que leurs crimes rendent les plus suspectes, l'une – les Serbes de Bosnie – est violemment antimusulmane et l'autre – l'extrémisme intégriste – est ultra-musulmane. La confusion est, avec le chantage, l'hypocrisie, l'angélisme et la violence moralisatrice, une des caractéristiques majeures de notre temps.

Peut-être les Serbes de Bosnie et les intégristes musulmans sont-ils tout à fait innocents de l'attentat de la station Saint-Michel. On ne leur présentera pas d'excuses parce que leur passé les inscrit inévitablement sur la liste des suspects. Mais cette liste peut, hélas, s'étendre presque indéfiniment. Les sectes ont montré en Amérique et au Japon de quoi elles étaient capables. Il n'est pas exclu qu'un fou isolé, ou un groupe de psychopathes, las d'égorger des vieilles dames une à une et l'esprit tourné par les images de violence débitées par la télé-vision à longueur de journées, se soient offert le luxe d'une tuerie à grande échelle. Il n'est pas impossible que des comptes se règlent sur le dos des Français entre fanatiques palestiniens et israéliens et que des adversaires acharnés de la paix dont Arafat et Pérès essaient de jeter les fondements fassent n'importe quoi. On a été jusqu'à imaginer l'inimaginable, que des écolo-gistes pacifistes, hostiles aux essais nucléaires français dans le Pacifique, aient choisi de frapper un grand coup. On n'en croit rien, bien entendu.

Saura-t-on un jour qui a déclenché l'affreuse tuerie ? Le saura-t-on bientôt ? L'enquête sera longue et difficile. Carlos doit rire dans sa prison. Quelle que soit l'origine de cette abomination, elle vise, bien entendu, à terroriser le pays et à intimider ses dirigeants. Les premières réactions des rescapés, des proches de victimes, du grand public semblent toutes faites de courage et de détermination. C'est une consolation et une leçon dans l'épreuve.

Un défi au gouvernement

Il est plus difficile à une démocratie qu'à aucun autre régime de répondre au terrorisme. Car le but du terrorisme est de s'attaquer à la liberté, et l'obligation de la démocratie est de répondre au terrorisme sans renoncer aux valeurs qui fondent son existence. C'est le défi qui est lancé au gouvernement. Dans ces circonstances dramatiques, il faut faire confiance à Jacques Chirac et à Alain Juppé et serrer les rangs derrière eux.

Personne ne sait si l'attentat est un acte isolé ou s'il est le signe annonciateur d'une nouvelle vague de terrorisme où des groupes encore inconnus transposeraient chez nous, à des fins obscures, leurs ambitions et leurs querelles. Ce que nous savons, c'est que des innocents sont tués ou gravement mutilés. Tout doit être fait pour lutter contre la peste du terrorisme sans mettre en danger les principes auxquels il s'agit de rester fidèles, la justice, le refus de la responsabilité collective, la volonté de ne pas répondre aux terroristes avec les armes qu'ils emploient eux-mêmes. On voit trop bien comment la barbarie essaie d'entraîner dans son camp ceux qui luttent contre elle. Il faut se refuser à employer les armes qui sont employées contre nous. Mais il faut, en même temps, mettre hors d'état de nuire assassins et tortionnaires qui voudraient faire régner leur loi dans un pays de liberté.

La seule réponse au terrorisme, c'est la détermination de tous, la volonté d'opposer un front uni au crime, le calme souvent héroïque, dont ont fait preuve les blessés, les sauveteurs, les proches des victimes, les Parisiens en général et, d'abord, le courage.

Le Figaro, 27 juillet 1995

Comment lutter pour les femmes
dans l'antre même du diable ?

Du 4 au 15 septembre, se tiendra à Pékin, sous l'égide de l'ONU, la quatrième Conférence mondiale sur les femmes. La première conférence s'était tenue à Mexico, en 1975. La deuxième à Copenhague, en 1980. La troisième à Nairobi, en 1985. En dépit des efforts accomplis, le dossier de la conférence de Pékin sera chargé et difficile. Le bilan des mesures concrètes adoptées dans chaque pays pour améliorer la condition, souvent très dure, des femmes est peu encourageant.

Les femmes restent les premières victimes du sous-développement. Dans nombre de pays, elles n'ont guère accès aux soins de santé, à une alimentation suffisante, à l'éducation et à la formation. Dans plusieurs régions, elles sont victimes de ségrégations culturelles, sociales et religieuses. Des problèmes politiques et moraux se mêlent, un peu partout, aux considérations économiques et sociales.

La question de l'avortement sera naturellement posée. Conduite par une universitaire américaine, une délégation du Saint-Siège sera présente à Pékin. Le Vatican a déjà annoncé que le document de travail de la conférence ne le satisfaisait pas. De tous côtés, surgiront des problèmes plus épineux les uns que les autres, dont d'innombrables organisations, telles que l'Unicef, ont depuis longtemps établi la liste impressionnante.

Les mutilations sexuelles

Tout le monde sait que les mutilations sexuelles des fillettes et des femmes sont pratiques courantes en Afrique. Tout le monde le sait, mais personne n'agit sérieusement. Les chiffres sont pourtant accablants. En dépit de la Déclaration universelle des droits de l'homme qui stipule : « Nul ne sera soumis à la torture, ni à des peines ou traitements cruels, inhumains ou dégradants », entre quatre-vingt-cinq et cent quinze millions de femmes et de fillettes seraient excisées ou infibulées dans le

534

monde. Les récits d'excisions et d'infibulations – après avoir tranché à vif à l'aide d'une lame de rasoir ou d'une paire de ciseaux le clitoris et les petites lèvres de l'enfant, et parfois les grandes lèvres, l'exciseuse suture la plaie, souvent avec des épines d'acacia – sont de véritables récits de tortures où la douleur atroce s'accompagne, au bénéfice de fantasmes masculins, d'une mutilation à vie. Il n'est pas rare qu'une femme soit désinfibulée, puis à nouveau infibulée lors de chaque accouchement.

En dépit de l'action courageuse de beaucoup, ces pratiques barbares, dont l'origine est très antérieure à l'islam, se perpétuent et parfois s'aggravent : l'excision a tendance à se pratiquer sur des enfants de plus en plus jeunes. Nous voyons avec horreur les scènes de bombardement à Sarajevo et en Bosnie. Si un film présentait les souffrances des victimes de l'excision et de l'infibulation, chacun pourrait mesurer le caractère inacceptable de ces abominations d'un autre âge. La lutte contre le contrôle, par les hommes, de la sexualité féminine – avec l'assentiment souvent des femmes – et contre la suppression radicale de tout plaisir féminin au profit du seul plaisir masculin et de la seule procréation est un devoir impératif d'aujourd'hui.

Une inégalité criante

Les mutilations sexuelles sont un problème très grave. Ce n'est pas le seul. En Inde, où l'inégalité constitue, selon la formule de Claire Brisset dans un article du *Monde diplomatique*, le fragile mais seul vrai ciment de la société, l'inégalité entre hommes et femmes, si sensible dans beaucoup de cultures, atteint des proportions révoltantes : le taux d'alphabétisation des adultes est de 48 %. Sur ces 48 %, 62 % sont des hommes et seulement 36 % des femmes. L'avortement est légal en Inde depuis 1971. Officiellement, le nombre d'IVG ne dépasserait pas six cent mille. Mais on estime que quelque six millions d'avortements sont effectivement pratiqués chaque année dans le pays.

Une énorme majorité de ces avortements concerne des fœtus de petites filles. La science permet un diagnostic anténatal qui entraîne en fait un fœticide des filles. Il y a quelques années, un comité de la Fédération indienne des obstétriciens et gynécologues établissait que sur huit mille avortements effectués à Bombay en un an, sept mille neuf cent quatre-vingt-dix-neuf concernaient des fœtus de petites filles. Du coup, évidemment, le sex ratio en Inde penche vers le sexe fort.

Dans les pays industrialisés, la proportion hommes-femmes est de 100-106. En Inde : 100-94. Au Pakistan : 100-92. Au Bangladesh : 100-92. Et le taux de naissances en Inde et au Pakistan : 100-93. Il semble que la tendance ne fasse que s'accentuer. Au point que l'Unicef peut se poser la question : « Alors, qui mettra demain au monde, dans le sous-continent indien, les petits garçons si désirés ? »

De tous ces problèmes si préoccupants et si décisifs pour le sort de centaines de millions de femmes traitées avec injustice, et parfois avec barbarie, on parlera donc à Pékin. À Pékin ? C'est ici que se pose une question préalable à toutes les questions et un problème peut-être aussi sérieux que tous les problèmes évoqués : il semble qu'on aille lutter contre des influences diaboliques dans l'antre même du diable.

Traditionnellement, la Chine n'est pas un paradis pour les femmes. Depuis des siècles et des siècles, la pratique des pieds de femmes bandés est une image d'Épinal à la sauce chinoise. Les communistes ont aboli ces pratiques. Mais ce n'est pas pour autant que la place de la femme chinoise dans la société est devenue plus enviable. On pourrait même soutenir que la conjonction d'une tradition arriérée et de la rigueur communiste fait de la Chine un des pays les plus durs pour la femme.

Pour lutter contre la surpopulation, la politique chinoise de planification des naissances est très contraignante pour les couples : elle impose l'enfant unique. Comme un descendant mâle est le rêve de tout Chinois, la naissance d'une fille est un drame qui peut mener jusqu'à l'infanticide. Un million de petites filles sont abandonnées, chaque année, en Chine, et confiées, pour la plupart, à des orphelinats où elles sont ignorées, maltraitées et souvent vouées à la mort en cas de maladie.

Pour éviter la multiplication des drames, le gouvernement a dû céder et accepter, peu à peu, le principe d'un deuxième enfant – seulement pour les couples ayant connu la malédiction d'avoir une fille. Surtout dans les campagnes, l'habitude de vendre des petites filles, parfois de cinq ou six ans, à la famille du futur mari n'a pas disparu. La femme chinoise travaille plus, en moyenne, que l'homme et son accès à l'éducation est moins facile que celui de l'homme.

« Voilà, diront certains, pourquoi il est bon que la Conférence mondiale sur les femmes se réunisse à Pékin. » Mais d'autres dénonceront dans toute l'affaire, de la part des autorités chinoises, une simple opération de propagande. À défaut d'accueillir les Jeux olympiques en l'an 2000, les Chinois ont choisi de recevoir quelque 30 000 femmes venues du monde entier et qui constituent l'avant-garde du féminisme international. Et conscients des ferments de troubles qu'elles peuvent apporter dans une société hermétiquement clause, ils ont pris, avec habileté, un certain nombre de dispositions.

Une curieuse absence de boycott

Si les délégations officielles se réunissent bien à Pékin même, les organisations non gouvernementales, qui rassemblent une grande majorité de déléguées, ont été reléguées à cinquante ou soixante kilomètres de la capitale, dans la ville de Huairou. La hantise des dirigeants, traumatisés par la contagion démocratique entraînée il y a six ans par la visite de Gorbatchev, est le symbole charismatique de la place Tienanmen. Composée en partie de femmes, la police est déjà omniprésente sur la place ainsi que sur la route qui relie Huairou à Pékin. Toute forme de contestation sera éliminée avec soin et nombre de dissidents ont déjà été mis à l'ombre. La plupart des militants démocratiques sont en prison. C'est dans une ville aseptisée que se réunit la conférence. Plus grave encore : des visas ont été refusés à des délégations de Taïwan ou du Tibet.

C'est que la politique de la Chine au Tibet, qui a si peu occupé les gouvernements et les médias du monde, n'a pas grand-chose à envier aux pires opérations dont la télévision nous offre ailleurs tant d'images. La mise au pas du Tibet, sa sinisation forcée et l'élimination violente de toute opposition comptent parmi les atrocités d'un monde qui n'en manque pas. Chacun sait le sort réservé aux droits de l'homme en Chine. Au Tibet, ces droits de l'homme ont été simplement ignorés et foulés aux pieds.

On dénonce, à juste titre, les Turcs qui massacrent les Kurdes, les Serbes qui massacrent les Bosniaques, les Soudanais qui massacrent les Chrétiens, les Russes qui massacrent les Tchétchènes. On dénonce beaucoup moins les Chinois qui massacrent les Tibétains et qui massacrent les Chinois démocrates. Parce que les Chinois sont très nombreux, parce qu'ils sont très puissants et parce qu'ils constituent pour nos économies fléchissantes un immense marché potentiel, le monde est indulgent pour eux.

On peut être contre ou pour la reprise des essais nucléaires français. On est bien forcé de reconnaître – comme le fait *Libération* sous le titre « Tempête sur Mururoa, brise sur Lop Nor » – qu'aux hurlements d'indignation suscités par Jacques Chirac ont succédé de bien timides protestations contre l'explosion nucléaire chinoise du 17 août, dans la région du Lop Nor. Quinze jours à peine après cette explosion, les délégations de tous les pays du monde – Australie, Nouvelle-Zélande, Scandinavie compris – se rendent comme une seule femme et sans le moindre état d'âme apparent, au congrès, éminemment politique de Pékin. On est loin du boycott des vins français et de l'appel à annuler les visites touristiques de Versailles, de la Provence ou du Val-de-Loire.

Comment ne pas comprendre, dans ces conditions, les réticences exprimées ici ou là, et parfois avec force, contre le congrès de Pékin ? Elles divisent et la droite et la gauche. Contre Jack Lang, farouche défenseur de la participation au congrès, Élisabeth Badinter, qui n'est pas suspectée de tiédeur à l'égard de la cause des femmes, se prononce dans *Le Monde*, à juste titre à mon sens, pour le boycott d'une manifestation qui n'est qu'une immense contradiction interne.

Les droits de la femme, trop souvent honteusement et ouvertement bafoués par les hommes, ne sont qu'un des aspects – essentiel sans doute, et peut-être le plus urgent – des droits de l'homme : la moitié des hommes sont des femmes, et toutes les femmes sont des hommes. Pour dire les choses avec le plus de modération possible, Pékin, où des dirigeants communistes de type stalinien ont pris le relais de traditions ancestrales franchement hostiles aux femmes, n'est pas la meilleure place possible pour célébrer la femme et veiller à son avenir. Il est clair que la décision de Pékin d'accueillir la Conférence mondiale sur les femmes relève d'abord d'une préoccupation de propagande.

C'est le cas ou jamais de rappeler, au féminin, un proverbe que j'ai souvent cité : « N'importe quel tyran peut faire chanter à ses esclaves des hymnes à la liberté. »

Le Figaro, 1er septembre 1995

Une nouvelle frontière

Le plus frappant, dans les réactions à l'assassinat de Yitzhak Rabin, c'est le contraste entre la consternation des partisans de la paix et les manifestations de joie des extrémistes de Beyrouth, de Tripoli ou de Téhéran. À leur bruyant enthousiasme devant la mort de Rabin se mêlait une ombre de dépit : on leur avait volé leur victime. Inversement, en Israël même, il y a eu des voix qui se sont élevées, avant le crime et après, pour dénoncer la politique de Rabin, ancien faucon passé dans le camp des colombes. Des Arabes ont témoigné de leur désarroi à la mort du Premier ministre qui avait serré la main de Yasser Arafat. Et des Israéliens, en secret, ou parfois ouvertement, se sont réjouis de l'assassinat.

Beaucoup de juifs ont exprimé leur désespoir à l'idée que le Premier ministre ait été tué par un juif. L'histoire ne manque pourtant pas de juifs meurtriers de juifs. Que le meurtrier de Rabin ait été un juif est sans doute une amertume morale et un chagrin supplémentaire. C'est une chance historique. C'est le dernier sacrifice de Rabin à la cause de la paix.

Si un extrémiste arabe avait réussi à assassiner le Premier ministre, le fossé se serait encore élargi entre les deux communautés, l'israélienne et l'arabe. Tout le travail des extrémistes consiste à dresser, par la violence, les communautés les unes contre les autres. Qu'un juif extrémiste ait tué Yitzhak Rabin, c'est le comble de la tristesse et une ruse de la raison, à la fois accablante et pour une fois bénéfique.

Elle permet aux intégristes musulmans d'ajouter le sarcasme à leur satisfaction, mais, loin de mettre en péril la dure montée vers la paix, elle la faciliterait plutôt en montrant au monde arabe modéré que les obstacles sur le chemin de la réconciliation et les sacrifices en sa faveur sont aussi considérables d'un côté que de l'autre.

L'émotion qui s'est emparée des centaines de millions de téléspectateurs qui ont assisté aux obsèques de Rabin et aux paroles bouleversantes de la petite-fille de la victime va donner au mouvement vers la paix, désormais incarné par le couple Shimon Pérès-Yasser Arafat, qui succède à la triade Rabin-Pérès-Arafat, une impulsion nouvelle. Mais surtout, derrière la vague d'émotion si légitime, les cartes politiques sont distribuées autrement. Parce que c'est un juif qui a assassiné Rabin, à l'affrontement entre communautés hostiles va tendre lentement à se substituer l'affrontement entre partisans de la paix et partisans de la haine. Une nouvelle frontière va pouvoir se tracer. Elle passera à l'intérieur de la communauté juive comme elle passera à l'intérieur de la communauté arabe.

C'est un changement considérable. Ce sera la dernière contribution à l'histoire de cet homme d'État exceptionnel qu'était Yitzhak Rabin, il y aura encore – qui en doute ? – de formidables obstacles au retour de la paix dans ce Proche-Orient ravagé. Et, de part et d'autre, s'épaulant et s'encourageant les uns les autres par leur violence même, extrémistes politiques et intégristes religieux feront tout ce qu'ils pourront pour faire flamber la haine. Mais la mort de Rabin contribuera puissamment à combattre l'idée de l'enchaînement inévitable des violences entre les deux camps opposés d'Israël et du monde arabe. Il aura montré que la vraie opposition est, dans les deux camps, entre partisans de la paix et partisans de la guerre sans fin.

Il y aura fallu beaucoup de courage. Un courage qui n'était plus mis au service de la guerre, mais au service de la paix. Et qui allait simplement jusqu'au sacrifice final. Par un cruel paradoxe, l'assassinat de Rabin, parce qu'il a été perpétré par un extrémiste de son propre camp, sert la paix au lieu de la détruire, comme ç'aurait été le cas si l'arme du crime avait été tenue par un Arabe. La dernière leçon de Rabin, c'est qu'il faut rassembler, au-delà de leurs camps d'origine ; les partisans de la paix. Puisse-t-elle être entendue, non seulement dans ce Proche-Orient depuis si longtemps ravagé, mais dans tous les foyers de violence et de guerre.

Le Figaro, 9 novembre 1995

Trois petits pas vers la paix

Contempler le spectacle offert par nos planètes pendant les douze mois écoulés, c'est comme faire tourner devant son œil un kaléidoscope, ou se pencher sur une colonne de fourmis en train de transporter des brindilles et des pétales de fleurs : il se passe des foules de choses, mais on n'y comprend rien.

La mort d'un boxeur argentin, assassin de sa femme, Carlos Monzon. Des milliers de disparus dans des tremblements de terre à Kobe, au Japon, puis à Sakhaline, dans l'Extrême-Orient russe. Des inondations, des incendies, des hold-up, des carnages, des scandales un peu partout. Une guerre éclair entre l'Équateur et le Pérou. Une crise économique au Mexique et une révolte de paysans dans le sud du pays. Un krach à Singapour. Une guerre civile en Afghanistan. Un putsch de mercenaires aux Comores. Le procès à Palerme de Giulio Andreotti, sept fois président du Conseil, vingt et une fois ministre, suspecté d'être un des chefs de la Mafia italienne. L'acquittement à Los Angeles de O. J. Simpson, champion noir du football américain, déclaré non coupable du meurtre de son ex-femme et de l'ami de celle-ci. Le procès en appel, à Abou-Dhabi, d'une jeune employée philippine, meurtrière de son violeur. Il faut y regarder d'un peu plus près, c'est-à-dire d'un peu plus loin, pour voir se dessiner les grandes lignes du paysage et émerger des massifs qui ne prendront tout leur sens qu'avec le passage des années.

Permanence de la violence

On a encore beaucoup tué en 1995. Des meurtres individuels, par goût de l'argent ou par passion, par folie ou par ambition. Des meurtres collectifs aussi. Au début de l'année, l'offensive russe se poursuit contre les Tchétchènes. Au Cachemire et au Sri Lanka, des combats font de nombreuses victimes. Mais c'est en Algérie, surtout, que le sang coule tous les jours : plus de 30 000 morts, civils ou militaires, depuis l'interruption du processus électoral, en 1992. Contre les islamistes du FIS et du GIA, le gouvernement algérien, qui a rejeté la déclaration signée à

Rome par l'opposition algérienne, prépare l'élection présidentielle qui voit, à la fin de l'année, la confirmation du président
Zeroual à la tête de l'État.

La guerre civile en Algérie se répand au-delà des frontières
du pays. La France est entraînée, malgré elle, dans le conflit,
et les attentats qui se succèdent à Paris à la fin de l'été sont la
conséquence des troubles en Algérie. Les relations franco-
algériennes passent par des phases de refroidissement et de rapprochement où sont impliqués les deux présidents, Chirac et
Zeroual.

Il arrive à la violence dans le monde en 1995 de prendre un
visage particulier et relativement nouveau : celui des sectes. Elle
frappe aux États-Unis, à Oklahoma City, pour venger la secte
des Davidiens, contre qui le FBI avait donné l'assaut ; elle frappe
au Japon, successivement dans le métro de Tokyo et dans la
gare de Yokohama, où du gaz sarin est répandu par la secte du
gourou Shoko Asahara : elle frappe en Suisse et en France, où
le Temple du soleil mêle suicides et assassinats.

Ce phénomène des sectes est révélateur du trouble des esprits
en 1995. Les religions ne suffisent plus à répondre à un besoin
d'espérance et de foi qui se dégrade en croyance à un mystère
de pacotille, et de là en violence et en meurtres.

En Irlande, en Palestine, en Bosnie, trois foyers où la violence
se déchaîne depuis plus ou moins longtemps, on continue à
mourir. Mais la divine surprise de l'année est, dans ces trois
régions, la perspective d'une trêve, et peut-être d'une paix à
laquelle personne n'osait penser.

Les guerres de religion

Dès le début de l'année, le Premier ministre britannique, John
Major, et son homologue irlandais, John Bruton, avancent des
propositions conjointes pour ramener la paix en Irlande du
Nord. Tout au long de l'année, des progrès constants se poursuivent. Le conflit immémorial entre Anglais protestants et Irlandais catholiques en Ulster, qui a fait tant de victimes et qui a
eu tant de conséquences jusqu'en Amérique du Nord, touche
peut-être à sa fin.

Comme les précédentes, l'année entière a été dominée par les affrontements sanglants des nationalismes et des religions au sein de l'ex-Yougoslavie. Après Dubrovnik, après la Croatie, après Vukovar et Osijek, c'est la Bosnie qui est au centre du conflit. Le monde entier vit au rythme du martyre de Sarajevo. La guerre dans cette région des Balkans est la plus meurtrière depuis la fin de la Seconde Guerre mondiale : elle dure depuis quatre années, elle a fait deux cent mille morts, elle a jeté sur les routes de l'exil quelque trois millions de réfugiés. À mesure que l'année avance, les combats deviennent plus durs et tout espoir de paix semble inimaginable.

Des Casques bleus français sont tués. En représailles contre des raids aériens de l'Otan des Casques bleus de l'ONU sont utilisés par les Serbes de Bosnie comme boucliers humains. Une Force de réaction rapide est constituée par l'Otan, à l'initiative de la France et de la Grande-Bretagne. Un pilote américain abattu par les Serbes est récupéré par les Marines. Pour la première fois depuis la fin de la guerre mondiale, le Bundestag approuve la participation de l'armée allemande à la force de l'ONU en Bosnie.

Les Serbes lancent des offensives et s'attaquent une à une aux enclaves de Srebrenica, de Zepa, de Bihac, qui résistent. Le président Chirac, comparant la situation en Bosnie à l'abdication de Munich devant Hitler en 1938, appelle à une « action militaire ferme et limitée ».

Alors que le débat se rouvre, notamment aux États-Unis, sur la levée unilatérale de l'embargo sur les armes à destination de la Bosnie, la Croatie lance une offensive en Krajina qui fait, pour la première fois, reculer les Serbes, qui connaissent à leur tour le dur destin des réfugiés. Un Mirage français est abattu par les Serbes au-dessus de Pale. Les deux pilotes survivants sont faits prisonniers par les Serbes de Bosnie.

Parallèlement à ces combats, les négociations se poursuivent, inlassablement. Le « Groupe de contact », qui réunit les Américains, les Russes, les Français, les Anglais et les Allemands, poursuit ses travaux. L'émissaire américain, Richard Holbrooke obtient des belligérants l'acceptation d'un cessez-le-feu de soixante jours. Le premier convoi humanitaire de la Forpronu relie Sarajevo à Gorazde, déchaînant l'enthousiasme de la population. Le mécanisme de paix est enclenché. Il aboutira aux signatures de Dayton aux États-Unis, et de Paris. Les Américains ont pris le relais des efforts déployés en faveur de la paix par les gouvernements européens, notamment par la France et par le président Chirac, et ils en tirent le bénéfice. Restent d'innombrables questions qui ne sont pas résolues – particulièrement le sort des criminels de guerre tels que Karadzic et Mladic, qui s'est donné les gants de libérer avec arrogance ceux qu'il avait maltraités.

Le faucon devenu colombe

En Palestine, le problème brûlant des implantations de colonies israéliennes continue d'abord à diviser les esprits. Après l'échec d'une première rencontre, en juillet, le gouvernement Rabin-Pérès poursuit ses efforts en direction d'un règlement pacifique. Yasser Arafat et Shimon Pérès publient une déclaration commune qui établit les grandes lignes d'un « accord intérimaire » sur l'extension de l'autonomie en Cisjordanie. Avec l'aide de Moubarak et du roi de Jordanie, le dossier avance peu à peu. Le 28 septembre, Yasser Arafat et Yitzhak Rabin signent, à Washington, les accords sur l'autonomie conclus le 25 à Taba en Égypte, un peu plus de deux ans après leur poignée de main historique sur la pelouse de la Maison-Blanche (13 septembre 1993) et avec un peu plus d'un an de retard sur le calendrier prévu par les accords d'Oslo qui ont enclenché le processus de paix israélo-palestinien. Malgré l'assassinat à Malte du chef du Djihad islamique, Fathi Chataki, la paix ne semble plus impossible.

L'assassinat de Rabin par un extrémiste israélien bouleverse le monde entier qui assiste avec émotion, grâce à la télévision, aux obsèques du faucon devenu colombe et aux paroles de la petite-fille de Rabin, qui font sangloter les soldats israéliens et des millions de téléspectateurs. La mort du chef du gouvernement israélien, qui a sacrifié sa vie à la cause de la paix, précipite la marche vers la réconciliation. Le rêve de paix qui paraissait un mirage se change soudain en possibilité, et peut-être en réalité.

En Irlande du Nord, où se rend le président Clinton, en Bosnie où l'action de Richard Holbrooke a été décisive, au Moyen-Orient où le gouvernement américain joue le rôle de catalyseur, les États-Unis seule superpuissance après l'effondrement de l'URSS, sont omniprésents. On a pu dire que Sarajevo avait porté un coup terrible à Maastricht. La paix qui se profile, encore bien fragile et incertaine, dans les trois foyers les plus menaçants de la planète, est d'abord américaine.

L'URSS s'est effondrée. Mais, sous une forme ou sous une autre, le communisme n'est pas mort. Après la Bulgarie et l'Estonie, deux grands pays voient ces dirigeants communistes revenir en force à la tête de l'État. En Pologne le leader charismatique de Solidarnosc, Lech Walesa, est battu dans la course à la présidence par un ancien ministre communiste proche de Jaruzelski. En Russie, le président Eltsine, dont la santé laisse à désirer, est confronté à une Douma où les élections démocratiques donnent un net avantage aux anciens communistes. Peut-être trop rapides, **menacées par la mafia** et les excès des nouveaux riches, les réformes libérales n'ont pas donné les résultats espérés. Dans le cadre général d'une économie de marché qu'ils ne récusent pas totalement, les nouveaux communistes qui n'ont cessé de souligner leur solidarité avec les Serbes de l'ex-Yougoslavie, donnent un visage nouveau à l'Est européen.

Progrès et vicissitudes de l'Union européenne

Sous l'impulsion d'Helmut Kohl qui, après avoir réussi l'unification allemande, rêve de l'Union européenne, l'Europe poursuit sa marche en avant. Sous la présidence de la France, l'Union s'est élargie à 15 membres avec l'entrée officielle, le même jour, en janvier, de l'Autriche, de la Suède et de la Finlande. À Strasbourg, le 17 janvier, le président Mitterrand a vu dans la construction communautaire l'antidote nécessaire au nationalisme car le « nationalisme, c'est la guerre ».

Le Luxembourgeois Jacques Santos a pris la succession de Jacques Delors à la tête de la nouvelle commission de l'Union. Lors d'un colloque franco-allemand organisé au début de l'année à Paris, Édouard Balladur s'engage à assurer le passage à la monnaie unique « si possible dès 1997 ». À la fin de l'année, au moment même où les grèves font rage à Paris et dans toute la France, les dirigeants européens se réunissent à Madrid et choisissent le nom de la future monnaie, ce ne sera pas l'écu mais l'euro. L'année se clôt sur une interrogation majeure : engagée par de Gaulle et Adenauer, poursuivie par tous les gouvernements successifs de droite ou de gauche en France et dans tous les pays d'Europe, la politique européenne pourra-t-elle être menée jusqu'à son terme ? Ou sera-t-elle la victime de la crise qui continue à sévir et qui risque d'inciter les pays en difficulté – et la France elle-même – à se replier sur eux-mêmes ?

S'il fallait garder deux thèmes seulement pour illustrer l'année qui s'achève, ce serait deux points d'interrogation. Le premier : la paix qui semble enfin à la portée des hommes de bonne volonté tant au Proche-Orient qu'en Bosnie, ne sera-t-elle qu'une trêve temporaire entre les extrémismes enragés ? Le second : la construction européenne parviendra-t-elle à surmonter la crise la plus grave depuis un demi-siècle – celle qui naît du chômage et de la récession ? Et la monnaie unique verra-t-elle le jour avant la fin du siècle et du millénaire ? L'avenir de millions d'hommes et de femmes durement éprouvés par des années de guerre dépend de la réponse à la première question. Et notre avenir à tous, celui de tous les Européens et celui de la planète, est engagé dans la réponse qui pourra être donnée à la seconde.

La politique mondiale se mêle ainsi étroitement à la politique nationale de chaque pays européen. L'Europe dépend du sort de la lire italienne, du chômage en Espagne, du particularisme britannique, du climat social en France. Le chancelier Kohl est l'apôtre le plus fervent et le plus décidé de la construction européenne. Au dernier moment, les Allemands accepteront-ils de sacrifier le mark allemand sur l'autel de l'Union ? Et la situation non seulement en Italie ou en Espagne, mais en France même, permettra-t-elle d'aller jusqu'au bout de la seule ambition qui puisse encore donner un sens à notre vieille histoire ?

1995

Les vivants et les morts

L'histoire n'est pas faite seulement d'événements politiques ou économiques. Décrié par les uns, porté aux nues par les autres, le film *Forrest Gump* remporte six oscars à Hollywood. La mort de Ginger Rogers partenaire mythique de Fred Astaire, et celle de Lana Turner, qui avait connu toutes les formes de célébrité, marquent la fin d'une époque. La disparition de Dean Martin a fait revenir à l'esprit de centaines de millions de spectateurs le film de légende qu'était *Rio Bravo*. Les Beatles et les Rolling Stones connaissent en 1995 des succès tardifs et divers. Stephen Spender nous a quittés. Et Patricia Highsmith, maître du suspense et du mystère, aussi.

Les femmes se sont réunies à Pékin pour parler de leur libération. Partout dans le monde, les hommes et les femmes aspirent à plus de bonheur et à plus de savoir. À plus de liberté aussi. Les Kurdes poursuivent leur combat. Le Tibet, le Soudan, le Rwanda sont entrés dans une zone de silence qui cache mal beaucoup de drames. Les enfants restent exploités dans bon nombre de régions dont les produits envahissent la planète et détruisent des millions d'emplois. Un des problèmes majeurs de 1995 a été de savoir quel poids de misère la démocratie était capable de porter sur ses ailes. La montée de l'islam extrémiste en Algérie, en Égypte, en Turquie, un peu partout, est liée à cette question.

La population de la planète a continué à s'accroître en 1995. Et la fracture Nord-Sud n'a pas été réduite. Une sorte de vertige vous prend en pensant non plus à ce qui s'est achevé au cours de l'année écoulée, mais à ce qui est en train de se préparer en silence. La paix peut-être, grâce à Dieu, là où la guerre faisait rage. Mais une foule d'autres conflits, encore tapis dans l'ombre, liés à la misère et à l'espérance, et qu'il faut tâcher de prévenir avant même qu'ils n'éclatent. 1995 a balayé les illusions insensées de toute fin de l'histoire, qu'elle soit marxiste ou libérale. À la fin de cette année, si pleine d'ombre et pourtant de lumière, les hommes ont du pain sur la planche.

Dans les tout derniers jours de l'année, la santé du Pape a donné des inquiétudes à des millions de catholiques à travers le monde. Ce Pape, en 1995, a écarté les femmes des fonctions liturgiques au sein de l'Église romaine. En un temps où tous ont tant besoin de croire à quelque chose dans un monde dont le sens n'apparaît plus très clairement, il est tout de même permis d'offrir ses vœux à un homme de Dieu qui a incarné tant d'espoir.

Le Figaro, 29 décembre 1995

1996

Li Peng, nos chômeurs
et les droits de l'homme

La visite en France de M. Li Peng a mis en lumière un des éléments fondamentaux du monde où nous vivons : la contradiction. Des voix discordantes se sont élevées à propos de nos relations avec la Chine : les uns soulignaient la nécessité d'établir des liens commerciaux et économiques avec la Chine communiste et de ne pas laisser la place libre à des concurrents impatients de s'engouffrer à notre place dans cet immense marché.

Les autres protestaient avec véhémence contre tout encouragement à un régime dont le moins qu'on puisse dire est que les droits de l'homme n'y sont pas révérés. Je crains que les arguments avancés ne soient aussi convaincants d'un côté que de l'autre.

Les droits de l'homme sont une des clés de la conscience politique et morale d'aujourd'hui. Pourquoi nous sommes-nous élevés contre Hitler, contre Staline, contre Franco et Mussolini, contre les dictatures militaires ou contre Fidel Castro, cher à Mme Mitterrand, contre les Serbes de Milosevic, de Karadzic, de Mladic ? Parce qu'ils piétinaient, parmi tant d'autres, les droits élémentaires de la personne humaine qui constituent à nos yeux la base même de toute morale collective. Il est au moins douteux que le régime chinois s'inscrive, si peu que ce soit, dans la ligne de ce qu'il est permis et nécessaire d'espérer.

L'ombre de la répression

Disons le franchement : si la Chine était un petit pays, si elle ne représentait pas un immense marché potentiel, personne ne songerait à renforcer avec elle quelque lien que ce soit. Si elle comptait quelques millions d'habitants, elle risquerait fort d'être mise au ban des nations. De magnifiques discours cloueraient au pilori de la conscience internationale son régime et ses méthodes.

Les prisons et les camps de la Chine communiste, nous savons ce que c'est. Quelque épaisse que puisse être l'ombre qui les entoure, personne ne peut faire semblant d'ignorer ce qui s'y passe. Aucune distinction n'est faite, en Chine, entre délit politique et délit de droit commun. La liberté d'opinion, pour ne rien dire de la liberté d'expression, y est radicalement inconnue. Et les considérations – nous les avons entendues – sur le particularisme chinois paraissent aussi fragiles et aussi peu convaincantes que celles sur le tempérament et les antécédents des Allemands, des Russes, des Serbes ou des Rwandais. Le monde entier s'est rangé au côté des manifestants de la place Tiananmen et a pris parti pour les héros obscurs qui s'opposaient, mains nues, à la marche des chars d'assaut. M. Li Peng en personne était du côté de ceux qui ont fait taire par tous les moyens les voix de la liberté. Il incarnait ce qu'il est convenu d'appeler les forces de la répression.

Pour des raisons qui relèvent de l'histoire et de la démocratie, les femmes, en particulier, sont maltraitées en Chine. Une conférence internationale sur les femmes s'est tenue récemment à Pékin. Beaucoup se sont émus de cette flagrante ambiguïté et, se souvenant de la belle formule : « Tout tyran peut faire chanter à ses esclaves des hymnes à la liberté », ont appelé, en vain, au boycott de cette manifestation internationale.

Ce que les Chinois ont fait au Tibet, nous ne le savons pas encore dans le détail, mais nous nous en doutons. Nous avons dénoncé ce qui s'est passé au Liban, au Rwanda, en Bosnie, en Arménie, en Tchétchénie. Ce qui s'est passé, ce qui se passe encore au Tibet ne vaut pas mieux. Un peuple entier est menacé d'extinction. Il s'est passé des choses terribles au Soudan, mais le Soudan nous a livré Carlos. On s'est tu. Il se passe des choses terribles au Tibet. Mais la Chine est puissante. On se tait.

Un enfant qui naît sur quatre est chinois. La Chine représente près de 25 % de la population du globe. Ne fermons pas les yeux : voilà le problème. Il est d'autant plus brûlant que notre économie bat de l'aile. Il nous faut, à tout prix, des débouchés. Pourquoi ? Pour enrichir une poignée d'entrepreneurs – de ces entrepreneurs qui régnaient sur les années 60 ? Peut-être. Mais surtout pour donner du travail aux chômeurs qui en manquent.

C'est en ces termes, évidemment, que se pose le problème : chômeurs contre droits de l'homme. C'est un cruel dilemme. Je ne suis pas de ceux qui sont capables de balayer d'un revers de la main les arguments opposés et des uns et des autres, et de trancher le débat avec un front serein.

Pièges de la démocratie

Pour compliquer un peu les choses, on notera que c'est la droite – disons, en gros, nationaliste et conservatrice – qui est disposée à traiter avec le régime de Pékin. Et que c'est la gauche socialiste, alliée naguère aux communistes dans un programme commun, qui proteste avec le plus de véhémence. La droite, qui déteste le communisme, se réclame du général de Gaulle qui mettait les nations au-dessus de leur régime. La gauche, fidèle à son idéal, mais qui avait besoin des communistes pour accéder au pouvoir, dénonce ceux-là mêmes, au-dehors, avec qui elle a fait, au-dedans, un bon bout de chemin. Fallait-il refuser de recevoir M. Li Peng et de lui serrer la main ? Je n'oserais pas le soutenir. J'ai même attendu son départ et la signature des accords pour écrire cet article. Si la France n'avait pas accueilli l'homme de Tiananmen, elle aurait appauvri un peu plus les Français, elle aurait augmenté le nombre de ses chômeurs, elle aurait laissé la place libre aux entreprises étrangères qui se seraient jetées dans la brèche sans le moindre scrupule. On a dit beaucoup de mal, peut-être à juste titre, de la raison d'État. Quand elle se confond avec l'intérêt des plus déshérités, ne prend-elle pas un sens nouveau ? Tels sont les pièges de la démocratie.

Pékin et Belgrade, deux poids, deux mesures

Il reste que la cause des droits de l'homme en a pris un coup. On a souvent répété que les gouvernements occidentaux s'étaient lancés dans la guerre du Golfe parce qu'il y avait du pétrole à la clé, il est tout à fait clair pour tout le monde que le tapis rouge a été déroulé sous les pieds de M. Li Peng parce qu'il y avait des emplois à la clé. Faut-il en conclure que nous prenons feu et flamme contre les Serbes parce qu'ils ne risquent pas de nous acheter des métros, des avions, des usines clé en main ? Comment nous expliquerons-nous à nous-mêmes que les droits de l'homme doivent être respectés quand nous sommes plus puissants que ceux qui les foulent aux pieds, et qu'ils peuvent être négligés et mis entre parenthèses quand nous avons besoin de ceux qui les menacent ?

Le monde n'est pas simple. On dit souvent que celui où nous vivons aujourd'hui est plus cruel que celui d'hier. Je ne crois pas que ce soit vrai. Je crois, en revanche, que la contradiction est plus forte que jamais entre nos aspirations proclamées et la réalité. À chaque pas, nous devons concilier des exigences opposées. C'est une tâche épuisante. À chaque pas, nous devons nous tenir à égale distance de deux tentations meurtrières : le cynisme qui nous ferait tout accepter, et l'angélisme qui nous précipiterait dans un enfer pavé de bonnes intentions.

Le vrai risque est que nous ne croyions plus à grand-chose. On a soutenu que la chute du mur de Berlin nous a fait entrer dans un monde sans repères et sans certitudes. Plutôt que de tout brouiller dans un flou esthétique et éthique, mieux vaut sans doute reconnaître, sans se cacher le visage entre les mains, qu'aujourd'hui comme hier, et peut-être plus qu'hier, nous sommes obligés par la cruauté des temps d'aller sur des chemins que nous préférerions éviter.

Le Figaro, 15 avril 1996

1997

Absente et présente : l'Europe

Cachée sous l'urgence des problèmes économiques immédiats, dont personne ne songe à contester le caractère dramatique, elle est l'enjeu essentiel de nos débats. Sous cette campagne un peu terne, dans l'indifférence quasi générale, nous sommes à un tournant décisif.

Des voix se sont élevées pour dénoncer l'absence de l'Europe dans nos débats électoraux. Parmi les motifs de la dissolution figuraient la nécessité d'un élan nouveau pour aborder les étapes décisives de la construction européenne et le désir d'éviter la concomitance entre échéances nationales et échéances européennes. Et l'Europe, par un paradoxe étonnant, semblait passer soudain à l'arrière-plan. Comment nier pourtant que l'Union européenne soit le thème politique majeur de cette fin de siècle et de millénaire ? On peut comprendre que le problème de l'emploi soit au centre des soucis des Français. Il n'y a pas de famille qui ne soit menacée par le chômage, et l'Europe peut paraître lointaine et peut-être même irritante à ceux qui se préoccupent légitimement de leur sort immédiat. S'il y a pourtant un choix décisif à faire, y compris dans le domaine de l'emploi, c'est celui de l'Europe. Peu de décisions politiques auront été aussi importantes depuis un siècle ou deux que celle qui porte sur l'acceptation ou le refus de l'Europe.

Chiffon de papier ?

À vrai dire, comme l'a souligné M. Séguin, qui était d'ailleurs à l'époque partisan du non, l'affaire a été réglée par le référendum sur Maastricht. Les adversaires de l'Europe, ouverts ou dissimulés, dénoncent volontiers les cadres contraignants de la politique européenne. Mais pourquoi sont-ils contraignants ? Parce qu'il y a eu un référendum. Et sur quoi portait ce référendum ? Sur le traité de Maastricht. Le peuple s'est prononcé. Il a approuvé le traité avec solennité. Mais, disent les adversaires, on peut revenir dessus. Ce raisonnement laisse pantois. Il signifie tout simplement qu'on peut considérer un traité, soumis de surcroît à l'approbation populaire, comme un « chiffon de papier ». A-t-on assez dénoncé la formule de Bethmann-Hollweg, qui apparaissait comme la négation de tout ordre juridique et en vérité de toute civilisation ! Ceux qui s'opposent à Maastricht, qui exigent la renégociation, qui veulent revenir sur les engagements pris ne font que marcher dans les pas du chancelier allemand dont les mots malencontreux ont suffi à ternir la réputation. Remarquons d'ailleurs que les fameux « critères de Maastricht », souvent présentés comme des espèces de dragons chargés de cracher le feu sur nos compatriotes, ne sont que des exigences de bon sens qui devraient s'imposer même en l'absence de toute ambition européenne. M. Giscard d'Estaing a très bien montré, dans une de ces émissions de télévision où il fait monter le niveau des débats, qu'il s'agit simplement de lutter contre des poussées de déficit insupportables, Maastricht ou pas. L'étrange est que les socialistes, du temps de M. Mitterrand, aient mené de front la politique des déficits et la politique de Maastricht.

L'État de droit

Il y a plus étonnant encore. On pourrait imaginer, à la rigueur, qu'un des deux camps en présence dans nos joutes électorales, tout en respectant bien entendu le traité signé, puisse reprocher à l'autre de l'avoir signé. Mais ce qu'il y a de franchement surprenant, c'est que le camp où se font jour aujourd'hui les réserves les plus vives à l'égard de Maastricht est précisément celui qui a signé le traité. Les socialistes d'aujourd'hui, avec M. Jospin, parlent de renégocier un traité qui a été signé par les socialistes d'hier, avec M. Mitterrand. Les socialistes, personne n'en doute, sont des partisans de l'État de droit. Ils ne témoignent pas avec éclat, en l'occurrence, de leur attachement aux principes.

Une absence de programme commun

Ils sont évidemment guidés par des préoccupations électorales. D'autant plus qu'ils ne peuvent espérer accéder au pouvoir qu'avec l'aide des communistes. Personne ne peut se représenter les communistes d'aujourd'hui, avec M. Robert Hue, si affable et si courtois, comme un épouvantail à l'ancienne mode. Mais personne ne peut les voir non plus comme des partisans de l'Europe. Le moins qu'on puisse dire est que l'alliance de gouvernement des socialistes et des communistes est floue en ce qui concerne l'Europe. Sur l'Europe, en tout cas, il y a une absence de programme commun. Dans la perspective européenne, la symétrie est parfaite entre droite et gauche : des deux côtés, un noyau (plus ou moins) pro-européen et une frange extrême franchement anti-européenne. La différence est que la majorité actuelle RPR-UDF entend gouverner sans le Front national, et que les socialistes, par la force des choses, entendent gouverner avec les communistes.

Une autre ligne de partage

Au-delà de ces polémiques électorales, et sans vouloir donner trop raison à M. Le Pen, on finit par se demander si l'opposition classique droite-gauche, si commode (de part et d'autre) pour les déclamations grandiloquentes et démagogiques du dimanche soir, a encore un sens. Au regard du vrai et probablement du seul problème politique de notre temps, faire l'Europe ou lui tourner le dos, la ligne de partage s'établit autrement : d'un côté, la majorité actuelle et l'opposition socialiste ; de l'autre, les communistes et le Front national. Le débat télévisé, il y a quelques semaines, entre M. Balladur et M. Delors allait avec évidence dans le sens d'une telle redistribution des cartes. Chez nous, en ce moment, le problème européen est mêlé aux luttes électorales partisanes. Prenez un peu de champ et de hauteur, sortez de nos querelles internes : en Amérique, en Asie, partout où se décide l'avenir de notre monde, à la veille de l'an 2000, la seule question qui vaille est de savoir si l'Europe s'unira, si elle constituera une puissance politique et économique comparable aux géants américain, chinois, japonais, ou si, confites dans leur gloire désuète et dans leurs souvenirs, les nations de la vieille Europe divisée se refermeront chacune sur elle-même dans une illusion d'indépendance et pour offrir, en vérité, à plus ou moins brève échéance, une proie toute désignée aux ambitions des grandes puissances du nouveau millénaire.

L'histoire ne repasse pas les plats

Ce qui complique aujourd'hui la décision à prendre sur l'Europe, c'est qu'elle est étroitement imbriquée dans des luttes électorales dont chacun peut juger si elles semblent ou non à bout de souffle et dépassées. Avec François Mitterrand, avec Michel Rocard, avec Jacques Delors, les socialistes ont été le fer de lance de la construction européenne, avant de sembler hésiter pour des raisons politiques. Philippe Séguin, Charles Pasqua, ont été des artisans du non à Maastricht avant de se convertir à l'Europe et à la monnaie unique pour d'autres raisons politiques. Dans un passé plus lointain, le président de la République lui-même n'était pas un partisan farouche de l'Union européenne. Je crois à la sincérité de sa conversion, comme je crois à la permanence des ambitions européennes des socialistes sous des péripéties électorales, parce qu'il n'y a pas d'autre issue pour la France, pour sa tradition, pour ses valeurs fondamentales, que la construction d'une Europe respectueuse du génie de chacune de ses nations. S'il y a un sens de l'histoire, il est là.

Par le fer et le sang

L'histoire ne repasse pas deux fois les plats. Sous cette campagne un peu terne, dans l'indifférence quasi générale, dans la lassitude relevée par tous les observateurs, nous sommes à un tournant décisif. Caché sous l'urgence des problèmes économiques immédiats, dont personne ne songe à contester le caractère dramatique, l'enjeu essentiel de nos débats est l'Europe. Pour chacune de nos vieilles nations, sa nécessité s'impose d'autant plus que son échec signifierait à coup sûr le déclin inéluctable de ces mêmes nations qui s'estiment parfois menacées par une Union qui est leur seul salut. Et le choix à faire est d'autant plus important que ce serait la première fois qu'une grande idée unificatrice et révolutionnaire, porteuse de tant d'espérances, se réaliserait autrement que par le fer et par le sang.

Le Figaro, 24 mai 1997

La flamme de l'espérance

Au-dessus de cette foule immense, elle montrait l'avenir.

Quelque chose d'immense est passé sur Paris. Bouleversant les diagnostics les plus optimistes, ridiculisant les prévisions pessimistes de la mesquinerie de service, des centaines de milliers de jeunes gens et de jeunes filles ont crié, chanté, dansé, à l'appel du Pape, leur foi, leur espérance, leur amour et leur joie. On croyait jusqu'ici que ces vagues d'enthousiasme religieux et populaire étaient réservées à la Pologne, aux Philippines, à l'Amérique du Sud, au Liban, et que les Français, ironiques et railleurs, s'étaient détournés à jamais de la foi de leurs pères. Paris s'est souvenu soudain que la France, selon une formule hier encore désuète, était la fille aînée de l'Église. Et, assoiffée d'autre chose que les mensonges de chaque jour, la jeunesse, en masse, s'est jetée aux pieds de Jean-Paul II. C'était un spectacle bouleversant. Au milieu de tant de chagrins, de bassesse, de médiocrité, de désespoir, s'élevait, grave et très gaie, d'une jeunesse merveilleuse, la flamme deux fois millénaire de l'espérance chrétienne. À travers le triomphe des valeurs enracinées dans la tradition, c'était le triomphe de l'avenir. L'Église catholique est restée maître en matière de mise en scène populaire et mystique. Il n'y avait pour réussir des journées comme celles-là que des fascistes, des staliniens, des groupes de chanteurs pop ou rock ou des chrétiens. Les uns servaient la force, la violence, la haine, la servitude et la mort ; l'idole des autres était l'argent. Ce qui animait, autour du Pape, cette jeunesse innombrable, c'était la foi, l'espérance, la charité. C'était la liberté, l'égalité, la fraternité. Tous les continents étaient là, tous les pays, toutes les races, toutes les femmes et tous les hommes du monde entier, librement et fraternellement unis. La fête était le contraire de l'intolérance et de l'exclusion. Le contraire de l'élitisme méprisant. Le contraire de la violence, de la démagogie et du règne de l'argent. Le contraire du désespoir sceptique qui règne si souvent sur les esprits d'aujourd'hui. C'était une explosion de jeunesse et de confiance en l'avenir. La nuit, à la clarté des milliers de bougies, les visages avaient la beauté lumineuse et sereine des tableaux de La Tour. Il y a un homme au cœur de ce miracle stupéfiant. C'est le Pape de la jeunesse et du renouveau. C'est Jean-Paul II. On dira peut-être que c'est une star. C'est le contraire d'une star. C'est un homme de foi et d'espérance. Son corps brisé par les épreuves et la fatigue semblait tendre les mains à toutes les détresses de ce monde. Au-delà de ce corps, il y avait une âme. Elle était à l'unisson d'un monde dévoré de chagrin, ravagé par la misère, tenté par le désespoir. Et elle lui offrait ce qu'il réclame, ce dont il a tant besoin : une espérance. Au-dessus de cette foule immense, au-dessus de cette jeunesse si recueillie et si gaie, au-dessus de ce vieillard brisé qui en était le centre et l'inspiration, il y avait comme une flamme ou un souffle qui sortait de la nuit des temps et qui montrait l'avenir : la conviction qu'il y a en l'homme quelque chose de sacré et de divin qui dépasse chacun de nous et qui fonde sa grandeur et sa dignité.

Le Figaro, 25 août 1997

2 – L'espérance européenne brille
dans un monde de violence

Quoi de neuf sur cette planète en 1997 ? Rien de neuf. La violence. Elle a frappé sans se lasser. Elle a frappé au Pérou, où un commando de terroristes du Tupac Amaru a occupé pendant quatre mois l'ambassade du Japon ; elle a frappé en Irlande du Nord, où Tony Blair essaye depuis quelques semaines de renouer les fils de la négociation avec Gerry Adams et le Sinn Féin ; elle a frappé au Pays basque, avec brutalité ; elle a frappé au Zaïre, où un dictateur, Mobutu, a été remplacé par un autre dictateur, Kabila ; elle a frappé en Égypte, où la tuerie de Louxor, qui tentait de briser le tourisme, atout économique du gouvernement, a horrifié le monde entier. Bombes, fusillades, prises d'otages, gorges tranchées, tortures, du Soudan au Mexique, du Sri Lanka à la Tchétchénie et ailleurs, elle a frappé un peu partout sur cette terre où, après les grands massacres communistes et nazis qui ont laissé derrière eux tant de germes abominables, elle n'a jamais disparu. Elle a continué à s'exercer de façon endémique au Tibet, martyrisé par une Chine dominatrice et implacable qui serait mise depuis longtemps au ban des nations civilisées si elle n'était pas si puissante et si elle n'offrait pas un si vaste marché aux entreprises occidentales menacées par le chômage. Elle a ravagé et ravage encore l'Algérie, où l'intégrisme islamique fait couler des flots de sang et dépasse, semaine après semaine, les limites de l'horreur. L'indifférence des grandes puissances a été mise en accusation et on s'est interrogé sur le rôle de l'armée, du gouvernement et même du président Zeroual, qui incarne le pouvoir en lutte contre l'intégrisme. Partout la barbarie a continué à se déchaîner et, en Algérie comme en Égypte, l'intégrisme musulman s'est distingué par son atrocité. En 1997, des trois fauteurs principaux de violence, le marxisme, le nationalisme, l'islam, l'intégrisme musulman a été en flèche et, combattu avec courage sur place par des hommes et des femmes dignes d'admiration, il remporte sans peine le trophée de l'abjection.

Les difficultés de Netanyahu

Il arrive à l'islam, qui sous ses formes extrêmes se présente si souvent sous l'aspect du bourreau, d'apparaître aussi comme une victime. Les positions de M. Benyamin Netanyahu à la tête d'Israël ne sont plus soutenues par grand monde. On avait pu espérer, lors de son élection, qu'il poursuivrait la politique d'apaisement de Rabin et de Pérès. Il a approfondi le fossé entre Juifs et Arabes au lieu de le combler. La force et son déploiement peuvent valoir à court terme des succès aux Israéliens. À long terme, la poursuite des relations conflictuelles entre Palestiniens et Israéliens ne peut que tourner, ne serait-ce que pour des motifs démographiques, au bénéfice des Arabes. La seule solution à la guerre de 50 ans ou plus qui ravage le Proche-Orient, c'est la coexistence pacifique. À défaut de s'aimer, ce qui réglerait tous les problèmes, Juifs et Arabes sont condamnés à se supporter mutuellement. M. Netanyahu a rendu cette entente plus difficile. Il a réduit les chances de paix. Par sa politique d'intransigeance, par ses déclarations, par la poursuite de l'établissement de nouvelles colonies, il a multiplié les risques qui pèsent sur Israël. Et même dans le court terme et dans l'immédiat, il a subi des échecs. Il semble bien que Tsahal et le Mossad, au cours de récentes et malheureuses opérations, aient perdu un peu de leur prestige et de leur réputation d'invincibilité.

Les dragons dans la tourmente

Malgré les attentats sanglants du Hamas, acharné à saboter toute espérance de paix, malgré la poursuite des colonisations israéliennes, les Français, les Anglais, les Russes, et surtout les Américains, en la personne de leur secrétaire d'État Mme Madeleine Albright, ont tenté de rapprocher Netanyahu et Yasser Arafat, affaiblis l'un et l'autre par leurs extrémismes respectifs et cibles, dans leur propre camp, de violentes attaques. Après les espérances nées des accords d'Oslo, le pessimisme l'emporte à nouveau au Proche-Orient et toute solution d'apaisement semble s'éloigner, sinon à jamais, du moins dans un avenir indéfini.

Dans un domaine différent, d'autres espérances se sont dissipées avec brutalité. À une époque où l'économique tend à l'emporter sur le politique, la montée en puissance des fameux dragons d'Extrême-Orient était un des ponts-aux-ânes des commentateurs inspirés. Les images du rattachement, prévu de longue date, de Hongkong à la Chine, ont fait couler des larmes dans les foyers d'Angleterre et d'ailleurs, elles n'ont pas suffi à ébranler sérieusement la confiance des investisseurs. C'est du système capitaliste lui-même qu'est venue une sévère correction qui a pris des allures d'effondrement. Il serait à peine exagéré de soutenir qu'à Hongkong l'économie de marché a été défendue et sauvée, du moins pour un temps, par le système communiste, justifiant ainsi la formule célèbre des dirigeants chinois selon laquelle le socialisme marxiste constitue le cadre idéal pour l'économie de marché. La Corée du Sud, qui apparaissait il y a encore quelques semaines comme un géant économique en puissance et comme le rival du Japon, est en cette fin d'année au cœur de la tourmente et subit un désastre dont la violence risque de s'étendre, par contagion, à la planète entière. On savait que l'instabilité politique et les scandales – le dernier en date concernait le fils du président Kim Young-sam – avaient secoué la Corée du Sud. On découvre tout à coup l'endettement faramineux et la faiblesse structurelle du jeune géant aux pieds d'argile. La Corée du Nord donnait depuis longtemps l'image hideuse et ridicule de la dernière des dictatures de type stalinien. Fils de feu le Grand Leader Kim Il-Sung, accablé par la presse officielle d'épithètes louangeuses jusqu'au grotesque, Kim Jong-il a définitivement succédé à son père après plusieurs années de deuil et de tergiversations. Il n'a rien changé à un système qui prend l'eau de toutes parts, qui a fait un million de morts ou peut-être un peu plus et qui vend des missiles à tous les régimes terroristes. Face au frère ennemi du Nord, la Corée du Sud, avec toutes ses turbulences, représentait le progrès et au moins l'espérance de la démocratie. Voilà qu'elle s'écroule, comme pour donner raison à ceux qui se méfient également du capitalisme et du marxisme. Le Japon est touché à son tour. Non seulement le baht thaïlandais mais le yen japonais donnent de vives inquiétudes. L'économie japonaise, qui apparaissait comme la rivale, peut-être triomphante, de l'économie américaine, cesse d'inspirer confiance. Sur la scène internationale seuls règnent les États-Unis. Ils règnent même si absolument qu'ils peuvent commencer à craindre de n'avoir plus de partenaires avec qui jouer le jeu. C'est pour contrebalancer la puissance du dollar américain et du yen japonais que l'Europe a été portée par ses parrains sur les fonts baptismaux.

Un grand projet

Le yen atteint et perclus, le franc suisse limité dans ses ambitions, c'est en fin de compte pour équilibrer le dollar que le franc français, le mark, le florin et les autres monnaies de notre vieille Europe décatie et encore puissante dans sa mélancolie et dans sa nostalgie ont décidé de s'unir. C'est un pari formidable et le plus grand défi de la fin de ce siècle. La marche vers l'Europe, dont la monnaie unique n'est que l'une des expressions, a des racines très lointaines. Sans remonter jusqu'à Rome, ni à l'Empire de Charlemagne, ni à celui de Charles Quint, Napoléon, par la force des armes, et Hitler, dans l'horreur, ont rêvé d'une Europe unifiée par leurs soins. Ce qu'il y a de plus remarquable dans la naissance d'une monnaie européenne, non plus seulement commune mais unique, assez tristement nommée euro dans un style de technocrates de grandes surfaces à défaut d'écu ou d'as qui sonnaient mal à des oreilles britanniques ou allemandes, talent ou thaller auraient eu plus d'allure, c'est qu'elle est le fruit de la libre concertation de volontés nationales.

Dès le lendemain de la Seconde Guerre, les ancêtres lointains de l'euro s'appellent de Gaulle et Adenauer

Le général de Gaulle aura accompli, entre autres, trois choses immenses : il aura dit non à Hitler, il aura donné l'indépendance à l'Algérie, il aura réconcilié l'Allemagne et la France, séparées par tant de haine et par des torrents de sang. Le plus stupéfiant est que, venus de tous les horizons, de la gauche et de la droite, les dirigeants européens, et surtout français et allemands, ont travaillé successivement, avec leurs convictions et leurs méthodes propres, au progrès difficile de l'Europe et de sa monnaie. Pour ne parler que de la France, Mitterrand, socialiste, et Chirac, gaulliste peu enthousiasmé par Maastricht, sont l'un et l'autre des artisans de la monnaie unique. Ils ont, l'un et l'autre, rendu possible et nécessaire l'avènement de l'euro. On dirait que l'euro, symbole et ciment de l'idée européenne, s'est imposé de lui-même aux politiques souvent fluctuantes et contradictoires des puissances européennes. Malgré l'opposition des communistes et du Front national, malgré Pasqua et Séguin, et Jean-Pierre Chevènement, Maastricht a reçu, ric-rac il est vrai, l'approbation populaire. Il y a encore trois ou quatre ans, l'euro paraissait un songe, une rêverie, une utopie d'eurocrates. Voilà que le mécanisme est enclenché et que dans quelques années, dans quelques mois peut-être, nous pourrons payer en euros nos importations, nos grands travaux, nos impôts et bientôt nos voitures et nos baguettes de pain.

Une formidable révolution

Tout a été dit sur les avantages de la monnaie unique et de la constitution d'un ensemble économique capable de rivaliser avec les États-Unis, qui règnent aujourd'hui sans rival sur le monde. Personne ne peut plus en douter : la poursuite de l'émiettement européen aurait signifié un arrêt de mort pour chacune des nations de notre Vieux Continent. Conséquence de l'Union européenne et annonciatrice de nouveaux développements, la monnaie unique est une chance pour elles toutes. Il sera bien intéressant de voir, dans les dix ou vingt ans qui viennent, si l'Europe unie saura saisir cette chance et lutter contre le déclin qui menace notre continent après un règne éclatant et ininterrompu de quelque deux mille ans, une paille, évidemment, un clin d'œil dans la longue histoire de l'Univers et de l'homme. L'institution de la monnaie unique constitue une révolution formidable dans nos habitudes et nos mentalités.

Le passage des anciens francs aux nouveaux avait déjà troublé les esprits. Le passage à l'euro – et quelques arriérés, j'en connais, passeront directement des anciens francs à l'euro – sera autrement éprouvant. On a beaucoup étudié les conséquences politiques, économiques, sociales de la monnaie unique, beaucoup moins, me semble-t-il, les conséquences psychologiques. Elles ne manqueront pas, mais elles sont difficiles à évaluer. Sur le rapport à l'argent, sur l'épargne ou la dépense, sur la confiance ou la méfiance à l'égard de l'avenir, l'arrivée de l'euro aura des conséquences qui restent encore imprévisibles. Beaucoup de choses, à vrai dire, et peut-être presque tout reste encore imprévisible. Le taux de change exact entre le franc et l'euro ou entre le mark et l'euro par exemple, mais aussi entre l'euro et le dollar. L'euro devra-t-il être une monnaie forte, comme il est permis de l'espérer, ou une monnaie faible, pour aider les exportations ?

Tous les débats que nous avons connus autour du franc, nous les retrouverons, mais à un degré de complexité plus élevé, autour de l'euro. L'euro, en un sens, nous fera entrer dans une ère de plus grande simplicité, mais il s'ancrera, n'en doutons pas, dans l'âge de la complexité. Un exemple mineur d'imprévisibilité parmi une foule d'autres : le franc suisse, qui restera hors de la monnaie unique, sera-t-il menacé par la puissance de l'euro ou fortifié au contraire par un réflexe, au moins temporaire, de méfiance ? Si vous interrogez des économistes ou des financiers, vous obtenez une réponse classique dans ce genre de circonstance et révélatrice de l'infaillibilité des augures : « Le franc suisse montera, à moins qu'il ne baisse. » Toujours l'inattendu arrive et la plus grande illusion serait de croire que l'avènement de la monnaie unique, vers laquelle tendent tant d'espérances, constituera une fin en soi : ce sera plutôt le début de beaucoup de problèmes encore inédits.

Les omelettes de l'avenir

Il faut casser pas mal d'œufs pour les omelettes de l'avenir. Je serais surpris que l'euro, qui représente un progrès évident mais aussi un bouc émissaire tout trouvé, n'entraîne pas, après son instauration comme avant, des réactions violentes. Il a fallu beaucoup d'énergie et une vision de l'avenir pour le mettre en vigueur. Il en faudra beaucoup aussi pour le défendre. On mettra sur son compte tous les échecs à venir, le chômage, la vie trop chère, les salaires trop bas, la misère, qui auraient été les mêmes, ou pires, sans la monnaie unique. Nous vivons avec un but qui n'est pas encore atteint et qui nous fait courir : l'euro. Quand le but aura été atteint, l'euro sera une réalité qu'il s'agira de maintenir contre vents et marées. Ce ne sera pas une tâche de tout repos.

Vers une Europe fédérale ?

Georges Pompidou parlait naguère d'un choix entre une nouvelle Renaissance et un nouveau Moyen Âge. La monnaie unique peut, à coup sûr, être l'outil de cette nouvelle Renaissance. Mais les tentations seront fortes de revenir au Moyen Âge par l'éparpillement des pouvoirs et des centres de décision. Les bonnes volontés qui auront mené à la monnaie unique seront-elles assez fortes pour l'imposer partout ? Il est permis de se demander si l'institution de l'euro n'entraînera pas nécessairement la constitution d'une Europe fédérale dotée d'un fort pouvoir central. On s'est beaucoup interrogé sur le chemin suivi pour aboutir à l'Europe unie. Peut-être, en fin de compte, malgré les critiques, le chemin économique n'était-il pas si mauvais ? Il semble mener à un développement politique qui posera évidemment, à son tour, des problèmes nouveaux et ardus. Il est de plus en plus clair que l'euro, loin d'être un terme, n'est qu'une étape dans un processus d'unification qui mène peut-être, au loin, très loin, à la réalisation d'une utopie qui éclipsée pendant des années par un autre rêve de l'homme : la conquête spatiale, n'en reste pas moins une des issues possibles de l'histoire des hommes : un gouvernement mondial. Sans même s'arrêter à ces perspectives très lointaines qui relèvent de la pure imagination, que deviendraient, dans une Europe unie, les traditions, les coutumes, les modes de vie, la liberté ? L'exemple de la Suisse, où quatre langues différentes et plusieurs religions subsistent et coexistent pacifiquement sous une organisation confédérale suffit-il à rendre optimiste sur l'avenir d'une Europe unifiée par sa monnaie ? Il faudrait être devin pour répondre à ces questions. Ce qui est sûr, c'est que l'Europe unie, dont la monnaie unique est le symbole, va bouleverser les données du jeu politique, économique et social.

Un processus est engagé

Les adversaires de l'Europe diront : un piège est monté dont il est difficile d'imaginer les conséquences. À plusieurs reprises, dans les années qui se sont écoulées, entre le départ du Général et la fin de ce siècle, des voix se sont élevées pour déplorer l'absence d'un « grand dessein ». La monnaie unique en est un. Comme tous les grands desseins, celui-ci comporte des risques. L'euro sera un choc. Le billet de 100 F à l'effigie de Cézanne est peut-être le dernier à être libellé en francs français. Nous allons entrer dans autre chose. Loin de nos habitudes séculaires et de nos commodités qui étaient devenues des routines.

La fin du millénaire

L'Europe est un idéal. C'est aussi une aventure. Une aventure raisonnable et nécessaire dans le monde d'aujourd'hui. Une aventure qui devrait faire bouger les choses et susciter l'enthousiasme. Dans la seconde moitié de ce siècle, après les horreurs du national-socialisme et de la guerre, nous aurons connu le péril nucléaire, le sida, les menaces de la manipulation génétique. Mais nous serons allés sur la Lune, nous aurons ouvert les voies d'Internet et de la révolution électronique, nous aurons jeté les bases de l'Union européenne. La fin du deuxième millénaire et l'entrée dans le troisième que nous nous apprêtons à célébrer seraient bien ternes et en fin de compte assez décevantes si l'idée européenne et l'aube d'une organisation nouvelle ne venaient pas les éclairer. L'Europe n'est certainement pas une panacée et ce serait une lourde erreur de croire que son avènement réglera tous nos problèmes. L'Europe en créera plutôt de nouveaux, mais ils entraîneront avec eux ce qui manquait sans doute le plus à la longue série d'années que nous avons traversées : une espérance. Ce qui peut être souhaité de mieux à la France et au monde en cette fin d'année 97, c'est de retrouver une espérance qui semble s'être évanouie. Et que l'Europe y contribue.

Le Figaro, 31 décembre 1997

1998

Le nez de Monica

Nous avons l'argent ; ils ont le sexe : à chacun ses scandales. Nous descendons d'Henri IV, de Louis XIV, de Louis XV, de Félix Faure, dont la mort fut glorieuse ; ils descendent des pères pèlerins venus par le *Mayflower* et des puritains. Les Américains prennent la vie et le sexe au sérieux et nous les prenons à la légère. Nous en avons vu de toutes les couleurs, un rien les fait rougir. L'affaire Clinton nous paraît dérisoire et nous, nous leur semblons frivoles. Le sexe est à l'origine de la tourmente qui emporte le président du pays le plus puissant du monde. Le mal vient du penchant qui entraîne l'hôte de la Maison-Blanche – il n'est pas le premier, Kennedy avait fait aussi fort avec Marilyn Monroe – dans les bras de Jennifer, de Kathleen, de Paula, de Monica et de tant d'autres. Au point qu'on a pu dire à New York que Clinton était le seul homme politique capable de camoufler un scandale sexuel derrière un autre scandale sexuel. Personne, en effet, ne parle plus de Paula Jones qui faisait la une de la presse avant l'éclosion de Monica Lewinsky.

L'ordre mondial entre sexe et médias

Mais, dans la hiérarchie américaine du mal, le sexe est aussitôt dépassé par le mensonge. Ce dont est soupçonné Bill Clinton, ce n'est plus d'avoir eu des relations coupables avec de jeunes femmes, c'est de les avoir dissimulées. Il n'est pas impossible

568

que Clinton ait menti et qu'il ait détourné du droit chemin une jeune fille éblouie et affolée par le pouvoir. Il n'est pas impossible que Monica Lewinsky soit une simulatrice hystérique. Il n'est pas impossible que le président et la stagiaire soient les victimes d'une sombre machination dans le style des scénarios de la télévision. On voit où on en est tombé. C'est une partie d'enfer : elle roule tout entière sur un mensonge sexuel dont on ne connaît pas le coupable. On finit par se demander si notre bon vieux laxisme ne vaut pas mieux que ces extrémités. Dans tous les secteurs du jeu, François Mitterrand, adultère et menteur, a fait bien mieux que Clinton mais tout le monde s'en fichait, et il a fini par recevoir, et plutôt deux fois qu'une, la bénédiction des autorités spirituelles. La morale n'y trouve pas son compte, mais l'équilibre international n'en est pas ébranlé. Ce qui arrive à Bill Clinton n'est que l'illustration d'une pensée célèbre de Pascal : « Le nez de Cléopâtre, s'il eût été plus court, toute la face de la terre aurait changé. » Mais, chez Monica, ce n'est plus seulement du nez qu'il s'agit et toute l'affaire est à la fois traînée dans la boue et magnifiée par le sexe et par les médias L'affaire Clinton commence comme l'affaire Diana : sexe et médias.

Mais elle prend aussitôt des dimensions historiques et planétaires. Qu'est-ce que vous voulez que je vous dise ? Parce que le regard de Monica a croisé celui de Bill, le dollar recule, Wall Street vacille, Yasser Arafat regarde, éberlué, le bout de son soulier, le Proche-Orient s'inquiète, Saddam Hussein s'écrie que le président va attaquer l'Irak pour faire oublier ses prouesses sexuelles. Il est de mauvaise foi, bien entendu, mais il faut bien reconnaître que la démocratie américaine lui tend des verges pour se faire battre : un film, sorti ces jours-ci des studios américains, présente un président qui, pour détourner l'attention d'un détournement de mineure, lance une attaque contre l'Albanie. La société spectacle fait son cirque, le serpent se mord la queue, la réalité devient fiction et la fiction, réalité. La technologie joue son rôle dans ce complot de la modernité. Les écoutes téléphoniques, bien sûr, mais surtout Internet. À l'origine, un personnage du nom de Drudge, qui publie sur le Web des ragots politiques, met en cause *Newsweek* qui avait décidé de ne pas publier un article sur les frasques présidentielles. Du coup,

Newsweek, contrainte et forcée, balance sur Internet l'article que la revue avait censuré quelques jours plus tôt.

L'affaire Clinton-Lewinsky est indissolublement politique, sexuelle, éthique et médiatique

Parce qu'elle est le reflet du monde où nous vivons. On ne donnait pas cher, il y a quelques jours, des chances de Bill Clinton qui risquait de prendre le même chemin que Richard Nixon. L'issue de la partie reste indécise. Mais il semble que le Président ait quelques atouts dans sa manche. Le premier atout est lié à un manque, à une absence, à une négation : il n'a pas d'adversaire républicain à sa taille. Clinton a des ennemis républicains qui ne lâcheront pas prise facilement et au premier rang, le juge Kenneth Starr. Mais aucun candidat républicain ne s'impose pour remplacer à la Maison-Blanche le président coureur de jupons. Personne ne connaissait l'obscur gouverneur Bill Clinton quelques mois avant son élection à la présidence. Mais aujourd'hui, il règne, et pas seulement sur le cœur des stagiaires.

La revanche de la morale

Le deuxième atout est la présidente. Hillary est la victime des frasques du président et son soutien le plus sûr. Hillary contre Paula, Hillary contre Monica. L'épouse contre les maîtresses et du même coup contre la presse, contre les juges, contre les Républicains. La morale prend sa revanche : Bill trébuche sur ses maîtresses et la femme légitime le rattrape. C'est beau comme un conte moral. C'est l'envers bleu des ballets roses. Avec Hillary, on a deux Clinton pour le prix d'un seul, et on se demande lequel des deux est l'homme fort du ménage. Le troisième atout de Clinton est l'état des États-Unis qui, malgré ce que répètent bon nombre d'Européens, sont forts et prospères. Son discours devant le Congrès, dans la nuit de mardi à mercredi, a été un succès. Clinton a mené une politique raisonnable et habile et les Américains rendent en gratitude à leur président ce que leur président leur a donné en sagesse et en calme. Le sexe a ébranlé la politique. Il n'est pas impossible que la politique finisse par l'emporter sur le sexe. Dieu, dit un proverbe portugais souvent cité par Claudel, écrit droit avec des lignes courbes.

Le Figaro, 29 janvier 1998

Une statue pour un géant

Inaugurée hier par la reine d'Angleterre et le président de la République, une statue de Winston Churchill s'élève désormais sur les bords de la Seine. Justice est ainsi rendue au courage indomptable, à l'énergie, à l'esprit de résistance, au génie d'un des plus grands hommes d'État européens de ce temps. C'était un aventurier. Fait prisonnier à vingt-cinq ans, en Afrique du Sud, pendant la guerre des Boers, il s'évade dans des conditions romanesques. Élu député conservateur, il n'hésite pas, au scandale de beaucoup, à se faire l'avocat de l'autonomie pour les Boers et du Home Rule irlandais, qu'il ose aller défendre à Belfast. Il va jusqu'à changer soudain de parti et à se rallier aux libéraux, avant de revenir aux conservateurs, qui l'accueillent sans chaleur excessive. C'était un artisan infatigable de l'amitié franco-britannique. Dès juillet 14, estimant, contre Asquith lui-même, la guerre inévitable, il apporte à la France son soutien déterminé. Toute sa vie, à travers les pires drames y compris Mers el-Kébir, qui constitue une des tragédies les plus sanglantes de « la victoire à tout prix » qu'il s'était fixée pour but, il reste proche de ces Français qu'il est contraint d'affronter et à qui il avait offert, au cœur de la tourmente, une union politique.

Un combat audacieux

Il est impossible d'écouter aujourd'hui sans être saisi d'émotion le discours qu'il adresse en français, le 21 octobre 1940, de son QG de guerre pilonné par le Blitz, à ses alliés vaincus par Hitler. Dans la situation la plus dramatique, il y martèle avec un humour et un accent prodigieux que ses compatriotes attendent de pied ferme l'invasion annoncée. Et les poissons aussi. C'était un obstiné. Il connaît des hauts et des bas, des échecs retentissants et une gloire sans égale. Il les accueille toujours, indifféremment, avec une sérénité digne d'un héros de Kipling. L'expédition des Dardanelles, en 1915, dont il était responsable, est un échec cuisant. Dès le lendemain de son triomphe au terme de la Seconde Guerre, les Anglais le rejettent, avant de le rappeler six ans plus tard. Il était grand dans la victoire et dans le succès. Plus grand encore dans la défaite et dans les dangers. C'était un résistant. Il est l'adversaire le plus résolu de Munich, qui lui inspire une de ses formules les plus célèbres : « Vous aviez le choix entre le déshonneur et la guerre ; vous avez choisi le déshonneur, et vous aurez tout de même la guerre. » Contre Hitler triomphant, de Gaulle sauve l'honneur de la France vaincue en disant non à l'envahisseur. Ne promettant à son peuple « que du sang, de la peine, de la sueur et des larmes », Churchill incarne à lui tout seul la résistance à la barbarie. À l'aide surtout des mots qui furent longtemps leurs seules armes, ils mènent, l'un et l'autre, un combat audacieux, mais non désespéré. Ils n'avaient pas seulement du courage : ils avaient, l'un et l'autre, de l'avenir dans l'esprit.

C'était un géant

De l'été 40 à l'été 41, le sort de l'Europe et du monde repose sur ses seules épaules : « *Never so many owed so much to so few* » (« Jamais tant d'hommes n'ont dû autant à si peu »). Les États-Unis n'entreront dans la guerre qu'en décembre 41, poussés dans le conflit par l'attaque japonaise sur Pearl Harbour. L'Union soviétique n'est pas seulement neutre et absente, elle est alliée à l'Allemagne nationale-socialiste. Pendant toute une interminable année, et la pire de la Seconde Guerre mondiale, pendant que les bombes hitlériennes tombent sur Londres et sur Coventry, le communisme et le national-socialisme marchent la main dans la main. Staline est le complice de Hitler. Et Churchill est un héros. Staline n'entrera dans la guerre, en juin 41, que parce qu'il est attaqué par Hitler. L'allié communiste du national-socialisme s'obstine d'abord à ne pas croire à l'attaque que Churchill avait prévue de longue date. Plus tard, le matériel américain, les masses soviétiques joueront un rôle majeur dans la défaite du national-socialisme. Mais pendant l'année décisive, la résistance à Hitler n'a dépendu que d'un seul homme. Comme l'Europe entière, la France doit à Churchill la victoire et la paix.

L'Europe libre

Le roman des relations entre Churchill et de Gaulle appartient à l'histoire. L'homme au visage de bouledogue, au cigare, aux deux doigts dressés en V, à la sieste quotidienne sous les bombardements, parlait avec drôlerie de la croix de Lorraine qu'il avait eue à porter. Le général de Gaulle était d'autant plus raide à l'égard de Churchill qu'il était son hôte et qu'il lui devait presque tout. La grandeur règne sur les combats de ces temps héroïques. À la lutte majeure et déchirante entre de Gaulle et Pétain se combine une lutte fraternelle et en mineur entre de Gaulle et Churchill. L'esprit de Shakespeare et de Corneille flotte sur ces années où se jouaient nos destins. Dans Paris libéré, Winston Churchill assiste au côté du Général au défilé du 11 novembre 1944. Et le général de Gaulle décorera, dans une cérémonie bouleversante, le premier artisan de la victoire commune. Une statue du Général se dresse depuis longtemps dans le centre de Londres. Il n'était que justice d'élever enfin au cœur de Paris une statue à l'homme de courage et de ténacité, à l'orateur hors pair, à l'ami de la France, au visionnaire de génie à qui l'Europe doit d'être libre.

Le Figaro, 12 novembre 1998

1998 ou le nez de Monica

1998 restera dans l'histoire l'année de la tragi-comédie sexuelle du président des États-Unis d'Amérique. Comparée à l'affaire Clinton-Lewinsky, la tragi-comédie française, fondée sur des psychodrames de corruption et de politique mêlées, fait figure de bluette. Frappée d'un carré blanc ou d'une pastille rouge, relevant de l'autorisation parentale, digne ou indigne d'être interdite aux mineurs de moins de seize ans, la tragi-comédie américaine déborde le bureau ovale de la Maison-Blanche et l'alcôve présidentielle pour prendre des dimensions planétaires. Selon la formule de Serge July dans *Libération*, le monde a tourné plusieurs mois autour de la pipe la plus meurtrière de l'histoire.

Le nez de Monica

De tout temps, les rois, les présidents, les ministres, les papes aussi jadis ont eu les mêmes passions que leurs sujets. Alexandre le Grand, comme la plupart des Grecs, était ouvertement homosexuel. César était coureur. Tous les rois de France avaient des maîtresses et la Grande Catherine des amants. Henri IV avait mérité, dans l'affection admirative de ses sujets, le surnom de « Vert galant ». Alexandre Borgia, pape de la Renaissance, eut de Vannozza Catanei, puis de Julie Farnèse qui valaient mieux que Paula Jones et que Monica Lewinsky, un certain nombre d'enfants, dont César et Lucrèce, d'illustre mémoire. Le malheur est que les Américains, descendants des pères pèlerins du *Mayflower*, ont gardé en eux, comme un legs de l'histoire et de la tradition, l'empreinte du puritanisme. Flanqué d'Hillary, qui est probablement l'élément le plus fort du couple présidentiel, Bill Clinton aurait enchanté les Français qui tirent plutôt fierté des prouesses de leurs dirigeants et qui n'ont rien trouvé à redire au double foyer de François Mitterrand. Il a scandalisé une bonne partie de ses compatriotes. Pascal parlait du nez de Cléopâtre qui, s'il eût été plus court, aurait changé la face du monde.

Chaque époque a les événements qu'elle mérite. La bouche de Monica a marqué l'an de grâce et de disgrâce 1998. Tout le débat, aux États-Unis, a porté moins sur les aventures sexuelles du président Clinton que sur ses mensonges sous serment. C'est là, si l'on ose dire, le nœud de l'affaire. Les partisans du président soutiennent, avec une ombre de raison, qu'il est indigne d'un gentleman, et même d'un homme d'État qui ne se confond pas nécessairement avec un gentleman, de se vanter de ses succès et de mettre en cause une jeune fille. Et que le président avait le droit de protéger sa vie privée et sa famille. Le mensonge d'État, du coup, trouve une justification. Le président a été plus loin en établissant un distinguo subtil entre fellation et relations sexuelles. On discutera sans fin sur ce point de droit sexuel, à la fois public et privé, en notant que le président continuait à téléphoner pendant ce qui était, ou n'était pas, une étreinte sexuelle

Quelle scène pour Hollywood !

L'affaire a pris le tour d'un duel éthique et politique entre le procureur indépendant ou plus ou moins indépendant Kenneth Starr et le président des États-Unis. Le procureur indépendant est flanqué d'un certain nombre de personnages qui portent le titre de marshall des États-Unis et dont on a pu se faire une idée en voyant le film *Le Fugitif* qui a connu un succès mondial. Intervient également dans l'intrigue un essaim de jeunes personnes aux prénoms engageants qui sont entrées dans l'histoire, au côté de Paula Jones et de Monica Lewinsky, par des portes dérobées. Et une certaine Linda Tripp, amie de Monica, qui enregistre avec soin les confidences téléphoniques de la jeune stagiaire de la Maison-Blanche. On verra aussi surgir d'une penderie, comme dans une comédie un peu hard de Feydeau, une robe bleue tachée de ce qu'il est convenu d'appeler le « fluide » présidentiel et qui n'a pas, comme par miracle, été envoyée chez le teinturier. Les dés d'un jeu d'enfer où se mêlent sexe et politique sont jetés dès 1995. Ils roulent pendant toute l'année 1997 et pendant toute l'année 1998. Le 7 janvier 1998, Monica Lewinsky signe une déclaration sous serment affirmant qu'elle n'a pas eu de relations sexuelles avec le président. Le 12 janvier, Linda Tripp remet au procureur ses cassettes enregistrées. Le 17 janvier, Bill Clinton, sous serment, nie avoir eu des relations sexuelles avec Monica Lewinsky. Le 30 juillet, la robe bleue tachée de sperme est envoyée au FBI. Le lien est établi entre la robe et Clinton. Le 17 août, Bill Clinton admet, devant le grand jury, une « relation inconvenante », mais persiste à déclarer qu'il ne s'agissait pas de relations sexuelles. Le 11 décembre, Bill Clinton exprime son « profond remords ». Le même jour, la commission judiciaire vote quatre « articles » de destitution. Le 19 décembre, la Chambre des représentants vote la destitution. Le Sénat des États-Unis, où les républicains n'ont pas la majorité nécessaire des deux tiers, se prononcera en janvier prochain.

L'ombre de Saddam Hussein

Comme dans un autre film américain célèbre qui racontait d'avance l'histoire d'un président qui monte de toutes pièces une attaque contre l'Albanie pour détourner l'attention de ses frasques sexuelles, le décor change brusquement. Depuis l'invasion du Koweït, il y a huit ans, par les troupes de Saddam Hussein, les relations sont exécrables entre les États-Unis et le dictateur irakien. En janvier-février 1991, l'opération « Tempête du désert » met à genoux l'Irak sans pousser jusqu'à Bagdad pour renverser Saddam Hussein. Peut-être pour maintenir un contrepoids à l'Iran, les forces des Nations unies s'arrêtent à mi-chemin. Pendant sept années, c'est une valse tragique entre les exigences de l'ONU et la résistance de Saddam Hussein. Inspections de contrôle, entraves de Bagdad, embargo, accord « pétrole contre nourriture », ruptures et épreuves de force. Kofi Annan dénonce la crise et obtient un accord avec l'Irak. Saddam Hussein rompt à nouveau et, le 14 novembre, Bill Clinton ordonne des frappes aériennes contre l'Irak qui sont annulées au dernier instant lorsque Saddam Hussein annonce la reprise sans conditions de sa coopération avec l'ONU. En décembre, à la suite d'un différend sur le stock irakien d'armes chimiques, l'Australien Richard Butler, que les Irakiens accusent d'être à la solde des Américains, remet un rapport accablant pour l'Irak au Conseil de sécurité des Nations unies. Nous sommes à la mi-décembre au moment même où Clinton est en voie d'impeachment par la Chambre des représentants. Les experts en désarmement de l'ONU reçoivent l'ordre d'évacuer Bagdad. Tarek Aziz, bras droit de Saddam Hussein, estime que le rapport Butler vise à « justifier une agression militaire américano-britannique contre l'Irak ». Les missiles frappent l'Irak au moment même où Clinton se débat contre sa destitution.

Convergence ou diffusion

Tout le problème aujourd'hui insoluble, tâche demain pour les historiens, est de savoir si les deux séries d'événements, les difficultés intérieures de Clinton, les frappes aériennes contre l'Irak, sont unies dans le temps par le hasard ou par un lien de cause à effet. C'est, *mutatis mutandis*, le problème classique que les ethnologues, dans leur discipline, ont baptisé : « Convergence ou diffusion ». Les partisans de Clinton soutiennent que le président ne s'est pas laissé distraire de son devoir par ses problèmes personnels. Les partisans de Saddam Hussein soutiennent que Bill Clinton s'est jeté dans une opération militaire contre l'Irak pour trouver, comme dans le film prémonitoire, un dérivatif à ses problèmes intérieurs.

Les gendarmes du monde

Essayons peut-être, après avoir pataugé dans le fluide présidentiel, de prendre les choses d'un peu plus haut. Depuis l'effondrement du régime stalinien et la chute du mur de Berlin, depuis la victoire américaine sur l'URSS en ruine au terme de la guerre froide, les États-Unis sont seuls à régner sur le monde. La Chine est une grande puissance potentielle, probablement la plus grande puissance des débuts du prochain millénaire. Mais elle n'est pas encore en mesure de s'opposer aux États-Unis. Le Japon était, il y a encore un an ou deux, le vrai rival de l'Amérique triomphante. Mais la crise économique qui l'a frappé de plein fouet, à la surprise générale, lui a fait perdre de son poids sur la scène internationale. L'Europe unie sera une grande puissance capable d'équilibrer l'Amérique. Mais elle n'existe encore qu'à l'état d'espérance. Politiquement, économiquement, militairement, spatialement, les États-Unis sont aujourd'hui tout-puissants et ils se voient en charge de l'univers. Ils sont les gendarmes de la planète. Saddam Hussein menace sans aucun doute la paix internationale. C'est un dictateur de la pire espèce. Il n'est pas le seul. Il est peut-être le plus dangereux. Il a accumulé des armes de destruction massives. Il est cynique et menteur

Sa démarche, faite de coups de bluff tempérés par les reculs qui se révèlent nécessaires, n'est pas sans rappeler les méthodes hitlériennes. Il est impossible de reprocher à Clinton et aux États-Unis, qui ont la caution de l'ONU, de s'opposer avec fermeté aux ambitions meurtrières de l'Irak et de Saddam Hussein. La question est plutôt de savoir s'ils s'y sont opposés avec intelligence et efficacité. Quels que soient les motifs, intéressés ou non, qui ont poussé Clinton, la dernière opération, concomitante avec l'invraisemblable affaire Lewinsky, est peut-être un succès militaire. Il est douteux qu'elle soit un succès politique. Elle a renforcé Saddam Hussein plutôt qu'elle ne l'a affaibli. Et elle n'a pas servi l'image des États-Unis dans le monde et surtout dans le monde arabe, qu'elle a contribué à rejeter dans les bras d'un dictateur tout prêt à se présenter sous les aspects à la fois d'une victime et d'un héros. Après avoir sauvé le monde deux fois en l'emportant sur deux dictatures sanglantes, le risque le plus sérieux que les États-Unis peuvent encore courir aujourd'hui vient d'abord d'eux-mêmes et de leur puissance.

Conversion et affaiblissement de Benyamin Netanyahu

Rien ne serait plus absurde ni plus injuste que d'accabler les États-Unis qui, dans le conflit qui les oppose à un dictateur couvert de sang, représentent, avec maladresse peut-être, mais avec évidence, le droit international, la justice et, il faut le dire sans hésiter, les chances de la paix. La paix, Bill Clinton n'a pas ménagé ses efforts pour l'imposer de force entre les Palestiniens d'Arafat et les Israéliens de Benyamin Netanyahu. À Wye Plantation, en octobre, sous l'égide des États-Unis et de Clinton qui rendra visite successivement à Netanyahu et à Arafat, traité en chef d'État, un accord est signé qui relance enfin des négociations largement entamées par Rabin et Pérès, mais que l'intransigeance de Netanyahu n'avait cessé de faire capoter. Quels sont les facteurs de guerre dans le monde d'aujourd'hui ? Quels sont les alliés objectifs du terrorisme ? On ne le voit nulle part avec autant d'évidence qu'au Proche-Orient : ce sont le nationalisme extrémiste et le fanatisme religieux. Longtemps

Netanyahu s'est appuyé sur eux en Israël. En 1998 il a semblé évoluer et comprendre que le recours à la force ne suffirait jamais à assurer une paix qui était, à la longue, la seule chance de survie d'Israël encerclé par des masses arabes à la démographie galopante. En se résignant, sous la pression américaine, à des négociations avec les Palestiniens, Netanyahu a vu se dérober le soutien de la droite nationaliste et religieuse sans retrouver pour autant l'appui de ses adversaires travaillistes. Cette conjoncture nouvelle a rendu inévitables des élections anticipées. 1998 aura vu à la fois la lente et pénible conversion, à contrecœur peut-être, de Benyamin Netanyahu à la nécessité d'une politique de paix qu'il rejetait il y a encore un an et la montée de rivaux qui pourraient, en 1999, être ses successeurs.

Un héros de la tragi-comédie

La tragi-comédie de 1998 a trouvé un héros dans la personne de M. Laurent-Désiré Kabila, président de la République démocratique du Congo, tombeur, l'année dernière, du maréchal Mobutu, de fracassante mémoire. Il n'est pas exclu que l'avènement de Kabila constitue l'un des symptômes du remplacement en Afrique de l'influence française par l'influence américaine. Le moins qu'on puisse dire est qu'il ne s'agit pas d'un succès. On finira par regretter la bonne vieille époque si âprement critiquée où les États africains entretenaient avec la France des relations privilégiées. Comme dans d'autres domaines, ce qui se passe aujourd'hui en Afrique est plutôt de nature à justifier la politique du général de Gaulle, qui ne manquait ni de grandeur ni de sagesse. La chute de Mobutu avait été saluée, pour beaucoup de raisons, avec des cris de soulagement et de joie. Kabila s'est très vite révélé un nouveau Mobutu, aussi peu soucieux des droits de l'homme, aussi porté aux massacres. Venue d'une partie de ses propres alliés, la rébellion contre lui a commencé au Kivu, à l'est du Congo, au mois d'août, avec un mouvement de militaires banyamulenges, congolais, tutsis de souche rwandaise ; Goma, Bukavu, Kisangani à l'est du pays, Kindu au centre-est, tombent tour à tour aux mains des rebelles qui remportent aussi des succès au sud-ouest, jusqu'à l'intervention des troupes angolaises venues au secours de Kabila. À la fin de l'année, M. Kabila, soutenu non seulement par l'Angola, mais par le Zimbabwe et par la Namibie, se rend successivement en Belgique, où il promet le rétablissement de la démocratie au Congo, et à Paris, où Jacques Chirac le reçoit sans chaleur particulière, avec ces imperceptibles nuances, dignes des romans d'Abel Hermant, de Nancy Mitford ou d'Evelyn Waugh et que permet le protocole. C'est qu'il est bien difficile de faire ami-ami avec Kabila au moment même où Pinochet, qui a tué moins de gens que Kabila, devient, aux yeux de beaucoup, l'ennemi public à poursuivre et à juger.

Un cas de la tragi-comédie

En septembre, le général Augusto Pinochet, adversaire victorieux de Salvador Allende, dictateur à la retraite, ancien commandant en chef de l'armée de terre chilienne, sénateur à vie, se rend à Londres, avec l'accord du gouvernement britannique, en vue d'une opération pour une hernie lombaire. Il prend le thé avec Mrs Thatcher. Une semaine après son opération, il est arrêté, sur réquisition du juge espagnol Baltasar Garzon, pour « génocide, tortures et disparitions ». S'ouvre un imbroglio juridique où sont mêlés la Chambre des lords, Amnesty international, les gouvernements anglais, espagnol, français et suisse, les familles des victimes évidemment, et les autorités chiliennes qui soutiennent que Pinochet bénéficiait de l'immunité diplomatique, ce que contestent les autorités britanniques. Que l'ancien dictateur ait délibérément ignoré les droits de l'homme les plus élémentaires et qu'il soit responsable de tortures et de crimes n'est contesté par personne. Les difficultés juridiques viennent essentiellement de deux côtés. D'abord le dictateur chilien n'était pas venu à Londres sans avoir consulté le gouvernement britannique qui avait donné son agrément. Il semble que le gouvernement français, plus prudent, l'ait refusé. À son arrivée à l'aéroport de Londres, le Foreign Office a mis un salon privé à sa disposition. L'ancien dictateur pouvait être fondé à se considérer comme l'hôte de la nation anglaise. On peut comprendre, dans ces conditions, l'hésitation des autorités britanniques à

580

accorder l'extradition. Deuxième problème : extradition vers
où ? Vers l'Espagne, la Suisse ou la France qui réclament, toutes
les trois, l'extradition du général ? Un embarras, qui ferait rire
s'il ne s'agissait pas de vies humaines, s'est emparé des chan-
celleries. Il faut reconnaître que quels que soient les crimes
dont le dictateur chilien peut être accusé, ils n'égalent pas ceux
de beaucoup de responsables de massacres devant lesquels, pour
une raison ou pour une autre, on étend des tapis rouges. Ce
qui s'est passé au Soudan ou en Libye dépasse ce qui s'est passé
au Chili. Personne n'osera rien reprocher aux dirigeants chinois
(le Tibet, Tiananmen, les dissidents...) ou syriens. Les dirigeants
de l'Allemagne de l'Est et de bon nombre de démocraties populaires coulent des jours paisibles. Il n'est pas très sûr qu'un Jaruzelski soit moins coupable que Pinochet. Le monstrueux Pol
Pot n'a pas été l'objet de poursuites très poussées. Plusieurs des
auteurs du terrifiant génocide au Rwanda (la France porte-t-elle
une part de responsabilité ? On en discute) échappent encore
au châtiment. Milosevic, qui a remis ça au Kosovo en 1998 (plus
de 1 600 morts, 300 000 réfugiés), et Karadzic courent toujours.
Il est vrai que Pinochet est à portée de main. On pourrait faire
un exemple. Les gouvernements hésitent et renâclent. Quelques
conseils aux dictateurs et aux auteurs de crimes contre l'humanité : ne pas aller se faire opérer à l'étranger, plutôt mourir
dans son lit, ne jamais quitter le pouvoir.

Un fantôme de la tragi-comédie

Un autre personnage clé de la tragi-comédie de 1998 est Boris
Eltsine. On s'attend, à chaque instant, à le voir disparaître. Il
est toujours là. Tout le monde annonce sa chute, les communistes le traquent, les médecins le condamnent. On finit par
l'admirer. Souffrant de la grippe, du cœur, des poumons, de
« problèmes respiratoires aigus », incapable de prononcer plus
de quelques paroles, tenant à peine debout, le président russe,
flanqué de ses Premiers ministres successifs, imposés à grand-
peine, tombés l'un après l'autre dans ce grand jeu de massacre
de la politique russe, Viktor Tchernomyrdine, Sergueï Kirienko,
Evgueni Primakov..., passe tel un fantôme sur la scène d'une

Russie au bord du gouffre politique et financier. Le système bancaire s'effondre, le rouble perd près de 70 % de sa valeur, les salaires des mineurs ne sont plus payés, la pénurie alimentaire gagne du terrain, la mafia est partout. À Krasnoïarsk, en Sibérie, le général Alexandre Lebed est élu gouverneur. Des regards se tournent déjà vers lui en prévision des élections présidentielles. La Russie n'est pas seule à affronter la crise. L'Asie entière est touchée. On craignait des krachs en Amérique latine et, en une seule journée de septembre, la Bourse de Sao Paulo perd près de 16 %. Mais les Dragons d'Asie, dont on chantait les performances, connaissent des temps plus difficiles encore. Le Japon lui-même, si longtemps triomphant, est entré dans la tourmente. Le yen s'effondre, l'économie stagne, le chômage progresse. Qui l'aurait cru il y a encore un an ? Hier, rival des États-Unis, c'est par sa fragilité que le Japon fait passer des frissons sur le monde.

Le meilleur et le pire

Les bonnes nouvelles viennent d'Irlande. Après tant d'années d'une guerre civile sans pitié, Tony Blair parvient enfin à renouer les fils de la négociation et à jeter les bases d'une réconciliation entre protestants et catholiques de l'Ulster. La réconciliation est fragile, mais il est au moins permis d'espérer. Et la contagion ira peut-être jusqu'en Espagne où les attentats de ETA ont jeté dans la rue des centaines de milliers de manifestants protestant contre la violence. Les mauvaises nouvelles viennent d'Algérie. Presque chaque semaine, presque chaque jour, le terrorisme extrémiste viole, égorge, massacre, fait régner la terreur. Le pays est la proie d'une guerre obscure dont on ne voit pas la fin. Les interventions extérieures sont découragées. Les intellectuels finissent par se taire. Silence. On tue. Les hommes ont beau faire : ils ne sont pas les seuls à tuer. Bien au-delà de la tragi-comédie, de grandes catastrophes naturelles se sont abattues sur le monde en 1998. Le cyclone Mitch est responsable de quelque 7 000 morts et de plus de 2 000 disparus en Amérique centrale. Moins que le cyclone du Bangladesh en 1970 : 300 000 morts et disparus. Moins surtout que le séisme de Tangshan, en Chine, non loin de Pékin, en 1976, la catastrophe naturelle la plus meurtrière depuis le XVIᵉ siècle : 250 000 à 700 000 morts d'après les experts. Les progrès d'une science qui ne guérit toujours pas les rhumes de cerveau ne sont pas encore capables non plus de mettre l'humanité à l'abri des famines, des inondations, des typhons et des tremblements de terre.

Une Europe sociale et libérale

Terminons avec ce qui nous est le plus proche et avec le plus décisif pour notre avenir. En Allemagne, la victoire de Gerhard Schröder a mis fin au long et glorieux règne du chancelier Helmut Kohl, qu'on a vu verser quelques larmes sous les éloges de son adversaire. L'Europe à la veille de s'unir est presque entièrement socialiste. L'Espagne et l'Irlande font figure d'exceptions. L'Europe a été portée sur les fonts baptismaux par des libéraux (Jean Monnet) et par des démocrates-chrétiens (Robert Schuman, Adenauer, De Gasperi) qui avaient des préoccupations sociales, l'entrée en vigueur de la monnaie unique, étape décisive de la construction européenne, sera assurée par une large majorité de socialistes et de sociaux-démocrates. En Allemagne où le chancelier Schröder éprouve déjà quelques difficultés avec ses Verts, en Italie, en Angleterre surtout qui va vers l'Europe d'un pas plus lent mais qui y va tout de même et où Tony Blair n'a jamais caché le sens qu'il entendait donner à son action, il semble que le pragmatisme les inspire. L'Europe n'est pas une aventure partisane. Elle est l'affaire de tous. Elle sera sociale et, par la force des choses dans un monde unifié et ouvert, sous peine d'échouer, elle sera aussi libérale.

Le Figaro, 31 décembre 1998

1999

Les ruses de l'histoire

Après la chute du mur de Berlin et l'écroulement du communisme stalinien, un philosophe, un peu vite, avait annoncé la fin de l'histoire. La presse et les intellectuels s'étaient jetés sur ce thème avec gourmandise. En vain. L'histoire continue. Elle continue malgré Hegel, malgré Marx, malgré philosophes et intellectuels. Elle souffle même en tourbillon sur une région du monde qu'elle n'a jamais épargnée depuis les soubresauts de l'Empire romain d'Occident et d'Orient. Et nous sommes pris dans ses remous. Selon une formule fameuse, la première victime de toute guerre est la vérité. Sur la guerre de Serbie, ce qui a été dit et écrit ici ou là, dans un sens ou dans l'autre, dépasse l'imagination et ne donne pas une haute idée de cette liberté de la presse à laquelle nous sommes attachés. Tantôt des lauriers sont tressés à un régime policier et raciste, tantôt un ministre français est comparé à un criminel de guerre. Tâchons, avec modestie car qui détient la vérité ?, de voir un peu clair dans l'avalanche obscure des événements, de leurs commentaires dans les médias et de leurs conséquences.

Qui est responsable ?

La responsabilité première de la guerre et de ses souffrances retombe sur Slobodan Milosevic. Il cumule tout ce qu'il y aura eu de plus détestable dans notre siècle. Il est stalinien et fasciste.

584

Il pousse à ses dernières extrémités le chauvinisme, le racisme, l'intolérance. Il déchaîne et couvre des horreurs dont tant de témoignages ne permettent plus de douter. Si l'expression a un sens, Slobodan Milosevic est un criminel de guerre. Il est coupable de crimes contre l'humanité. Les Karadjic et les Mladic, qui portent une si lourde responsabilité dans la guerre de Bosnie, n'étaient que les reflets de Milosevic. Aujourd'hui de bonnes âmes soutiennent que toutes les possibilités de négociation avec Milosevic n'ont pas été épuisées. C'est le contraire de la vérité. Le regret qu'on peut nourrir, c'est que l'action internationale ait tant tardé à se déclencher. Les négociations ont été poursuivies aussi loin que possible. Milosevic a été mis en garde sans relâche. Il a bénéficié de délais qui pouvaient apparaître comme autant de preuves de faiblesse. C'est son intransigeance qui a déclenché la guerre. L'instrument majeur de l'action internationale est la puissance américaine. Allons-nous nous en plaindre, à la façon de ceux qui guettent inlassablement l'occasion d'accabler l'Amérique ? Si l'Europe était assez puissante et unie pour régler ses propres problèmes, nous n'aurions pas besoin des Américains. Ce n'est pas le cas. Du coup, l'antiaméricanisme de gauche et de droite s'en donne à cœur joie.

Disons simplement qu'à défaut d'une Europe capable de se dominer elle-même, la moins mauvaise solution pour le monde est encore, pour le moment, d'être dominé politiquement, économiquement, militairement par les États-Unis. Il a été à deux doigts d'être dominé par l'Allemagne nazie, par le Japon militariste, par la Russie stalinienne. Il pourrait l'être par la Chine, communiste ou non, par l'islam intégriste. Franchement, avec tous ses défauts dont on pourrait parler longuement, on a le droit de préférer l'Amérique. Les États-Unis ne sont pas un chevalier sans peur et sans reproche. L'affaire Lewinski traîne sans doute encore derrière les motivations de Clinton. Il est clair que les Américains pensent d'abord, en toutes circonstances, à leurs propres intérêts. Quoi de plus légitime ? De 1917 à nos jours, les Américains se sont trompés plus souvent que de raison et nous avons pourtant bien de la chance de les avoir à nos côtés. Entre leurs adversaires et eux, la balance n'est pas égale. Est-ce une raison, dira-t-on, pour déclencher des opérations qui constituent une guerre ? Saddam Hussein, autre criminel de guerre, avait envahi le Koweït. Milosevic n'a envahi aucun territoire étranger. Il s'est contenté d'opprimer les populations qui vivaient malgré elles sous sa tyrannie. Charbonnier est maître chez lui. Il y avait, en effet, une autre possibilité que d'ouvrir les hostilités : c'était de ne rien faire du tout. Il semble que beaucoup aujourd'hui inclinent de ce côté. Était-ce une bonne solution ? En 1934, en 1935, en 1936, en 1937, en 1938 c'était déjà trop tard, nous avons laissé Hitler monter son appareil de guerre. Était-ce une bonne solution ? Ne comparons pas Milosevic à Hitler. Milosevic ne menace pas la paix du monde comme la menaçait Hitler. Il n'en piétine pas moins les droits de l'homme et les fondements de toute morale internationale. Ne rien faire contre Milosevic, c'était renoncer à toute conception humanitaire, à toute idée de paix juste, à toute notion de société civile européenne, à tout idéal d'un ordre mondial fondé sur des valeurs universelles. Le nœud de l'affaire est là. On pouvait préférer la paix à tout prix. Elle était lourde de menaces pour l'avenir. Tournant le dos à toute tentation de lâche soulagement, la communauté internationale a préféré l'intervention. Il est impossible, à mon sens, de la condamner moralement. À partir de là se posent d'immenses problèmes. Ce sont des problèmes politiques. Pourquoi a-t-on fait la guerre ? Pour protéger des Serbes et de leurs violences les populations du Kosovo menacées par Milosevic, comme avaient été menacées par le même Milosevic les populations de Bosnie. Le drame de la guerre de Serbie est que le Kosovo est plus malheureux que jamais. À la limite, il n'existe plus. On a fait la guerre pour le sauver et la guerre l'a détruit. Le responsable du drame est Milosevic. Mais, en l'attaquant, on lui a donné l'occasion de déchaîner sa terreur. La guerre contre le bourreau a tourné en épreuve pour ses victimes. La rumeur courait qu'il fallait exercer une forte pression sur Milosevic pour lui permettre de reculer sans perdre la face. C'était un faux calcul : la pression exercée a entraîné au contraire non seulement un resserrement des rangs des Serbes derrière le bourreau élevé à son tour à la dignité de victime, mais une fuite en avant du tyran, qui n'avait plus rien à perdre, dans la répression et dans l'horreur. Milosevic a défié par ses crimes la communauté internationale qui était fondée à réagir. A-t-elle, en réagissant, suffisamment réfléchi aux conséquences de son action ?

La théorie des dominos

Avec leur lourd passé, avec leur mosaïque de langues, de religions et d'ethnies, les Balkans sont une région difficile. Il n'est pas sûr que l'idée qu'on peut s'en faire de l'autre côté de l'Atlantique soit suffisamment chargée d'histoire. Dans sa volonté de faire régner ses valeurs sur le monde, la communauté internationale s'est attaquée, dans les Balkans, à forte partie. Les politiques, au Vietnam, parlaient jadis de la « théorie des dominos ». Dans les Balkans aussi, il y a des dominos, imbriqués les uns dans les autres et gagnés successivement par la contagion de la terreur et de la violence : Slovénie, Croatie, Bosnie, Kosovo, Albanie, Monténégro, Macédoine... Avec la Russie en toile de fond, le feu risque de gagner de proche en proche, touchant les Slaves et les autres. La guerre des Balkans, d'ailleurs, dépasse largement les Balkans. Les droits de l'homme ne sont pas piétinés seulement au Kosovo. Au Soudan, au Tibet, en Palestine, dans d'innombrables régions à travers la planète, des dénis de justice sont à l'œuvre sans que des missiles soient largués. On finit par se demander, non pas où sont la justice et le droit, car chacun sait de quel côté ils se trouvent, mais si leurs défenseurs ont eu raison de se lancer dans une action qui renforce leurs ennemis au moins autant que l'inaction et qui soude le peuple serbe autour de son tyran.

Deux visions du monde

Ce qui est en cause, à vrai dire, dans le terrible conflit du Kosovo, ce sont les valeurs qui sous-tendent toute l'action politique et morale de la communauté internationale depuis la Seconde Guerre mondiale. Il y a deux visions du monde qui s'affrontent : la première est liée à la conception traditionnelle de la nation et de l'État ; chacun fait chez lui ce qu'il entend et, tant qu'il n'empiète pas sur le voisin, personne n'a à se mêler de ses affaires. La seconde prend en charge la notion d'ingérence humanitaire et l'émergence douloureuse d'une communauté internationale fondée sur une certaine idée de la conscience morale. Le choc de ces deux conceptions entraîne les conséquences qui se développent sous nos yeux. Si Milosevic l'emporte, c'est-à-dire si c'est avec lui, dénoncé à juste titre comme criminel de guerre, qu'on finit par négocier, c'est un coup très dur porté à toute tentative d'organisation internationale, qu'il s'agisse de l'Europe, de l'Otan, des Nations unies. Si les exigences de la morale internationale finissent par prévaloir, le paradoxe est évidemment qu'il arrive à la paix de passer par la guerre. On dira, dans un cas, que la realpolitik des bourreaux et des tyrans a de beaux jours devant elle. Et, dans l'autre, qu'il est de bonne guerre pour les partisans de la paix de jeter des tapis de bombes sur leurs adversaires. Nous sommes piégés par l'histoire.

Ouverture et fermeture

Qui sortira vainqueur de cette guerre qu'il était également impossible de ne pas faire et de faire ? À cette question, il y a un mois, les uns répondaient avec assurance que la supériorité technique de l'Otan était telle qu'en quelques jours à peine il ne resterait rien de l'armée serbe ; et les autres répliquaient avec la même assurance que les Serbes, qui avaient tenu tête à la Wehrmacht de Hitler et qui l'avaient contraint à retarder le déclenchement de son offensive contre l'URSS, étaient invincibles dans leurs forêts et dans leurs collines. Aujourd'hui, quoi qu'il se passe, et quels que soient les chemins suivis vers cette fameuse sortie de crise si ardemment recherchée, ce qui l'emportera, c'est un sentiment d'amertume. Tant de réfugiés, tant de souffrances, tant de violence pour tenter de lutter contre la violence... L'idée d'une guerre propre et sans morts est une illusion. La guerre du Kosovo, qui était une guerre juste et nécessaire contre un tyran criminel, risque d'aboutir à une leçon de cynisme politique, de repliement sur soi-même et de fermeture. Il y a pourtant dans les cœurs et dans les esprits un refus du cynisme et un élan vers l'ouverture et vers cet universel dont Slobodan Milosevic est l'ennemi déclaré. Un profond mouvement de solidarité s'est déclenché dans le monde envers les réfugiés poursuivis par la haine et chassés de leurs terres.

Au loin, derrière les ruses de l'histoire, quelque chose est en marche que dictateurs et bourreaux n'arrêteront pas toujours.

Le Figaro, 17 avril 1999

Bonne chance

Franchement, il y a quelque chose d'enthousiasmant dans la nomination de Bernard Kouchner au poste de haut représentant de l'ONU au Kosovo. La guerre a été gagnée contre Milosevic. La justice et le droit l'ont emporté sur la dictature, le racisme, l'intolérance et l'oppression. Ce qui se met en place, c'est un protectorat international sur une région crucifiée, déchirée par la haine. La guerre a été menée de bout en bout par les Américains. L'Europe et c'est son drame n'aurait rien pu faire sans l'Amérique. Du coup, selon l'habitude, les Américains, qui se battaient loin de chez eux pour une certaine idée de l'histoire et des hommes, ont été accusés de poursuivre des desseins d'autant plus sombres qu'ils étaient difficiles à cerner. Au terme de cette guerre américaine, c'est un Européen et un Français qui est en charge de la paix. Comment ne pas s'en réjouir ? L'arrivée de Bernard Kouchner à la tête de la Minuk (Mission internationale des Nations unies pour le Kosovo) marque en vérité un tournant. Dans la vie chaleureuse et passionnée de l'ancien French Doctor, évidemment. Dans l'histoire de l'Europe en train de s'édifier et des Nations unies. Peut-être dans l'image qu'on peut se faire du monde à venir. C'est le triomphe éclatant du devoir d'ingérence humanitaire. Les frontières volent en éclats sous la pression des droits de l'homme et de la démocratie victorieuse. Le droit des peuples à disposer d'eux-mêmes, qui a été le cri de guerre du progressisme tout au long du siècle passé et du début de ce siècle, recule devant des valeurs nouvelles qui arrivent avec les chars de l'Alliance comme les idées de la Révolution étaient exportées à la pointe des baïonnettes.

Deux ex-communistes

C'est là que se noue et se joue toute l'affaire. À l'ex-communiste Slobodan Milosevic répond et s'oppose l'ex-communiste Bernard Kouchner. Ils ont pris des voies opposées. L'un s'est jeté dans le nationalisme, l'autre a brisé les frontières. L'un a choisi l'oppression, l'autre a choisi l'humanitaire. Le devoir d'ingérence l'a emporté par la force sur la dictature et ses crimes. La guerre a été rude. Elle était pourtant plus facile à gagner que la paix. L'aventure se déroule dans un des coins du monde où l'histoire, les ethnies, les langues, les religions ont activé à un point inouï la méfiance et la haine. Le représentant des Nations unies apparaît comme un messager venu d'ailleurs qui doit faire régner la paix entre des ennemis qui se haïssent depuis toujours. C'est une tâche écrasante. Par ceux qu'elle gênera, l'ingérence humanitaire sera dénoncée comme un néo-colonialisme démocratique. « On les forcera à être libres » : la vieille formule fondatrice de Rousseau à l'innombrable descendance est de nouveau à l'ordre du jour. On les forcera à être libres. On les forcera à être justes. On les forcera à s'aimer. On défendra la paix, à coups de canon s'il le faut. On voit bien les problèmes qui se présentent en masse à Kouchner. Il a les Serbes pour ennemis. Mais les Serbes sont vaincus. Ils sont passés aussitôt du camp des bourreaux au camp des victimes. Il faudra les défendre contre les Albanais. L'UCK est l'alliée des forces d'intervention. Il faudra des miracles pour qu'elle ne devienne pas leur ennemie.

Assiégé de menaces

Elle veut l'indépendance d'un Kosovo que les États-Unis, la France, l'ONU entendent maintenir avec un statut d'autonomie, au sein de la Yougoslavie. Au cœur des Balkans, le représentant des vainqueurs sera assiégé de menaces. Il joue son propre sort avec son élégance et son courage habituels. Il joue en partie le sort de l'Europe. Le Kosovo sous protectorat européen, c'était le rêve des Européens. Il faut tout faire pour que ce rêve ne se change pas en cauchemar. Une formidable partie s'engage à Pristina, sur un terrain miné, avec une force armée, la Kfor, commandée par un Britannique et avec une administration où se mêleront des Américains, des Allemands, des Français, des Européens de toute origine et les Russes en fond de tableau. Avec une ombre d'ironie, mais à peine, avec de sérieuses inquiétudes, avec beaucoup d'espérances aussi, et de sincérité, on a envie de crier « Bonne chance ! » à Bernard Kouchner. Que Dieu le garde, comme on disait. Et que le passage, si difficile, des valeurs d'hier aux valeurs de demain, ne soit pas trop cruel.

Le Figaro, 5 juillet 1999

La justice prise au piège

Le massacre à Gracko, au Kosovo, de quatorze paysans serbes occupés à la moisson n'efface pas les horreurs perpétrées par les Serbes à l'encontre des Kosovars. Slobodan Milosevic est et reste un criminel de guerre. Ce qui est en train de se passer au Kosovo et qui était aisément prévisible ne remet pas en cause les buts de guerre de l'Alliance. S'il y a jamais eu une guerre juste, la guerre de Serbie l'était. Mais la mort de Serbes innocents jette une lumière crue sur les difficultés de la tâche de la Mission internationale des Nations unies au Kosovo. Il y a quelques jours à peine, Bernard Kouchner a pris avec résolution et courage ses fonctions d'administrateur de l'ONU au Kosovo. Le « Règlement numéro un » de la Minuk a clairement établi son autorité sur le maintien de l'ordre dans la région. Tout ce qui se déroulera désormais au Kosovo engage directement la communauté internationale et son représentant. Un fardeau écrasant pèse sur les épaules de Bernard Kouchner.

Milosevic, une nouvelle fois, s'est jeté dans la brèche qui s'est ouverte pour lui et il a dénoncé « la Kfor et les Nations unies [qui] partagent l'entière et indivisible responsabilité de ce crime odieux ». Il pousse, comme toujours, le bouchon un peu loin : Milosevic était le commanditaire et l'auteur des crimes accomplis par les Serbes ; Bernard Kouchner et l'ONU sont évidemment tout à fait innocents du massacre de Gracko. Oui, ils en sont tout à fait innocents. Mais ils en revendiquent eux-mêmes la responsabilité. Condamnée avec violence par les uns, exaltée sans mesure par les autres, la guerre du Kosovo est une affaire plus compliquée que ne le proclament avec hauteur nos simplificateurs des deux bords. Et un piège redoutable.

Il faut rendre d'abord hommage aux Nations unies, à l'Alliance, à Bernard Kouchner. Ils représentent le droit et la justice. Avec une gravité pathétique, l'administrateur de l'ONU a beau jeu de répondre à ses détracteurs que lui, au moins, essaie de faire quelque chose. Il lutte contre la haine. Y a-t-il d'autres issues, en Bosnie, en Palestine, au Rwanda, que de lutter contre la haine et d'essayer de mettre, à défaut d'amour, un peu de paix entre les esprits ? Il est impossible de refuser à Bernard Kouchner l'estime et le respect. Il est impossible de ne pas faire des vœux pour son succès. Il est difficile aussi de ne pas constater la situation hallucinante dans laquelle il se trouve. Elle n'est pas désespérée : tout n'est pas négatif au Kosovo. On avait beaucoup dit que le retour des réfugiés prendrait des mois et des mois. Il semble, au contraire, que ce retour se soit effectué à un rythme beaucoup plus rapide qu'on ne pouvait l'espérer. Mais à mesure que les Kosovars reviennent, les Serbes s'en vont. En dépit des objurgations de Bernard Kouchner qui les appelle à rester chez eux, à « prendre le risque de rester » chez eux, ils fuient l'intimidation, les brutalités, les pillages, le viol, et parfois la mort. Est-il besoin de rappeler qu'un Serbe innocent vaut un innocent Kosovar et qu'un réfugié serbe est aussi à plaindre qu'un réfugié kosovar ?

La guerre était juste parce qu'il s'agissait de défendre une majorité de Kosovars albanophones et musulmans contre une minorité de Serbes orthodoxes qui incarnaient à la fois l'oppression et une tradition historique qui remontait à la défaite fondatrice du Champ du Merle en 1389. Il s'agit maintenant de défendre une minorité de Serbes contre une majorité de Kosovars qui risquent fort de devenir à leur tour oppressifs. La minorité serbe tend d'ailleurs à disparaître. Après les maisons des Kosovars, les maisons des Serbes et des Tziganes brûlent maintenant en grand nombre. Au rythme actuel, il n'y aura plus un seul Serbe dans des villes qui comptaient avant la guerre 15 à 20 % de Serbes.

Pour éviter un Kosovo rattaché à la Grande Serbie, nous risquons d'encourager la naissance d'un Kosovo exclusivement albanais dont, contrairement aux intentions des Nations unies, le rattachement à une Grande Albanie ne sera qu'une question de temps.

La vérité est que les Nations unies, la Kfor, Bernard Kouchner ont porté le glaive de la justice au cœur d'une guerre civile qui dure depuis des siècles. L'intention est très pure. Elle pose des questions en rafales. Pourquoi ici et pas ailleurs ? Pourquoi pas en Palestine, au Rwanda, au Soudan, chez les Kurdes, au Tibet ? La réponse est trop claire. Combien de temps durera la présence internationale au Kosovo ? Deux ans ? Dix ans ? Vingt ans ? Dieu veuille que la paix revienne. Et si elle ne revenait pas ? Ou si elle revenait sur les ruines d'une minorité passée du statut de bourreau à celui de victime ? Et, pendant ce temps-là, sa tête mise à prix, renforcé par ses ennemis, Milosevic, qui est à l'origine de tout le drame, continue à régner sur des Serbes éperdus dont il est, quelle horreur ! par la force des choses et un peu par notre faute, la suprême espérance. Oui, décidément, n'en déplaise aux extrémistes d'une souveraineté et d'une guerre devenues également folles, l'intervention internationale était inévitable. Et, entre provocations et vengeances, entre manipulations et mensonges, elle court un grand risque de devenir inutile, confuse, contradictoire et peut être désastreuse.

Le Figaro, 30 juillet 1999

Kosovo : la politique contre la morale

Nous aurons mis fin aux ambitions de la Grande Serbie orthodoxe pour servir les rêves d'une Grande Albanie musulmane.

Mardi, dans la grande rue de Pristina, capitale du Kosovo, un employé des Nations unies a été assassiné. Une explication de ce crime a été avancée : Valentin Krumov, trente-huit ans, de nationalité bulgare, parlait serbe. Il est donc interdit, sous peine de mort, de parler serbe en public sur le territoire du Kosovo.

Mercredi, Kofi Annan, secrétaire général de l'ONU, est arrivé au Kosovo, où il a été accueilli par Bernard Kouchner, représentant spécial des Nations unies. Ils auront pu faire, sur place, le point de la situation au Kosovo quatre mois après l'arrivée dans la province des forces de la Kfor. Cette situation n'est pas brillante. Quels étaient les buts de guerre de l'Alliance ? Soulager les souffrances du peuple kosovar ; mettre fin à la dictature insupportable de Milosevic ; édifier un Kosovo démocratique, pacifié et multiethnique.

Où en sommes-nous ?

Slobodan Milosevic est toujours au pouvoir à Belgrade. Il semble que l'opposition à son pouvoir s'essouffle. Il n'est pas exclu qu'il soit aussi fort, et peut-être plus fort, aujourd'hui qu'hier. Beaucoup de Serbes démocrates qui lui étaient hostiles ont fini, dans un réflexe de nationalisme blessé, par se ranger derrière lui. Faudra-t-il engager une nouvelle guerre pour le chasser définitivement ? Ou trouvera-t-on, pour se débarrasser de lui, d'autres moyens dont on aurait mieux fait sans doute de se servir dès le début ? Il y a plus grave. L'idée même d'un Kosovo démocratique, pacifié et multiethnique, est en train de voler en éclats. Ce qui se passe sous nos yeux, c'est une épuration ethnique à l'envers : les Serbes voulaient éliminer les Albanais du Kosovo ; ce sont les Albanais qui éliminent les Serbes. Il faut ajouter que les Albanais sont la majorité et que les Serbes sont ou étaient, car il n'en reste presque plus, la minorité. Mais la protection des minorités est une règle affichée de la démocratie. Les massacres, les viols, les enlèvements, les brutalités de toute sorte, ont peut-être aujourd'hui un caractère moins systématique qu'hier. Mais leur efficacité est tout aussi redoutable. Il n'est pas interdit de parler d'une tendance à une fascisation anarchique de la société kosovare dominée par les bandes issues de l'UCK.

La vérité est que la responsabilité des souffrances au Kosovo est équitablement répartie entre toutes les forces en présence. Il est impossible d'oublier les horreurs commises par les Serbes de Milosevic. Des milliers d'Albanais ont été massacrés par les

Serbes. Des dizaines de milliers de maisons ont été incendiées et détruites. L'intervention et l'action militaire des alliés étaient largement justifiées. Les Nations unies, l'Otan, Bernard Kouchner, ont tenté de rétablir un état de droit, un minimum de justice et de sécurité, une vie démocratique. Dès l'origine, il fallait à la fois les approuver moralement et craindre les obstacles qui allaient s'opposer à leurs bonnes intentions. Il semble que les obstacles soient aussi infranchissables qu'il était permis de le redouter. Ce qui est en train d'échouer au Kosovo et il n'y a pas de quoi se réjouir, c'est l'espoir, qui n'était pas méprisable, d'une société pluriethnique. Au mépris de toute justice, les Serbes voulaient écraser les Albanais pour conserver un Kosovo où ils étaient minoritaires ; vainqueurs grâce aux alliés, les Albanais veulent éliminer désormais la minorité serbe. Nous aurons mis fin aux ambitions de la Grande Serbie orthodoxe pour servir les rêves d'une Grande Albanie musulmane.

Une route longue et ardue

Les haines sont trop vieilles dans cette région du monde labourée par l'histoire pour qu'elles s'effacent en quelques mois ou en quelques années. Les rapports d'experts sont très insuffisants. Il faut, comme toujours, lire les romanciers : les Américains, sans doute, ne lisent pas assez les romanciers. Pour comprendre quelque chose à ce qui se passe au Kosovo, il faut lire dans *Un pont sur la Drina*, d'Ivo Andric, prix Nobel 1961, la scène de l'empalement du paysan serbe Radislav par les Turcs musulmans dirigés par Merdjan : « Il tira de sa ceinture un couteau large et court, s'agenouilla près du condamné étendu et se pencha sur lui pour couper l'étoffe du pantalon entre les jambes et pour élargir l'ouverture à travers laquelle le pieu allait pénétrer dans le corps... » La sauvagerie se transmet de génération en génération. Les Albanais répondent aux Serbes. Les Serbes répondaient aux Turcs. Si digne d'admiration, l'action humanitaire a une route longue et ardue devant elle. Partout, sans doute. Au Kosovo surtout. Et les Nations unies elles-mêmes dont l'action est soudain contestée par des esprits qui, tel Bernard-Henri Lévy, ne sont pas suspects d'un nationalisme outrancier, jouent une partie redoutable dans une affaire où il leur était impossible de ne pas intervenir et où leur intervention, c'est le moins qu'on puisse dire, n'a pas donné tous les effets heureux qu'il était permis d'en attendre. La politique, une fois de plus, s'est moquée de la morale.

Le Figaro, 15 octobre 1999

Les millénaires de la Ville éternelle

Le passage des années peut se fêter n'importe où. Pourvu qu'il y ait de la neige, un sapin dans un coin, une cheminée pour le père Noël, un soulier pour les cadeaux, une boule de gui pour s'embrasser et un peu d'amour dans les cœurs, le moindre hameau fera l'affaire. Les siècles qui, à la différence des années et de leurs saisons, ne sont pourtant qu'une invention arbitraire des hommes demandent déjà une mise en scène plus poussée. Il aurait fallu être à Versailles à la minute où le Grand Siècle passait le relais au siècle des Lumières. À la Malmaison ou aux Tuileries quand la Révolution accouchait d'un Consulat qui allait mener à l'Empire. Au sommet de la tour Eiffel encore toute jeune, dans les salles du Grand Palais, sur le pont Alexandre-III, pour l'Exposition universelle de Paris en 1900. Ou alors à Pékin, dans les légations assiégées par les Boxers, avec Ava Gardner et David Niven. Tout aussi artificiels que les siècles, mais plus imposants encore, les millénaires sont une rareté dans la brève histoire des hommes. Nous n'avons connu que trois bornes dans ce décompte millénariste, et la première ne comptait pas : personne à l'époque, quelque cinq ou six siècles avant le moine scythe Denys le Petit, qui devait se livrer à des calculs savants, et d'ailleurs erronés, sur la date de naissance du Christ prise comme origine de notre calendrier, ne pouvait se douter que le premier millénaire était en train de s'ouvrir. L'an 2000, en vérité, n'a qu'un seul et unique précédent : l'an 1000, de fameuse et mythique mémoire. Malgré tous les progrès de la science, nous voilà aussi excités et peut-être encore plus grâce au tapage des médias par le mirage de l'an 2000 que nos aïeux par l'an 1000 qui a fait couler tant d'encre.

Où se rendre pour fêter comme il se doit l'entrée dans le troisième millénaire ?

Le choix n'est pas difficile. Ni à Londres, ni à New York, ni à Berlin, ni à Paris, ni à Moscou. À Rome, évidemment. Dans la Ville éternelle. Dans la capitale des empereurs et des papes qui ont régné sur le monde et, avec Jules César et Grégoire XIII, sur le calendrier. Avec la Chine peut-être, Rome est le seul endroit du monde où la continuité de l'histoire se manifeste avec tant d'éclat. Il y a deux mille ans, Rome était déjà et plus que jamais la capitale du monde connu. Jésus, qui sera crucifié sous Tibère, naît sous le règne d'Auguste, à une époque où Rome compte plusieurs centaines de milliers d'habitants, et peut-être un million, d'après Carcopino. La Ville par excellence a derrière elle un long et glorieux passé : un peu plus, selon la légende, qui est peut-être la vérité, de sept cent cinquante années. Virgile nous raconte dans l'*Énéide* l'arrivée dans le Latium d'Énée qui fuit Troie en flammes, son père, Anchise, sur les épaules. Énée épouse Lavinie. Leurs enfants, dont Ascagne, fondent Albe-la-Longue. Rhéa Sylvia, descendante d'Ascagne, a deux fils de Mars, dieu de la Guerre : Romulus et Rémus. Romulus tue Rémus et fonde Rome en 753 avant le Christ.

Commence la plus longue, et une des plus prodigieuses, des aventures collectives de l'histoire

On a pu soutenir que l'histoire universelle n'est que le développement de l'histoire romaine. Sous ses avatars successifs, la Rome des rois, de la République, des empereurs et, plus tard, des papes nous présente l'amorce et comme l'ébauche de tous les ressorts psychologiques, de toutes les manœuvres politiques, de toutes les conjonctions du hasard et de la nécessité, de toutes les situations à venir. Passées au statut de légendes, les anecdotes se mêlent sans répit aux leçons de la philosophie de l'histoire.

Le plus stupéfiant est dans la chute et la résurrection de la Ville éternelle. À peine l'Empire romain s'est-il écroulé sous les coups des Barbares que la papauté se prépare à reprendre le flambeau et à se substituer aux empereurs. La Rome chrétienne remplace et continue la Rome des Césars et des Augustes. La tâche ne sera pas facile. Entre le VIIIᵉ et le XIIIᵉ siècle, Rome, qui était la ville la plus peuplée et la plus riche de l'univers, tombe au niveau d'une bourgade de trente mille habitants. La Ville éternelle n'est plus que l'ombre d'elle-même. Elle est la coquille vide de sa splendeur passée. En quelques générations, la foi, le goût, la passion, le génie d'une poignée de papes successifs, rendent à la Rome chrétienne l'éclat de la Rome païenne. Les images mythiques se bousculent des épreuves traversées et de la gloire retrouvée. Dès 452, une entrevue pleine de mystère entre Attila, roi des Huns, et le pape saint Léon le Grand – le Loup et le Lion – entraîne le retrait des Huns, qui menaçaient la Ville. En 590, à l'issue d'une procession qui implore du Ciel la fin d'une épidémie de peste meurtrière, le pape saint Grégoire le Grand aperçoit au sommet du mausolée d'Hadrien l'archange Michel en train de remettre son épée au fourreau. L'épidémie recule, et le mausolée prend le nom de château Saint-Ange. En 1084, assiégé dans Rome par les Allemands de l'empereur Henri IV, le pape Clément III fait appel aux Normands de Guiscard qui dominent depuis peu la Sicile. Les Normands accourent, chassent les Allemands et pillent la ville de fond en comble. En 1527, les Allemands sont de retour mais commandés par un Français, le fameux connétable de Bourbon, passé au service de Charles Quint et qui sera tué sous les murs de Rome d'un coup d'arbalète tiré par Benvenuto Cellini. Le sac de Rome constituera un événement décisif qui détruira d'irremplaçables chefs-d'œuvre, mais qui répandra dans toutes les petites villes d'Italie le talent et le génie de toute une foule d'artistes contraints de fuir la ville. Ce sont des souvenirs de ce genre que vous traînez derrière vous en vous promenant, dans les pas du président de Brosses et de Goethe, de Chateaubriand et de Stendhal, du Colisée au Capitole et du Forum à Saint-Pierre.

Rome est une machine à fabriquer des rêves

Ils surgissent en vous de la beauté des églises, des palais, des obélisques, des arcs de triomphe, des escaliers, des fontaines. La foule des touristes, les encombrements de voitures, les travaux un peu partout, ne suffisent pas à gâcher votre bonheur. Quand, loin des sites surpeuplés, vous vous promenez presque seul sur les hauteurs de l'Aventin ou du côté de San Giovanni à Porta Latina, les siècles et les millénaires vous font cortège de leurs souvenirs et de leur magnificence. Ce n'est pas seulement le passé et ses charmes que la Ville éternelle fait surgir à vos yeux, c'est l'avenir et ses questions. Il y a quelque trois mille ans, les héros troyens de Virgile côtoient les Ligures, les Latins, les Sabins, les Étrusques. Il y a deux mille ans, Octave, devenu Auguste, jette les fondements de l'empire le plus puissant du monde pendant qu'un enfant obscur naît dans une étable de Judée. Il y a mille ans, au lendemain de la chute de l'Empire carolingien, à la veille du schisme d'Orient d'où naîtra l'Église orthodoxe et de la reconquête par les Normands de la Sicile musulmane et arabe, le Français Gerbert monte sur le trône de saint Pierre sous le nom de Sylvestre II. Aujourd'hui, l'an 2000 agite un monde postmoderne à peine sorti des grandes tueries idéologiques du siècle et déchiré entre les espérances et les craintes suscitées par les progrès de la science.

Et demain ?

Dans mille ans, en l'an 3000, quel spectacle attendra le promeneur qui errera à son tour parmi les ruines de la Ville éternelle ? Dans quel univers vivra-t-il ? Quel regard portera-t-il sur les mille ans écoulés ? La religion du Christ régnera-t-elle encore sur une partie de la planète ? La papauté, qui fête cette année avec éclat son jubilé romain et le deux millième anniversaire de l'exaltation de saint Pierre, père de l'Église catholique, apostolique et romaine, aura-t-elle survécu à mille années nouvelles ? La vieille Europe continuera-t-elle d'occuper dans le monde la place qui est la sienne aujourd'hui ? Un gouvernement mondial aura-t-il été institué ? D'autres formes de vie auront-elles été découvertes ailleurs que sur la Terre ? Les machines à penser l'auront-elles emporté sur les hommes ? Quel chemin lumineux ou funeste aura pris le progrès scientifique ? L'histoire n'est pas faite seulement de souvenirs. Elle est faite aussi d'attentes, d'espérances et de craintes. Au seuil de l'an 2000, la Ville éternelle est le plus bel endroit du monde pour rêver à l'avenir plus encore qu'au passé. À Rome plus encore qu'ailleurs, la beauté du passé nous donne des joies sans fin. Mais c'est l'avenir surtout qui nous intéresse. Parce que c'est là que le monde, pour reprendre une formule de Woody Allen, a l'intention de passer ses prochaines années

Le Figaro, 22 décembre 1999

2000

Kosovo : l'intox ?

L'excellente et rigoureuse revue *Le Débat*, dont le directeur est Pierre Nora, publie dans son dernier numéro un article explosif d'Élisabeth Lévy, journaliste à *Marianne*. Élisabeth Lévy, qui a couvert de Belgrade le conflit du Kosovo, soutient que, six mois après l'arrivée de l'Otan au Kosovo, « les investigations menées n'ont pas confirmé l'ampleur des massacres dont ont été accusées les forces serbes avant, pendant et après la guerre ». Et, tout en soulignant le travail remarquable accompli par quelques-uns, dont Renaud Girard pour *Le Figaro*, elle met en cause une information et des journalistes qui « ont fait preuve d'une étonnante légèreté ». Tout tourne autour de deux thèmes principaux : le nombre réel des victimes de la répression serbe ; et les liens entre l'épuration ethnique et les frappes de l'Otan. Sur le nombre des victimes, les évaluations ont oscillé du simple au sextuple : entre 2 000 et 12 000. Trois mille, 5 000, 10 000 : ni le chiffre exact des morts ni la proportion, parmi eux, des civils et des combattants ne changent rien à la nature du crime qui est avéré. L'incertitude continue en tout cas à régner sur l'ampleur d'un massacre qui ne saurait ni être comparé avec légèreté aux effroyables génocides de ce siècle ni être traité avec une légèreté inverse de celle que dénonce à juste titre Mme Élisabeth Lévy.

Le problème des liens entre l'épuration ethnique entreprise par Milosevic et les frappes de l'Otan est d'une redoutable complexité. Pour dire les choses très vite, et sans doute trop vite, il est permis de soutenir, selon la formule du Canadien Paul Watson, correspondant du *Los Angeles Times*, seul journaliste occidental à avoir passé toute la guerre au Kosovo, qu'« en ajoutant une guerre aérienne à la guerre civile qui se déroulait au sol, l'Otan a créé une pagaille considérable ». Cette pagaille a été utilisée par les Serbes comme prétexte et comme alibi à des fins criminelles. Il est impossible de contester, sans tomber dans une forme de révisionnisme ou de négationnisme, les crimes de Milosevic : la question est de savoir si Milosevic a été habilement poussé, sinon à les commettre, il n'avait besoin de personne pour ce faire, du moins à les amplifier. Daniel Bensaïd n'a pas hésité à affirmer : « On a facilité le crime pour en légitimer le châtiment. »

L'histoire n'est pas encore écrite de ces terribles événements. Et les données objectives manquent encore pour se faire une idée équitable des responsabilités. Comme Saddam Hussein en Irak, Milosevic est avec évidence un dictateur de la pire espèce et le premier responsable de tant de drames et de sang. Il se range, sans aucun doute, avec Karadjic et Mladic, dans le cercle des criminels de guerre. En ce sens, l'intervention de l'Alliance était moralement justifiée. Il est douteux qu'elle ait été menée avec habileté et qu'elle se soit révélée heureuse. Non seulement parce qu'elle a ajouté, au moins temporairement, des souffrances aux souffrances, mais parce que l'établissement de la justice et de la paix se heurte dans cette région de fractures et de conflits à des obstacles insurmontables. Après la victoire aisément prévisible de l'Alliance, Milosevic est toujours au pouvoir à Belgrade, comme Saddam Hussein est toujours au pouvoir à Bagdad. C'est un échec. Et au Kosovo l'antithèse de Milosevic, Bernard Kouchner, dont les intentions sont pures, qui est digne d'estime et de soutien, est engagée dans une aventure sans fin et peut-être sans issue. Il y a quelque chose de désespéré dans la lutte que, de bonne foi lui aussi, il mène contre le crime et pour l'humanité. Et on le sent bien souvent au bord du découragement.

C'est qu'au-delà de la comptabilité assez vaine des victimes et de la recherche des responsabilités inégalement partagées entre les uns et les autres, la vérité est sans doute que le Kosovo est une des régions du monde où les haines ancestrales sont le plus profondément enracinées dans l'inconscient collectif. « Chaque famille, écrit Élisabeth Lévy, y vit dans la mémoire de la souffrance infligée par l'autre. » À peine l'Otan a-t-elle mis fin aux horreurs perpétrées par les Serbes que ses forces ont été contraintes à lutter contre les actes de vengeance dont les Serbes et les Tziganes sont victimes à leur tour. Le jeu de la haine et de la vengeance est entretenu, depuis des siècles, de part et d'autre, par des populations dont l'hostilité mutuelle et implacable est nourrie par la proximité. De Victor Hugo à Victor Bérard, à une foule de voyageurs et de journalistes tout au long du XIXe siècle, et jusqu'au romancier Ivo Andric, les témoignages ne manquent pas. Tant que les Turcs régnaient en maîtres, les Serbes ont vécu un calvaire : « Cette vieille Serbie est, avec l'Arménie, le pays le plus malheureux du monde. [...] Assassinats, enlèvements, raids meurtriers, voilà la chronique quotidienne. » Les Serbes ont longtemps joué le rôle de victimes. Ils sont passés au rôle de bourreaux. Il n'est pas exclu que les bourreaux redeviennent des victimes comme les victimes sont redevenues des bourreaux.

Personne ne peut jurer aujourd'hui qu'aucune menace ne pèse sur les églises, les monastères, les cimetières chrétiens du Kosovo. Personne ne peut jurer qu'aucune menace ne pèse sur les biens ni sur la personne des Serbes. Une comptabilité, là aussi, risque de s'ouvrir un jour. L'histoire dans ce coin des Balkans est comme un western où il n'y aurait pas de bons comme une série noire où régneraient les méchants. Parce que, dans cette région-là, tout le monde serait méchant ? Bien sûr que non. Pas plus qu'ailleurs. Et pas plus que chez nous. Mais parce que tout le monde, depuis des siècles, et tour à tour, y a été malheureux. On me dira : que faire ? Je ne sais pas. Et je crains, ce qui est plus grave, que personne ne le sache. Il y a longtemps déjà que j'écris que ne pas intervenir était impossible. Et intervenir, désastreux. Moralement, le dilemme est fâcheux. Politiquement, c'est pire. Le but de guerre était triple : chasser Milosevic ; mettre fin aux souffrances de la population éprouvée ; maintenir dans le cadre serbe un Kosovo autonome. Milosevic est toujours là ; la population, dans sa grande majorité, est sans doute soulagée, mais elle est passée par l'enfer ; et le maintien dans un cadre serbe, aussi ténu soit-il, d'un Kosovo vidé de ses Serbes relève d'une fiction délirante. Nous avons lutté contre un nationalisme grand serbe érigé légitimement en ennemi et nous nous trouvons aux prises avec un nationalisme grand albanais dont personne ne sait que faire.

Dans ce gâchis historique, Bernard Kouchner, l'Otan, les Nations unies représentent, c'est vrai, l'humanité contre le crime. Ils semblent totalement impuissants à rétablir rapidement une sécurité, un ordre, une paix un peu durables. Une solution possible, souhaitée sans doute par la majorité, serait un nettoyage ethnique radical du Kosovo d'où un chauvinisme intolérant chasserait ouvertement tous les Serbes. On n'en est pas très loin. Est-ce pour cela que les troupes de l'Alliance se sont battues ? À défaut de cette solution extrême, pour combien de temps les troupes de l'Otan sont-elles là ? Pour dix ans, pour vingt ans, pour un quart de siècle ou pour un demi-siècle ? Que se passera-t-il lorsqu'elles s'en iront ? Faut-il faire du Kosovo le premier protectorat d'une Europe qui existe encore à peine ? Peut-être pourrait-on établir sur cette terre de malheur le premier embryon de gouvernement mondial ? Le drame est qu'il ne reposerait que sur la force des armes. Le destin des droits de l'homme et de l'humanisme est-il entre les mains de Big Brother ?

La devise de Mérimée était : « *Memneso apistein* – souviens-toi de te méfier. » Ce pourrait être la nôtre en face des manipulations et des conditionnements de toute sorte dont nous sommes l'objet, non plus seulement de la part de nos dirigeants coutumiers depuis toujours de ce genre d'exercice, mais de la part des médias dont le joug est désormais autrement lourd que celui des chefs d'État et de gouvernement réduits eux-mêmes à la fonction d'instruments subalternes. Un des effets les plus pervers de la lutte légitime menée contre le crime et pour les droits de l'homme est de renforcer en nous une méfiance instinctive et un goût désolant, sinon pour le cynisme, du moins pour un scepticisme accru en matière de politique internationale. Dans le domaine national, le mal, hélas ! était déjà fait depuis longtemps.

Le Figaro, 11 avril 2000

2001

Le grand Passage

En Europe au moins, il n'y a plus de distinction entre politique extérieure et politique intérieure. Les problèmes du sida ou de la vache folle débordent largement les frontières nationales. Les scandales, en France ou ailleurs, ont des ramifications qui s'étendent un peu partout. L'actualité du Danemark ou de l'Autriche nous concerne aussi. Décidément, l'Europe est en marche. La construction de l'Europe est, non seulement en Europe mais dans le monde entier, l'événement majeur de la fin du siècle dernier et du début du nouveau millénaire. Tout le problème est que les Européens ne s'en rendent pas vraiment compte. Ils ont des excuses : la marche vers l'Europe reste pour l'instant à peu près exclusivement économique et financière. Ce qui devait être une aventure formidable, portée par tout un peuple fait de peuples différents, n'est pas beaucoup plus qu'une entreprise comptable. Le passage des monnaies nationales à l'euro est une grande affaire. Mais ce n'est qu'une affaire. Il manque le souffle de la légende et la puissance du mythe. Personne pour parler au nom de l'euro. Personne pour incarner l'Europe. Même dans le domaine financier qui est son fort, un Duisenberg à la tête de la Banque centrale européenne n'a pas le prestige ni l'autorité d'un Greenspan à la tête de la Fed. L'Europe a un drapeau, un hymne, plus de capitales qu'il n'en faut. Elle n'a pas de porte-parole. À une époque où, par la faute des médias ou grâce à eux, le rôle charismatique des dirigeants est devenu très fort, c'est une grave lacune. Clinton est une vedette. Arafat est une vedette. Les Premiers ministres successifs d'Israël sont des vedettes. Poutine est une vedette. Jean-Paul II est une vedette. L'Europe manque cruellement de vedette. Plus cruellement encore, de tout ce qu'on pourrait rassembler sous le nom de culture. Elle n'a rien de ce qu'il faut pour enflammer les esprits. L'Europe est une révolution sans élan.

À la fin de l'année qui s'ouvre, l'euro, épiphanie sans les fanfares et les trompettes qu'elle mérite, descendra dans nos poches. C'est un formidable bouleversement. Un séisme nécessaire. C'est, en vérité, un progrès décisif qui constituera l'événement le plus important des cinquante ans écoulés. Il sera accepté sans chaleur. Les Européens entrent à reculons dans l'Europe inéluctable. On voudrait que des voix s'élèvent, que des convictions s'expriment, qu'on passe du registre de la technique au registre de la passion. Rien de grand ne se fait sans passion. Une Europe technique sans la passion qui animait ses pères fondateurs sera une pauvre Europe. On réclame des dirigeants européens et un patriotisme européen. Il est de mode aujourd'hui de s'en prendre aux États-Unis qui règnent sur le monde. Au lieu de se livrer à des critiques stériles et mesquines contre la domination américaine, les Européens feraient mieux de créer les conditions de leur propre puissance. Les succès des autres sont la punition de la paresse et de l'incompétence. Tant que l'Europe ne se fera pas, les États-Unis triompheront. Nous n'aurons pas d'autre ressource que de leur emboîter le pas. Faites l'Europe de toutes vos forces ou restez soumis à l'Amérique.

Ne vous imaginez pas qu'il existe une troisième voie. Ceux qui croient encore que la France ou l'Allemagne peuvent poursuivre leur chemin isolées se trompent. L'Angleterre peut se payer le luxe de rester en marge de l'Europe parce qu'elle a remplacé son empire défunt par une communauté anglo-saxonne et une alliance indéfectible avec les États-Unis. Elle joue avec habileté entre la solidarité atlantique et la solidarité européenne. Refuser l'une et l'autre est une illusion meurtrière. On peut comprendre le désespoir de certaines catégories de la population qui voient leurs ressources décroître et leur avenir bouché. Il est légitime de leur venir en aide et de leur rendre l'espérance. Mais il faut exclure en même temps tout retour à l'enfermement dans des frontières closes. Dès 1983, François Mitterrand avait fait le bon choix. Revenir en arrière ne serait pas seulement suicidaire mais stupide. Se refuser systématiquement aux importations dans quelque secteur que ce soit, c'est se refuser du même coup aux exportations qui nous avantagent beaucoup plus que les importations ne nous nuisent. Au terme de la présidence française, un an avant l'adoption effective de la monnaie unique, le sommet de Nice a laissé un arrière-goût d'insatisfaction. C'est un passage à vide avant le passage à l'euro. Plusieurs interventions avaient pourtant eu le mérite, au cours de l'année, de lancer le débat. En mai, à Berlin, le ministre allemand des Affaires étrangères, Joschka Fischer, avait prononcé un discours très engagé appelant à la rédaction d'une Constitution européenne. Le mois d'après, Jacques Chirac, plus éloigné de la conception d'une Europe supra-étatique, avait esquissé devant le Bundestag le plan d'une Europe intergouvernementale à deux vitesses. À Nice, tournant le dos au grand débat qu'on était en droit d'espérer, la discussion semble s'être rétrécie.

Rendu évidemment plus difficile par un élargissement de l'Union qui profite d'abord au champ d'action naturel de l'Allemagne vers l'Est, le rôle de la France s'est réduit. Sans doute aurait-elle eu avantage à pousser plus tôt les feux dans une autre configuration plus restreinte et à profiter d'une situation dominante qu'elle a perdue au cours des années. Inutile de pleurer sur le lait répandu. Le mieux qu'on puisse espérer est que Nice apparaisse un jour comme une étape un peu inutile que l'avenir s'est chargé de rattraper. L'Europe ne se fera pas sans obstacles ni sans à-coups. Pendant des mois et des mois, au cours de l'année écoulée, des torrents de larmes ont été versés sur l'euro qui avait perdu quelque 30 % de sa valeur face au dollar. Voilà que, descendu à 0,82 dollar, il est remonté au cours des dernières semaines autour de 0,93 dollar. La parité entre euro et dollar est en vue. On a pu se moquer, quand l'euro était au plus bas, des déclarations officielles sur l'excellence des fameux « fondamentaux » : l'avenir leur a déjà donné raison. Même avec une Europe politique, sinon en rade, du moins en panne, l'euro est à nouveau solide.

C'est sur le plan politique, social et culturel qu'il faut maintenant avancer pour tenter de donner aux États-Unis non un adversaire qui les combatte dans la hargne mais un partenaire qui leur fasse équilibre, dans l'amitié et la gratitude. Contrairement à un titre de film célèbre, l'Empire américain n'est pas encore en déclin. Et, même quand on préfère le Val de Loire à Disneyland et le beefsteak-pommes frites au hamburger et au pop-corn, on ferait mieux de s'en réjouir que de ressasser des griefs peu fondés. Les États-Unis règnent seuls sur le monde. Pourquoi ? Parce qu'ils ont gagné trois guerres et c'est une chance pour nous : la Première Guerre mondiale (qu'on aurait peut-être mieux fait d'éviter) ; la Seconde Guerre mondiale qui était inévitable contre Hitler et ses alliés ; et la guerre froide contre le communisme stalinien. Merci. Merci beaucoup. Ne cultivons pas, je vous prie, avec trop d'ardeur franchouillarde, le complexe de M. Perrichon et n'en veuillons pas trop aux Américains ignares, comme chacun sait, incultes, toujours si prompts à tuer des Noirs, très proches de la barbarie, tous des « serial killers », de nous avoir sauvés trois fois. Au Vietnam et ailleurs, ils ont connu des revers et des échecs cinglants. Ils les ont surmontés. Sans repentance excessive. Et avec résolution. La tournée de Clinton au Vietnam a été un succès. L'élection de Bush Junior n'a pas été brillante : cette épreuve, aussi, les Américains la surmonteront.

Il serait bien intéressant de consacrer une étude à l'image en France des présidents américains pendant et peut-être surtout avant leur élection. Truman passait pour un pauvre type. Kennedy pour un fêtard, ce qu'il était peut-être, mais on en réclame d'autres de la même farine. Nixon que de Gaulle estimait pour une brute sans foi ni loi : à l'inverse des nôtres, aucune moralité. Ford, n'en parlons même pas : incapable de mâcher un chewing-gum et de faire quoi que ce fût en même temps. Carter pour un demeuré. Reagan pour un acteur minable qui allait déshonorer son pays et le faire descendre au niveau d'un film de série C. Clinton pour moins que rien. Et voici Bush : un crétin qui ignore le nom des dirigeants du Bangladesh ou de la Croatie alors que nous savons tous sur le bout des doigts les noms des gouverneurs du Missouri ou de la Californie autrement plus puissants. Il est très curieux que ces imbéciles successifs, tellement inférieurs à nos hommes d'État, de si haute tenue, aient hissé leur pays au premier rang mondial. Il faut croire qu'un président ne joue aucun rôle en Amérique et que le peuple y a du génie puisqu'il pourvoit à tout. Quant à Bush, attendons un peu : il est trop tôt pour pouvoir le juger. Mais souvenons-nous qu'il a été comme Reagan, qui gagna la guerre froide, traité plus bas que terre par la presse de son pays, autant que par la presse française. Longtemps, on a présenté le Japon comme le seul rival potentiel de l'Amérique. Le Japon sinon hors de course du moins en marge, les États-Unis dominent la planète. Combien de temps durera cette domination ?

Au loin, on voit déjà monter la grande puissance du siècle prochain : la Chine. Un être humain sur quatre est chinois. Tant que le communisme subsistera en Chine, le « péril jaune » de nos arrière-grands-parents sera encore limité. Mais dès que le libéralisme moderne, peut-être à l'intérieur d'un communisme de façade, aura déchaîné ses forces en Chine, les États-Unis auront devant eux à défaut d'une Europe longue à s'unifier un rival de taille. Jusque-là, les États-Unis n'auront qu'un seul adversaire à redouter : eux-mêmes. La Russie le confirme : les empires mettent moins de temps à s'effondrer qu'à se construire. En quelques années, la Russie sera passée du règne de la terreur, qui la rendait redoutable, aux tentatives de réformes qui l'affaiblissent cruellement. Ce qu'il y a de pire dans le communisme, c'est ce qui vient après. Avant de prendre le pouvoir, le communisme n'est que promesses, cajoleries, poil caressé dans le bon sens. Après la prise de pouvoir, le communisme réel, toujours et partout, n'a été que terreur. Après le déclin et la chute, les séquelles sont si graves qu'il faut des années pour sortir la tête de l'eau. Personne ne doute plus que si la Russie avait fait l'économie de la révolution de 1917, de la dictature dite du prolétariat et de la tyrannie stalinienne, le peuple russe serait aujourd'hui plus heureux et plus puissant qu'il ne l'est.

Vladimir Poutine est l'énigme majeure des années qui s'en vont et des années qui viennent. Cet ancien du KGB est le fossoyeur de la terreur stalinienne et, en Tchétchénie au moins, son continuateur. Les horreurs en Tchétchénie l'ont porté au pouvoir. Elles ternissent aujourd'hui son image. Mais il est clair qu'on ne traite pas un Poutine à cause de la Tchétchénie ni un dirigeant chinois à cause du Tibet comme un Milosevic à cause du Kosovo. « Selon que vous serez puissant ou misérable... » : la morale internationale s'inspire toujours de La Fontaine. Ce qu'est Poutine au communisme soviétique, c'est rien de plus simple ce qu'était Napoléon Bonaparte à la Révolution française : il en sort, et il l'extermine en employant ses méthodes. La Russie est un grand pays en voie de convalescence et de renouvellement. André Glucksmann est dans sa logique éthique en condamnant Poutine comme il avait condamné Staline. Les chefs d'État occidentaux sont dans leur logique politique en le recevant avec les égards dus à un grand dirigeant. Le communisme ayant fait plus de mal à la Russie que la Révolution à la France, Poutine, pour l'instant, est moins dangereux pour l'Europe que l'empereur Napoléon. Vladimir Poutine n'aura épargné personne en Tchétchénie. Inversement, les événements de l'année n'auront pas épargné Vladimir Poutine. L'affaire du sous-marin *Koursk* est emblématique. Au moment où le président russe veut redorer le blason de l'armée et de la flotte russes, une terrible catastrophe se produit. Elle suffit à étaler aux yeux de tous le délabrement de la Russie au lendemain du communisme. Pour traiter le drame, les vieilles méthodes sont encore employées : c'est un sous-marin étranger, naturellement jamais identifié, qui est censé être entré en collision avec le *Koursk*. L'opacité, le secret, le renfermement sur soi sont les legs de la pesanteur communiste de l'URSS aux tentatives de réformes de la Russie.

Outre l'Europe, la Floride de Bush et de Gore, la Russie de Poutine, la Tchétchénie, quels sont les points du globe où se sont portés nos regards en l'an de grâce 2000 ? L'Indonésie, le Chili avec Pinochet, le Venezuela avec Chavez, le Pérou avec le Japonais Fujimori, la Syrie avec l'avènement de Bachar el-Assad, l'Autriche avec Haider, la Sierra Leone ou la Côte d'Ivoire. Parce qu'il y a des multinationales plus puissantes que bien des nations, impossible de ne pas mentionner dans une revue, même succincte, des événements de l'année dans le monde, les fusions AOL-Time Warner et Vivendi-Canal Plus-Universal. Et puis, le Kosovo évidemment, l'île de Jolo, les deux Corées, Israël et la Palestine. Au Kosovo, je le dis sans ironie, les bons l'ont emporté sur les méchants et le bien sur le mal. De très loin, je préfère les alliés à Milosevic. Ceux qui ont défendu Milosevic, lâché par son propre peuple, en sont pour leurs frais. La question est de savoir si, au Kosovo, les bons font vraiment plus de bien que les méchants n'ont fait de mal. La réponse est incertaine. Si la guerre, déclenchée contre la purification ethnique éhontée au Kosovo par les Serbes, aboutit à sa purification ethnique larvée par les Albanais, le progrès est assez mince.

Encore un épisode du long feuilleton sanglant qui a marqué l'horrible XXe siècle : le chantage aux otages. Sous une forme ou sous une autre, tous les siècles ont été violents. Ce qui caractérise le XXe, c'est la forme ignoble et atrocement sentimentale prise par la violence à travers les otages. Le chantage est la version contemporaine et hypocrite de la sauvagerie de toujours. C'est l'image du terrorisme et de la barbarie au temps des droits de l'homme. La touche finale a été apportée à l'affaire avec la mise en scène dans tous les sens du mot assurée par le colonel Kadhafi, grand spécialiste en la matière, dans le rôle du parrain bénévole à qui a été rendu, par les représentants de plusieurs gouvernements, un hommage ému en forme d'allégeance. La Corée du Nord, avec le grand leader Kim Joung-il, fils du grand leader Kim Il-sung, qui ont l'un et l'autre mis leur pays en coupe réglée et sur qui se sont répandues dans des termes stupéfiants des bénédictions et des flagorneries sans fin, a finalement abouti à un accord avec la Corée du Sud. Comment ne pas se réjouir des perspectives ainsi ouvertes et ne pas faire des vœux pour un avenir heureux.

De tous les drames qui ont secoué la planète depuis un demi-siècle, le plus cruel est celui qui oppose depuis tant d'années Israéliens et Palestiniens. C'est notre guerre de Cinquante Ans, et peut-être plus dans les fables du Proche-Orient. L'Amérique, l'Europe, le monde arabe, les musulmans en Asie et en Afrique sont concernés par ce conflit. Les Européens y sont particulièrement impliqués parce qu'ils se sentent, sinon coupables, du moins partiellement responsables des malheurs inouïs du peuple juif dont les musulmans sont innocents. Les Européens éprouvent en tout cas une certaine responsabilité à son égard puisqu'ils ont contribué à son établissement en Israël. C'est là que commencent les difficultés. Sans aucun doute, les Israéliens sont chez eux autour de Jérusalem et à Jérusalem même. Et, sans aucun doute, les Palestiniens y sont chez eux aussi. Il y a deux peuples pour une seule terre. Et, pour chacun d'eux compliquons encore les choses, cette terre est sainte et sacrée. C'est une guerre sans merci, et Dieu est avec les deux camps. Quand Netanyahu et le Likoud étaient au pouvoir, on mettait ses espoirs dans Pérès et les travaillistes. Quand Ehud Barak et les travaillistes sont au gouvernement, on finit par se demander si le Likoud ne serait pas mieux placé pour faire accepter par Israël les sacrifices nécessaires. Yasser Arafat, dans l'autre camp, apparaît tantôt comme le dernier espoir avant les intégristes et tantôt comme l'obstacle véritable à la paix. Là où les leaders israéliens risquent leur carrière politique, le leader palestinien risque sa vie. Mais c'est Rabin, l'homme avec Pérès le plus représentatif de l'esprit d'Oslo, où fut relancé le processus de paix en 1993, qui a été assassiné par un extrémiste. Et, comme pour mieux faire éclater la complexité affreuse de la situation, cet extrémiste était juif. On rêve d'une entente entre les modérés des deux camps qui écarteraient chacun leurs extrémistes et leurs intégristes. On voudrait s'adresser aux deux peuples qui vivent sur la même terre, si proches l'un de l'autre par le sang, par les traits, par la langue, par les dons intellectuels, mais séparés par la religion et par un monde d'idées et de passions où mythes et fantasmes tiennent une place considérable. Aux Palestiniens, on dirait : « Vous êtes ici chez vous. Mais les autres aussi. Arrêtez de mettre des bombes, de lyncher les prisonniers et de tuer des femmes et des vieillards. Arrêtez de tuer les enfants des autres au nom de Dieu et de mettre, au nom de Dieu, vos propres enfants en première ligne pour les faire tuer par les autres. » Aux Israéliens, on dirait : « Vous avez gagné toutes les guerres. Et vous gagnerez toutes les autres. Parce que vous êtes les plus forts. Est-ce que cela vous donne le droit de tuer plus de Palestiniens que les Palestiniens ne tuent de juifs ? Vous êtes ici chez vous. Mais les autres aussi. » Toux ceux qui sont attachés à l'existence d'Israël devraient l'encourager à faire la paix.

Nous sommes payés pour savoir que l'emporter militairement est une illusion à notre époque. Les guerres se gagnent désormais dans l'opinion publique au moins autant que sur les champs de bataille. Les derniers mois ont été à cet égard négatifs pour les Israéliens. L'image à la télévision de l'enfant palestinien pris sous les balles israéliennes a fait le tour du monde. Le statut de victimes est en train de passer des Israéliens aux Palestiniens.

Le risque pour les Israéliens est de gagner toutes les guerres et de perdre pourtant le crédit dont ils jouissent. Les périls qui menacent Israël ne sont pas d'ordre militaire. Ils sont d'ordre moral. De l'ordre de l'opinion. De l'ordre de la compassion. Et, pour descendre à des réalités moins éthiques et plus concrètes, d'ordre démographique aussi. Le temps ne travaille pas nécessairement pour Israël. Le danger pour Israël est d'être submergé. Il est naturellement trop facile de disposer du sort tragique et des uns et des autres qui sont pris dans la guerre et dans la violence quand on est tranquillement installé dans la prospérité et le calme. On demande d'avance pardon pour la présomption dont on fait preuve et pour les conseils qu'on a l'audace de donner. Pour les Israéliens comme pour les Palestiniens, y a-t-il pourtant d'autre issue que la paix le plus vite possible ? Et pour les uns et les autres que la paix à tout prix.

Le Figaro, 1er janvier 2001

Lettre ouverte au président Bush

Monsieur le Président, Une tragédie sans nom s'est abattue sur votre pays. Tout ce qui compte dans le monde entier a manifesté son émotion et sa solidarité avec le peuple américain. Peut-être permettrez-vous à un de ces anonymes qui déposent des fleurs aux portes de vos ambassades et de vos consulats de vous dire à son tour les sentiments qu'il éprouve dans ces jours d'angoisse et d'horreur. Il a vu, comme tout le monde, les images de l'apocalypse. Il a écouté les messages envoyés à leurs proches par ceux qui allaient mourir : « Je ne sais pas ce qui va se passer... Je t'aime. » Et puis, plus rien. Vous connaissez le cri qui est sur toutes nos lèvres : « Nous sommes tous des Américains. » Le 11 septembre 2001 ouvre une page nouvelle dans l'histoire du monde. Réduisant toutes les autres à l'insignifiance, ce n'est pas seulement, avec évidence, la date la plus importante de l'année. Avec le déclenchement de la guerre de 14, la révolution d'Octobre, le jeudi noir de Wall Street, la prise du pouvoir par Hitler, l'effondrement de la France en 40, l'attaque de Pearl

Harbour, la bataille de Stalingrad, le débarquement en Normandie, la bombe de Hiroshima, l'écroulement du mur de Berlin et de l'URSS, c'est un des événements majeurs de notre temps.

Comme la découverte de l'Amérique ou la conquête de la Lune, il conjugue deux des caractères les plus frappants de l'événement historique : la soudaine surprise qui frappe comme un coup de tonnerre, la prévisibilité souterraine qui n'apparaît qu'à la longue. La surprise : personne ne pouvait imaginer, au début de cette semaine qui roulait son petit bonhomme de chemin entre la préparation ou les résultats de quelques élections régionales et les menaces d'une récession dans la plupart des pays riches, que New York et Washington subiraient leur premier bombardement aérien de toute l'histoire de votre pays. La prévisibilité : les livres et les films de notre époque et surtout les vôtres sont tout pleins de catastrophes annonciatrices du drame de mardi dernier. Hollywood avait tout deviné. La réalité a imité la fiction. Oussama ben Laden, c'est James Bond plus la lutte hégélienne du maître et de l'esclave, plus l'intégrisme musulman.

Un historien de chez vous, Fukuyama, annonçait naguère la fin de l'histoire. Bonne ou mauvaise nouvelle : l'histoire continue. La guerre aussi. Elles prennent simplement des formes nouvelles qui rejettent d'un seul coup dans le passé nos habitudes intellectuelles et les figures classiques du destin des hommes. Il y a du nouveau dans le monde. Et un nouveau qui revient peut-être à de lointaines origines. Un écrivain de chez nous, André Malraux, aurait prononcé quelques mots, d'ailleurs contestés et peu compréhensibles, sur un XXIe siècle qui serait religieux ou qui ne serait pas. Voilà que ces paroles obscures prennent un sens inédit. Ce qui a frappé durement l'Amérique toute-puissante depuis l'écroulement de l'empire communiste, ce sont moins ces intérêts économiques et ces pouvoirs politiques sur lesquels elle règne en maîtresse qu'une foi portée à l'incandescence et qui fabrique des martyrs prêts à donner leur vie. Nous savions que les civilisations étaient mortelles, et nous redoutions un déchaînement nucléaire. Ce sont des hommes armés de couteaux qui ont ébranlé le pays le plus avancé et le plus puissant au monde.

Qu'est-ce qui a changé en quelques heures ? Presque tout. Le communisme est une vieille lune, l'Amérique n'est plus invincible, la paix n'est plus assurée, la guerre est de retour, mais elle se fait contre personne, le terrorisme est une grande puissance et la démocratie n'est plus certaine d'être l'avenir du monde. Des pans entiers de notre vie basculent dans le souvenir. Est-ce que la droite et la gauche ont encore un sens ? Est-ce que l'idée de nation sur laquelle reposaient tant de choses a encore un avenir ? Le terrorisme est international. La réponse au terrorisme ne peut être qu'internationale. Ce n'est ni l'Arabie Saoudite, ni l'Irak, ni même l'Afghanistan qui ont bombardé l'Amérique avec ses propres avions détournés : c'est sous les ordres d'un milliardaire une fédération de la misère du monde mise en mouvement par un fanatisme religieux. Et ce ne sont pas les seuls États-Unis qui ont été blessés cruellement : c'est le monde démocratique tout entier. Ne nous dissimulons pas la vérité : pour le meilleur et pour le pire, il se confond avec les pays riches. La tragédie a été si affreuse, le choc a été si cruel que le crime ne peut pas rester sans réponse. Vous avez derrière vous l'immense majorité, non seulement des dirigeants de la planète, mais des peuples bouleversés. Dans les rues de Londres ou de Paris, l'émotion était visible. Et l'indignation. Et l'inquiétude aussi : vous risquez d'être le président de la troisième guerre mondiale.

Une guerre contre qui ? Le propre du terrorisme n'est pas tant d'être aveugle, comme le répète la sagesse des nations – le forfait contre votre pays était ciblé avec science –, que d'être anonyme. Depuis le 11 septembre, vous ne pouvez plus faire la guerre à une nation : vous devez la faire à des réseaux aussi insaisissables et aussi mystérieux que le « spectre » de vos films d'aventures. Rien n'est plus légitime que votre volonté de ne pas laisser sans réplique un crime qui soulève le cœur. Nationale ou internationale, toute démocratie qui s'abandonne est un régime perdu. Les États-Unis sont un pays, nous en savons quelque chose, où le courage est honoré. Nous vous admirons et nous vous aimons pour cette capacité de réaction à laquelle nous devons notre propre survie. Vous avez été à nos côtés dans nos épreuves. Nous sommes à vos côtés dans les vôtres. Mais les guerres d'aujourd'hui ne se gagnent plus seulement par la puissance matérielle : voyez vos adversaires, qui ne disposent d'aucune des armes de votre formidable arsenal. Elles se gagnent par l'intelligence qui est le nom que vous donnez à vos services de renseignement.

Regardons les choses en face. Dans presque tous les pays du monde, les gouvernants sont de votre côté. Dans beaucoup de pays du monde, surtout en Orient, mais pas seulement en Orient, des groupes plus ou moins larges ont dansé dans la rue en brûlant votre drapeau quand nous pleurions sur vos morts. Vos ennemis démoniaques n'ont pas frappé seulement les symboles de tout ce qu'ils haïssent dans ce monde. Ils calculent beaucoup plus loin. Vos réactions aussi font partie de leur plan. À une époque où les victimes prennent la place des héros, ils comptent sur votre répression pour rejeter dans leur camp les masses qui hésitent encore. Si j'osais, monsieur le Président, je vous adjurerais de ne pas être pour les masses islamiques du Maroc à l'Indonésie ce qu'Ariel Sharon a été pour les Palestiniens. C'est vrai : l'islam nourrit trop souvent un esprit de conquête et d'intolérance. Il n'est pas le seul dans l'histoire. Et vous, les Américains, et nous, les Français, et tous les Occidentaux et tous les chrétiens, nous avons eu nos périodes d'expansion violente et nos tentations de violence. Nous avons eu parmi nous l'équivalent des extrémistes musulmans. Nous avons appris pourtant que la violence aveugle n'est pas la meilleure réponse à l'aveugle violence. Et ce qui se passe sous nos yeux dans un Proche-Orient déchiré par la haine devrait nous renforcer dans l'idée que la violence n'est que le maquillage illusoire de la force et de la justice.

Vos ennemis sont très faibles, monsieur le Président : c'est pour cette raison qu'ils sont si atrocement violents. Mais ils sont très intelligents : c'est pour cette raison qu'ils essaient de vous pousser à la violence pour que vous deveniez faible à votre tour. L'Orient est compliqué. La Corée était compliquée, le Vietnam était compliqué. Le monde islamique est plus compliqué encore. Surtout pour vous. L'Arabie Saoudite est votre alliée, mais Ben Laden est un milliardaire de nationalité saoudienne. Le Pakistan est votre allié, mais il soutient les talibans qui abritent Ben Laden. En Afghanistan même, vous n'avez guère apporté d'aide au commandant Massoud, qui était à peu près seul à lutter avec courage contre les talibans et dont personne ne sait aujourd'hui s'il a survécu à l'attentat perpétré contre lui, par une coïncidence bien étrange, quelques heures à peine avant l'attaque contre votre pays. L'Afghanistan, qui est au cœur du dispositif monté contre vous, est un régime abominable. Ce qui se passe

616

en Afghanistan est bien pire que ce qui s'est passé, par exemple, en Bosnie ou au Kosovo où vous vous étiez rangé, et nous aussi, du côté de l'UCK islamique. Si le droit d'ingérence s'appliquait quelque part, c'est bien en Afghanistan. Mais, pour beaucoup de raisons que vous connaissez mieux que moi, personne n'est intervenu contre les talibans.

Moralement, vous auriez tous les droits de frapper sans retenue un pays qui s'est mis délibérément au ban de la tolérance, des droits de l'homme, de la paix, de toute culture. Politiquement, c'est moins sûr. Pourquoi ? D'abord parce que, prisonnière de ses propres principes, la démocratie ne peut pas appliquer contre le terrorisme les méthodes mêmes qu'elle condamne chez lui. Ensuite et surtout parce qu'il s'agit d'éviter avant tout de jeter l'Orient entier dans les bras du terrorisme. Il faut, au contraire, couper le terrorisme des masses musulmanes au lieu de les confondre avec lui. Remplaçons l'idée meurtrière d'un conflit entre les cultures par l'idée d'un conflit entre la barbarie et la civilisation. Monsieur le Président, dans tout ce que j'ose vous dire, il n'y a pas la moindre trace d'antiaméricanisme. Vous avez commis des erreurs. Beaucoup d'erreurs. Nous aussi. Tout autant. Il s'agit maintenant de trouver la meilleure voie possible pour atteindre et punir, sans servir leurs desseins secrets, les criminels qui vous ont attaqués. Ce sera une tâche difficile.

Une des conséquences du 11 septembre est peut-être que l'illusion du « zéro mort » est en train de s'effacer. La guerre contre le terrorisme doit être menée avec une résolution farouche, sans la moindre concession, mais avec intelligence et en tâchant de voir plus loin que le présent immédiat. Il y faut des vertus indomptables. L'Amérique sait en faire preuve. Dans ce jeu planétaire et tragique, une immense majorité doit être rassemblée non seulement à vos côtés, mais derrière vous. Une responsabilité formidable repose sur le grand pays dont vous êtes le dirigeant. Nous lui faisons confiance, monsieur le Président, pour assurer rien de moins que l'avenir de ce monde qui dépend en large partie des décisions que vous prendrez.

2003

Après la guerre

Tout le monde se félicite de la chute de Saddam Hussein, tyran sanguinaire et corrompu, assassin des Kurdes et des chiites, criminel de guerre et de paix, mais tout le monde ne félicite pas les Américains de l'avoir provoquée. On aurait souhaité sans la guerre les résultats de la guerre. Était-ce possible ? Était-ce un vœu pieux et vaguement hypocrite ? Avec la victoire américaine, la question est devenue académique : laissons aux historiens le soin d'en discuter. Que savons-nous aujourd'hui avec plus ou moins de certitude ? D'abord que les motifs de la guerre restent ambigus et obscurs. La guerre achevée, il n'est toujours pas établi que Saddam Hussein ait disposé d'armes de destruction massive. Les Coréens du Nord et l'ineffable héritier de l'abject Kim Il-sung en possèdent à coup sûr et s'en vantent volontiers mais, pour des raisons diverses et trop claires, personne n'ose les attaquer. Il est possible, peut-être même probable (les Kurdes doivent en savoir quelque chose), mais toujours incertain, que Saddam Hussein ait eu des armes biochimiques et, dans le doute, on l'a attaqué. Il n'est pas exclu que les preuves d'un armement dissimulé soient bientôt réunies, mais à la question : « Pourquoi cette guerre ? » des considérations économiques et politiques fournissent deux réponses plus convaincantes qu'un arsenal hypothétique et en tout cas moins puissant que dans bien d'autres pays.

Deux réponses divergentes. L'une, cynique ; l'autre, moralisatrice. Le pétrole a évidemment pesé dans la décision. Inutile de se voiler la face. Les États-Unis sont une grande démocratie, ils sont aussi un empire qui, pour le moment au moins, depuis la fin de la guerre froide et encore pour quelque temps, domine seul la planète. Après la doctrine de Monroe qui condamnait toute intervention étrangère en Amérique et toute intervention américaine à l'extérieur, ils ont repris à leur compte une politique planétaire et classique, très bien illustrée par le livre récent de Kagan : ils sont les plus forts, et ils en profitent. Tant pis pour ceux qui ne les suivent pas, adversaires ou amis : ils connaîtront leur douleur. C'est la version démocratique de la Realpolitik. Mais ce réalisme brutal et assez proche du cynisme se combine inextricablement avec une forme de moralisme et de puritanisme qui remonte aux Pères fondateurs. Le régime imposé à l'Irak par le Baas de Saddam Hussein est indiscutablement un des plus atroces de la planète. Si le devoir d'ingérence a la moindre réalité, c'est bien envers l'Irak de Saddam Hussein qu'il devait s'exercer. Du temps de la guerre de Bosnie, les minces réticences d'un Régis Debray à l'égard des opérations contre Milosevic étaient jugées avec sévérité par l'opinion publique. Il fallait être pour la guerre. La situation est radicalement inverse dans le cas de l'Irak : les manifestations se sont multipliées un peu partout pour la paix et l'immense majorité des intellectuels, à l'exception notable de Glucksmann, de Bruckner, de Kouchner, de Romain Goupil et de quelques autres, s'est prononcée avec force contre une guerre dénoncée à qui mieux mieux par la droite et la gauche, par l'extrême droite et l'extrême gauche, par l'Église et par José Bové.

Essayons d'être aussi équitables que possible dans l'évaluation de cette guerre obscure d'Irak qui a battu toutes les cartes pour les redistribuer : le rôle de l'ONU quelque discrédité qu'il puisse être par sa singulière conception des droits de l'homme met une réelle différence entre Bosnie et Irak. Bush a agi sans l'aval des Nations unies. Si n'importe quel État peut décider à lui seul de la légitimité de tel ou tel régime, le chemin est ouvert un peu partout à n'importe quelle intervention de la Chine, par exemple. À cet égard, le précédent créé en Irak par le président Bush est évidemment redoutable. Les partisans des Américains diront que le choc terroriste du 11 septembre 2001 a placé les États-Unis dans une situation de légitime défense qui peut s'exercer tous azimuts ; leurs adversaires répondront que, la liaison Saddam Hussein-Al Qaida n'étant pas plus prouvée que les moyens de destruction massive, les Américains ont fait mauvais usage d'un drame qui leur avait valu un temps la sympathie universelle et qu'ils ont gâché leur malheur.

Le choix de la guerre par Bush reste contestable. Il était permis, et peut-être nécessaire de s'y opposer. Une fois engagée, la guerre a démenti les experts qui prédisaient un désastre. Dans la première guerre du Golfe, en 1991, le pari tenu du zéro mort allié contrastait cruellement avec les lourdes pertes irakiennes. Dans la seconde guerre d'Irak, le nombre des morts a été limité de part et d'autre. Osera-t-on dire que le progrès technique rend la guerre conventionnelle, dans un premier temps, de plus en plus dévastatrice et de plus en plus meurtrière et, dans un deuxième temps, de plus en plus précise et de moins en moins meurtrière ? Il y a eu des victimes civiles, notamment des enfants dont le sort a ému le monde entier. Les fameux « dégâts collatéraux » n'ont pas disparu du paysage de la guerre, mais ils ont été réduits. Le nombre total des morts civils au cours de la guerre a été inférieur de très loin au nombre des victimes des répressions successives organisées par Saddam Hussein. Il était permis, et peut-être nécessaire, de dénoncer une guerre dont le caractère préventif était insuffisamment établi. Il est inacceptable de crier : « Bush assassin ! » sans dénoncer au premier chef les crimes innombrables de Saddam Hussein. Loin d'être des « dégâts collatéraux », ils constituaient le fondement même et l'armature volontaire du régime. Déclenchée sur des bases fragiles pas beaucoup plus fragiles que celles qui ont présidé en 1914 à une des plus grandes tueries de l'histoire, mais les temps étaient différents, la guerre a été gagnée très vite et moins mal qu'on ne pouvait le craindre par les Américains. Inutile de pleurer maintenant sur le lait répandu et sur le sang versé ni de ressasser sans fin les causes du conflit et ses responsabilités.

Le problème désormais n'est plus la guerre, mais la paix. Qu'est-ce qui va sortir du bouleversement de cette partie la plus sensible et la plus traumatisée de la planète, le Proche et le Moyen-Orient ? L'histoire est devenue complexe et imprévisible. La guerre était obscure. Ses conséquences le sont encore plus. Quelle est la situation ? Pour de bonnes ou de mauvaises raisons, les Américains ont montré une fois de plus qu'ils étaient les plus forts. Ils avaient perdu au Vietnam, il y a trente ans. Ils gagnent aujourd'hui en Irak. Ils gagnent sur le plan militaire. Mais sur le plan politique ? L'enlisement militaire, tant annoncé par tant d'experts, ne s'est pas produit. Mais personne ne peut soutenir que, politiquement, les Américains sont sortis de l'auberge. Le prestige américain est au plus haut par la force des armes. Il est très bas dans le cœur de beaucoup dans toutes les régions de la planète sur laquelle ils règnent. La démocratie dont les Américains sont les champions ne repose pas ou pas seulement sur la puissance militaire, mais sur l'adhésion des esprits. La tâche historique de Bush devrait être de veiller à ce que, dans l'image offerte au monde par l'Amérique, l'empire ne l'emporte pas définitivement sur la démocratie.

Le monde musulman, et plus particulièrement le monde arabe, est au centre de cette problématique. Nous connaissons tous une des menaces majeures qui plane sur nos têtes pour demain : un conflit de grande dimension entre deux puissances nucléaires, l'Inde hindouiste et le Pakistan musulman. Au sein même du monde arabe, derrière la guerre d'Irak, reste ouverte depuis un demi-siècle la plaie des relations israélo-palestiniennes autour desquelles s'articule tout le Proche-Orient. La fin de la guerre offre la possibilité d'un remodelage de toute cette région. Si George Bush et Colin Powell savent saisir cette occasion, l'histoire peut prendre un cours nouveau, non seulement pour Israël et les Arabes, mais pour les Américains eux-mêmes et pour la planète tout entière. De quoi s'agit-il ? À la fois d'affaiblir les menaces les plus dangereuses qui pèsent sur Israël – chacun sait que le régime syrien n'a pas grand-chose à envier à celui de Saddam Hussein et que l'Arabie Saoudite, alliée pétrolière des Américains, est à la source financière de bien des mouvements terroristes – et de faire avancer, en même temps, de façon décisive, la cause légitime d'un État palestinien. Que faut-il pour y réussir ? Nous le savons tous aussi : échanger la fin des attentats en Israël contre la fin des colonies, réduire simultanément le poids du Hamas et du Hezbollah et celui des faucons israéliens, détruire les racines du terrorisme palestinien, faire surgir un de Gaulle israélien qui sache accepter dans le présent les sacrifices nécessaires à l'avenir d'Israël. Après tant de sang et de haine et une si longue série d'échecs, il y faudrait de l'intelligence, de la volonté, du courage, de l'audace. Les Israéliens en ont donné beaucoup de preuves. Les Palestiniens, aussi. Au rebours d'une opinion largement répandue, nous sommes quelques-uns à croire que les Américains n'en manquent pas non plus. Et peut-être même à imaginer que le président Bush lui-même n'est pas totalement dépourvu de plusieurs de ces vertus. Je mesure l'énormité de cette proposition. C'est une manie récurrente et très française de dépeindre les présidents américains en idiots congénitaux. Aux yeux de beaucoup un peu partout et en particulier de nos médias et de nos intellectuels, Truman, Eisenhower, Johnson, Nixon, Ford, Carter, Reagan, bien sûr l'acteur de série B, vainqueur sans effusion de sang de la Troisième Guerre mondiale, Bush l'aîné, et maintenant Bush junior, battant tous les records, sont apparus successivement comme des tarés sortis d'une pochette-surprise ou de sombres intrigues familiales ou provinciales. Rien que pour le plaisir de voir, une fois de plus, les prédictions démenties et l'imprévisible triompher, pour essayer aussi d'échapper à un pire qui reste toujours possible, on souhaiterait que les Américains profitent de leur victoire hasardeuse en Irak pour trouver la force et le talent de faire régner un peu de justice et d'avenir dans une région depuis si longtemps sans espoir. À quoi servirait une victoire en Irak si elle ne contribuait pas à régler les problèmes du Proche-Orient ? À tort ou à raison, les Américains ont choisi la guerre. C'était une guerre à hauts risques. Ils l'ont gagnée. Mais leur victoire pose plus de problèmes qu'elle ne fournit de réponses Une responsabilité écrasante repose sur leurs épaules. Le destin des États-Unis et celui de plusieurs peuples, dont le nôtre, se joue dans les six mois sur ces vieilles terres d'Orient, entre l'Euphrate et le Nil, entre Mésopotamie et Sinaï, où notre histoire a commencé.

Le Figaro, 24 avril 2003

2005

Santo subito

Un grand pape est mort. C'était un athlète et un martyr, un homme de théâtre et de foi, le pape des pauvres, des malades, des jeunes, le pèlerin de la paix, un héros de notre temps aux dimensions de la planète. Une vague d'émotion a submergé un monde qui n'en revient pas de son exaltation. L'essentiel n'est pas les manifestations spectaculaires et sans précédent qui ont accompagné ses obsèques. Tant de chefs d'État et de gouvernement réunis à Rome dans une communion fugitive constituait un spectacle unique. Mais rien ne s'oublie comme les assemblées de puissants. Ce qui restera dans la mémoire collective et dans le cœur de tous, ce sont des paroles et des gestes de chaque jour. Le génie de Jean-Paul II consistait à enchanter un quotidien depuis si longtemps désenchanté. « N'ayez pas peur ! » est devenu le slogan de ce temps où a régné la terreur. Et personne n'oubliera les tête-à-tête entre le Saint-Père et des enfants atteints de la lèpre ou du sida ni cette scène bouleversante où le souverain pontife enveloppe sous les plis de sa cape un petit prosterné à ses pieds. Croyants et athées, gens de droite et de gauche, Israéliens et musulmans ont été unis, au moins pour un instant, par sa vie et par sa mort, dans un même élan de confiance et d'amour. Quelques voix discordantes se sont fait entendre, en France surtout, qui s'y connaît en mesquinerie presque autant qu'en grandeur, sur des points de détail, qui n'ont pas mis longtemps à se révéler dérisoires.

Celui qui a mis le feu, dans une unanimité stupéfiante, aux âmes de notre temps était moins le chef d'une religion particulière qu'un géant qui faisait éclater les frontières. Il était polonais – très polonais –, mais bien plus que polonais ; il était catholique – très catholique –, mais bien plus que catholique. Mieux et plus haut que personne avant lui, Jean-Paul II a incarné un moment de la conscience universelle. Le plus remarquable est que cette incarnation est le fait d'un homme à l'extrême opposé de la démagogie régnante. Lui a-t-on assez reproché de ne pas être assez moderne, de ne pas se mettre à l'unisson des exigences de notre époque ! Il aurait dû démissionner, il aurait dû se montrer plus souple à l'égard de la sexualité ou de la contraception. Il n'a pas démissionné, il ne s'est jamais résigné aux arrangements réclamés à grands cris. Ennemi des compromis et des astuces subalternes, il a rompu l'antinomie entre conservateur et progressiste. Il était progressiste – et il était conservateur. « Une ânerie circule, écrivait déjà Maurice Clavel lors de son élection il y a un quart de siècle, une ânerie circule : un conservateur. Bon. De quoi ? De la foi ? Mais j'espère bien ! »

Il n'a jamais eu deux langages, l'un pour les uns, l'autre pour les autres. Il a tendu la main aux Juifs pour qui il a été un juste, il a tendu la main aux musulmans pour qui il a été un raïs. Faut-il que nous ayons tous – et d'abord les plus jeunes – eu besoin d'autre chose, de hauteur, d'espérance, pour que tant d'aspirations contradictoires aient convergé avec tant d'éclat vers le défenseur intraitable de convictions qui paraissaient ébranlées par l'esprit de ce temps ! Quelle leçon à donner aux politiques professionnels qui se sont jetés à ses pieds, cet apôtre d'une foi dont le nom est amour ! Les voies de l'histoire sont impénétrables. Nous voilà, après la mort du géant, devant une figure classique de l'histoire universelle : un conclave. À la mort de Clément IV, au XIIIe siècle, les cardinaux, réunis à Viterbe et peut-être désireux de garder le pouvoir pour eux-mêmes, se révélèrent incapables, pendant plus de deux ans, de s'entendre sur le choix d'un successeur. Il fut décidé, pour exercer une pression plus forte sur le Sacré Collège, de condamner les portes du palais où il se réunissait et de le cloîtrer au pain sec et à l'eau. Et Grégoire X fut élu.

Depuis lors, le conclave – littéralement : « sous clé » – tient une grande place dans les chroniques religieuses et politiques – et notamment dans la littérature française. Le fameux président de Brosses, qui était l'ami du cardinal de Tencin, se trouvait à Rome pour la mort de Clément XII et nous a laissé un récit haut en couleur de l'élection de Benoît XIV. Plus célèbre encore est le récit fourni par Chateaubriand, dans ses *Mémoires d'outre-tombe* de l'élection de Pie VIII. Pie VII, qui avait assisté à Paris au couronnement de Napoléon Bonaparte avant d'être emprisonné à Fontainebleau par l'Empereur, était décédé en 1823, alors que Chateaubriand était ministre des Affaires étrangères ; Léon XII, son successeur, disparaît le 10 février 1829 : Chateaubriand est ambassadeur de Charles X à Rome. Quelque amèrement ressentie que pût être la circonstance, la mort d'un pape, un conclave, le choix d'un nouveau pontife étaient, à une époque où empereurs et rois ne se déplaçaient guère, une aubaine pour tout ambassadeur à Rome. Chateaubriand se jeta sur l'occasion avec un réel chagrin et une sorte d'allégresse. « Je n'ai ni argent à donner ni places à promettre, écrit-il à son ministre des Affaires étrangères, Portalis. Les passions caduques d'une cinquantaine de vieillards ne m'offrent aucune prise sur elles. J'ai à combattre la bêtise dans les uns, l'ignorance du siècle dans les autres ; le fanatisme dans ceux-ci, l'astuce et la duplicité dans ceux-là ; dans presque tous l'ambition, les intérêts, les haines politiques, et je suis séparé par des murs et par des mystères de l'assemblée où fermentent tant d'éléments de division. » L'ambassadeur se dépense sans compter. Il fulmine l'exclusive – c'est-à-dire l'opposition formelle du roi de France – contre le cardinal Albani, candidat de l'Autriche. Par un trou percé dans le mur, il s'adresse au conclave et débite aux cardinaux un petit discours libéral. Divine surprise ! Le 31 mars, le cardinal Castiglioni est élu pape sous le nom de Pie VIII. Il figurait, à un rang médiocre, sur la liste de favoris dressée par Chateaubriand. Triomphe sans modestie – et au bord du ridicule – de l'ambassadeur victorieux. Hélas ! À Rome, comme il se doit, la roche Tarpéienne, une fois de plus, est près du Capitole. À peine élu, le pape choisit pour secrétaire d'État le cardinal Albani contre qui Chateaubriand avait lancé l'exclusive. Que les temps sont changés ! Chateaubriand était un catholique ardent et pour ainsi dire institutionnel en un siècle où l'Église représentait encore une puissance considérable. Et son récit du conclave a quelque chose de dérisoire et presque de désespéré.

À notre époque de crise des vocations, où chacun s'interroge avec inquiétude sur le destin d'une Église en proie aux pires tourmentes, des millions de fidèles à travers le monde entier sont encore sous le choc de la mort de leur pasteur. Qui aurait osé imaginer, il y a trente ou cinquante ans, qu'une des plus grandes manifestations de masse de l'histoire se tiendrait à l'occasion de la mort d'un pape qui se présentait comme le serviteur des serviteurs de Dieu ? Dans la foule réunie place Saint-Pierre, des banderoles disaient : « *Santo subito* », « Qu'il soit fait saint tout de suite ! » Les canonisations, dans l'Église catholique, ne se font pas si vite. C'est en tout cas à l'ombre d'un pape aussi grand que les plus grands – un saint Grégoire le Grand ou, pour prendre un exemple diamétralement opposé, un Jules II – que s'est ouvert le conclave qui a la tâche écrasante de trouver un successeur à l'homme le plus exceptionnel que le monde ait connu depuis longtemps.

Le Figaro, 19 avril 2005

Du sang sur les Jeux

L'histoire n'en finit pas de se répéter et de se renouveler. Elle passe son temps à apporter du nouveau qui ressemble à l'ancien. Et elle tisse notre avenir avec les fils qu'elle ramasse et qu'elle noue. L'échec français du référendum européen occupe toute la fin du printemps. L'été s'ouvre sur l'amour des Jeux et sur nos espérances pour 2012. À peine le triomphe de Londres a-t-il plongé Paris dans la morosité que le terrorisme resurgit et précipite, à travers l'Angleterre, l'Europe entière dans l'affliction. Essayons de démêler les fils tachés de sang de la politique et du sport et de discerner l'image qu'ils nous offrent de demain. Partons du plus simple : la situation de la France et de son président. Jacques Chirac se trouve en ce début de juillet dans une position difficile dont il s'est efforcé de sortir avant-hier. Ne remontons même pas à la dissolution manquée de 1997 ni à l'élection ambiguë du printemps 2002.

Depuis quelques mois, le président français accumule les échecs : échecs déjà sérieux aux cantonales, aux sénatoriales, aux européennes ; échec surtout cinglant aux régionales. Jean-Pierre Raffarin pouvait apparaître à juste titre comme le Premier ministre de la décentralisation et des Régions. La déroute de la majorité parlementaire dans les Régions l'atteint de plein fouet. Il ne joue plus le rôle traditionnel de fusible. Le président, du coup, est en butte à toutes les attaques. Sa cote de popularité est en chute libre. Il espère se rattraper avec un référendum européen qui divise l'opposition socialiste. Le référendum est perdu. Il plonge l'Europe dans le marasme que l'on sait. Il porte, en effet, un coup sévère au PS et ruine pratiquement les chances de François Hollande à la présidentielle de 2007. Mais il détruit encore davantage l'image du président. Une dernière chance se présente, une chance où les prestiges du sport se mêlent inextricablement aux combinaisons de la politique : les Jeux de 2012. Deux hommes s'impliquent à fond dans le succès espéré : Jacques Chirac et Bertrand Delanoë. Delanoë – encore un candidat sérieux pour 2007 – est balayé. Mais Chirac également : il apparaît de plus en plus comme un looser dont l'appui est dangereux pour la cause qu'il soutient. Le mauvais œil n'est pas loin pour ce veinard professionnel aux rebonds légendaires. La descente aux enfers se poursuit. L'implication du président dans l'échec de Singapour est injuste. Que n'aurait-on dit si Chirac ne s'était pas jeté dans la bataille corps et âme ! Mais la cruauté de la politique n'est pas une nouveauté. Tout réussit aux vainqueurs, tout échoue pour les perdants. Il n'y en a plus que pour Blair qui est le seul à incarner le mythique plan B, d'illustre mémoire.

La politique avait contaminé le sport

Pendant une nuit à peine, durant les quelques heures qui séparent le verdict de Singapour des explosions de Londres, on aurait pu s'interroger sur ce qu'étaient devenus le fair-play, le noble jeu, le désir de participation si chers à Coubertin et, plus tard, à l'Unesco. La politique avait contaminé le sport. Responsabilité des Anglais : ils avaient fait flèche de tout bois et usé contre Paris d'arguments pour le moins discutables ; responsabilité des Français : donnant le pas aux politiques sur les sportifs, ils avaient politisé à outrance l'amour des Jeux. Nous pouvions à bon droit reprocher leurs coups bas à nos amis anglais ; ils pouvaient à bon droit soupçonner d'arrière-pensées assez éloignées du noble jeu et M. Jacques Chirac et M. Bertrand Delanoë. Tout cela a volé en éclats au matin du jeudi 7 juillet, réplique britannique des tsunamis du 11 septembre 2001 à New York et du 11 mars 2004 à Madrid – du moins jusqu'au récent et consternant dérapage de M. Delanoë, qui, après avoir montré qu'il ne savait pas gagner, a tenu à montrer aussi qu'il ne savait pas non plus perdre. Paris avait déjà été frappé. La cible du terrorisme, ce n'est pas telle ou telle nation : c'est la démocratie en Amérique et en Europe. Que s'est-il passé, le soir du 6 juillet, à Singapour ? Une compétition entre les nations. Les nations, les États n'étaient pas si dépassés qu'on pouvait l'imaginer : Londres, Paris, Madrid, Moscou, New York rivalisaient entre elles pour obtenir les Jeux comme les équipes nationales elles-mêmes rivalisent entre elles dans les stades et les piscines. L'échec du référendum avait déjà montré avec éclat que les nations vivaient encore d'une vie ardente. La bataille de Singapour, l'attente anxieuse des peuples, la joie des vainqueurs et la déception des vaincus avaient fourni une nouvelle preuve de cette vitalité trop vite niée. Que s'est-il passé le matin du 7 juillet, à Londres ?

Une douleur européenne devant l'outrage fait aux Anglais

Les attentats du 7 juillet ne sont guère liés au sort de la Constitution européenne. Et ils sont moins liés au succès britannique à Singapour qu'à la tenue du G8 en Écosse. Ils ont eu, en tout cas, pour résultat immédiat de faire resurgir la solidarité européenne temporairement occultée par les conséquences de l'échec du référendum en France et par la rivalité des nationalismes à Singapour. Venant quelques heures à peine après la bataille politique et sportive des Jeux de 2012, ils témoignent avec force de la mondialisation des événements et des esprits et du réveil de la conscience européenne dès que les périls se précisent. C'est Londres qui a été frappé et c'est l'Europe qui souffre. Les bombes du terrorisme font oublier les querelles fratricides et mineures. Le référendum français du 29 mai dépassait la France. L'attribution des Jeux de 2012 à Londres dépassait l'Angleterre. Les attentats du 7 juillet soulèvent dans toute l'Europe et dans le monde entier une profonde émotion. Nous sommes en guerre contre une minorité implacable, résolue au pire et cruelle. Les milliers de morts de Paris, de New York, de Madrid, de Londres entraînent des souffrances insupportables. Ils suscitent l'indignation et l'horreur. Ils font couler beaucoup de larmes. Ils ressoudent aussi une communauté démocratique qui l'a emporté naguère sur la dictature et qui l'emportera demain sur le fanatisme.

La France en moins bon état que beaucoup d'autres

Une des choses qui peut et doit être mise par tous au crédit de Jacques Chirac – il n'y en a plus tellement – est l'opposition à la guerre d'Irak menée par Bush et Blair. L'écheveau des fils de la politique d'aujourd'hui est si embrouillé qu'une des conséquences du référendum sur la Constitution européenne a été d'accroître le poids de Tony Blair et qu'une des conséquences des attentats de Londres est de remettre en selle George Bush. Ils leur donnent raison parce qu'ils ont dit plus fort que les autres que la démocratie était en guerre contre le terrorisme. Cette guerre, de gré ou de force, tous sont contraints de la gagner. La France aura plus de mal à la mener parce qu'elle est en moins bon état que beaucoup d'autres. Il est permis de soutenir que tous les États sont en proie à des difficultés croissantes. Ces difficultés – le chômage, la rupture du lien social, le poids de la dette, la crise de la langue et de l'éducation... – sont, pour beaucoup de raisons que chacun commence à connaître, plus sensibles et plus préoccupantes en France que presque partout ailleurs. Les Jeux, le sport, la politique quotidienne, l'Europe au loin, le découragement des esprits, la crainte du lendemain, si sensible dans tous les domaines, les relations économiques et sociales, le tissu craque de partout. Tous les fils de la pelote semblent sur le point de casser. L'échec du référendum, la déception de Singapour, la subite réapparition du spectre menaçant d'un terrorisme qui ne se laisse pas oublier sonnent comme les trois derniers coups à l'horloge du destin. Voilà que **la sécurité** nationale et collective revient au premier plan. Et, avec elle, **tout naturellement** – on dirait presque, pour une fois : sans qu'il y soit pour rien –, le ministre de l'Intérieur. Pour dénouer l'écheveau, si atrocement embrouillé, des fils multiples de la menace et du déclin, il y a, dans l'aveuglante lumière de l'ombre, un candidat.

Le Figaro Magazine, 16 juillet 2005

2008

Carton jaune pour Pékin !

La Chine est une grande nation. Avec les États-Unis, elle est l'autre superpuissance à régner sur la planète. Son industrie est impressionnante. Sa croissance donne le tournis. Si nombreux, si inventifs, formidablement doués pour le commerce, les Chinois sont un peuple d'élite. La Chine inspire trois sentiments au monde autour d'elle : le respect, la peur, l'espérance. Cette situation exceptionnelle, qui lui assure une des premières places dans le concert des nations, ne lui donne pas tous les droits. Le sport est une des grandes réalités mythiques de notre temps. Pékin organise les Jeux olympiques. Cet honneur lui impose des devoirs. Des devoirs de retenue, de transparence, d'apaisement. Tout le monde savait que la Chine communiste convertie au libéralisme économique n'était pas une démocratie. Et que son action au Tibet jetait une ombre épaisse sur son image. Les organisateurs des Jeux, les gouvernements, l'opinion publique sont passés là-dessus avec l'espoir de voir la Chine s'avancer sur le chemin du respect des droits de l'homme. C'est le contraire qui se passe. La Chine est rattrapée par la violence qu'elle n'a cessé d'exercer au Tibet et la répression se poursuit de plus belle.

Voilà longtemps que ce qui se passe au Tibet n'aurait jamais été accepté par la communauté internationale venant d'une nation moins puissante que la Chine. Il est impossible de condamner les événements du Kosovo ou du Darfour et de ne pas condamner les événements du Tibet. Au Tibet est engagée une opération qui ressemble très exactement à un génocide culturel. Pékin accuse Lhassa de provocation délibérée. Tout ce qu'il est permis de constater, c'est que les efforts de Pékin pour venir à bout par tous les moyens de la résistance tibétaine n'ont pas réussi, malgré l'emploi de la violence et que les Jeux olympiques sont l'occasion pour les Tibétains survivants de manifester leur opposition au régime qui leur est imposé. Qu'une violence extrême ait été utilisée par le gouvernement chinois contre les Tibétains est un fait établi, en dépit des rigueurs de la censure et de la désinformation.

Voilà qu'au crime s'ajoute le mensonge : Pékin accuse les Tibétains de terrorisme et dénonce dans le dalaï-lama un chef terroriste et un fauteur de troubles qui relève de la justice. C'en est trop. Entre le gouvernement chinois et les moines tibétains, où est le terrorisme ? Le dalaï-lama est plus proche de Gandhi que de Ben Laden et les moines bouddhistes du Tibet sont plutôt des victimes désarmées que des disciples d'al-Qaida. Naturellement, des comparaisons insoutenables nous seront opposées. On a presque honte d'y répondre. Mais, non, l'action du gouvernement chinois au Tibet n'a rien à voir avec le droit de toute autorité nationale à assurer et à rétablir l'ordre. Et, non, les malheureux moines tibétains ne peuvent pas être comparés à des organisations qui se réclament de la terreur. Ce qui pousse les Tibétains, c'est le désespoir. Et le dalaï-lama est si peu un chef terroriste qu'il menace de démissionner au cas où les émeutes au Tibet prendraient un caractère violent.

Ne soyons pas plus bouddhistes que le dalaï-lama. Le dalaï-lama ne réclame pas le boycott des Jeux olympiques. Il serait irresponsable d'y pousser. Mais il est aussi impossible de faire comme s'il ne se passait rien au Tibet. Le gouvernement chinois assure que l'ordre règne à Lhassa. Le régime tsariste assurait aussi que l'ordre régnait à Varsovie lorsque, bien avant Staline, il était en train de décapiter l'élite polonaise. Pékin veut détruire la langue, la religion, les traditions tibétaines. Si l'opinion publique internationale, si les organisations humanitaires, si les intellectuels de tout bord, si les gouvernements ne protestent pas, personne n'aura plus jamais aucun droit à protester où que ce soit.

Ne le dissimulons pas : nous souhaitons conserver et développer de bonnes relations avec la Chine communiste convertie à l'économie de marché. Mais nous avons le droit et le devoir de défendre les Tibétains. Nous ne soutenons pas un boycott absurde des Jeux olympiques. Mais nous demandons que, puisque Pékin a décidé d'organiser ces Jeux, la libre circulation des médias, de la télévision, des journalistes soit assurée en Chine. C'est la moindre des choses. Nous entendons conserver notre liberté de pensée et d'appréciation en ce qui concerne n'importe quel pays de la planète – y compris la Chine. Nous souhaitons que le droit de protestation contre les excès soit reconnu en Chine comme dans tout autre pays du monde. Les Tibétains ont le droit de défendre leur culture, leur religion, leur manière de vivre. Et nous, nous sommes libres de notre opinion à l'égard des actions du gouvernement chinois. Ce n'est pas un carton rouge qui doit être agité à la veille des Jeux olympiques de Pékin. Mais un carton jaune s'impose. À la cérémonie d'ouverture, quelque chose doit se passer – abstention ou protestation officielle – qui nous empêche de mourir de honte quand tant de Tibétains sont en train de mourir de désespoir.

Le Figaro, 20 mars 2008

La force a été juste, que la justice soit forte

La joie. L'émotion. L'admiration. Ingrid Betancourt a fait vivre à la Colombie, à la France, au monde entier, une sorte de conte de fées historique et moderne qui laisse loin derrière lui toutes les fictions les plus extravagantes et qui bouleverse les esprits. Derrière ces sentiments si forts, une leçon politique. Les otages des Farc mettaient les adversaires du terrorisme devant une alternative dont jouaient les guérilleros : opération militaire ou négociation. Le recours à la force faisait courir aux otages un risque insupportable. La négociation donnait aux ravisseurs le statut qu'ils recherchaient. Que faire ? Sensibles aux craintes légitimes de la famille Betancourt, le président Sarkozy, Bernard Kouchner et le gouvernement français, si chaleureusement remerciés par Ingrid Betancourt, ont d'abord privilégié la négociation, démontrant avec éclat qu'ils ne jouaient pas la carte de la brutalité et que les droits de l'homme et les préoccupations humanistes n'étaient pas, pour eux, de vaines paroles. Souligné par Ingrid Betancourt, le mérite historique de l'armée colombienne est d'avoir choisi l'intervention militaire en écartant le plus possible, notamment sous la pression française, toute violence qui se serait retournée contre les otages. Face aux bourreaux, la force a choisi la ruse. Les militaires ont privilégié le renseignement et monté une opération stupéfiante, plus forte que tous les James Bond et qui inspirera, à coup sûr, les scénaristes de demain. La libération d'Ingrid Betancourt ne laisse le goût amer ni des succès trop cher payés ni des négociations qui renforcent les ravisseurs. Elle prendra place dans l'histoire à côté de la libération des otages d'Entebbe. Dans un cas, comme dans l'autre, le génie de Pascal n'a pas été trahi : la force a été aussi juste que possible et la justice a su être forte. La pensée de tous va maintenant vers les otages qui sont encore aux mains des criminels des Farc. Elle va aussi vers toutes les victimes de la violence et de l'injustice. Plus que jamais, la lutte contre toutes les formes de terrorisme doit être poursuivie. Ingrid Betancourt montre le chemin. Elle est libre : c'est un grand bonheur. Elle a été digne et forte dans l'épreuve, elle ne mâche pas ses mots dans la liberté retrouvée : c'est une grande espérance.

Le Figaro, 9 juillet 2008

Une révolution pour l'Amérique
et une espérance pour le monde

UN NOIR à la Maison-Blanche ! Nous avons assisté en vingt ans à deux événements qui ont changé l'histoire du monde : la chute du mur de Berlin en Europe et l'élection d'un Noir à la présidence des États-Unis d'Amérique. Ce qui réunit ces deux événements si différents l'un de l'autre par leur nature et leurs mécanismes, c'est que l'un et l'autre ont été longtemps jugés invraisemblables avant de devenir soudain évidents. L'histoire ne déteste pas rendre tout à coup réel ce qui passait pour impossible. Les sondages, depuis trois mois, donnaient la victoire à Barack Obama. Mais cette perspective était si bouleversante qu'une surprise semblait toujours possible, et peut-être inévitable. Il n'y a pas eu de surprise – et le monde en reste stupéfait. Les démocrates américains les premiers. Rappelez-vous : Hillary Clinton, avant le séisme, paraissait invincible. Elle avait l'expérience, les réseaux, une réputation internationale. Jusqu'à ce que surgisse un jeune et obscur sénateur de l'Illinois dont personne ne connaissait le nom il y a encore quelques mois. Il intrigue, il surprend, et il emporte le morceau. Contre Hillary d'abord. Contre McCain ensuite. Quelle histoire ! Mais non : c'est l'Histoire.

La politique en forme d'impasse de Bush en Irak a puissamment aidé Barack Obama. La crise financière aussi. Un changement s'imposait et, contre les républicains usés par le pouvoir, les démocrates, après plusieurs échecs, avaient le vent en poupe. Et puis, comme dans un conte de fées, tout s'enchaîne et conspire au succès du jeune Afro-Américain, fils d'un Kenyan et d'une Blanche : sa famille était séduisante, sa grand-mère disparaissait la veille même de l'épreuve, et lui-même, surtout, était une sorte de Clooney ou de James Stewart au teint foncé et au charisme foudroyant. McCain était un héros ; Obama est une star. McCain, c'était l'expérience vieillissante ; Obama, la jeunesse triomphante ; McCain, c'était encore le XIXᵉ ; Obama, c'est déjà notre XXIᵉ siècle postmoderne. Le charme, le changement et l'avenir l'ont emporté sur le passé et la répétition. L'élection d'Obama est une révolution pour l'Amérique et une espérance pour le monde. Aux États-Unis, toute forme d'apartheid, de ségrégation, de discrimination est tombée dans une préhistoire brutale et désormais évanouie. L'avenir s'ouvre aux minorités. Kennedy avait montré aux catholiques les chemins de la Nouvelle Frontière. Obama ouvre la voie aux Latinos et aux Noirs. La chance des États-Unis est que ce révolutionnaire s'est sans cesse présenté comme l'homme de la conciliation entre les communautés et de l'unité américaine.

Dans le monde, l'image écornée de l'Amérique de Bush brille d'un éclat nouveau. Un Noir américain était déjà au pouvoir, mais seulement dans les films de Hollywood et dans les séries cultes de la télévision. Voilà, comme il se doit, que la nature imite l'art et que l'histoire prend le relais de la fiction créatrice. L'Amérique, dont beaucoup désespéraient, a encore des ressources. La terre des pionniers, des fondateurs, des aventuriers de l'avenir est de retour dans l'histoire. Un souffle d'enthousiasme porte les débuts de Barack Obama. Ce qui se termine, avec la victoire, pour le nouveau président, c'est le vertige de l'ascension triomphale. Les difficultés commencent. Elles seront à la hauteur des espoirs suscités. Le désastre de l'économie dans le monde et notamment en Amérique a contribué au succès du candidat démocrate : il va aussitôt constituer la première épreuve et le premier casse-tête du nouvel élu. C'est à chaud et dans l'urgence qu'il va devoir prendre des décisions qui engageront les générations à venir. Dans l'état où se trouvent aujourd'hui l'immobilier, l'industrie, les finances, le moral des Américains, l'entreprise est presque désespérée. Il y faudra un talent immense, inventif, créateur et une sorte de génie. Tout dépendra évidemment de l'équipe dont le président est sur le point de s'entourer. Sa composition va susciter partout un intérêt passionné. Avec McCain, l'avenir n'était peut-être pas enthousiasmant mais chacun savait où il allait. Avec Obama, la surprise sera totale. Ce qui porte le monde aujourd'hui devant le raz-de-marée Obama, c'est surtout l'espérance. Elle fait la force du nouveau venu. Et, du même coup, son risque le plus grand. À l'étranger, bien malin qui devinera ce que l'élection peut annoncer pour l'Europe. Le président semble décidé à mettre le paquet en Afghanistan et à retirer, dans un délai d'un an et demi, les troupes américaines d'Irak. C'est une sage décision. Il est douteux qu'elle puisse être appliquée sans rencontrer de nombreux obstacles et sans susciter des oppositions violentes. Mettre fin à une guerre est toujours un exercice difficile. Surtout quand ce n'est pas pour la gagner.

L'histoire ne se termine jamais – et en tout cas pas avec une élection. Après le succès démocrate comme après la chute du Mur, l'histoire n'en finit pas de se poursuivre. L'heure de vérité ne va pas tarder à sonner pour Barack Obama. L'avenir, de toute façon, était obscur pour la grande nation américaine peut-être déjà un peu au-delà de son plus haut historique. Grâce à Barack Obama, l'Amérique aborde la mondialisation dans des conditions aussi favorables que possible et avec un visage nouveau. Elle ne marchera plus, sans doute, comme après la Seconde Guerre mondiale, à la tête des nations. Mais elle réussira peut-être à se confondre avec elles pour mieux les entraîner. Roosevelt et Truman ont combattu jusqu'à la victoire la dictature hitlérienne et le totalitarisme japonais. Kennedy et Reagan avaient en face d'eux la puissance massive de l'URSS et ils ont fini par l'emporter. Bush a affronté la menace toujours présente de l'extrémisme musulman. Barack Obama va avoir pour interlocuteur une Chine où le communisme se conjugue avec l'économie de marché et une Inde surprenante et imprévisible. Quelles nouvelles espérances vont briller sur ce monde en mouvement et assoiffé de paix ? Quelles catastrophes inédites vont nous tomber sur la tête ? Sous ses habits neufs, l'histoire poursuit son chemin. De l'avenir qu'Obama va rencontrer avec nous, personne ne peut rien dire – sauf peut-être ceci : nous ne nous ennuierons pas.

Le Figaro, 6 novembre 2008

2009

1989 : Victoire de la liberté

Il y a vingt ans, au soir du 9 novembre 1989, vers la fin d'une année où la France avait célébré avec éclat le deux centième anniversaire de la chute de la Bastille et de la Déclaration des droits de l'homme, une nouvelle inouïe suscitait dans le monde entier une stupeur incrédule : le mur de Berlin était tombé.

Le mur avait été édifié en une seule nuit autour de Berlin-Ouest, en pleines vacances d'été, le 13 août 1961, par l'Allemagne de l'Est, la RDA, satellite de l'URSS. Il était devenu aussitôt le symbole du régime communiste. Il était à l'origine de beaucoup de souffrances. Il semblait indestructible. Il allait durer vingt-huit ans avant de s'écrouler au son du violoncelle de Mstislav Rostropovitch venu jouer sur les ruines du « mur de la honte ».

L'Armée rouge était entrée à Berlin le 2 mai 1945. En une douzaine d'années, votant avec leurs pieds, quelque 4 millions d'Allemands de l'Est avaient fui la RDA pour l'Ouest. La plupart étaient passés par Berlin-Ouest où la ligne de démarcation était franchie chaque jour, en moyenne, par cinq cent mille personnes qui se rendaient à leur travail, allaient faire leurs courses, visitaient leur famille ou leurs amis avant de rentrer chez eux.

En quelques heures, ce jour d'été de 1961, sur quatre-vingts points de passage, soixante-treize furent condamnés. Sept postes de contrôle furent établis, dont le fameux Checkpoint Charlie, appelé à devenir une légende popularisée par le roman et par le cinéma.

D'une hauteur d'au moins trois mètres cinquante, le mur courait sur cent cinquante kilomètres : une quarantaine entre Berlin-Ouest et Berlin-Est, cent dix entre Berlin-Ouest et la RDA. Il comportait près de trois cents miradors, vingt-cinq bunkers et trois cents postes de chiens de garde. Une centaine de kilomètres de dalles en béton, prévues en principe pour l'autoroute Berlin-Rostock, qui sera abandonnée, avaient été utilisés pour la construction du Mur, autour duquel un demi-million de mètres cubes de forêt avait été rasé pour constituer une sorte de no man's land.

Le réseau de communication ferroviaire et le métro avaient été fermés entre Est et Ouest. Le Mur avait fait perdre leur emploi à quelque soixante-cinq mille Berlinois de l'Est qui travaillaient à l'Ouest et à une dizaine de milliers de Berlinois de l'Ouest qui travaillaient à l'Est. Il avait fait des centaines de victimes – tuées par balle, noyées, déchiquetées par les chiens, écartelées sur les barbelés... – parmi les dizaines et les dizaines de milliers de candidats au passage vers l'Ouest.

Après la fin de la Seconde Guerre mondiale, Winston Churchill avait parlé le premier d'un « rideau de fer » qui était « tombé sur l'Europe ». Le mur de Berlin était l'illustration la plus concrète et la plus visible de ce rideau de fer. La doctrine du camp soviétique se résumant à une formule fameuse, « Ce qui est à nous est à nous ; ce qui n'est pas à nous peut être négocié », le Mur semblait intouchable et hors de toute atteinte. Il fallait vivre avec.

Sa chute le 9 novembre 1989 constitua l'événement peut-être le plus important et en tout cas le plus imprévisible de l'après-guerre. Personne ne l'avait vu venir. Prophète de génie comme toujours, le général de Gaulle avait bien prédit : « La Russie absorbera le communisme comme le buvard absorbe l'encre. » François Mitterrand avait bien évoqué à plusieurs reprises une réunification de l'Allemagne ; mais il la situait dans un avenir lointain. Observateur et commentateur admirable de la guerre froide, Raymond Aron n'était pas optimiste. Il croyait à la défaite finale du camp communiste, mais qui allait passer d'abord par de nouveaux succès. Il était mort six ans avant la chute du Mur : elle l'aurait rempli, comme tout le monde, de joie et de stupeur.

Les signes annonciateurs n'avaient pourtant pas manqué. Mais leur interprétation était aléatoire et risquée. Dès juin 1953, avant même l'insurrection de Budapest en 1956 et du « printemps de Prague » en 1968, une révolte populaire avait été durement réprimée à Berlin, avec l'aide des chars russes, par Walter Ulbricht, alors président de la RDA. Bilan : plus de cinquante morts. Pendant trente-cinq ans de domination soviétique, l'Allemagne de l'Est ne bougera plus. Mais, le 19 août 1989, dans le cadre d'un « pique-nique européen », la Hongrie avait brièvement ouvert sa frontière avec l'Autriche. À la fureur d'Erich Honecker, successeur de Walter Ulbricht à la tête de la RDA, plusieurs centaines d'Allemands de l'Est avaient profité de l'occasion pour passer à l'Ouest. Les choses bougeaient en Hongrie, en Pologne, en Tchécoslovaquie. Et le 4 novembre 1989, cinq jours avant la chute du Mur, un million de personnes avaient pu manifester à Berlin-Est sous les yeux des policiers du régime communiste, qui n'étaient pas intervenus. Que s'était-il donc passé ? Il s'était passé quelque chose de considérable qui est longtemps resté inaperçu : les États-Unis et le monde libre avaient gagné cette Troisième Guerre mondiale qui n'a jamais eu lieu. Ils avaient gagné la guerre froide.

L'histoire de cette victoire n'est pas encore écrite. Ses auteurs, ses victimes, ses héros sont nombreux. Le général de Gaulle y tient une grande place et François Mitterrand – notamment avec son célèbre discours au Bundestag – également. Elle a fait des morts innombrables dans les goulags de Staline qui a été, à plusieurs reprises, à deux doigts de l'emporter. Les services secrets, les réseaux de renseignements, les fameux « intellectuels » séduits par le communisme à Oxford ou dans les universités américaines et basculant dans le camp communiste, les hommes de science et les écrivains y jouent un rôle important. L'aveuglement ne se limite pas aux compagnons de route. À l'annonce de la mort de Staline en 1953, l'ensemble des membres de l'Assemblée nationale française, sans distinction d'opinions, se lève d'un seul mouvement pour rendre hommage à la haute figure disparue. Le grand nom de Soljenitsyne est inséparable de cette guerre des idées. L'artisan majeur de la victoire est Ronald Reagan et sa guerre des étoiles qui met à genoux l'économie et le régime communistes.

La religion tient une grande place dans la lutte contre la dictature stalinienne et post-stalinienne. En Pologne notamment, l'Église catholique est, avec Solidarnosc, à la tête des mouvements qui aboutiront, en Allemagne de l'Est, à la chute du mur de Berlin. On a pu soutenir que la religion en Pologne et l'exode en Allemagne de l'Est ont été les grands artisans de l'effondrement du système communiste. Dans la résistance à la dictature communiste, le nom de Jean-Paul II ne peut pas être passé sous silence.

Ronald Reagan, Jean-Paul II, Soljenitsyne... Un autre personnage de premier plan doit encore être évoqué à propos de la chute du mur de Berlin qui n'aurait pas pu se produire sans lui : c'est Mikhaïl Gorbatchev. Il arrive au pouvoir à Moscou en 1985 et il tire les conclusions de la puissance américaine, de la popularité du pape polonais, de l'hostilité populaire à la domination soviétique. Il joue la carte de la perestroïka, et ses relations avec Erich Honecker ne tardent pas à devenir franchement mauvaises. Rédigé par Michel Meyer, qui fut pendant vingt ans le correspondant d'Antenne 2 et de France Inter en Allemagne de l'Ouest, un livre vient de paraître qui jette une lumière nouvelle sur le rôle de Gorbatchev dans les événements de 1989.

Après les révélations de Khrouchtchev sur les crimes de Staline au XXe Congrès du PC de l'Union soviétique et le retour à une certaine forme de glaciation avec Brejnev, Mikhaïl Gorbatchev exclut, dès sa prise de pouvoir, tout envoi de chars russes dans les pays du bloc soviétique. Non seulement l'URSS n'a plus les moyens matériels et financiers de voler au secours des leaders communistes en difficulté, mais, attaché à la nouvelle politique qu'il vient de mettre en œuvre, le septième et dernier secrétaire général du PCUS comprend que toute intervention de l'URSS dans un pays frère sonnerait le glas de la perestroïka. Dès lors, le sort du mur de Berlin était scellé et l'Allemagne de l'Est, condamnée.

L'histoire va très vite. Le mur tombe le 9 novembre 1989. Moins d'un an plus tard, le 3 octobre 1990, le chancelier Helmut Kohl proclame la réunification de l'Allemagne. L'année d'après, Gorbatchev quitte le pouvoir. L'URSS est rayée de la carte.

Les trois Empires égyptiens ont duré un peu plus de trois mille ans. Le fabuleux empire d'Alexandre le Grand, des Balkans à l'Indus, de l'Himalaya au désert de Libye, à peine quelques années – jusqu'à la mort de son fondateur. L'Empire romain, quatre siècles et demi. L'Empire byzantin, mille ans. Le Saint Empire romain germanique, huit cent cinquante ans. Le premier Empire français, entre dix et onze ans. Le Troisième Reich hitlérien, de sinistre mémoire, douze ans. Sous des formes diverses, l'Empire chinois dure depuis un peu plus de deux millénaires. Russe et international, l'Empire soviétique aura duré un peu moins de trois quarts de siècle.

Le Figaro, 7 novembre 2009

2010

Pour une refondation de l'Europe

Ce n'est pas assez dire que l'Europe est en crise. Elle est au bord de l'abîme. Elle a vacillé sur ses bases. Son existence politique et économique est en jeu. Il faut la repenser et la remodeler de fond en comble. Ce ne sera pas ici, en quelques lignes, que des solutions pourront être dégagées. Posons au moins le problème et avançons quelques évidences qu'il a été longtemps convenable de passer sous silence.

Depuis les traités de Maastricht, de Nice, de Lisbonne, depuis surtout le rejet par les Français, suivi des Hollandais, du projet de Constitution européenne auquel est lié le nom de Valéry Giscard d'Estaing, les Européens en général, et d'abord les Français, ont nourri à l'égard de la construction de l'Europe des sentiments ambigus. L'enthousiasme n'était pas là. L'élan faisait défaut. Les Français, et on peut les comprendre, restaient attachés à leur langue, à leurs fromages, à leurs habitudes, à leur indépendance et leur fierté nationales. Ils supportaient avec peine l'irritante et parfois ridicule bureaucratie bruxelloise. Moins peut-être que les Allemands avec le mark, beaucoup d'entre eux ont eu du mal à abandonner le franc au profit de l'euro. Ils avançaient à reculons vers une Europe qui leur semblait nécessaire dans un monde en changement et qui leur faisait peur. Soixante ans après le lancement par Robert Schuman de l'idée européenne qui succédait aux douze années de cauchemar national-socialiste, l'euro a été un succès. L'origine du drame que nous venons de vivre est que ce succès, par définition, était purement économique. Il n'était ni intellectuel ni moral. Il n'était pas politique. Pour reprendre une formule appliquée jadis au traité de Versailles, l'Europe était trop forte pour ce qu'elle avait de faible et elle était trop faible pour ce qu'elle avait de fort. Peut-être même trop fort à l'égard du dollar, l'euro s'était imposé. Mais les structures politiques n'étaient pas à la hauteur de cette réussite économique. Elles étaient faibles jusqu'à l'inexistence. Survenant quelques mois à peine après la crise financière des banques, la crise grecque, annonciatrice au loin d'autres crises au Portugal, en Espagne, ailleurs peut-être, était une crise politique des gouvernements.

Il y avait une issue à la crise : c'était de laisser tomber la Grèce. En France et un peu partout, beaucoup se sont demandé s'il valait la peine de verser 100 milliards d'euros à un pays qui, manifestement, rechignait à les accepter. Mais la dette publique et la crise frappaient partout. Abandonner la Grèce à son sort hier, c'était abandonner demain l'Espagne, le Portugal et les autres. Un avenir de cauchemar menaçait l'Europe entière au bord du morcellement. Il fallait du courage pour s'obstiner à accorder 100 milliards d'euros à la Grèce réticente. Il a fallu encore plus de sagesse pour constituer un fonds de garantie de 750 milliards d'euros.

L'euro a été une chance pour les Européens sans Europe. Mais toute médaille a son revers. Avant l'euro, quand un gouvernement avait dépassé les bornes de l'endettement et de la mauvaise administration, la dévaluation de sa monnaie était le remède qui s'imposait. Un des problèmes de l'euro, c'est qu'il empêche toute dévaluation régionale. Comment ne pas constater que la seule sortie de crise possible est dans un renforcement des structures économiques et politiques d'une Europe qui a créé l'euro sans l'asseoir préalablement sur une autorité nécessaire ?

Les Européens ressentent obscurément cette inéluctable nécessité. La montée un peu partout en Europe de l'extrême droite et des écologistes est l'expression d'un désarroi qui cherche à sortir de la nasse de nos contradictions structurelles. La crise grecque, en ce sens, peut être l'occasion d'une prise brutale de conscience : le fameux coup de pied salvateur au moment de toucher le fond. L'affaire n'est pas terminée avec le rebond boursier de lundi. L'endettement, le déficit, le manque de structures permanentes de régulation et de coordination au niveau européen sont toujours des menaces. On tourne autour du mot de rigueur et on l'évite avec soin. Ce qui est sûr, c'est le besoin d'une politique rigoureuse. Qu'est-ce qu'une politique rigoureuse ? C'est une politique qui s'impose à tous pour éviter le pire et c'est une politique juste.

Il n'est pas juste que la crise profite aux spéculateurs et aux traders pendant qu'elle pousse au suicide des agriculteurs pris à la gorge. Il n'est pas juste que des écarts de salaire insupportables empoisonnent tant de débats sur l'avenir. Il n'est pas juste qu'on se précipite au secours des banques et des Grecs parce que les sommes en cause sont immenses et qu'on ignore le sort cruel de beaucoup de catégories sociales qui n'ont pas les moyens de s'exprimer.

En France et partout ailleurs, les gens ont besoin de sécurité et de justice. Puisque l'abandon de l'euro entraînerait des malheurs bien plus grands que son renforcement, des chantiers gigantesques s'ouvrent devant nous. L'Europe doit être dotée des pouvoirs politiques et économiques qui lui permettront de lutter contre la spéculation, d'éviter le retour de crises qui finissaient par paraître cycliques, d'aller vers une unification en matière de choix stratégiques, de politique étrangère, de développement, de justice sociale et de fiscalité.

D'une violence inouïe, la crise aurait ainsi une chance d'apparaître comme l'occasion d'une refondation européenne qui n'a que trop tardé. D'une refondation présidentielle aussi. À la veille de la crise, Nicolas Sarkozy était au plus bas dans les sondages. Il a été très présent et solide au cœur de la tourmente. On peut se demander ce que serait devenu le pays sans lui. Lequel de ses opposants aurait fait mieux que Nicolas Sarkozy si ardemment dénoncé ? Dans un danger si pressant, il a été un des artisans du sursaut de l'Europe. Qu'il soit donc l'artisan de son propre sursaut.

Le Figaro, 12 mai 2010

2011

Quand les lampions s'éteindront…

Le caractère inattendu des soulèvements dans le monde arabe est le signe d'un monde plus complexe et imprévisible que jamais.

Qu'est-ce qui frappe l'homme de la rue qui, comme l'auteur de ces lignes, ignore à peu près tout des méandres compliqués du monde arabe mais qui assiste avec stupeur à son embrasement si dramatique ? Trois choses sans doute : l'imprévisibilité, la contagion, l'ambiguïté.

Il semble que notre monde moderne soit devenu non seulement, comme nous l'a appris Edgar Morin, d'une complexité toujours croissante, mais aussi d'une imprévisibilité assez surprenante. Bardé d'observateurs de toutes sortes et d'instituts de prévision, contraint par l'opinion publique à de plus en plus de transparence, il est plus opaque que jamais. Plus inattendu qu'au temps de Vergennes ou de Talleyrand, de Disraeli ou de Bismarck. La chute du mur de Berlin en automne 1989 et la fin du système communiste en Europe n'avaient été prévues par personne. Les meilleurs commentateurs imaginaient des scénarios sur quinze ans, sur vingt ans, sur trente ans. Aucun prophète ne s'était risqué à proclamer l'écroulement imminent d'un communisme qui semblait encore plein de vigueur. Le drame du 11 septembre 2001 à New York a, lui aussi, fait l'effet d'un coup de tonnerre. Ce qui se passe dans le monde arabe semble avoir pris de court tous les gouvernements, leurs médias, leurs services de renseignements. Un des traits majeurs, peut-être le trait dominant du début du troisième millénaire c'est, révélé par des masses humaines rassemblées, la place occupée soudain par l'islam et par le monde arabe sur la scène internationale.

La deuxième particularité des événements que nous vivons presque en direct, c'est leur nature si spectaculairement contagieuse. Il y a eu une période, dans les années 1960 ou 1970, à propos de l'idéologie communiste qui semble aujourd'hui appartenir à la préhistoire, où la théorie des dominos était à la mode. Si cette théorie a jamais semblé triompher, c'est bien sous nos yeux, dans ce mois de février 2011. La chute de Ben Ali fait tomber Moubarak. La fin de Moubarak est une menace pour Kadhafi, pour le président Saleh au Yémen, pour le roi Abdallah de Bahreïn. Le feu, presque instantanément, a pris partout dans le monde arabe, de la mer Rouge aux rivages de l'Atlantique.

Le rôle de la technique moderne dans ces événements a été largement souligné. Après avoir permis à la révolte de naître et de se développer, Internet et la télévision en ont répandu les images sur toute la planète. La révolution arabe présente un double caractère : si moderne dans sa forme, elle pousse ses racines dans des traditions très anciennes. Elle est contradictoire. Elle est essentiellement ambiguë.

Tout est ambigu dans cette explosion. Couverts aujourd'hui d'opprobre, Moubarak, Ben Ali, Kadhafi ont longtemps été populaires chez eux et entourés de prévenance par les gouvernements étrangers. Pour beaucoup de raisons, notamment économiques, les grandes puissances ont traité avec eux. Nicolas Sarkozy est très loin d'avoir été le seul chef d'État à leur manifester de l'attention. On découvre maintenant et on fustige l'énormité de leurs détournements financiers. Tout le monde les connaissait, mais on fermait les yeux. Nous le savons depuis toujours : l'important, c'est d'être puissant. Les États-Unis sont puissants : on les respecte. La Chine est puissante : on lui passe tout. En Égypte, en Libye, ailleurs, le Raïs, le Guide et les autres ont cessé d'être puissants. Si ardemment courtisés, les rois, tout à coup, sont nus.

Qui a déclenché la traînée de poudre de la révolution arabe ? Pour un Occidental qui se souvient, par exemple, des révolutions en chaîne dans l'Europe de 1848, la réponse semble s'imposer :

le peuple. Mais derrière les foules d'Égypte et de Libye, de Tunisie et des États du Golfe, trois forces au moins se profilent : l'armée, la religion, l'aspiration à la démocratie.

Quand les lampions de la fête s'éteindront, laquelle de ces forces l'emportera ? La réponse est très incertaine. Il y a naturellement un désir de justice et de liberté. Les droits de l'homme se répandent. La démocratie progresse dans le monde. Mais il y a aussi partout des pesanteurs et des traditions. Elles sont très fortes dans le monde arabe, à la fois assez unies pour que la révolte s'y propage à la vitesse que l'on sait et profondément divisées.

La combinaison des trois forces rivales – armée, religion, démocratie – est très différente selon les régions. L'armée en Égypte a rendu publique très tôt sa neutralité entre le pouvoir et les manifestants. C'est elle qui dirige désormais le pays. Elle a promis des élections libres dans six mois. Entre les Frères musulmans, les démocrates épris de liberté et elle, comment se répartiront les pouvoirs et les tâches ? Qui peut répondre aujourd'hui à cette question ?

En Libye, au contraire, renforcée par des mercenaires venus du Tchad et d'autres pays d'Afrique, et malgré un nombre de plus en plus élevé de défections, elle est encore – pour combien de temps ? – aux ordres du délire meurtrier de Kadhafi, personnage de Shakespeare revu par Ubu roi et par Hegel, dont l'obstination suicidaire rappelle celle de Hitler dans les derniers jours de Berlin assiégée. Après les succès de la révolution non seulement à l'Est, en Cyrénaïque mais à l'ouest de Tripoli, l'hypothèse d'une guerre civile, peut-être d'une partition, ne peut pas être écartée. Mais la survie d'un Kadhafi aux abois semble de plus en plus douteuse.

Plus encore que l'armée, la religion est au cœur du drame. Par une sorte de paradoxe et contrairement à ce qui se passe en Égypte où un compromis au moins provisoire semble avoir été trouvé entre intégristes et militaires, Kadhafi se présente comme le dernier rempart contre ceux qu'il appelle « les barbus qui manipulent des drogués ». Des groupes islamistes proches des terroristes auraient apporté leur soutien aux adversaires de Kadhafi parmi lesquels se regroupent tous les partisans de la liberté et de la démocratie. On le voit : la situation est loin d'être simple et claire. Apparemment étrangère à la révolte arabe, la nébuleuse d'al-Qaida reste sans aucun doute aux aguets.

Un des traits frappants de la révolution arabe est l'absence de toute idéologie et de tout meneur reconnu. Contrairement aux révolutions française, russe ou chinoise, bien peu de noms de leaders révolutionnaires arabes peuvent être cités. La révolte n'a ni chefs, ni programme, ni ambitions affichées. Elle veut seulement se débarrasser de dictateurs corrompus. Elle est globale, anonyme, difficile à cerner sans but explicite.

Le plus clair, ce sont ses conséquences. Économiques, d'abord : le pétrole se retrouve entre 110 et 120 dollars le baril. Mais surtout démographiques. Il y a trente-cinq ans paraissait un roman provocateur et prémonitoire : *Le Camp des saints* de Jean Raspail. L'auteur y racontait, avec une ironie violente et qui paraissait insupportable, le débarquement dans le Midi de centaines de milliers de réfugiés venus de l'Inde. Ce sont des dizaines de milliers de réfugiés venus d'Afrique du Nord qui menacent aujourd'hui de débarquer sur les côtes italienne, espagnole et française. Des problèmes politiques et moraux insolubles risquent de se poser à des gouvernements attachés aux droits de l'homme. L'incidence des événements dans le monde arabe sur notre politique intérieure crève les yeux.

Non seulement les contrées riveraines de la Méditerranée, mais toutes les régions du monde sont concernées par ce qui se passe depuis quelques jours entre le Maroc et la Syrie. Jusqu'aux États-Unis, bien entendu. Jusqu'à la Chine. Un pays surtout doit s'interroger avec angoisse sur la situation nouvelle qui va se créer : c'est Israël. Avec Sadate, une ère de paix avait paru s'installer. L'assassinat de Sadate, l'assassinat de Rabin ont été de dures épreuves. Avec Moubarak, un équilibre avait été trouvé. Sa chute ouvre pour Israël une période d'incertitude. D'un côté, l'Égypte. Le nouvel homme fort de l'Égypte, le général Souleiman, va-t-il pouvoir poursuivre la politique de Moubarak ? De l'autre côté, l'Iran. La révolte va-t-elle dépasser le monde arabe pour s'étendre au monde musulman ? Ou rend-elle, au contraire, service au régime totalitaire de Téhéran ? La réponse est à nouveau aussi incertaine du côté iranien qu'elle l'est du côté égyptien.

Ce qui est sûr, c'est que les Arabes sont entrés dans un âge nouveau. Ils avançaient vers la liberté, vers la démocratie, vers les droits de l'homme ? Il est permis de l'espérer. Il est aussi permis de craindre une emprise plus forte de l'intégrisme musulman et du nationalisme. Une nouvelle configuration arabe est en train de s'installer. Dans l'ordre ? Dans le désordre ? Dans la paix ? Dans les conflits ? Avec un accent mis sur l'unité ? Avec des oppositions internes plus affirmées ? Qui le sait ? Dans ce que nous appelons le progrès ou dans ce que nous appelons la régression, le monde arabe va peser plus lourd sur le monde.

Le Figaro, 28 février 2011

Japon : pour qui sonne le glas...

La nature ne se laisse pas oublier. On dirait qu'elle cherche à se venger des triomphes de la technique. Toujours inattendus malgré les progrès des systèmes d'alerte, les cataclysmes se succèdent à un rythme accéléré. Si peu de temps après le tsunami thaïlandais et après l'éruption de ce volcan islandais dont personne ne connaissait le nom mais qui a réussi à clouer au sol tous les avions européens sans entraîner un seul mort, un séisme d'une violence inouïe frappe la côte nord-est du Japon.

Depuis plus ou moins longtemps, de grandes catastrophes ont fait des victimes par milliers et par centaines de milliers en Chine, au Japon, en Indonésie, en Turquie, en Iran, au Chili, ou ailleurs. L'émotion chez nous a toujours été forte. Les Français, les Européens, ne sont pas insensibles. Mais c'était loin, c'était répétitif. Les journaux publiaient quelques lignes dans leurs pages intérieures. Et on passait à autre chose.

Ce qu'il y a de bouleversant dans le désastre de ce pays techniquement si avancé qu'est le Japon, c'est la présence de la télévision. La nature se lance à l'assaut de la technique, mais la technique s'empare de sa propre déroute et la présente au monde entier. Chacun de nous, partout, a pu voir les livres et les objets dégringoler des étagères, les lumières s'éteindre, le plafond de l'aéroport se fissurer et céder, des enfants abandonnés, des parents désespérés, des femmes dire leur peur avec une grande dignité pendant que des pierres et des gravats tombent sur les têtes des passants derrière elles, des villes entières changées en décombres, un fleuve de boue monstrueux emporter sous nos yeux les voitures, les bateaux, les édifices dans une apocalypse de cauchemar.

C'était un spectacle bouleversant. Devant ces morts, non par milliers comme on l'avait d'abord annoncé, mais par dizaines de milliers, on pensait aux villes détruites par la violence des hommes : Stalingrad, Dresde, Hiroshima, les tours jumelles de New York. La nature semblait nous dire : « Vous m'avez oubliée, mais je peux faire aussi bien, c'est-à-dire aussi mal, que vous et vos délires. » Le séisme du 11 mars a beaucoup de précédents. Mais le monde a changé. Il y a deux cent cinquante ans, le tremblement de terre de Lisbonne inspirait un chef-d'œuvre. Dans son *Candide*, Voltaire s'en prenait avec une ironie meurtrière à l'optimisme de Leibniz qui soutenait avec talent et peut-être avec génie que les hommes vivaient dans le meilleur des mondes possibles. On voit aujourd'hui ce qui se cache derrière la souffrance et la douleur qui frappent le malheureux Japon : la crainte que la science et la technique, à qui tout paraissait ouvert et permis, n'aient enfin trouvé dans la terre qui tremble, dans la mer qui se déchaîne, dans la nature qui se réveille leur limite et leur maître. La vague gigantesque qui a déferlé sur Sendai réveille le souvenir d'Hiroshima et de Tchernobyl.

Les famines en Chine, l'éruption de la montagne Pelée, les tremblements de terre au fond de l'Orient lointain, il fallait du cœur et de l'imagination pour souffrir avec leurs victimes. Aujourd'hui, la phrase fameuse : « Aucun homme n'est une île [...] ne demande jamais pour qui sonne le glas : il sonne pour toi » prend un sens et une force que le poète John Donne n'aurait jamais osé imaginer. Ce sont les Japonais qui sont touchés et qui souffrent, mais, tous, autant que nous sommes, nous sommes déjà les victimes désignées de lendemains encore dans les limbes mais déjà dans les esprits.

Notre progrès est fragile. La science est vulnérable. Dans le grand combat de l'histoire, qui prend justement, par une ruse de l'histoire, l'allure d'un de ces arts martiaux chers au Japon, la nature sait à merveille se servir de notre force pour la changer en faiblesse. Un jour, lointain peut-être, lointain espérons-le, une ville ou une région des États-Unis encore triomphants ou de notre vieille Europe, déjà sous sa gloire passée à demi endormie, sera touchée à son tour par une de ces catastrophes où la nature des choses fait plier le génie des hommes. Nous sommes tous des Japonais frappés par ce qui les dépasse.

Le Figaro, 14 mars 2011

L'économie de marché est-elle morte ?

Tout au long de la première moitié du siècle dernier, l'Europe s'est détruite elle-même. Elle s'est relevée difficilement de la folie meurtrière de la Première Guerre mondiale, aux responsabilités partagées. La Seconde, qui découle de la Première et dont le principal responsable est un criminel, a donné le coup fatal à une Europe longtemps égarée et en fin de compte affaiblie par des ambitions coloniales qui allaient à contresens de la marche de l'histoire. Pendant près d'un demi-siècle, notre Vieux Continent, déchu de sa gloire passée, a vécu dans l'inquiétude d'une Troisième Guerre. La chute du mur de Berlin a ouvert une ère nouvelle. Le spectre d'un conflit planétaire s'est peu à peu dissipé. Les crises économiques à répétition ont remplacé la guerre. La chute du Mur a marqué la fin de ce rêve cher à beaucoup qu'était la révolution communiste annoncée par Karl Marx. On peut se demander si le rêve du capitalisme victorieux n'est pas en train de suivre le même chemin que le rêve du communisme écroulé.

Au communisme qui avait pris, par une pente inéluctable, le visage de la dictature stalinienne s'opposait l'économie de marché. Les meilleurs esprits ont longtemps parié sur la victoire du communisme. Une bonne partie de l'intelligentsia européenne y croyait dur comme fer. Sartre n'en doutait pas. Raymond Aron avait parfois le sentiment de mener un combat d'arrière-garde. L'effondrement de l'Union soviétique a été une surprise largement imprévue. Le capitalisme l'a emporté sur le marxisme.

Il est à peine besoin de souligner que l'économie de marché victorieuse a été saisie de la même folie qui animait le marxisme : une espèce d'ivresse très proche de cette fameuse *ubris* des Grecs qui frappait les hommes emportés par l'orgueil. Au lendemain de l'écroulement de l'empire stalinien, le professeur Fukuyama célébrait la fin de l'histoire. L'histoire, qui n'a jamais cessé de changer, ne s'en est pas moins poursuivie.

Les crises aussi se poursuivent. Elles s'enchaînent de plus en plus vite. Les conséquences du Jeudi noir de 1929 n'ont guère été effacées avant la Seconde Guerre. Après l'euphorie des Trente Glorieuses, chocs pétroliers et alertes financières se succèdent. À chaque fois, l'économie de marché s'en sort. Et chaque fois, elle retombe. Un peu à la façon des répliques des tremblements de terre. Avec cette différence que les répliques des séismes se font de moins en moins fortes après la catastrophe originelle. Alors que la répétition des crises économiques fait craindre dans l'avenir un krach décisif et final.

On ne s'étendra pas ici sur les causes de ces crises. Les économistes en ont longuement disserté : disparité des croissances, divergences monétaires, endettement des États, illusions du crédit, mise en cause des banques, spéculations financières… On ne discutera pas non plus la décision de l'agence de notation Standard & Poor's de baisser le AAA des États-Unis qui a mis le feu aux poudres. Ni sa contestation par le président Obama. On se contentera de remarquer que la répartition des responsabilités s'est sérieusement modifiée.

Il y a encore quelques semaines, la responsabilité de la crise se situait en Europe. Et plus particulièrement en Grèce. L'Irlande et le Portugal avaient donné des inquiétudes. Et, au loin, l'Espagne et l'Italie étaient montrées du doigt. L'Amérique triomphait et ne se privait pas de dénoncer les contradictions et les faiblesses de l'euro et de l'Union européenne. Elle était forte et l'Europe faible. Les Européens reconnaissaient eux-mêmes leur infériorité. Dans son ouvrage *Le Rêve français*, recueil de discours et d'entretiens qui paraît ces jours-ci, François Hollande écrit encore : « Tandis que les États-Unis connaissent une reprise plus rapide que prévu, c'est en Europe que les moteurs se sont échauffés. » Le moins que l'on puisse dire aujourd'hui, c'est que la crise affecte également l'Amérique et l'Europe.

Il n'y a pas de quoi se réjouir. La crise du capitalisme est globale. Impossible dès lors d'échapper à la question qui rôde en silence dans les esprits : une vingtaine d'années après la chute du communisme, l'économie de marché est-elle menacée à son tour ?

Ce qui frappe aujourd'hui, contrairement à ce qui se passait au moment de la chute du mur de Berlin ou de l'écroulement du communisme, c'est l'absence de toute solution de rechange. Au combat entre marxisme et capitalisme qui s'est terminé par la défaite du marxisme et la victoire de l'économie de marché a succédé l'effondrement suicidaire d'un capitalisme sans rival. Si le capitalisme suit le communisme dans la tombe, vers quoi allons-nous ?

Personne, aujourd'hui, ne peut répondre avec certitude à cette question. Si le capitalisme ne parvenait pas à trouver en lui-même la force de se réformer profondément, l'issue la plus probable serait une forme ou une autre d'autoritarisme plus ou moins secrètement hostile à la démocratie. C'est le chemin que semblent prendre en Amérique et en Europe deux mouvements sans doute très différents l'un de l'autre, mais également en croissance et animés d'un même rejet des valeurs capables de faire vivre une démocratie libérale : le Tea Party et le Front national. Ils ont tous les deux occupé la place laissée vide par le double déclin du communisme et de l'ultranationalisme. Les solutions proposées par l'une et l'autre de ces organisations entraîneraient un repliement des États sur eux-mêmes, une méfiance à l'égard de toute action internationale, un durcissement des rapports sociaux. Bien loin d'apporter un remède à nos crises, elles les approfondiraient et aboutiraient très vite à des catastrophes trop faciles à prévoir.

Au-delà des oppositions légitimes au sein de toute démocratie, il semble bien qu'il n'y ait pas d'autre solution à la crise profonde du capitalisme qu'une réforme radicale de l'économie de marché. L'économie de marché est-elle capable, comme elle s'en est souvent vantée, de trouver les ressources nécessaires pour se transformer elle-même ? C'est toute la question. Elle reste d'autant plus ouverte que la solution, loin d'être seulement technique, est d'abord politique et que la réforme ne peut être conduite que par les gouvernements en place. Ces gouvernements, en démocratie, sont sujets à réélections. Dans plusieurs pays, ces élections doivent prendre place l'année prochaine ou dans deux ans, au plus tard. Réformer est toujours difficile. Plus difficile que promettre, ne rien faire ou tout bouleverser sans souci des conséquences. Pour un gouvernement soumis, non seulement aux attaques d'une opposition aux aguets, mais à une réélection prochaine, c'est une tâche doublement ardue. Il y faut une volonté mêlée d'imagination et de courage. C'est de cette volonté-là que nous avons besoin si nous voulons échapper aux malheurs qui nous guettent.

Le Figaro, 19 août 2011

2014

L'Europe plutôt que la « France seule »

Les Français sont mécontents. Et ils sont pessimistes. Ils ont derrière eux un long passé de puissance et de gloire. Leur présent leur déplaît. Leur avenir les inquiète. Ils sont surtout déçus. Déçus par le président qu'ils ont élu il y a deux ans. Déçus par une opposition dont ils se demandent si elle ferait beaucoup mieux que le pouvoir en place. Déçus par l'Europe qui a été au lendemain de la guerre et pendant un demi-siècle un beau rêve et une grande espérance.

Sur l'impopularité du président de la République, tout a été dit. Et plus et mieux encore par ses propres amis que par ses adversaires. L'effondrement sans précédent de François Hollande a fini par prendre quelque chose de pathétique où un comique amer se mêle à la tragédie nationale. Le slogan « Le changement, c'est maintenant » a été répété deux ans après sa formulation initiale – mais en sens inverse. On dirait que les trois dernières années du quinquennat s'ouvrent sous le signe du rejet et de la négation des deux premières. Fregoli de la gauche, François Hollande va de changement de décor en changement de décor. Que de « chocs » successifs, que de « pactes » aussitôt oubliés, que de « mises à plat » et de « retournements » toujours à venir nous ont été promis ! Le résultat le plus clair de ces palinodies en chaîne est que le président a beaucoup perdu sur sa gauche sans réussir à gagner quoi que ce soit sur sa droite.

Observateur avisé, il commente fort bien et souvent avec sévérité une situation dramatique qu'il rejette volontiers sur son prédécesseur, mais dont il est le premier responsable. Il s'obstine à poser des rustines sur le système délirant d'imposition et de division qu'il a lui-même mis en place. Et, brûlant ce qu'il avait adoré, adorant ce qu'il avait brûlé, renvoyant d'un revers de la main ministres, conseillers, maîtresses, ne cessant jamais de caboter à vue, il se contente d'attendre que la crise se termine enfin – et elle se terminera bien un jour – et que le chômage prenne fin – et il prendra bien fin un jour, mais moins vite en France qu'ailleurs – pour se vanter d'une éclaircie qu'il n'aura fait que retarder.

L'arrivée à Matignon d'un grand communicant va-t-elle freiner la chute du président ? La Constitution fait du Premier ministre un fusible au service du président. Pour François Hollande, Manuel Valls sera plutôt une bouée qu'un fusible. Toute la question est de savoir si Valls sauvera Hollande du naufrage ou si Hollande entraînera Valls avec lui vers les profondeurs du rejet. L'un et l'autre se trouvent dans une situation périlleuse et étrange : la politique menée aujourd'hui au rebours des promesses électorales d'hier les coupe d'une fraction importante et sans doute croissante de leur majorité parlementaire. Un Premier ministre désormais contesté et affaibli à l'Assemblée nationale court au secours d'un président largement désavoué par l'opinion publique.

L'opposition républicaine porte les espérances du pays. Elle ne profite cependant pas à plein de l'échec retentissant du pouvoir. Les esprits remarquables ne manquent pas en son sein. Mais leurs déchirements internes leur ont nui. Un programme simple et clair fait défaut. Un patron unique et incontesté ne s'est pas encore imposé. Ce qui a fait le plus de bruit dans ce tohu-bohu, c'est un long silence – très écouté. En dépit de Juppé et de Fillon qui inspirent l'estime et le respect, ce qui, dans l'esprit de beaucoup, l'emporte sur les présences, c'est une absence. Le fantôme du Commandeur est caché dans l'armoire. Harcelé, poursuivi, objet de tant de soupçons le plus souvent infondés et d'un acharnement trop évident, Sarkozy, ailleurs, est pourtant toujours là, il suffit de constater l'écho rencontré par sa tribune récente dans *Le Point*. Il est le grand inconnu du sombre labyrinthe où, dans l'inquiétude et parfois le désespoir, se débattent les Français.

Ces Français, qui ne croient plus à grand-chose, ont longtemps cru à l'Europe. Portée sur les fonts baptismaux par les deux pères fondateurs qu'étaient de Gaulle et Adenauer, l'Europe a longtemps été, au loin, une espérance et un but. Elle a beaucoup perdu de son éclat et de son prestige. Et cette déception-là est plus grave encore que l'écroulement du pouvoir ou la perplexité inspirée par une opposition divisée. À l'origine, l'idée et le désir d'Europe étaient liés au rapprochement franco-allemand et à une aspiration à la paix. La France, l'Europe, le monde ont beaucoup souffert de l'antagonisme franco-allemand, marqué par trois guerres de plus en plus effroyables. Sous l'invocation de Charlemagne, de Léonard de Vinci, d'Érasme, de Cervantès, de l'art gothique ou baroque, de Goethe ou d'Henri Heine, l'Europe c'est d'abord ce bien suprême qu'est la paix.

Mais, à notre époque où la mondialisation, qu'on le veuille ou non, prend un caractère irréversible, l'Europe est aussi une exigence de puissance politique et économique. En face des États-Unis ou de la Chine, la France ne fait plus le poids. Si elle ne veut pas perdre à jamais la place de premier rang qu'elle occupe dans le monde, elle a un besoin ardent d'Europe.

Le cri : « La France seule » est aujourd'hui un appel au suicide politique, économique et moral. La France n'a jamais été plus grande que quand elle a été la France par et pour les autres. Voltaire et les Lumières, la Révolution des droits de l'homme et de la liberté, Hugo et Pasteur. Au moment où nous entrons dans un monde unifié par la science, la technique et les médias, une France repliée sur elle-même serait un paradoxe meurtrier.

L'Europe telle qu'elle est aujourd'hui présente beaucoup de faiblesses et d'inconvénients. L'Europe des Six, des Neuf, des Dix est devenue au fil des années l'Europe des Douze, puis des Quinze. À vingt-huit, plombée par des différences de développement économique très marquées, elle est trop nombreuse. Avec ses organes innombrables et pesants, mais, selon une formule célèbre, sans numéro de téléphone unique pour la joindre, elle est trop compliquée et trop éloignée des peuples qu'elle est censée fédérer. Elle inquiète plus qu'elle ne rassure.

Ce que nous lui devons de positif est pourtant, en fin de compte, plus important que ce que nous pouvons lui reprocher de négatif. L'Europe est déjà une puissance politique et économique qui compte. Elle doit le devenir encore plus et se situer au niveau le plus élevé. Dans le domaine culturel, pour prendre un exemple parmi beaucoup d'autres, un programme tel qu'Erasmus est un vrai succès. On citerait sans peine, à côté de pesanteurs insupportables, toute une série de réussites.

Le 25 mai, les élections européennes risquent de connaître une abstention record. Et les sondages semblent indiquer une poussée et peut-être une victoire pour le Front national, adversaire déclaré de l'Europe et de l'euro, et qui a fait de cette hostilité son principal argument de campagne.

Depuis maintenant plus de quarante ans, de provocations et d'échecs en mutations et en succès, manœuvré avec une habilité machiavélique par François Mitterrand pour affaiblir l'opposition parlementaire, bénéficiant paradoxalement de la diabolisation malhabile qui le frappait, passant de Jean-Marie Le Pen à sa fille Marine, profitant à fond des erreurs de Hollande et se posant en adversaire privilégié du pouvoir socialiste, le Front national s'est hissé au premier rang des forces politiques en France.

Disons les choses comme elles sont : d'un côté il est difficilement acceptable qu'une force telle que le FN soit totalement écartée des instances de décision, et notamment de l'Assemblée nationale ; d'un autre côté, impossible de ne pas constater que le FN représente pour le pays un danger plus grand encore, et ce n'est pas peu dire, que le socialisme à la Hollande. Il faut sans doute changer l'Europe, mais il ne faut surtout pas quitter l'Europe. Car, demain comme hier, notre seul avenir, c'est l'Europe.

Le retrait de l'Europe, l'abandon de l'euro, la fermeture des frontières, la chasse aux étrangers et aux immigrés mettraient la France au ban des nations et ouvriraient une période de désordre et d'impuissance effroyable.

Sans même parler du déshonneur qui s'attache à toutes les formes de mépris et de rejet des autres et surtout des plus faibles. Au bout du chemin, ce ne serait pas seulement un déclin politique, économique et moral, mais l'effacement rapide de la France. Au regard d'une telle catastrophe, les dénis de réalité, les allers et retours, les zigzags éperdus de Hollande apparaîtraient comme une aimable plaisanterie.

Si jamais, par malheur, le scrutin du 25 mai faisait du Front national le premier parti de France, beaucoup d'entre nous n'auraient plus d'autre choix que de s'enfermer dans le chagrin et dans une double opposition : au pouvoir légal et de plus en plus contesté d'abord ; au parti dominant ensuite.

En attendant je ne sais quel miracle capable de sauver de l'abîme notre malheureuse patrie.

Le Figaro, 25 mai 2014

Les chrétiens d'Irak sont menacés d'extinction

Il se passe dans ce monde, et souvent autour de nous, et parfois même chez nous, beaucoup de choses affreuses et tout à fait inacceptables.

En Libye, en Syrie, au Mali, dans plusieurs pays d'Afrique, en Ukraine, hier dans les Balkans, dans le Caucase, au Tibet – aujourd'hui encore, peut-être ? –, avant-hier au Cambodge ou au Rwanda, des abominations ont été commises. L'origine et le sommet du mal, nous les connaissons. Elles sont européennes : Hitler et son national-socialisme, Staline et son communisme, les uns et les autres si longtemps acclamés par des populations aveuglées et par de soi-disant élites devenues folles.

Dans un coin névralgique du Moyen-Orient, au nord de l'Irak, entre la Syrie, la Turquie et l'Iran, surgit soudain comme la foudre un péril formidable et nouveau : l'État islamique – le Daech, en arabe – d'Abou Bakr al-Baghadadi, dit le calife Ibrahim, il y a encore quelques semaines tout à fait inconnu.

Mossoul et ses champs de pétrole sont déjà tombés. Bagdad, au nom prestigieux, siège, il y a un peu plus de mille ans, d'une des civilisations les plus éblouissantes de l'histoire, est sur le point d'être emportée. Depuis la chute de Saddam Hussein, ou peut-être plutôt depuis sa prise de pouvoir, l'Irak n'en finit pas de poursuivre son chemin de croix. Sunnites et chiites se massacrent sauvagement. Auprès de ce qui est en train de se développer autour du calife Ibrahim et de son Daech, al-Qaida apparaît comme une organisation largement dépassée en matière de terrorisme et de cruauté.

Les conséquences de l'ascension fulgurante de l'État islamique sont imprévisibles. Le jeu politique risque d'en être largement modifié. Il n'est pas exclu que nous assistions à un rapprochement entre les États-Unis, la Russie, l'Iran – et peut-être même Assad – auquel personne n'aurait pu croire il y a encore trois mois.

N'importe quoi d'inattendu et de terrifiant peut naître de la situation actuelle dans cette région du monde. Le plus clair, en tout cas, est qu'en proie à une des persécutions les plus cruelles de tous les temps, les chrétiens d'Irak sont menacés d'extinction.

Avec Abraham, légende ou réalité, la Mésopotamie et l'Irak sont à la naissance du judaïsme – et donc du christianisme. Les communautés chrétiennes d'Irak sont parmi les plus anciennes de l'histoire. Elles sont sur le point d'être exterminées.

Il n'est pas question de réclamer un statut particulier pour les chrétiens où qu'ils soient. Mais il est tout aussi impossible d'accepter que les chrétiens d'Irak soient traités aujourd'hui comme ils le sont par l'État islamique en voie de constitution autour de Mossoul et peut-être, demain, de Bagdad.

Une question est souvent posée : que peut-on faire pour les chrétiens persécutés ? D'abord, ne pas les oublier. Prier pour eux si l'on est croyant. Agir en leur faveur par les voies politiques et diplomatiques. Les accueillir dans des pays où ils pourraient survivre. Leur témoigner de toutes les façons possibles une solidarité et un soutien. Faut-il que l'Europe soit faible et les Nations unies peu présentes pour avoir laissé se dérouler le fil des massacres annoncés ! Le cardinal Barbarin, en se rendant aux environs de Mossoul en compagnie de deux prélats, n'a pas seulement apporté avec courage aux chrétiens d'Irak l'appui de l'Église de France. Il a sauvé l'honneur d'une Europe et d'un monde désespérément absents. Toutes les instances nationales et internationales ont le devoir de prendre les mesures nécessaires pour sauver ce qui peut encore être sauvé.

Il est impossible de ne pas souligner aussi le mal que fait à l'islam un mouvement comme celui de l'État islamique d'Abou Bakr al-Baghdadi. L'islam est une grande et belle religion. Il faut la reconnaître, la respecter, l'honorer. Mais il faut aussi

que les musulmans dénoncent eux-mêmes avec force les abominations du soi-disant État islamique.

Nous dénonçons ici toutes les formes d'intolérance qui peuvent se présenter chez nous à l'égard de l'islam. Nous attendons
des musulmans de France et d'ailleurs qu'ils dénoncent aussi
les horreurs du califat de Mossoul et qu'ils le combattent activement.

Le Figaro, 2 août 2014

TABLE

L'Histoire que nous vivons

Du même auteur (suite)

Aux Éditions NiL

UNE AUTRE HISTOIRE DE LA LITTÉRATURE FRANÇAISE
  (deux volumes)

Aux Éditions Julliard

L'AMOUR EST UN PLAISIR
LES ILLUSIONS DE LA MER

Aux Éditions Grasset

TANT QUE VOUS PENSEREZ À MOI
  (entretiens avec Emmanuel Berl)

Aux Éditions Héloïse d'Ormesson

ODEUR DU TEMPS
SAVEUR DU TEMPS
L'ENFANT QUI ATTENDAIT UN TRAIN
  (conte pour enfants)
LA CONVERSATION
  (théâtre)
COMME UN CHANT D'ESPÉRANCE

Imprimé en France par CPI
en mai 2015

Composition et mise en pages
Nord Compo à Villeneuve-d'Ascq

Dépôt légal : août 2015
N° d'édition : 54301/01
N° d'impression : 128467